Алексей
СЛАПОВСКИЙ

# ИЗБРАННОЕ

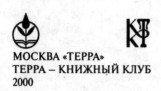

МОСКВА «ТЕРРА»
ТЕРРА – КНИЖНЫЙ КЛУБ
2000

# Алексей СЛАПОВСКИЙ

# ИЗБРАННОЕ

*Я — не я*

*авантюрно-философический роман*

*Первое второе пришествие*
*роман*

*Пьеса № 27*

*Повести*

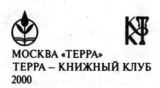

**МОСКВА «ТЕРРА»**
**ТЕРРА – КНИЖНЫЙ КЛУБ**
**2000**

UDK 882
ББК 84 (2Рос=Рус) 6
С47

Художник
*Б. ЛАВРОВ*

**Слаповский А.**

С47    Избранное: Я — не я: Авантюрно-философический роман; Первое второе пришествие: Роман; Пьеса № 27; Повести. — М.: ТЕРРА, 2000. — 432 с. — (Литература).

ISBN 5-273-00168-4

В книге собраны наиболее характерные произведения Алексея Слаповского, успевшего превратиться менее чем за десять лет из начинающего провинциального прозаика в одного из самых известных российских писателей своего поколения.

В сборник вошли произведения разных жанров, дающие представление о творческой манере автора: авантюрно-философический роман «Я — не я»; «Первое второе пришествие» — современная притча о человеке, возомнившем себя Иисусом Христом; повести «Жар-птица» и «Талий», а также «Пьеса № 27».

УДК 882
ББК 84 (2Рос=Рус) 6

ISBN 5-273-00168-4

© А. Слаповский, 2000
© Издательство «ТЕРРА», 2000
© ТЕРРА—Книжный клуб, 2000

Я — не я

## Глава 1

Стоит, например, Неделин на автобусной остановке и смотрит на мужчину, грызущего подсолнечные семечки. Мужчина всовывает семечко в угол рта короткими пальцами (а ногти узкие и широкие, вросли в мясо), прихватывает семечко мокрыми вялыми губами, он хрустит внутри рта, шевелит ртом и не выплевывает шелуху, а лениво выпихивает ее языком на нижнюю губу, и прилипшая шелуха шевелится, когда рот жует следующее семечко, и опять лезет изо рта шелуха, вытесняя прежнюю, та падает, но иногда удерживается, и на губе образуется довольно большая пестрая кучка, черно-белая кучка на мокрой губе, и все это шевелится — и даже жаль, когда падает. Кто-то глянул бы мельком: ну, мужик семечки лузгает, делов-то! — а Неделин смотрит неотрывно, и хочется ему, чтобы подольше не приходил автобус, даже пусть из-за этого придется опоздать на службу, черт с ней, со службой, так бы стоять и смотреть на мужчину — в мешковатом пиджаке, в неглаженых штанах, в черной немаркой рубахе, волосы желтые и редкие, глаза бессмысленно-сосредоточенны. Неделин смотрит и смотрит, и ему жаль расставаться с ним, когда подходит автобус, но и в автобусе всегда есть что-то, пригодное для наблюдения. Окажется рядом, например, девушка, и Неделин рассматривает пушок на ее щеке, представляя себя то счастливым мужем девушки, то ее гордым отцом, то ее тревожной матерью, то самою девушкой, и, пока едет, сочинит несколько историй про нее, причем часто бескорыстно, сам не участвуя в воображаемых событиях.

По вечерам он одиноко гуляет по улицам (жена давно уже смирилась с этими прогулками), заглядывает в окна, радуясь, если шторы задернуты неплотно и можно увидеть уголок чужого быта, чужой жизни. Это не болезненное любопытство, Неделин не ловит какие-то интимные или необычные моменты, его как раз интересует будничная обыденность. Однажды он целый час простоял перед кухонным окном первого этажа, наблюдая за стариком, чистящим селедку. Старик был опрятен — в полосатой пижаме, в клеенчатом переднике. Неделин не тому позавидовал, что селедка, он не любил селедку, он позавидовал удовольствию старика, его размеренным движениям, его углубленности. Внимательно проследил Неделин, как селедка была очищена, избавлена от костей, порезана на кусочки, посыпана зеленым луком, как старик накладывал из кастрюльки дымящуюся картошечку-пюре, как он задумался, добавить ли еще ложечку или хватит, — и добавил, как он кладет кусок масла,

7

перемешивает, облизывает ложку, как режет хлеб, как берет вилку и как, наконец, начинает кушать: отправив в рот пять-шесть навильничков картошечки, подцепляет кусочек селедки для сдабривания полости рта, откусывает хлебца и жует, потом еще пять-шесть навильничков — и селедочку, еще пять-шесть — и селедочку... — славно ему!

Неделин попробовал: купил ветчины (вместо селедки), тонко и аккуратно порезал ее, якобы увлекаясь процессом, попросил жену сварить картошки, сам положил ее в тарелку, размял и сдобрил маслом, и: пять-шесть навильничков картошечки — кусочек ветчины, пять-шесть — кусочек.

Нет, не то. Чего-то не хватает, не приходят довольство и умиротворение.. «Не то», — вслух буркнул Неделин. «Может, хрена тебе или горчицы?» — спросила жена. Он, не ответив, угрюмо дожевал картошку с ветчиной, невпопад беря вместо нескольких подряд навильников картошки несколько подряд кусков ветчины.

Брезгуя человеческой мелочевкой, он тем не менее со страстью смотрел на нее, разглядывал, наблюдал — и это не всегда кончалось благополучно.

Так, однажды он любовался в магазине хорошенькой кассиршей, у которой был замечательный завиток легких светлых волос над белым лбом, над пухлыми губками, над веселыми синими глазками рано созревшей и опытной идиотки. Он глядел и глядел, хотя семья ждала его с продуктами, а кассирша вроде не обращала внимания, но вдруг встала и взвизгнула на весь магазин: «Мужик, какого х... тебе надо? Задолбал ты меня! Чего уставился? Кеша, иди сюда, тут козел какой-то!» Тут же явился Кеша и выгнал Неделина из магазина, бесцеремонно пихая окровавленными руками (рубил мясо?). И долго еще в ушах Неделина звучало звонкое матерное слово красотки-кассирши, которое она бросила с чудесной экспрессией — как горсть жемчугов!

Другой раз старушонка в рыночной очереди, аппетитная для глаз старушонка с крючковатым носом и обезьяньими живыми глазами, полными своеобразной смышлености, без проблеска, однако, законченной мысли, вдруг закричала Неделину, который, как ему казалось, наблюдал скрытно, исподтишка: «Хулиган нескромный! Бессовестный какой!» — и ударила пустой матерчатой сумкой по плечу. Очередь ничего не поняла, но в несколько голосов раздраженно заговорила о тех, кто лезет без очереди.

Был случай чуть ли не политический — в строгие времена. Неделин, как зачарованный, стоял напротив некоего очень серьезного административного учреждения и наблюдал вечерний разъезд служащих высокого ранга. Загадочно, бесшумно подкатывали черные автомобили, загадочно выходили служащие с папками и портфелями, с загадочными лицами садились в машины — и загадочно уезжали, увозя с собой какую-то тайну. И вдруг к Неделину подошел милиционер и спросил, кого он тут дожидается. Неделин растерялся, замялся, сказал, что никого, а так просто. Милиционеру это не понравилось, он привел его в милицейский пункт, находящийся в том же здании, попросил предъявить документы, документов у Неделина, естественно, не было, пришлось ему под конвоем уже двух милиционеров идти домой, предъявлять документы, жену и детей. Милиционеры ушли, сказав на прощанье, что людей, которые с неизвестной целью торчат ровно два часа на одном месте (а место государственное, режимное!), ничего при этом не делая, нужно обязательно и даже принудительно лечить. Жена Неделина была полностью с милиционерами согласна.

Кстати, через некоторое время после этого случая Неделину пришлось побывать в данном серьезном учреждении по навязанному службой делу, и все выглядело буднично — кабинеты, люди, бумаги, но он не верил этой будничности, ему чудилось, что как только за ним закрылась тяжелая государственная дверь (сам труд, с которым приходилось открывать эту массивную дверь, уже настраивал посетителей на определенный лад), тут же в здешних людях пробудилось нечто таинственное, исчезнувшее при его появлении, возникли смысл и смак, недоступные ему...

Он старался наблюдать осторожно, но бывали случаи непредвиденные. Однажды он ехал на работу, и в автобус вошел рослый парень, неожиданно для утреннего времени пьяный, грозовой, ищущий шума и ярости. Пассажиры это почувствовали и старались не глядеть на парня. Неделин тоже понимал, что не надо на него смотреть, но, как магнитом, тянуло полюбоваться безобразием небритой пьяной хари, и он глянул на пьяницу, не удержался. «В чем дело, мужик?» — тут же с готовностью спросил парень. «Ничего», — тихо сказал Неделин. «А?!» — крикнул парень. Неделин отвернулся, парень взял его за плечо. Неделин повел плечом. «Что?!» — гневно изумился парень, хотя Неделин ничего ему не сказал, и ударил малахольным кулаком, в кровь разбив губы. Неделин его отпихнул, парень счастливо засмеялся размахиваясь, но тут автобус остановился, Неделин выпрыгнул, а хулиган — не успел.

Неделин вполне хорошо исполнял свои обязанности мужа и отца двух сыновей. Работу не менял, считая, что другие места для него не хуже и не лучше. Схоронил, горюя, мать — запомнив лучше всего бодрую физиономию фотографа, который, хлопнув водочки вместе с могильщиками, сказал с оживленным унынием: «Снимемтесь на печальную память! Прошу родственников! Прошу сослуживцев! Прошу сына и дочь в первый ряд! На печальную память, что ж сделаешь, друзья!» и, пощелкав фотоаппаратом, взяв вперед деньги, заторопился к очередному катафалку, шустро юлил меж закоулков оград, футляры прыгали, били его по бокам... Отца же Неделин не знал, тот давно ушел от них, подробностей у матери он не выспрашивал.

Казалось, он живет однообразно и тихо, но вы, красивейшие женщины, не подозреваете, что побывали в женах и любовницах этого невзрачного человека, вы, начальствующие, не знаете, что он правил наравне с вами и выше вас, вы, ловкие и умелые, не догадываетесь, что этот вот, проходящий мимо вас, внимания вашего не стоящий, успел проявить мысленно и ловкость и умелость гораздо большую вашей — и убедился, что все суета.

Убедиться-то убедился, но все же...

## Глава 1,5

Стоя на балконе вечером, Неделин глядел на множество огней города, на окна, окна, окна, за которыми люди, люди, люди, — и желал одновременно быть и там, и там, и там, среди этих глупых людей, которым Бог дал ни за что ни про что умение плотно чувствовать самих себя и окружающие вещи.

## Глава 2

В тот день он шел по одной из центральных улиц Саратова: по проспекту имени Кирова.

Что, кстати, сказать о Саратове? В нем нет Летнего сада, Патриарших прудов, памятника дюку Ришелье, но, если поискать, найдутся не менее примечательные достопримечательности, однако я люблю его как раз за то, что он похож на множество других российских городов, попадая в которые чувствуешь себя так, будто никуда не уезжал: те же остатки старины в центре, то же унылое многоэтажие окраин, та же толкотня в таких же троллейбусах и автобусах, такой же пьяница обратится к тебе на углу, как к родному брату, лучшему другу, давнему корешу, прося выручить и добавить на выпивку... Конечно, хочется иногда воскликнуть, что у нас... — но что у нас? У нас великая река Волга, это да, но она и у Казани, и у Самары, и у Астрахани... На что уж Камышин мелкий городок, а и он — на Волге... У нас жил и работал революционный замечательный демократ Н. Г. Чернышевский, но, по моим наблюдениям, в каждом городе в свое время кто-то жил и работал. У нас развитая промышленность и богатые культурные традиции, но опять-таки где же нет хоть какой-нибудь промышленности и хоть каких-нибудь традиций? Давно, еще до того, как случилось то, о чем я собираюсь рассказать, саратовцы на вопрос о численности городского населения гордо отвечали: около миллиона! Время шло, время идет, а мы все говорим: около миллиона! На самом деле нас уже перевалило за миллион, но официально об этом не сообщают, поскольку город наш хоть и открыт, но как бы еще отчасти секретный — и по объявленной откровенной численности населения те, кому не надо, сразу догадаются о мощности его военно-промышленного комплекса, того самого, что отходами своими добивает окончательно рыбешку, которая чудом добирается от верховьев до Саратова полудохлой.

Но к чему фельетонность? Ведь очень скоро все будет или хуже, или лучше, зачем же ловить ускользающий момент?


Неделин любил ходить по проспекту имени Кирова, потому что улица эта — молодежная, место встреч, свиданий, знакомств и показа себя друг другу. Здесь своя атмосфера — беспокойная, ожидающая, неуютная для тех, кто пришел сюда без цели. Да еще музыка — из ресторана «Европа», из ресторана «Россия», из ресторана «Русские узоры», из ресторана «Волга» и из того ресторана, который называется просто «Ресторан» (до вечера функционируя как столовая), но люди, не любящие безымянности, назвали его почему-то «Пекином».

Музыка подхлестывает, хочется легкости, праздника, но тебе уже под сорок, в кармане у тебя мелочь, оставшаяся от рубля, выданного женой на обед, повадки у тебя робкие. Однажды Неделину выпала неожиданная премия на работе, тридцать с чем-то рублей, и он решился сходить в ресторан, где не был со времен молодости (а в молодости трижды — два раза на чужих свадьбах и один раз на собственной). Сходить не для того, чтобы покутить, он этого не умел, а просто побыть, посмотреть, соприкоснуться.

Сперва он зашел в «Волгу» — и сразу же испугался зеркального вестибюля и широкой лестницы, устланной красной дорожкой, испугался швейцара. Он понимал, что выглядит глупо: вошел, а не входит, топчется чего-то. Но и выйти сейчас же обратно неудобно, швейцар подумает про него: провинциал убогий, шваль безденежная, а ведь он, между прочим, коренной горожанин, интеллигент в третьем поколении... Неделин подошел к швейцару и спросил спички. Швейцар дал ему спички, и Неделин оказался в еще более глупом положении, он ведь не курил, а значит, зачем ему, собственно, спички? Повертев в руках коробок, Неделин похлопал себя по карманам и сказал очень естественно: «Черт, сигареты забыл!» Швейцар, улыбаясь, угостил его сигаретой. Неделин сунул ее в рот, прикурил (пальцы от волнения дрожали), затянулся и — закашлялся. «Посидеть, что ли, в ресторане, что ли, не на что?» — спросил швейцар, какой-то совсем не швейцаристый, добродушный пожилой человек. «Ага», — сказал Неделин. «За трешницу красного стаканчик?» — предложил швейцар. (Тогда это были еще деньги!) Неделин чересчур обрадовался, швейцар повел его в свою каморку, налил стакан гадкого дешевого вина чайного цвета, и Неделину пришлось выпить. Его чуть не стошнило, он поспешно зажевал конфеткой, подсунутой любезным швейцаром, дал ему трешницу и вышел. На улице стало получше, а скоро и совсем хорошо. И в ресторан «Россия» он вошел уже уверенно, бодро, не испугавшись лестницы, которая здесь была еще шире и солиднее, но демократичнее, грязнее — без дорожки. Дождавшись официантки, Неделин заказал, поглядев на соседние столы, то же, что заказывали другие, но принесенную водку пить не стал, он издавна боялся пьяного состояния, у него было предчувствие, что в этом состоянии он сделает какую-нибудь большую глупость. Загремела музыка, появилась на полукруглой эстраде и запела молоденькая голубоглазая девушка, которая показалась очень красивой. Мешало, правда, то, что неподалеку сидела еще одна красавица, совсем другого рода: южанка, смуглая, с черными глазами, в черном атласном платье. Это было слишком для Неделина, он хотел бы, чтобы южная красавица исчезла, чтобы не распылялось внимание, не распалялось воображение, — чтобы не раздваиваться. Голубоглазая певица пела наивно и страстно.

Неделину было трудно выдержать этот шквальный напор жизни. Он хотел даже уйти, ничего не съев и не выпив, но тут голубоглазая певица кончила петь и удалилась. Через несколько минут музыканты опять заиграли, без пения, заиграли медленно — для танца. Будь что будет, сказал себе Неделин, выпил большую рюмку водки, торопливо закусил и пошел приглашать южную красавицу на танец. Она посмотрела на сидевшего с ней лысого хмурого человека с усами, тот отпустил. Неделин, сжавшийся, скованный, топтался с красавицей, едва касаясь ее, — и в это время снова запела красавица та, голубоглазая. Неделину хотелось смотреть на нее, он поворачивал партнершу спиной к эстраде, наступил кому-то на ногу, перед глазами возникло принципиальное злое лицо — тоже с усами и спросило: «Извиняться надо, нет?» Неделин сказал с приветливой хамской улыбкой: «Ну, извинись!» И тут же чьи-то руки схватили его за воротник, поволокли из зала, человек с усами кричал, толпились возле и другие, тоже сплошь усатые, Неделин презрительно говорил: «Цыц! Молчать!» — а его волокли и выволокли из зала, столкнули с лестницы. Он побежал быстро-быстро, чтобы не упасть, ударился о дверь, вывалился на тротуар, тут же выскочила официантка, требуя расчета, денег почему-то не хватило, тут же подоспела милиция.

Он появился дома утром с синяками. Жена, сроду не видевшая мужа таким, даже не знала, как его ругать, но все же — по супружескому долгу — начала и разошлась, разохотилась и в итоге заявила, что хватит ей этого идиотизма, хватит этих вечерних прогулок неизвестно куда и зачем, все, с этого дня он будет сидеть по вечерам дома! Пора и о детях вспомнить, без отцовского глаза растут! Но Неделин, мягкий и уступчивый Неделин, прервал ее, сказав: «Ну нет. Этого ты не дождешься. Вечера — мои». «Я с тобой разведусь тогда!» — закричала жена. «Разводись», — спокойно ответил Неделин, и жена умолкла и не стала даже спрашивать, где он был. Она успокоилась — тем более что ни до, ни после этого Неделин не давал повода для подобных скандалов. Уходил, как и всегда, каждый вечер на час-полтора, но это ведь пустяки по сравнению с настоящими мужскими грехами, о которых жена вполне имела понятие, да и сама она разве не завела несколько лет назад роман с женатым мужчиной — короткий, но яркий, яркий, но мучительный, мучительный, но оставшийся тайной для всех и в первую очередь для Неделина, который ничего не заподозрил и тогда, когда она, сроду не ездившая в командировки (да и зачем нужна командировка корректору газеты?), уехала куда-то на полторы недели. Что было, то было, и осталось лишь в стихах, в тетрадке, которую она прятала в шкафу среди своего белья. Неделин как-то по ошибке залез в этот ящик, увидел тетрадь, взял, полистал, она вошла в это время в комнату, испугалась, а Неделин, рассеянно глядя на столбики стихотворных строк, спросил: «Где чистые носки-то у меня?» — и бросил тетрадку обратно.

Южная красавица забылась скоро, а вот голубоглазая певица не выходила из головы. Каждый вечер Неделин гулял мимо «России», часто слышал ее голос через открытые по летнему времени окна, но заглядывал в ресторан лишь изредка, вставал у двери зала, держал в руке сигарету, будто вышел покурить, дожидался появления певицы на эстраде и смотрел на нее.

Тут не то чтобы любовь, а как бы это сказать — но где начинается вот это «как бы сказать», там, значит, или нечего сказать, или невозможно сказать. Тут уже стихами писать надо, а Неделин не писал и не любил вообще стихов, имея слишком рациональный ум.

## Глава 3

Так вот, в тот день, когда случилось то, о чем мне не терпится рассказать, но все как-то приходится отвлекаться и сбиваться, Неделин начал свою вечернюю прогулку быстрым шагом, потому что наметил выкроить время для посещения ресторана и любования голубоглазой красавицей. Он прошел через сад «Липки», который так называется потому, что там действительно росли когда-то липы, но название держится прочно — и это доказательство того, что слово намного крепче названной им вещи, поименованного предмета, обозначенного явления, и не только в начале было Слово, но Словом, боюсь, все может и кончиться. О «Липках» студенческий поэт сказал: «Мимо сада, мимо"Липок" шел я, весь от страха липок». Или — «от страсти липок». Оба варианта оправданы: в тенистых аллеях сада можно назначить свидание, посидеть в любовных объятиях, а можно и нарваться на тех, кто, размяв ноги на летней танцплощадке возле Дома офицеров, хочет размять и руки. Впрочем, сейчас, говорят, стало тише, а было время, когда там активно действовали учащиеся индустриального техникума. Их ради дисциплины на военной кафедре стригли почти наголо (какие, однако, пасмурные были годы!), а они, в свою очередь, заботились о гигиене других: ходили с ножницами и всем длинноволосым обрезали патлы, иногда при этом назидательно давая в зубы. Отдыхали они от этой дидактической работы в кафе, в котором всегда было свежее пиво и которое мы с друзьями называли «постиндустриальным» — в честь учащихся индустриального техникума. Нас они не трогали, мы тоже были из-за своей военной кафедры лысоголовыми — но безропотно, не мстя за это никому, все ж таки университетская молодежь с понятиями о свободе как осознанной необходимости. Вы свободны брить нам головы, а мы свободны пить пиво по восемь — десять бутылок на нос, а под столом бутылка водки для «ерша». В этом кафе к нам однажды подсел грязный старик и, напрашиваясь на угощение, моргая красными веками, спел песню, переделанную народом из «Ландышей», и, как это всегда бывает, у народа получилось лучше:

> Ты сегодня мне поднес
> шиш большой под самый нос
> и сказал, что это ландыши,
> но меня не проведешь,
> шиш на ландыш не похож —
> шиш большой, а ландыш маленький.
>
> Побежим-ка в камыши,
> ........ от души! —
> на фига ж нам эти ландыши? — и т. п.

Итак, Неделин быстро прошел через «Липки», миновал памятник Н. Г. Чернышевскому (саратовцы любят задавать вопрос: какая рука поднята у памятника? Спрошенный, если сам не знает этой шутки, надолго задумывается, а потом наугад говорит: «Правая? Левая?» Задавший вопрос торжествует: «Никакая! Он руки скрестивши держит!» — и это действительно неожиданно, ведь мы привыкли, что наши памятники обязательно протягивают куда-нибудь руку, указуя и направляя), достиг угла улиц Горького и Кирова, где и находится ресторан «Россия». Он подгадал к тому времени, когда ансамбль и певица уже начинают работу, но публики еще немного, в дверях ресторана не толпится очередь, она появится позже, когда во всем городе закроются винные магазины.

Неделин стоял у входа в зал довольно долго, вернее, прохаживался —

для конспирации, ансамбль играл пока без певицы, что-то разминочное, необязательное, но вот вышла и она, голубоглазая красавица, и запела.

Кто-то отстранил Неделина — он встал, увлекшись, на самом ходу. В зал вошел высокий молодой человек в белом костюме, черной рубашке, на шее у него был повязан полосатый черно-белый платок. Он направился к эстраде. Красавица, не переставая петь, улыбнулась ему, он указал ей кивком на дверь. Певица ответно кивнула, музыканты заметно убыстрили темп, молодой человек вышел из зала и уселся в кресле, ожидая. Но тут же встал, нетерпеливо прошелся мимо Неделина, посмотрел на него как-то очень неприятно, будто именно Неделин виноват в том, что ему приходится ждать, глянул после этого на часы. Неделин тоже посмотрел на часы. Ему тоже хотелось ждать, как этому уверенному молодому человеку, нетерпеливо ждать, чтобы дождаться: он ему завидовал.

Неделин посмотрел на часы — и не увидел их, то есть увидел чьи-то чужие часы, не со стрелками, а с цифровым электронным табло, с миниатюрной клавиатурой под ним. Неловким пальцем Неделин стал зачем-то нажимать на кнопочки, возникали то месяц и число, то температура воздуха и атмосферное давление, то вдруг цифры заскакали, умножая, вычитая и складывая, а после нажатия на кнопочку со скрипичным ключом послышалась игрушечная мелодия, кукольный мотив.

Неделин не мог этого понять. От понимал также, что чего-то еще не понимает. С усилием оторвав взгляд от часов, он понял, что не понимает вот чего: почему-то вместо привычного рукава своего серого в мелкую клеточку пиджака он видит рукав пиджака белого и лацкан пиджака — белого, и ощутил подбородком шелковую материю шейного платка. Осторожно подняв глаза, Неделин увидел: человек в сером костюме, до ужаса знакомый, шел в зал — навстречу закончившей петь певице. Она хотела обогнуть его, но он встал на пути, бесцеремонно взял ее за плечо, девушка вскрикнула, мужчины всего зала бросились на помощь, девушка побежала, он было кинулся вдогонку, но уже двадцать храбрых мужчин крепко держали его, он возмущенно взвился, ударил кого-то, началась свалка, а испуганная девушка бежала к Неделину и, схватив его за руку, повлекла за собой по лестнице вниз, на улицу. Только там она, отдышавшись, заговорила:

— Это кошмар, каждый день скандал какой-нибудь. Ты видел? Хорошо, что ты его убить не успел. Пьяный какой-то, ты не ввязывайся. Ему сейчас и так больно сделают, ты не лезь, Витя. Ну, привет, что ли? — и подставила щеку для поцелуя.

Неделин дотронулся губами и сказал:

— Привет, — и поразился голосу: какой-то мягкий, слабый голос с сипотцой. Положим, сам Неделин не чтец-декламатор, но голос у него нормальный, достаточно звучный; когда он, не нажимая, рассказывает анекдот, его слышит даже глуховатая Крупова из дальнего угла их служебной комнаты на пятнадцать столов. Неделин пошевелил языком — будто протез вместо языка тычется в резиновые губы.

— Я отпросилась, — сказала голубоглазая певица. — Ты куда пропал, сто лет тебя не видела? Соскучилась. Поедем куда-нибудь?

Неделин хотел все сказать, все объяснить — и подняться в ресторан, где бьют ни в чем неповинного человека, разобраться в этой нелепости, а красавица уже взяла его под руку.

— Где всегда машину оставил? — и повела, и Неделин покорно пошел. Угадывая ее движения, он свернул на улицу имени Яблочкова, где, возле дома номер девять, стоял автомобиль серебристого цвета. (Я для того упоминаю эти необязательные детали, чтобы сомневающиеся в правдивости данного рассказа могли проверить: в Саратове действительно есть улица имени Яблочкова, на ней дом номер девять, а во дворе этого дома — это уж для особенно дотошных — вы найдете сквозной подъезд, через который можно попасть на все тот же проспект имени Кирова. Пожалуйста, проверяйте!)

Девушка встала возле машины, ожидая, когда Неделин откроет. Он порылся в карманах, достал связку ключей, поковырялся в двери, подбирая ключи, открыл дверь, сел на водительское место, впустил красавицу, посмотрел на руль, на приборную панель, на рычажки и педали и подумал: ну вот, кончилось это дикое приключение.

Он не умел водить машину.

— Ты какой-то заторможенный, — сказала красавица. — Устал? — и приблизила лицо. Неделин взял в ладони ее лицо и стал своими губами прижиматься к ее губам, никак не находя удобства и удовольствия, не чувствуя еще чужие губы своими. Но красавица помогла — приоткрыла рот и что-то такое стала делать, от чего и рот Неделина стал действовать уверенней, уже с удовольствием.

Нехотя оторвавшись, Неделин наугад вставил один из ключей в замок зажигания, оказалось — нужный ключ. Он повернул его, и тут же ноги сами стали нажимать педали, а правая рука сама ухватилась за какую-то штуковину с набалдашником, машина дернулась, мотор взвыл.

— Это ты от меня очумел! — радостно сказала красавица. — А может, я поведу?

— Ты умеешь?

— Здрасьте! — фыркнула красавица. — Шути смешней. Куда поедем?

— Куда и в прошлый раз, — слукавил Неделин.

— Опять ко мне? У меня мать дома. А у тебя — жена. Когда разведешься?

— Скоро, — пообещал Неделин.

— Да мне плевать, — сказала красавица. — Поехали.


Они приехали в окраинный микрорайон под названием Шестой квартал, и это странное название, потому что Пятый квартал по соседству еще есть, а вот где Четвертый, Третий, Второй и Первый, этого вам никто не скажет. Нету их.

— Сейчас я ее гулять отправлю, — шепнула красавица в прихожей. (Выглянула.) — Она на кухне, проходи в комнату.

Неделин прошел, скромно сел в кресло. Из кухни слышалось:

— Опять жулика своего привела?

— Привела. Завидно?

— Доиграешься до сифилиса!

— Доиграюсь. Завидно?

— Я тебя, Ленка, выгоню. В публичный дом.

— Их у нас нет, а жаль. Тебя на час, как человека, просят.

— Это моя квартира.

— Это наша квартира. Я тебя прошу, мама. По-доброму пока.

— Нахалка!

И т. п.

Неделин, оглядывая комнату, удивился: хоть раньше он не думал об этом, но как-то само собой предполагалось, что красавица (Леной зовут, хорошее имя, жена вот тоже Лена, но применительно к красавице это имя звучит совсем по-другому) живет если не в роскошестве, то в красивом девичьем уюте. Здесь же — вон шкаф допотопный, без одной ножки, вместо которой подложена стопа книг, вон трюмо с лопнувшим зеркалом, платок брошен на продавленный диван, старушечий платок, темный; наверное, мать Лены — это и по голосу слышно — почтенного возраста, родила Лену поздно.

Мать Лены прошла в прихожую, не взглянув на Неделина, он успел только заметить, что она не старуха, но, очевидно, больная женщина: лицо желтое, волосы седые, глаза безнадежные. Хлопнула дверь.

— Вот сука какая, — проворковала Лена, нежно обнимая Неделина. — На час, говорит, и ни минуты больше, говорит. Вот сука противная, правда?

— Конечно, — сказал Неделин, чувствуя, что понемножку овладевает чужим языком. — Но она тебе мать.

Лена пожала плечами и сказала:

— Ну?

Неделин огляделся. Похоже, местом действия должен стать вот этот продавленный раздвижной диван, похожий, кстати, на их с женой Еленой супружеское ложе, тоже раздвигаемое на ночь. Неделин взялся за низ, потянул на себя, диван заскрипел, но не поддался.

— Ты что? — спросила Лена.

— А?

— Он не раздвигается, ты забыл?

— Я так, попробовать...

— Снимай шкуру-то, время идет.

Над диваном висела мохнатая шкура, медвежья, что ли? И ведь заметная вещь, а он, хоть видел ее, не придал значения, не задумался о ней. На шкуре, значит? Вполне эротично.

Он снял шкуру, расстелил на полу.

Лена быстро, без жеманства разделась.

Неделин глядел и не глядел на нее, видел и не видел.

— Ну, — сказала Лена, красавица, голубоглазая певица. — Ну? Время мало. В чем дело-то?

— Да, — сказал Неделин и стал раздеваться.

Лена легла на бок, подставив руку под голову, ждала, посмеивалась. Неделин торопился, скидывая с себя чужие вещи: все красивое, чистое, но, оказавшись голым, не мог не увидеть подробно чужое тело. Он увидел волосатые ноги с когтистыми кривыми пальцами, выпирающие кострецы бедер, бледного цвета кожу живота, груди, рук, увидел нечто еще...

16

Вид чужого тела, запах чужого тела. А Лена закрыла глаза, ждет. Неделин, торопясь, присел на корточки, потом из этой позиции лег, приткнувшись к Лене коленками, грудью, головой. Рука ее прошлась по его бедру, по животу — окружая, приближаясь, — и удивленно замерла.

— Ничего, ничего, — сказала Лена. — Сейчас.

Но сейчас не получалось.

— Витя, Витя, Витя, — шептала красавица, и звуки чужого имени добавились мешающим грузом к впечатлению от чужого тела, чужого запаха. Надо бы отстраниться и, не глядя на себя, глядеть только на нее, но отстраниться — значит, обнаружить свое убожество, которое пока укромно, о нем знают, но его не видят, делают вид, будто все в порядке. Прошло Бог весть сколько времени, Неделин лежал, словно окоченев, только однообразно гладил грудь Лены, но чужая рука плохо чувствовала наготу сквозь чужую кожу — как сквозь перчатку. Лена, устав ждать, стала целовать его в губы, в подбородок, в ключицы (щекоча распущенными волосами), в грудь, в живот... но тут Неделин застыдился и удержал руками ее голову.

— Ты что? — спросила Лена. — Витя, что случилось? У тебя кто-нибудь еще есть?

— Жена.

— Жена — это хренота! Еще, что ли, бабу нашел?

— Я устал просто.

— Мы же месяц не виделись! Нет, я ничего. Ничего страшного. Но учти, первый и последний раз!

Она — умная женщина — сказала это просто, почти весело и легла с ним рядом, не прикасаясь, только поглаживая его волосы. И Неделин уткнулся лицом в ее плечо, ничего больше не желая.

Послышались какие-то тихие странные звуки, что-то капнуло ему на щеку. Плачет. Стало ласково жалко ее, и от этого он забыл про чужое естество, а забыв, почувствовав себя сильным, потянулся к Лене, но в это время прозвенел звонок в дверь — длинный, раздраженный.

## Глава 4

Они вышли из подъезда молча.

— Вернусь, попою еще, — сказала Лена, когда отъехали. Она опять села за руль.

И слава Богу, подумал Неделин. Надо ехать в ресторан, разбираться с этим несчастным Витей, делать что-то, пока все это не зашло слишком далеко. Жаль только — утрачена возможность. Ведь ты был не ты, а тот, другой, ведь мог делать все что заблагорассудится, все — самое бесстыдное, самое голое, нагло-нагое, нежно-нагое, мучительное, до взаимного счастливого страдания, все мог — и ничего не сделал, олух ты царя небесного, теперь не придется уже тебе, олух, держать в руках такую красавицу, как свою собственную, олух, ведь ты был не ты, а он — и даже больше, чем он, свободнее, чем он.

— Может, покатаемся еще? — спросил Неделин. — Заглянем куда-нибудь.

— Тебе отдохнуть надо.

— Ну, и отдохнем.

— Уже отдохнул. Ничего, не бери в голову.

— Я и не беру.

— Странный ты сегодня. Я не про это самое, а вообще.

Неделин посмотрел на ее чистый печальный профиль и подумал, что Витя, не будучи странным, скорее всего не ценит эту девушку, не понимает ее. Что он за человек, интересно, чем занимается? Мать Лены сказала о нем: жулик. Давно уже чувствуя тяжесть во внутреннем кармане пиджака, Неделин сунул туда руку и достал бумажник — большой, старый, антикварный, из настоящей кожи с тиснением: «БРЕМИНГЪ И Кᵒ». Он открыл его и увидел толстую пачку денег. Долларов.

— Ого! — сказала Лена. — Хороший бизнес?

— Это не мои, — сказал Неделин.

— Я же не прошу, — усмехнулась Лена. И эта тонкая умная усмешка — для Вити, явного негодяя? Несправедливо.

— Это не мои, — сказал Неделин. — И вообще, все не мое. Выслушайте меня, Лена. Произошло черт знает что. Что-то несуразное. Дикое что-то.

— Это точно, — сказала Лена. — Играть опять начали? Вы все играете, Витя, ох, игрун, ох, забавник!

— Да послушайте!..

— Приехали, — сказала Лена. — Извини, Витя, ты мне сегодня не понравился. Не из-за этого, ты не думай. Чокнутый ты сегодня какой-то.

— Я вообще другой, неужели не видно?

— Ладно, ладно. Пока.

Лена открыла дверцу, но кто-то резко захлопнул ее с улицы. И тут же на заднее сиденье с двух сторон сели два плечистых парня.

## Глава 5

Началась чушь какая-то. Плечистые сказали ему, что нехорошо разъезжать неизвестно где, когда его ждут вместе с Леной по заранее обговоренному делу. Приказали ехать, и Лена, всерьез напуганная парнями и беспомощным видом Неделина, повезла их почти за город, к какому-то Кубику, который, сказали парни, ждет Витю уже третий час, для Вити первый раз такое западло, чтобы опаздывать, Кубик очень огорчается.

Подъехали к большому двухэтажному дому за высоким забором. Вошли в дом и увидели там застолье во главе с небольшим квадратным мужчинишкой, который и оказался Кубиком. Этот Кубик подскочил к Неделину, чего-то требуя, угрожая, о чем-то спрашивая. Неделин почувствовал себя зрителем, включившим телевизор на середине какого-то глупого детективного фильма, он ничего не понимал. Кубик требовал, остальные гомонили, Кубик о чем-то решительно спросил, Неделин, не думая, ответил отрицательно и тут же получил сбоку от одного из плечистых парней удар по морде. Боль чувствовалась основательно, будто не в чужое лицо били, а в его собственное.

— Да привез он, привез! — закричала Лена. — Он сегодня какой-то... Привез, я видела!

Неделину заломили руку, залезли в карман, достали бумажник.

Сразу все как будто прояснилось, утихло.

— А говоришь нет, — удивился Кубик. — Ты что? — И при общем внимании стал считать деньги.

— Тут половина, — сказал Кубик. — А остальное? Значит, плюс Леночка? Я правильно понял?

— А я не поняла! — сказала Лена.

— Разве Витя не объяснил? Все очень просто: Витя мне должен деньги. Сумма икс — до сегодня, до двадцать четыре ноль-ноль. (Публика засмеялась изяществу выражения.) Мы договорились: или полностью сумма икс — или половина суммы плюс ты.

— Сволочь, — сказала Лена то ли Неделину, то ли Кубику. На всякий случай (если Кубику) одна из присутствующих девиц выругала ее матом.

— Причем столько она, конечно, не стоит, — куражился Кубик, обращаясь ко всей компании. — Но я хочу заплатить именно столько. Всякая вещь стоит не столько, сколько она стоит, а столько, сколько за нее платят. Она по себестоимости на одну ночь стоит — ну, сотни две от силы, в пересчете на доллары. Я же плачу в десять раз больше, мне приятно, что я могу позволить себе удовольствие за такие деньги. Потому что звучит. Двести долларов — не звучит, две тысячи — звучит. А я любитель красивых звуков.

Кубика слушали уважительно, перестав жевать.

— А если я не соглашусь? — сказала Лена.

— Витя сказал, что согласишься. Что ты его любишь и согласишься. А иначе я его в порошок сотру. Я из него обувной крем сделаю. Я Витей буду ботинки чистить.

— Ладно, — сказала Лена. — Ладно, Кубик, тварь противная, сволочь. И тебе, Витя, спасибо. Только после этого вот тебе (она показала), а не любовь. Спасибо.

Неделин видел, что она соглашается не только из-за любви к нему (к Вите), а из чувства просто обычного страха, да и ему жутковато: явно ведь тут пахнет преступным миром, а может, даже и мафией!

— Че-то Витька седня кислый, — жеманясь, сказала девица, которая выругала Лену матом. — Че-то он какой-то не гордый. Ты че, Витя? Заболел?

Неделин ухватился за эту подсказку.

— Ша! — сказал он гордо. — Кубик, слушай меня! До двадцати четырех ноль-ноль у тебя будут остальные деньги. Жди. А ее не тронь. Не то... — он попытался с угрозой сдвинуть брови.

В ответ раздался общий хохот.

— Ступай, Витя, с Богом, — сказал Кубик. — Я тебя понимаю. Потом скажешь: не достал, не успел. А она поверит. Любовь! Благородное чувство! Ступай.

Неделин вышел.

## Глава 6

Он, как ни странно, действительно мог достать две тысячи. Полгода назад муж его сестры Наташи Георгий, инженер, получил за рационализацию совершенно неожиданные и чрезвычайные деньги.

Придумал он эту рационализацию как бы мимоходом, случайно, не особенно интересуясь своей инженерной работой, а все больше приятельскими посиделками с разговорами о жизни, литературе, о кино и политике — и т. п. Песни под гитару пели. Наташа была такой же — и тоже инженер, на нищенскую судьбу не жаловалась. И вообще, имея дочь-старшеклассницу, они жили по-студенчески безалаберно: то в театр побегут, бросив все дела, то на последние деньги всех друзей угощают шашлыками средь пригородных чахлых лесов, а оставшиеся от последних денег самые последние деньги ухлопают на выписку литературно-художественных журналов — потому что нельзя же не следить, не читать!..

То есть существовали необремененно. Получив же такие деньги, словно испугались, насторожились: за что так испытывает судьба? Шальную сумму долгое время не трогали, ухитрялись укладываться в прежний бюджет. Размышляли. И вот буквально позавчера Наташа сказала, что решились наконец — покупают машину с рук, почти новую. Уже и деньги приготовлены, чтобы не мешкать. Нужно сегодня уговорить их дать взаймы, чтобы Кубик не трогал Лену, а завтра он что-нибудь придумает.

Размышляя об этом, Неделин не замечал, что ведет машину легко, автоматически: ноги и руки все делают сами, но как только он обратил на это внимание, тут же что-то изменилось, руки будто судорогой свело, машина вильнула и чуть не врезалась в автобус, идущий по соседней полосе. Неделин постарался расслабиться, довериться своему — то есть чужому — телу и кое-как стал справляться.

Невероятно, но он до последнего момента не сообразил, что его просто-напросто не узнают.

Наташа открыла, посмотрела настороженно:

— Вам кого?

— Нам вас! — весело сказал Неделин.

— А вы кто?

А я дурак, мысленно ответил Неделин.

— Я от вашего брата, — сказал он.

— Георгий! — позвала Наташа.

Вышел Георгий.

— Тут от Сережи...

— Да, — сказал Неделин. — Понимаете... Ему срочно нужно... Как бы это вам объяснить... Две тысячи, так сказать, в долларовом исчислении. До завтра.

— В каком исчислении? — спросил Георгий.

— В долларовом. Но, наверно, можно и в пересчете на рубли.

— И на том спасибо.

— Он через неделю отдаст.

— Конечно, — сказал Георгий. — Сейчас. Погоди минутку. — Ушел на кухню и тут же вышел с длинным хлебным ножом. Выглядел он при этом смешно и страшно.

— Отойди, — отстранил Георгий Наташу.

— Жора!

Георгий пошел на Неделина, тот вжался в угол прихожей.

— Ясно, — сказал Георгий. — Чужих денег захотелось? Заработанных? Горбом? Кто тебя навел? Отвечай!

Нож был близко, у самой груди, а в незнакомых глазах Георгия была детская опасная обида. Запросто зарежет, подумал Неделин.

— Прирежу! — истерично закричал Георгий, подтверждая его мысли.

— Меня брат ваш послал. Неделин Сергей Алексеевич. Уберите нож. Он попал в трудное положение.

— Вранье! — крикнула Наташа. — Георгий, отпусти его, пусть он уходит. У нас денег нет, мы уже потратили.

Неделин стал медленно, по стенке приближаться к двери.

— Ваш брат в трудном положении, — сказал он на пороге. — Его не отпустят, если я не принесу деньги. Понимаете?

— Вали, вали! — приказал Георгий, вытесняя его дверью.

В полутемном подъезде Неделин стоял некоторое время растерянно, потом пошарил в карманах. Записная книжка, ручка. Он вырвал листок и написал: «Наташа, верь этому человеку и выполни его просьбу. Сережа. Иначе мне конец. Умоляю. Завтра попытаюсь вернуть. Поверь ему. Иначе конец».

— В чем дело? — спросил из-за двери Георгий, когда Неделин позвонил вежливым коротким звонком.

— Извините, это опять я. Я забыл. Сергей же дал мне записку. Записка же для вас есть!

После паузы дверь открылась на ширину цепочки.

— Быстро! — крикнул Георгий.

Неделин кинул в щель записку.

Молчание. Тихие голоса.

Дверь приоткрылась и захлопнулась. К ногам Неделина упал скомканный листок.

— Я вызвала милицию! — крикнула Наташа. — Это не его почерк!

Неделин расправил записку. Второпях он даже не перечитал ее, а теперь увидел, что почерк, действительно, странный — вроде его, а вроде и нет, какой-то шаткий, будто спьяну написано. Но чему удивляться, если чужая рука пишет под диктовку его мозга?

Хватит, решил Неделин.

Но, понимая ужас всего происшедшего, ловил себя на том, что ужаса не испытывает и, если совсем честно, пока не хочет заканчивать эту жуткую игру. Лену жалко, обидно за нее, но ведь она сама виновата: зачем связалась с Витей-мошенником, почему оказалась такой неразборчивой?

В опустевшем бумажнике Вити был паспорт. В паспорте авиационный билет, на который он не обратил внимания. Важнее вот что: фамилия Вити, его адрес. Фамилия — Запальцев, не подарок. Адрес такой-то. И Неделин поехал по указанному в паспорте адресу. Он все так же неровно управлял машиной, но уже начал сознательно учиться: вот рука потянулась к рычажку перед поворотом, значит это переключатель указателей поворота, а это, конечно, педаль скорости, а это переключатель скоростей, важно довериться телу и спокойно, как бы со стороны, наблюдать.

Дверь открыла молодая женщина с сонным лицом.

— Обязательно будить? — спросила она. — Ключи забыл? Почему так поздно?

— Да я там у одного приятеля... — поспешно начал Неделин, и женщина, уже направлявшаяся в комнату, остановилась, обернулась, посмотрела с удивлением. Неделин понял, что взял неверный тон. — Где надо, там и был! — грубо сказал он.

Женщина усмехнулась с привычным равнодушием и ушла в комнату. Рядом была еще комната, Неделин заглянул в нее: пусто. Потом прошел на кухню. Сел за стол, задумался.

Надо все рассказать этой женщине, жене Запальцева. Пусть она вызовет милицию, пусть его заберут, но пусть найдут и Витю, чтобы как-то обменяться, чтобы...

Он приоткрыл дверь в комнату женщины и тут же услышал раздраженный голос:

— Виктор, имей совесть, мне вставать в шесть утра. Иди к себе.

И Неделин пошел в другую комнату. Раздеться и постелить постель он стеснялся — придется рыться в чужих вещах. Он сел в мягкое глубокое кресло, вытянул ноги и заснул, вцепившись в сон, как утопающий цепляется за оказавшееся рядом бревно, и как бревно крутится в слабеющих руках, так сон Неделина крутился, кружил сновидения, показывая то что-то смутно знакомое, то вовсе невиданное: крыльцо какого-то деревенского дома, доски крыльца осязаемо, как наяву, прикасаются к босым ступням, потом тропинка, речка — и ничего этого Неделин никогда не видел, он понимал это даже во сне — что не видел.

## Глава 7

Проснулся он в тишине, в пустоте.

Пошел в ванную. Умылся. Поглядел в зеркало на чужое лицо, заросшее утренней щетиной: Витя был обильно черноволос. В пластмассовом стаканчике торчал бритвенный станок, Неделин брезгливо повертел его, сменил лезвие, взяв новое из коробочки, которая была тут же, на полке под зеркалом.

Потом ему захотелось есть, в холодильнике он нашел сыр и колбасу, вскипятил чай. Стояли на плите какие-то кастрюльки, но он не стал даже открывать их: не для него приготовлено.

Зазвонил телефон. Неделин снял трубку. Молчали.

— Да? — спросил Неделин.

— Ты один? — женский голос.

— Один.

— Через полчаса буду.

Положив трубку, Неделин сообразил: это ведь Лена звонила. Она провела ночь с Кубиком и теперь едет к нему — ссориться, ругаться, рвать отношения. Так. Утешить ее, повиниться, покаяться, сказать, что подлец он и негодяй — лишь бы простила. Быть нежным. А вдруг как раз это насторожит? Вдруг Витя совсем не такой, и Лена его любит, паразита, как раз за подлость, и самое верное будет сказать: да, я дерьмо, не нравлюсь? — проваливай! И тут она заплачет, скажет, что не может без него, что не вынесет, что простила его, то есть не простила, а поняла, вникла в его положение, ведь он ведет полную опасностей жизнь, только надо было все заранее сказать. Витя, я бы согласилась, почему ты не сказал, Витя, хороший мой, не бросай меня!.. Нет, это вряд ли. Тут надо как-то в шутку все перевести. Вот этот букет бумажных роз, поставленный на кухонный шкафчик для антуража (хорошо, что бумажные, — смешнее), взять и, открывая дверь, грохнуться на колени, протянуть букет: прости!

Звонок в дверь.

Схватив букет, заулыбавшись, Неделин пошел открывать. Открыл, упал на колени, склонив голову.

— Ты очумел, Витя? — раздалось над ним. (Вместо «очумел» было употреблено гораздо более грубое слово.)

Подняв голову, Неделин увидел толстую женщину лет пятидесяти с вытаращенными глазами.

— Это я так, — сказал Неделин, поднимаясь.

— Чудак! — сказала женщина (употребив более грубое слово). — Я за него дела делаю, а он с ума сходит.

Она по-хозяйски прошла на кухню, тяжело села, закурила и потребовала:

— Выпить дай.

Неделин сунулся в холодильник, в шкафчики.

— Не проспался, что ли?

Женщина пошла в комнату, открыла там что-то (бар?) и пришла с бутылкой, на бутылке — яркая наклейка, что-то иностранное.

— Выпьешь?

— Выпью, — вдруг захотелось Неделину.

— Радуйся, — сказала женщина разливая. — Продала.

— Молодец, — сказал Неделин.

— Как думаешь, за сколько?

— Не знаю.

— Вот сука, а? — обиделась женщина (употребив гораздо более грубое слово). — Так ведь не интересно. Угадай, говорю, ну!

— Ну, пятьсот.

— Это даже не смешно, скот ты такой, — сказала женщина. — На!

Она стала выкладывать из сумочки пачки денег в банковской упаковке.

Опять деньги. Ах, шустрец этот Витя!

— Себе беру двадцать процентов. За такой риск это даже мало. Согласен?

— Согласен, — сказал Неделин.

— А поцеловать тетю Лену?

Что ж, Неделин поцеловал ее, а она вдруг мощно к нему рванулась: потащила с собой, вернее собой в комнату, где началось: шепот, щекотание, вздохи, отвращение... Неделин вырвался. Женщина вышла из комнаты через несколько минут, уже одетая, с сырым лицом.

— Значит, без меня решил обойтись? — спросила она.

— Да нет, почему... — начал Неделин и вдруг удивился: с какой это стати он должен оправдываться за другого? С какой стати он должен с ней церемониться? — Проваливай, — сказал он.

— Мерзавец! Пошляк!.. Обманщик!.. Неблагодарник!.. — Женщина употребила именно эти слова, а не какие-то другие.

## Глава 8

И опять один в чужой квартире. Сидит на кухне, отхлебывает иностранного напитка и вертит в руках билет на самолет. Билет в Сочи. «В городе Сочи темные ночи, темные, темные, темные...» — всплыла в памяти песенка (хотя всплыть никак не могла, потому что еще не была сочинена). Витя, значит, должен лететь в Сочи. По делу — или просто промотать деньги? А Лена? Может, с Леной? Нет, он знал, сволочь, чем кончится визит к Кубику, и решил смотаться в Сочи, чтобы пока тут все улеглось. Он ее просто подставил Кубику, ведь наверняка он мог заплатить Кубику долг сполна. Витя — подлец, это однозначно. Что меня, впрочем, не касается. А вот в Сочи я ни разу не был. Подлец и мошенник Витя, живущий на нетрудовые доходы, бывал там наверняка не раз, а я, честный советский работник и семьянин, там никогда не был.

Кстати, пора, чтобы легче воспринимать предыдущее и нижеследующее, уточнить время действия. Начало второй половины восьмидесятых, вот какое время. Человек, рассказавший мне эту историю, в некоторых местах путался, мешая понятия прошлого и настоящего. Например, я не уверен, что речь шла о двух тысячах долларах, американские деньги в ту пору в таком легком и свободном обиходе не обращались. Скорее, речь шла о двух тысячах рублей.

Послышались звуки: кто-то открывал дверь. Неделин почувствовал себя застигнутым врасплох вором. Вскочил — куда? — в туалет, заперся, сел, притаился. Для правдоподобия даже штаны снял, хотя дверь заперта и нужды в этом не было.

— Ты где? — спросил женский голос. Вроде бы жена Вити.

— Я тут.

— Помочь собраться?

— А? Нет... (Знает, что он летит.)

— Можешь не выходить. Я так, на минутку.

В голосе была давнишняя обыденная горечь.

Неделин вышел, посмотрел на женщину. И чего только не хватало Запальцеву: женщина тихой домашней красоты и, очевидно, мягкого характера. Вот взять сейчас и сказать ей все.

— Думаешь, я в командировку лечу? — спросил Неделин.

— Надо тебе, ты и летишь.

— Я еду туда отдыхать. А полчаса назад я тебе чуть не изменил. С женщиной, которая мне деньги принесла. Она — старуха.

— Прекрати... Что за удовольствие так врать? Так идиотски. Я ничего не слышала. Я знать ничего не желаю о твоих делах.

— Ваш муж вор и жулик, — сказал Неделин.

— Скорее всего, — согласилась женщина. — Когда самолет у нашего мужа?

— Как вы можете с ним жить в таком случае?

— А разве я с ним живу?

— А разве нет?

— А разве да?

— Слушайте внимательно. Произошел обмен. Я не виноват. Неизвестно, кто виноват.

— Я уже сказала: знать ничего не хочу о твоих делах.

— Чьих — моих? Вы даже не понимаете, с кем говорите! Вы думаете, что говорите со своим мужем Виктором, как его? Запальцевым! А я — Неделин Сергей Алексеевич. Понимаете? Я сейчас все объясню.

24

— На меня уже не действует твой юмор, Витя.

— Ладно, — сказал Неделин, жалея женщину. — Не беспокойся. Я скоро вернусь. — И поцеловал ее в щеку, как поцеловал бы свою жену при расставании, правда, ему никогда не приходилось уезжать одному, то есть не было случая целовать при расставании, но, представляя иногда, что он куда-то едет (куда-то очень далеко по важному делу), он всегда видел, что стоит у двери с чемоданом и целует жену. В щеку. Женщина отпрянула, схватилась за щеку, будто он ее ударил.

— Гад, — сказала она. — Так ты еще никогда не шутил. Ну, достал, достал, больно сделал, будь доволен, скотина!

И ушла — так и держась рукой за щеку.

## Глава 9

Он прибыл в Сочи молодым, упругим, хорошо одетым, готовым ко всему, он заранее подумал о том, что скажет тем, кто его рано или поздно поймает: я ничего не помню, я переселился — и с тех пор ничего не помню. Я не понимаю, где нахожусь, что делаю, зачем делаю, ничего не понимаю.

Шальная странная мысль вдруг пришла ему в голову, когда он стоял на площади перед аэропортом и высматривал такси до Сочи. Ему захотелось вдруг посреди площади, среди машин и людей взять и помочиться на глазах у всех. А почему нет? Ну, пусть его заберет милиция. Он заплатит штраф, вот и все. Почему нет? Сделай, сделай, очень ведь хочется, уговаривал себя Неделин, и чудилось, что кто-то отвечает: «Неудобно...» Неудобно штаны через голову надевать! — вспомнил Неделин детскую присказку. И еще одну: неудобно на потолке спать — одеяло падает. Ну?!

И, нетвердо переставляя ноги, вышел на середину площади. Там, не глядя на то, что делает, он исполнил свой замысел — и по мере исполнения плечи расправлялись, насколько это было возможно в таком положении, глаза наблюдали почти спокойно. Он ждал скандала. Но ничего не было. Да, многие увидели его действие, но если были близко, отводили глаза, а если далеко, глазели — сами невидимые в людях — молча. Видимо, было что-то в лице и позе Неделина, разительно убеждающее в необходимости совершаемого поступка, поэтому никто и не усомнился. Лишь ребенок-девочка лет пяти запищала: «Мама, смотри, дядя писает!» — а мама ответила: «Значит, он хочет. А ты не хочешь?»

Не получилось ни фурора, ни скандала. Зато возле лужи, аккуратно ее обогнув, остановилась машина и веселый водитель спросил: «Куда едем?»

— На!.. — грубо ответил Неделин.

— Значит, по пути! — откликнулся водитель скаля зубы и, не спрашивая больше ни о чем, взял чемодан Неделина, поставил в багажник, а самому Неделину пригласительно распахнул дверь:

— Прошу!

Итак, аналитично подумал Неделин, мне предлагают уже роль гуляки-отпускника, какого-нибудь шахтера-заполярника, который горбился целый год ради отпуска на юге, человека с девизом «один раз живем — и то летом». Это — подойдет.

— Что новенького в Сочах? — спросил он таксиста.

— А все то же! Смотря по запросам. Море, солнце, вино, бабы. Куда едем?

— В гостиницу.

— Значит, не по путевке? В какую гостиницу?

— А в любую. Меня везде поселят.

Таксист глянул уважительно, но недоверчиво:

— И туда, где иностранцы?

— Обойдусь без иностранцев, — сбавил Неделин.

— Может, в частный сектор? — предложил таксист. — Хоть к моей тетке.

— В гостиницу, — приказал Неделин. Ему хотелось комфорта и уюта. Все ведь просто, он об этом в газете читал. Даешь взятку администраторше, то есть, к примеру, четвертную в паспорте, — и никаких проблем.

## Глава 10

Проблемы, однако, начались сразу же, в вестибюле гостиницы, которую таксист рекомендовал как «люксовая». Во-первых, за барьером с табличкой «Администратор» оказалась не администраторша (заранее почему-то представлялась полнолицая блондинка взыскующих лет), а именно администратор, симпатичный молодой человек, странно, до приторности благопристойный, похожий на комсомольского работника, профессиональное лицемерие которого перешло в новое качество и стало неискоренимым убеждением в истинности социализма. Как к такому подступиться? Но раз вошел с чемоданами, то не торчать же у двери, нужно подойти, спросить. Неделин подошел, спросил, администратор вежливо и корректно — и даже, кажется, без скрытого презрения! — ответил, что мест, к сожалению, конечно, нет и как таковых не бывает, только по брони, по предварительным заказам, заявкам и т. п. И даже, заботясь о Неделине, администратор посоветовал ему не ходить по гостиницам, толку не будет, лучше сразу подыскать комнату или койку.

Но мимо прошел человек в спортивном ярком костюме, прошел по-хозяйски, кивнул администратору, вызвал лифт и уехал куда-то в прохладу гостиницы, и Неделину захотелось так же: среди вещей Вити, взятых в дорогу, есть, кстати, и спортивный костюм ничуть не хуже, чем у этого бездельника.

— А если постараться? — доверительно спросил он.

— Старайтесь, — не был против администратор.

Неделин досадовал на себя: ведь только что совершил поступок, после которого, кажется, и черт не брат, облил площадь на глазах у всех из природного неприличия, — но вот опять стоит и мнется. Да скажи ты ему прямо, что он, съест тебя, что ли? Не возьмет — и ладно, пойдешь в другую гостиницу, где будет администраторша-блондинка взыскующего возраста.

— Я тебе денег дам, парень, — сказал Неделин. — Мне очень нужно.

— Зачем вы? — сделался строгим администратор. — Зачем вы глупости говорите?

— Какие же глупости? Сколько, ты скажи? Сто? Двести?

— До свидания, — сказал администратор.

— Тысячу! — И Неделин бросил перед администратором две пачки с красными цифрами «500». Тот посмотрел на деньги с неестественным равнодушием.

— Уберите.

Он мне не верит, понял Неделин. Он меня считает... Бог весть кем, вряд ли даже проверяющим, проверяющие не действуют так в лоб, он просто понял, что я НЕ ТОТ, это по его глазам видно: я для него не тот, не из его системы понятий, я странный, а он, очевидно, странных людей боится, да и кто их любит?

А может, действительно, нет мест? Может, этот человек в самом деле не берет взяток? Да нет же, невероятно это! — вон в газетах пишут: сплошные безобразия на почве нехватки гостиничных мест даже в провинции, что уже говорить о столицах и курортных городах.

— Слушай, парень, — сказал Неделин. — Ты не подумай. Мне эта гостиница нравится, вот и все. Я из Воркуты, шахтер, деньги есть, хочу отдохнуть нормально, понимаешь?

— Все понимаю, ничего не могу сделать.

— Дерьмо ты в таком случае.

— Вероятно, — спокойно сказал администратор.

— Дерьмо! — Голос Неделина гражданственно зазвенел. — Честного из себя строишь, а сам... Скажешь, не берешь, да? Не берешь?

— Беру, — сказал администратор и посмотрел в зеркало на свою гладко причесанную голову.

— Ну и возьми, не кобенься!

— У тебя не возьму. Не нравишься ты мне.

— Врешь! Две тысячи! Три! А?

Неделин в азарте досчитал до пяти, администратор все разглядывал свою голову и равномерно отвечал: «Нет. Нет. Нет», — и вдруг, утратив весь свой лоск, рявкнул простецки:

— Отвали, мужик, в зубы дам!

И зря он это произнес, потому что Неделина его фраза словно подбросила, и администратор сам незамедлительно получил в зубы, да так крепко, что отлетел к ящику с застекленной дверкой, где висели ключи, ударился головой о стекло, стекло посыпалось на пол, администратор осел.

Неделин перегнулся через барьер, увидел полулежащего администратора, по щеке его полз ручеек крови. Неделин перепрыгнул через барьер, стал поднимать его говоря: «Извини, парень. Черт, неприятность... Не больно?»

Рана оказалась небольшой, в сущности — царапина, администратор провел пару раз ваткой, смоченной в одеколоне, и остался только тоненький красный след, на одежду кровь не попала, так что материального ущерба не было, кроме разбитого стекла. Администратор молча смел осколки и вывалил в ведро. Выглянула из какой-то двери тетка в цветастом платье (между прочим — блондинка взыскующего возраста), администратор махнул ей рукой, она скрылась. После этого он еще раз внимательно оглядел себя в зеркало.

— Извини, — сказал Неделин и взял чемоданы. — Извини, у меня, брат, нервы не в порядке.

— Бывает, — сказал парень.

Неделин уже открыл ногой дверь — администратор его окликнул.

— Чего? — издали спросил Неделин. Администратор поманил его пальцем. Он вернулся.

— Есть одно бронированное место. С утра должны занять, не заняли. Но учти, если человек появится, освободишь.

Судя по его искреннему лицу, это была явная ложь, никакой человек не должен появиться.

— Ты не сердишься? — спросил Неделин.

— Будем вселяться?

— Конечно. Ты скажи прямо — сколько?

— Нисколько.

— Ну за стекло хотя бы?

— Стекло? Рублей десять, не больше. Уплатишь потом, под расписку.

— Ты серьезно?

— Абсолютно.

Смутно, плохо было на душе у Неделина, когда он ехал с ключом от номера на двенадцатый этаж, думая о загадочности администратора. За что он его ударил? — и так быстро, не успев даже пожелать этого, рука сама поднялась и ударила; тут Витино наследство сказывается, не иначе.

## Глава 11

Для него настали дни свободы и одиночества, он был волен делать все, что заблагорассудится, и первое время ничего не делал: лениво валялся на пляже, лениво читал газеты и журналы, купленные в киоске, и размышлял, что бы такое учудить. Хотелось — необычного. Например, отбить телеграмму Лене на адрес ресторана «Россия» с приглашением в Сочи. Но — не поедет. Да и влюбленность помешает, ведь он в нее, если признаться, все еще немного влюблен, а хочется чего-то без влюбленности, легкого, пусть даже и развратного, но без утомительности, которая всегда сочетается с настоящим развратом. Чего-то похожего на эту вот обложку журнала, где — красавица в купальнике у берега моря. Есть море, есть красавицы, есть деньги, нужно выбирать.

— Смотри, Вася, какая баба!

— Баба классная!

Такой разговор услышал Неделин на пляже и обратил внимание на объект обсуждения. Сказанное было правдой. Но было сказано и еще:

— Это, Вася, не про нас.

— Почему?

— Я ее сто раз видел, это проститутка валютная. Только с иностранцами.

— Уж прям! Дай ей пару сотен — и с тобой пойдет.

— Дай, попробуй.

— Заразы боюсь. И у меня Люська есть, мне хватает.

— Твоей Люськи троим хватит.

— Гы. — (Счел за комплимент.)

Неделин встал и пошел к ней, медленно переступая длинными волосатыми ногами, он, кстати, понемногу стал привыкать уже к чужому телу, особенно после того, как порезал на пляже ногу, смазывал ее йодом, искал для ног в магазинах резиновые тапочки. Но на полпути свернул, кругом, кругом вернулся к своему месту, оделся и, расстроенный, ушел с пляжа.

Он отправился выпить. У кафе, где всегда было приличное сухое вино, стоял понурый гражданин лет сорока. Неделин не раз уже встречал его здесь, всегда пьяного, полупьяного или с похмелья, всегда в дешевых джинсах, ширинка которых застегивалась на одну пуговицу, всегда в одной и той же серо-зеленой рубашке в клеточку. Не раз уже он подходил к Неделину, дрожа и говоря откровенно: «Мужик, дай сколько-нибудь. Умираю. Хоть двадцать копеек». И Неделин давал — сколько рука из кармана захватит мелочи. Подошел он и теперь.

— Ты вчера у меня просил, — напомнил Неделин.

Пьяница посмотрел на него с обидой, грустно сказал:

— А сегодня я что, уже не человек?

— Пойдем в кафе, — пригласил его Неделин.

— Зачем?

— Посидим, выпьем.

— Кончай шутить.

— Кроме шуток.

— А зачем тут сидеть? — оживился пьяница. — Тут дорого, зачем это? Хочешь нормально выпить, так?

— Так.

— Тогда пошли, все тебе будет.

И он повел Неделина и через минуту привел в какой-то двор, они поднялись на второй этаж двухэтажного дома, прошли сквозь квартиру, которая казалась брошенной, нежилой, на просторный балкон с чугунными старого литья перилами, балкон устилали грязные подушки, два или три засаленных одеяла, засоренные крошками, бумажками; стаканы и бутылки из-под вина тут же лежали. Убрав стаканы и бутылки, пьяница поднял одеяло, встряхнул и положил обратной стороной. Стало относительно чисто и даже своеобразно уютно.

— Давай башли и жди, — сказал пьяница.

Через полчаса они пили, полулежа, глядя в листву дерева, нависшего над балконом, и — сквозь листья — в синеву неба. Неделин рассказывал о себе. Он рассказал все: кем был, кем работал, как жил, как влюбился в ресторанную певичку, как превратился в ее хахаля непонятным образом, как попал сюда, как тут тоже влюбился в валютную проститутку и не смеет к ней подойти. Пьяница попросил описать ее, и оказалось, что это его двоюродная сестра и он хоть завтра устроит им встречу, можно здесь, можно в номере у Неделина, договорились, завтра же! — и тоже рассказал о себе.

— Я был капитаном КГБ и МВД, — сказал он. — Я убивал, но меня тоже убивали. У меня не было личной жизни. Я сижу в театре. Опера. Вдруг открывается дверь. И на весь театр. Там Борис Годунов поет. Но на весь театр: майор Куролапов (это моя фамилия), майор Куролапов, на выход! А я с любимой тоже девушкой. Говорю ей прости и еду. Срочно. Еду. Дом. Подвал. В подвале вооруженный преступник. Вооружен ножом и пистолетом Макаров. Знаешь? Нет? Двадцать шесть патронов непрерывного боя.

У меня тоже пистолет Макаров. И фонарь. Это главное. У меня фонарь, а у него нет. Я иду. Он стреляет по слуху. Пули бьют возле головы. Я ориентируюсь и посылаю ему в глаза луч света. Он слепнет. Стреляет наугад. А я прицельно. Как в тире. В середину лобной кости. Сразу. С одного выстрела. Выхожу. Усталый. Смотрю, у входа лежит Сеня. Лейтенантик. Корешок. Шальная пуля. Я так плакал. Я железный человек, но я плакал. Он мне был как сын. Я его хотел женить на своей дочери. У меня была дочь-медалистка, золотая медаль за школу. Плавала в море... И не вернулась. Никто не знает. Я второй раз в жизни плакал. Больше никогда. Сейчас плачу — это не то. Это не слезы. Это пот души. Слезы — пот души, ты это знаешь? Плакать полезно и нужно. Мне врачи посоветовали: плачь. Я плачу. Могу плакать полчаса — на бутылку. Спорим? Я на коньяк один раз плакал полтора часа без перерыва. Ручьем лилось. Могу и сейчас, если на коньяк. Полтора часа.

— А почему ушел со службы? Выпивать стал?

— Ни в коем случае. Ты думаешь, ты один такой? Я тоже превратился.

— Брось.

— Не веришь? Все не верят! А я тоже. Догонял алкаша. По линии КГБ. Обратно сидел с девушкой в кино. «Фантомас». Открывается дверь, билетерша орет, ее убирают. Кричат: старший лейтенант Куролапов, на выход! Я бегом. Пистолет Макаров всегда при мне. Тридцать два патрона, автоматическая стрельба. Приказ: алкаш ограбил овощную палатку, унес ящик марочного вина, выпил и в пьяном виде совершил налет на продавщицу газировки, отнял деньги. Вооружен гранатой. Итак, я в погоне. Я догоняю. Он поворачивает на бегу свое звериное лицо, заросшее безобразной щетиной. Я бегу ровно, как на дистанции, бегу с достоинством, одет по форме, в белой рубашке с галстуком. Смотрю, это не я бегу, а на меня бежит ментяра, а я держу гранату. Ты понял? То есть как у тебя. А все не верят. Ты-то веришь?

— Верю.

— А я доказать не могу. Я на самом деле подполковник Куролапов, подполковник МВД, ты понял? У меня универсальные права: от мотоцикла до вертолета могу управлять всеми видами транспорта. И пистолет именной. Показать?

— Покажи.

— Ничего подобного! Обязан хранить в полном секрете. С какой целью засланы в город? Кто с тобой работает? Кто с тобой работает? Признавайся, кто с тобой работает?!

— Опять орешь, Куролапов? — раздалось снизу. — Милицию вызвать?

Куролапов угомонился, отвалился от Неделина, которого уже вознамерился душить слабыми пьяными руками, — Неделин, смеясь, отпихивал, — и упал на подушки, захрапел. А Неделин долго еще лежал, попивая вино, глядя на темнеющее небо и проявляющиеся звезды, и мечтал о завтрашнем свидании с валютной проституткой.

Проснувшись, он нашел Куролапова бодрствующим, веселым: вино со вчерашнего осталось. Неделин напомнил Куролапову о двоюродной сестре.

— А что? — удивился Куролапов.

— Ты же обещал меня с ней познакомить.

— А-а-а... Обещал так обещал. Если Куролапов обещал, это железно. Тебя когда познакомить? Прямо сейчас?

— Вечером.

— Тогда в семь часов вечера здесь же. Оставь на похмелку.

Неделин оставил денег столько чтобы можно было выпить, но не напиться, а сам отправился в гостиницу, где принял ванну, побрился, поспал — и оказался в полной боевой готовности.

Ему всегда было неловко проходить через вестибюль и видеть администратора. Хотелось еще раз извиниться перед ним, сказать что-то. Но, когда он набирался решимости сделать это, администратора не оказывалось на месте или была не его смена, а когда администратор появлялся — исчезала решимость. На этот раз он сумел, подошел, сказал просто и задушевно:

— Парень, ты все-таки на меня сердишься, да? Извини дурака.

— Да бросьте вы! — улыбнулся администратор. — С кем не бывает. У всех нервы! — И вздохнул, сожалея о всеобщей нервности, сожалея как патриот, как человек.


## Глава 12

Неделин помнил, что дверь в квартиру Куролапова, если это обиталище уместно назвать квартирой, не запиралась, поэтому не стал звонить или стучать, а пошел прямо на балкон.

Куролапов возлежал на подушках в окружении трех красавиц. Подобным народ дал прозвище «синюхи» или «синеглазки». Первое прозвище оправдано синевой их подбитых своенравными кавалерами скул, синевой также, но уже с багровым оттенком, их алкогольных носов и щек, синевой дешевых косметических теней, которыми они густо намазывают веки, а второе — тем, что они в действительности в большинстве своем почему-то синеглазы. Красавицам было: младшей около тридцати, старшей не менее сорока. Средняя выглядела одновременно и на тридцать, и на сорок, и дело тут не во внешности, а в том, что глаза ее смотрели тускло, вне момента, как бы из всей прожитой жизни разом. Устало.

— Альберт пришел! — закричал Куролапов. (Какой еще Альберт ему приснился?) — Сейчас выпьем! Альбертик, дай денежку. Сейчас, девчонки! — и вытеснил собой Неделина в комнату, закрыв двери на балкон.

— Ты кого привел? — спросил Неделин.

— Я не понял! — возмутился Куролапов. — Ты просил бабу, а я тебе сразу трех! В чем претензии?

— Мы говорили о двоюродной сестре. Которая это самое. Проститутка.

— Все правильно! Любка и Сонька, сестры мои двоюродные, они проститутки, как заказано. А Нинка, иха подруга, она не проститутка, но выпить любит, а если захочешь, то пожалуйста. Все со справками, никогда не болели. Отличные женщины, я тебе говорю!

— Валютная проститутка, — напомнил Неделин, уже понимая, что Куролапов наврал.

— Можно и без баб обойтись, — сказал Куролапов. — Что нам, умным людям, поговорить не о чем?

— Беги за вином, — сказал Неделин.


Он лежал на балконе среди подушек, не стесняясь разглядывал красавиц, изумляясь их уродству, их нелепым потасканным нарядам, их жадности к вину, их мутному хмелю, их грязным загорелым рукам, их беззубым ртам, их попыткам говорить при постороннем культурно, но попытки эти не удавались, они срывались то и дело на привычный мат. Куролапов блистал, рассказывая срамные анекдоты.

— Музыки нету, — пожалела Нина, старшая. — Зачем проигрыватель пропил, Куролапов?

— Я сам музыка! — сказал Куролапов и принес из комнаты гитару, на которой уцелело только три струны.

Женщины, однако, отнеслись к гитаре серьезно, сели поудобнее, но и строже: приготовились.

— На Муромской дороге! — сказал Куролапов и стал нащипывать струны, верно и чисто выводя мелодию песни. Начала тихим грудным голосом Нина, подхватила Соня, средняя, тоже тихо и глубоко, а на припеве высоко, но без баловства и лишнего ухарства, как это бывает в пьяном застолье, вступила младшая — Люба. Куролапов аккомпанировал, сам не пел, только изредка вплетал в песню низкую басистую ноту, он глядел на женщин внимательно, а они старательно, как школьницы, следовали указаниям его головы, он дирижировал ею, показывая и такты и необходимую высоту звука.

Песня кончилась, и только тогда женщины дали себе волю — заплакали. Куролапов зарыдал. Неделин почувствовал, как щиплет в глазах.

— Вы, — сказал он Любе, взяв ее за руку и проникая в ее синие глаза, — кто по профессии?

— Минетчица! — ответила за нее Нина.

— У вас есть дети? — не обратил внимания Неделин.

— Детей топим в унитазе! — опять ответила за нее Нина.

Куролапов ударил ее гитарой по затылку (струны загудели):

— Не лезь, дай человеку пообщаться!

— А чего тут общаться? — сказала усталая Соня. — Шли бы в комнату. Любка, видишь, мужчина не терпит. Не динамь.

— А я что? — Любка шустро подхватилась, потащила за руку Неделина. — Пойдем, любимый! — кричала она. — Пойдем, золотой! Сю-сю-сю, холосенький мальсик! Ся-ся-ся! Бу-бу-бу! Ня-ня-ня!

И потащила, повалила в комнате на какой-то топчан, заскрежетавший пружинами, стала грубо лапать и хотеть. Неделин отворачивался от ее мокрых губ.

— Бабы, он отлынивает! — хохоча, закричала Люба.

Хохоча, вбежали Соня и Нина, тоже стали хватать, тормошить, стаскивать штаны и прочее. Куролапов, стоя в балконной двери, громко одобрял.

— Не хочу я! — закричал Неделин.

— Он не хочет! — закричал Куролапов и закрыл дверь. — Бабы, он не хочет. Мы ему поможем! Ты не хочешь?

— Нет!

— Момент! Бабы, держи его!

И он возник перед Неделиным, которого бабы распяли на топчане, держа в руках ножницы.

— Ты...что? — выговорил Неделин.

— Ты же не хочешь? Мы тебе раз — и нету!

— Что за шутки! — заорал Неделин.

— Какие уж тут шутки! — заплакала, заголосила Нина, лаская и теребя. — Какие уж тут шутки!

Неделин рванулся, но женщины держали крепко, особенно Соня, лицо которой стало сосредоточенным и злым.

— Чик — и нету! Чик — и нету! — бодро кричал Куролапов и щелкал ножницами все ближе, ближе. Неделин вырвал одну руку и стал бить кулаком по синеглазым лицам, расшвырял, бросился на Куролапова, неистово ударил его несколько раз — и побежал из квартиры, на ходу натягивая штаны.

## Глава 13

Два дня он пролежал в номере, выходя только в буфет взять минеральной воды и бутербродов: боялся чего-то. На третий день стало стыдно собственного малодушия, оделся в легкое и светлое, пошел к морю. По пути купил местную газету, где прочитал заметку, называющуюся «Городу-курорту — моральное здоровье». В этой заметке туманно говорилось (времена были еще подцензурные) о необходимости оздоровления кое-где в отдельных случаях нравственного климата как среди отдыхающих, так и среди местного населения. Есть случаи спекуляции. Есть случаи пьянства, ведущие к последствиям. Например, в квартире нигде не работающего гражданина К. произошло совместное распитие спиртных напитков вместе с женщинами, что привело к драке, участники получили взаимные побои, ворвался некто незнакомый и тоже пьяный, причинил увечье хозяину квартиры: сотрясение мозга с временным расстройством рассудка. Госпитализирован. Пусть это будет всем уроком.

Чтоб ты сдох, мстительно пожелал Неделин Куролапову.

Весь день он ходил по пляжу, разыскивая валютную женщину, но безрезультатно. Причем Неделину не хотелось от нее чего-то определенного и плотского, он хотел просто поговорить с ней, просто побыть вместе, он ей расскажет о себе, и оба поймут, почему так недовольны жизнью.

Лежать и жариться на солнце не хотелось, купаться тоже. Неподалеку катер катал всех желающих на водных лыжах. Красиво, заманчиво, Неделин раньше видел такие катания только по телевизору и всегда завидовал, но теперь, когда мог сам испробовать это изящное морское удовольствие, — не было охоты, к тому же он еще не доверял вполне телу предшественника, боялся, что в какой-то момент оно выйдет из-под контроля, и это может кончиться плохо: вон с какой скоростью лыжники скользят по волнам, так недолго и голову свернуть. И вообще, хрупок человек, страшно сказать: любой шальной камень, попавший в висок, может прекратить жизнь. Ходячий мешок крови. И как нелепы эти руки, эти ноги, как, в сущности, нелепо все устройство человека, как он уродлив, если вдуматься! И привык к своему уродству. И совершенствует его — как этот вот лежащий вверх животом дядя, наевший, кроме живота, и щеки, и шею, и три подбородка, все тучное, белое, но уже схваченное кое-где первым красным загаром. Толстый человек убрал газету с лица, и Неделин увидел Андрея Сергеевича Гаралыбина, заместителя директора учреждения, в котором он работал. Он чуть было не поздоровался с ним  и уже улыбнулся — независимой от службы улыбкой, простосердечной, ему приятно было встретить здесь, среди чужих людей, кого-то своего.

— Вы мне солнце загораживаете, — сказал Гаралыбин сварливо.

— Я вас спасаю, — сказал ему приязненно Неделин. — Вы обгорите.

— Это мое дело, — сказал Гаралыбин. — Отойди, говорят.

Привык грубить, подумал Неделин. Но тут тебе, брат, не учреждение, тут подчиненных нет.

— Не отойду, — сказал он.

— Хамство какое-то, — сказал Гаралыбин вполголоса, так как кругом люди, зачем привлекать внимание.

— Сам хам, — озорничая, срифмовал Неделин. Подцепил ногой камешек, камешек скакнул на живот Гаралыбина, спружинил и упал на лежащую рядом женщину.

— Вы чего это бросаете? — подняла женщина сонное лицо.

— Это не я, — сказал Гаралыбин. — Это тут какие-то идиоты ходят.

— Это он, — сказал Неделин и присел возле Гаралыбина. — Молчи, Гаралыбин, — шепотом произнес он. — Ты разоблачен!

— Вы кто? Я вас не знаю.

— Зато я тебя знаю. Пока ты тут отдыхаешь, там, — он указал пальцем в небеса, — решается вопрос о твоем снятии с заместителей. Тебя хотят сделать рядовым работником, а потом сплавить на пенсию. Ты обречен. Стой, слушай дальше. Ты сам виноват. Зачем ты развалил работу? Почему ты такой невежливый, Гаралыбин? Почему ты не здороваешься с сотрудниками низового звена? А они ведь издали, издали с тобой раскланиваются. Понимаешь ли ты глубину своего падения, Гаралыбин?

Гаралыбин, приподнявшись на локтях, ошалело слушал Неделина, жевал губами, но, когда Неделин сделал паузу, предоставив ему возможность что-то сказать, он молчал, только все жевал губами.

— Нечем крыть? Ну отдыхай, Гаралыбин. Набирайся здоровья перед пенсией. Будь счастлив. — И похлопал ладонью по гаралыбинскому налитому животу.

Оставив Гаралыбина, который так и не вымолвил ни слова, Неделин пошел искать свободное место. Он блуждал между тел, и ему было нехорошо. Зачем-то обидел человека. Ну, положим, сказал-то правду, Гаралыбин никогда не отвечает на приветствия, будто не замечая здоровающихся с ним людей, но, может, он просто сосредоточенный человек, может, думает о чем-то важном, производственном или научном, он ведь кандидат наук. Однако будь ты хоть доктор наук, ты хотя бы по должности обязан замечать людей. Их оскорбляет твое невнимание. И вообще. Нет, все правильно, дураков надо учить. И вообще...

Неделин представил: Гаралыбин возвращается в учреждение. Возможно, он сегодня же возьмет билет. Вернувшись, он, как человек прямолинейный, в лоб спросит: кто и за что его собирается перевести в рядовые работники и отправить на пенсию? Выяснится, что это недоразумение. И это недоразумение могут связать с исчезновением Неделина, со странным случаем, наверняка ведь об этом случае говорит весь город, наверняка Неделина уже ищут по приметам Виктора Запальцева, который в обличье Неделина был, вероятнее всего, задержан в ресторане милицией и все рассказал. То есть, значит, Неделин идиотским образом обнаружил себя. То есть нужно срочно, сегодня, в крайнем случае завтра уезжать из Сочи. Поэтому нужно немедленно найти валютную женщину, он не может уехать, не встретившись с ней. Нет, тут не влюбленность, говорил себе Неделин, а черт знает что, — да и разбираться не буду, что это, отчет я давать никому не обязан, в том числе и себе самому. На фиг, на фиг, некогда и неохота!

Валютную женщину он увидел в одиннадцатом часу возле интуристовской гостиницы. Она была в красном платье, в красных ажурных колготках, в красных туфлях, с красной помадой на губах, ослепительно красивая, но без похабства в лице, наоборот, с чистыми лукавыми девичьими глазами. Смеялась улыбкой. Изредка проходили группами иностранцы, валютная женщина их не трогала. Но вот от группы приотстал господин средних лет в клетчатом пиджаке, женщина тут же подошла, что-то сказала, мило улыбаясь. Иностранец вдумчиво нахмурился, слушая, а потом воскликнул, оттолкнул женщину и ушел. Она улыбалась ему вслед незамутненно.

Неделин стоял неподалеку за декоративной кустарниковой оградой. Оглядев себя (одет вполне модно, сойдет и за иностранца), он прогулочно направился к входу в гостиницу. Но валютная женщина не подошла, не окликнула. Неделин остановился, медленно обратил внимание на женщину. Подойти к ней и сказать что-нибудь с иностранным акцентом. С английским. Даром, что ли, в школе и в институте учил? Неделин подошел и, глядя в лицо женщины с простодушной бессовестностью, сказал вдруг вовсе не с английским акцентом:

— Паслушай, дарагая, пойдем со мной?

— Чего? — изумилась женщина, вперившись в славянское лицо Неделина, соображая, почему это славянское лицо заговорило с южным акцентом.

— Ми шутим! — сказал Неделин. — И уже без акцента: — Ночь, говорю, скоротаем?

— Отвали, — сказала женщина.

— Советскими деньгами не берем, значит?

— Никакими не берем. Я подругу тут жду. Ясно?

— Послушайте, — сказал Неделин. — Мне от вас в общем-то ничего не нужно. Просто посидеть, поговорить. Но я заплачу сколько положено.

— Отвали, мусор!

— Вы думаете, я, как бы это сказать... Провокатор? Вы ошибаетесь. Я из Воркуты, работаю на шахте инженером. Деньги есть, а пообщаться не с кем.

— Засунь себе в задницу свои деньги.

— Почему вы так? — мягко сказал Неделин. — Вы же не такая. Вам самой уже надоело, правда? Вам хочется человеческого общения, ведь так? — чтобы к вам отнеслись как к человеку, а не орудию удовольствия. А я как раз это и предлагаю.

— Да хоть в ванной с шампанским меня искупай, все равно... — и тут она запнулась. И вдруг сказала: — А в самом деле, мальчик! Искупай меня в шампанском, тогда сговоримся. А, Вася?

— Я не Вася.

— Это без разницы, Вася. Искупаешь?

— Наверное, какую-нибудь вашу подругу искупали, и вам тоже хочется? — предположил Неделин.

— А что, слабо? Не жмись, если нравлюсь. Слабо? Только без дураков, шампанское водой не разбавлять!

— Нет, но где я вам его возьму? Поздно.

— Давай считать, — оживилась валютная женщина. — Бутылка — червонец, дешевле не найдешь. Десять бутылок — восемь литров. Для ванной нужно литров сто, так? Сколько бутылок?

— Так... Сто бутылок — восемьдесят литров... Плюс еще двадцать литров...

— Бери десять ящиков — не ошибешься, — подвела итог валютная женщина. И отвернулась.

— Думаете, я не смогу? — спросил Неделин.

— Отвали.

— Нет, вы только подскажите, где шампанское взять.

Валютная женщина, смеясь и все еще не веря, отвела его в ресторан, там говорила с официантами, Неделину было предложено заплатить за шампанское и за работу две тысячи (рублей), он выложил, через полчаса к нему в номер потянулись веселые шустрые ребята с ящиками, в ванной слышались беспрерывная пальба, шипенье и G булька. Неделин не участвовал, поглядывал на часы: женщина обещала быть ровно в полночь. Шустрые ребята, веселея на глазах, управлялись быстро.

— Готово, хозяин! — наконец услышал Неделин. Выпроводив шустрых ребят, он зашел и увидел ванну, наполовину заполненную шампанским. Светло-желтая жидкость шипела, пузырилась, источала густой запах, ударяющий в нос, и запах, надо сказать, не такой уж приятный. Неделин представил валютную женщину в этой жидкости, заволновался.

Женщина пришла. Заглянула в ванную, восхищенно выругалась и, не обращая внимания на Неделина, быстро разделась (он хотел выйти, но передумал), упала в ванну, заплескалась, забилась, как большая рыба, легла, отпила глоток, крякнула:

— Годится! Вася, ты гений! Ты — человек! Я тебя даже люблю. Слушай, это такой кайф, это такая балда, это...

Она отпила шампанского, и еще, еще.

— Как я тебя полюблю! Ты заслужил, Вася! Иди ко мне. Ну!

Неделин пошел к ней. Залезая в ванну, поскользнулся, бухнулся, волна шампанского окатила женщину, она радостно завизжала, стала плескать в Неделина, и он тоже стал плескать, и они долго дурачились, обдавая друг друга брызгами шампанского. Голова кружилась.

Хлопнула дверь. Послышались шаги.

На пороге ванной стоял администратор. Его лицо закоренелого комсомольца было спокойно и неотвратимо.

— Вы знаете, что после одиннадцати часов вечера принимать гостей у нас запрещено? — спросил он.

— Вася! — закричала женщина. — Лезь к нам!

Вошли шустрые ребята, те же, что носили шампанское, молча и деловито помогли женщине выбраться из ванной, она, уже в стельку пьяная, ругательски ругалась, выпроводили ее, а потом стали не спеша, толково издеваться над растерявшимся и даже не пытавшимся подать голос Неделиным: окунали его в шампанское, били по щекам, драли за волосы. Долго.

Устали.

— Значит, мстишь? — спросил Неделин наблюдавшего администратора.

— Сейчас я позвоню в милицию, — сказал администратор. — Дебош в гостинице. Купание в шампанском с проституткой. И так далее.

— Не надо, — сказал Неделин.

— Тогда завтра чтобы я тебя тут не видел, падла.

— Хорошо, — сказал Неделин.

— Пожалуешься, прибьем, — сказал администратор.

## Глава 13,5

Неделин выполз из ванной одуревший от побоев и шампанского, у него едва хватило сил, чтобы добраться до постели.

Утром, опохмелившись шампанским, которое выдохлось и имело противный вкус, Неделин стал собираться и обнаружил, что нет половины вещей и, главное, нет денег. Только сиротливая трешница в кармане брюк.

Вояж окончен.

Он даже обрадовался, когда увидел в вестибюле милиционера, о чем-то говорившего с администратором.

— Прошу предъявить документы, — козырнул милиционер.

— С удовольствием, — сказал Неделин. — Вы по вызову этой сволочи или давно меня ищете? Из Саратова сообщили?

— Документы! — сказал милиционер, а Неделин вдруг бросил в него сумкой и побежал.

Он бежал со страхом, но и с азартом, мчался по улицам и закоулкам к морю, надеясь там, среди пляжного многолюдья, укрыться, спрятаться, затеряться. Он обернулся на бегу...

## Глава 14

А что же с Запальцевым, где он?

Виктор Запальцев, схваченный в ресторане десятком рук, увидел удаляющуюся от него подружку и стал вырываться, чувствуя, что его тело почему-то плохо его слушается, будто он вдруг стал пьяным. Один из державших был особенно ненавистен: лысый тощий человечишко с гневом правды в глазах. Запальцеву до смерти захотелось въехать ему в рожу, он все совал, совал в его сторону кулаком — и вдруг застыл с поднятой рукой, разглядывая руку.

Всех удивила его поза. Стали понемногу ослаблять хватку — и вскоре вовсе отошли, глазея.

Запальцев медленно оглядел руку и всего себя.

— Ничего не понимаю, — тихо сказал он и пошел из ресторана.

Он долго бесцельно блуждал, будто во сне, стоял подолгу перед каждой витриной, разглядывая отражение невзрачного человека с очумелым лицом. Он уже начал что-то понимать, о чем-то догадываться. Он вспомнил этого невзрачного, вспомнил свои мысли, с которыми глядел на него в ресторане, когда ждал Лену. Примерно такие были мысли: вот вышел из зала покурить свободный скромный человек, он свободно и скромно пропивает здесь раз в месяц какие-нибудь двадцать или тридцать рублей, ему не надо никуда ехать, не надо отдавать долг плюс Лену, бедняжку, ему не надо благодарить любовью тетю Лену, которая должна ему завтра принести деньги, не надо лететь в Сочи, надоел этот б...дский город хуже горькой редьки! — он чист и спокоен, этот убогий человек. Вот тут-то, наверное, это и произошло.

Ноги сами вели Запальцева куда-то, и вот он оказался во дворе какого-то дома, здесь он никогда не был, откуда же такая тяга именно сюда? Он побрел к детской площадке, сел на сломанной карусели, озираясь.

На балконе третьего этажа появилась женщина, постояла, с усмешкой глядя на Запальцева, и сказала:

— Ну? Чего сидим? Не нагулялся еще?

Эта женщина, вероятно, имеет отношение к тому, кем он стал. Жена? Надо ей все рассказать.

— Какая у вас квартира? — спросил Запальцев.

— Что-о?

— Да нет, я так... У меня что-то с ногой. Кажется, вывихнул.

Через полминуты женщина выбежала из подъезда, помогла Запальцеву подняться, с насмешливыми причитаниями повела в дом.

— Подвихнули ноженьку, миленькие мои! За красотками так быстро бегали, что ноженьки не успели! Мы ведь любим за красотками побегать, на красоток поглядеть, мы такие! Донжуаны мы нереализованные!

Запальцев обхватил женщину за талию и позволил привести себя в квартиру. Квартирка была так себе: тесная кухня, две комнатки, обстановка стандартная, но, впрочем, все довольно чисто, аккуратно. Да и женщина мила: светлые волосы, светлые глаза и симпатичная такая насмешливость на губах играет. Очень приличная особь, решил Запальцев.

— Поймите меня правильно, — сказал он, и женщина упала на диван, заливисто смеясь.

— Вы не смейтесь, я все объясню. Я не ваш муж. В это поверить трудно, но вы послушайте сначала. Мне нужно знать, кто ваш муж. Перестаньте смеяться! Хорош смеяться, дура! Кто твой муж?

— А в самом деле? — отсмеявшись, сказала женщина. — Кто мой муж? Ладно. Пошли ужинать.

Запальцев иронично съел тарелку жареной картошки с рыбной котлетой, морщась, запил эти яства кефиром и вновь приступил:

— Я был в ресторане.

— Неужели? На какие шиши?

— Я был в ресторане. И там был ваш муж. Мы друг на друга смотрели.

— Ты выпил, что ли?

— Потом... Короче говоря, я вижу вдруг — вот эта рубашка, эти, так сказать, штаны... — он брезгливо потрепал ткань брюк.

— А в чем дело? — спросила она. — Тебе не нравится, как ты одет? А ты обратил внимание, в чем я хожу? Опомнился, увидел, что мы нищие?

— Вам нужны шмотки? Я вас одену с ног до головы, — нетерпеливо сказал Запальцев. — Только слушайте.

— Ах, ах, ах! — было ответом. — С ног до головы! А в чем дети ходят, ты посмотри! Я-то ладно, мое время кончилось. А дети?

— Сколько? — спросил Запальцев.

— Чего сколько?

— Детей сколько?

Женщина посмотрела на него тревожно.

— У тебя нога сильно болит?

— Совсем не болит. Я пошутил.

— Сволочь ты, — печально сказала женщина. — Я устала до предела, а он — шутит. — И ушла в комнату.

Темнело. Они молча сидели у телевизора.

А дети где? Видимо, в пионерском лагере или в деревне где-нибудь: лето, каникулы.

Можно опять и опять пытаться ей объяснить, рассказать, но, пожалуй, самое большое, чего он добьется — она вызовет психбригаду, посчитав его сошедшим с ума. И пусть. Пусть вызовет. А пока передохнем. Кресло уютное. Еще бы под рукой иметь столик, а на нем холодное пиво и креветки. Но тут на заводе такого не бывает, это ясно. Картошка и кефир, будь счастлив. Впрочем — ну и что? Зато покой. Не нужно ехать к Кубику, видеть его рожу, не нужно отдавать деньги.

Деньги!

— Деньги! — воскликнул Запальцев.

— Какие деньги? — женщина вздрогнула от его крика.

— Я так. Ничего.

Пусть. Ни денег, ни Лены, ни Кубика, ничего. Тишина и покой. Может, пока вообще ничего не предпринимать? До завтра. Я же не виноват ни в чем. Что говорит народ? Народ говорит: утро вечера мудренее.

## Глава 15

И пришло утро. Виктор Запальцев, наполненный сладкой дремотой, приоткрыл глаза. Шторы задернуты, очертания предметов таинственны. Вот старый комод, бабушкин комод, рухлядь, которую давно пора выбросить. Но когда-то это считалось вещью. Ведь не из прессованной фанеры, из настоящего дерева, украшен резьбой. Рисунок резьбы, конечно, примитивный: виноградные гроздья, листья, груши, яблоки... С любовью и старанием делалась эта мебель мастером-кустарем, желтые стружки длинными спиралями опадают на пол, кропотливая неспешная работа с уважением к дереву и к самому себе. А можно было и лучше сделать: узор в виде, например, дельфинов. Дельфины в волнах, а на дельфинах, например, грудастые такие русалки... Нет, русалки — это не актуально: ног нет. Просто — девушки с распущенными волосами, в профиль.

Нет, ей-богу, в этой семейной неприхотливости есть свой шарм. Своя сермяга, как говорит Лена, певичка ресторанная. Взять и остаться здесь на некоторое время. А где тот чмурик, с которым он обменялся? А где сама женщина, с которой?..

Женщина вошла в комнату, опустилась на колени возле постели, погладила Виктора по щеке.

— Ну, Сережа... — прошептала она.

— Что? — усмехнулся Виктор.

— У меня такое чувство, будто ты из подполья вышел.

— Возможно.

— Нет, действительно.

— А если так, то надо отметить. У нас есть вино?

— В пять утра? И нам на дачу к детям ехать.

— Ну и что? Хочу вина.

— И плевать на дачу, — подхватила женщина. — Там родители мои, пусть нянчатся, им в радость. Приедем позже, правильно?

— Правильно.

Женщина принесла бутылку кагора (на случай большого праздника хранился этот кагор!), выпила с Виктором, смеясь, удивляясь своему настроению. А выпив еще рюмку — закрыла глаза и тихо заплакала.

— Ну что? Что? — спрашивал Виктор, целуя мягкие руки.

— Ничего. Где ты раньше был?

— Неважно. Теперь я тут. С тобой, — сказал Виктор и полюбил женщину, и они стали жить счастливо и умерли в один день.

Это, конечно, шутка, а всерьез: Виктор остался в этом доме. Он каждый день ждал появления хозяина и большого скандала, но хозяин все не появлялся. Может, увяз в той сумаптошной жизни, от которой освободился сам Запальцев? Дай Бог ему удачи в таком случае! (И вдруг холодок по спине: а что если этот чмурик по неопытности нарвется на серьезные действия друзей-врагов Запальцева, что если покалечат его, Запальцева, тело, что если вообще погибнет? — навсегда оставив двойника в своем теле, а оно и старее, и хуже, но, с другой стороны, лучше спокойно жить в таком теле, чем умереть в молодом и упругом.)

Виктор поражал жену ласками, был необычайно внимателен к детям и скоро всей душой привязался к ним.

Правда, сначала ему пришлось попугать домочадцев: сказал, что ощущает смешные провалы в памяти. Например, дорогу вот на службу забыл, чудеса! Лена переполошилась, Виктор ее кое-как успокоил, сказал, что уже был у врача, ничего страшного, это восстановится, главное — не фиксировать на этом внимание, а окружающим — помочь вспомнить то, что забылось. Они помогали — Виктор умудрился сделать это веселой игрой. «Куда это я портфель засунул?» — бродил он по квартире, а дети радостно кричали: «Холодно! Теплее! Горячо!» — а потом признавались, что портфель отдан в ремонт — ручка отвалилась. И все в таком же роде.

На работе он довольно быстро вошел в курс дела, проявив минимум энергии, которой наделила его природа, не прошло и месяца, как его выдвинули небольшим начальником и уже руководство намекало на возможности дальнейшего повышения, но Запальцев остерегся такой стремительной карьеры, поубавил прыти. Он увлекся другим. Сначала он доказал соседу из квартиры тридцать два, что тот совершенно напрасно владеет двумя сараями во дворе, один из которых искони принадлежал квартире номер тридцать три, и если он, хозяин квартиры тридцать три, какое-то время не заглядывал туда, то это еще не давало соседу права сломать перегородку и увеличить свой сарай вдвое за счет чужого. Если бы к соседу, пенсионеру Ивану Исааковичу Суцкису, с такими претензиями обратился сам Неделин, то Суцкис в два счета отшил бы его, доказав, что имеет право в связи с заслугами и на два, и на три сарая, а Неделин аксиоматически (Суцкис был математик, бывший доктор наук) не имеет права ни на сарай, ни, если подумать, на проживание в квартире тридцать три, ни, если совсем всерьез, на жизнь вообще, поскольку обыватель и больше ничего. Неделину этого хватило бы. Но Запальцев, выслушав, сказал:

— Я не понял, козел старый. Тебе разве жить не хочется? Аксиоматически?

И сделал такие глаза, что Суцкис в полчаса освободил сарай — и с этого дня издали здоровался, улыбкой показывая, что он еще полон сил и жить ему — хочется.

Аксиоматически.

Виктор озаботился сараем не ради принципа. За несколько дней он преобразил его, привез откуда-то верстак, инструменты — Лена не могла надивляться его расторопности, — и занялся совершенно неожиданным делом: изготовлением мебели. Уже его первое произведение вызвало восхищение всего двора: шкафчик-бельевик, в котором современная четкость линий сочеталась со старинным кружевом резьбы, а особенно всем понравились дельфины с красавицами. Бельевиком не только восхищались, но готовы были и купить за хорошие деньги; Виктор, однако, не согласился, он хотел работать для души. По крайней мере пока. А там видно будет.

— Это в нем талант дремал, — объяснила соседям жена Неделина. — Читали в «Науке и жизни»? — и в каждом из нас дремлет какой-то талант!

Соседи расходились задумчиво, спали неспокойно.

Со снами.

## Глава 16

Неделин шел по бесконечно длинному сочинскому побережью. Он был в плавках — одежду сбросил, когда, спасаясь от преследователей, добежал до пляжа, где и пропал среди людей. Он шел давно и долго. В городе в таком виде появляться нельзя. Очень хотелось есть и пить. Неделин не мог припомнить, чтобы у него было подобное чувство голода, да и откуда взяться этому чувству при его размеренной семейной жизни? Найденные среди пляжного мусора, газетных и полиэтиленовых обрывков вареное яйцо и половинка печенья только раздразнили аппетит, а жажду и подавно. Но закрыты киоски с напитками, а море, до этого воспринимавшееся как вода, открылось вдруг как уродливый объем горько-соленой бесполезной жидкости, налитой в лохань земли, видимо, в насмешку над людьми.

Звезды над головой тоже издевались — бесполезной красотой.

Люди — враждебны: нельзя постучать и попросить глоток воды и кусок хлеба. Нет, попросить-то он может, но дадут ли? Неделину оставалось одно: сквозь все нарастающее чувство жажды и голода радоваться свободе и пустынности. Несколько раз впереди показывались люди, Неделин уходил с берега, прятался в тени домов, где не светились окна, прятался в аллеях и кустарниках, окружающих высотные дома санаториев и пансионатов. Можно было, конечно, прикинуться ночным купальщиком, но вдруг это милицейский наряд, вдруг его ищут по всему берегу?

Город, кажется, кончился? Или это незаселенное место, пустырь, а дальше — там ведь огни какие-то? — опять город или бесконечная курортная зона?

А вон палатка. За палаткой свет и дымок от костра — полуночничают. Смех, треньканье гитары. А с этой стороны на веревке сушится то, что ему нужно: тренировочные штаны и майка. Если не в самом городе, то в околопляжных местах можно ходить в такой одежде без стеснения. А в городе пробежаться: тренируюсь, граждане, бег трусцой!

Было все-таки страшновато. Все-таки в первый раз. Но — необходимо. Неделин стал приближаться на цыпочках, приседая, замирая, слушая. Вот он уже возле веревки, протянул руки, сорвал штаны. Тут же присел прислушался. Голоса, спокойное треньканье гитары. Торопливо надел штаны, протянул руку за майкой — и тут же его схватил кто-то сзади.

Неделин обернулся и увидел добродушного с рыжей бородой толстяка лет тридцати, мокрого, он, наверное, ходил купаться — и незаметно подкрался к Неделину.

— Извините, — сказал Неделин, а добродушный бородач жизнерадостно изумился:

— За что? Бери майку-то.

Неделин снял майку с веревки.

— Пойдем.

Он привел его к костру, где сидели две женщины и мужчина, лирически перебиравший гитарные струны.

— Позвольте представить, — сказал добродушный бородач. — Вор!

— Я не вор, — сказал Неделин.

— Вор, вор! — сказал бородатый. — Я его на месте преступления застал.

— Штаны мои слямзил? — удивился мужчина с гитарой и отложил гитару, став — без гитары.

— Мы его сейчас судить будем, — сказал бородатый и, дождавшись, когда смущенный Неделин снимет штаны, быстро и крепко связал ими Неделину руки за спиной.

— Перестаньте, мальчики, — сказала одна из женщин. — Может, человек пошутил. А вы пьяные. Перестаньте.

— Мы не пьяные! — сказал человек без гитары. — А за такие шутки морду бьют!

— Связанных не трогают, — сказал бородатый. — Мы его допросим и отпустим. Кто такой? Что тебя побудило стать вором? Понимаешь ли ты, что это гадко? Представляешь ли, как была бы огорчена твоя мать? В то время когда люди изобретают синхрофазотроны и бьются, расщепляя ядро атома, ты воруешь!

Лирические физики — угадал Неделин их социальную принадлежность. Опасный народ, непредсказуемый.

— Меня раздели, — сказал Неделин. — Украли одежду.

— Врать-то, — сказал человек без гитары.

— Нет, допустим, это правда, — сказал бородатый. — У тебя украли верхнее платье. Ты обездолен. Но значит ли это, что ты должен в ответ на воровство красть сам и обездоливать другого? Ты представь: у меня убили друга. Что же, я обязательно должен убить убийцу друга? А друг убийцы моего друга должен обязательно убить меня? А мой еще один друг должен опять убить моего убийцу за то, что он убил меня, за то, что я убил его друга, за то, что он убил моего друга? И так без конца? Ты соображаешь, к чему мы тогда придем?

— Он просто алкоголик, — сказал человек без гитары.

— Он иностранный шпион, — сказала одна из женщин. — У него тип лица иностранный. Ален Делон, ухудшенный вариант. Он вынырнул из подлодки без всего, теперь ищет одежду. Ду ю спик инглиш? Парле ву франсе?

— Дайте попить что-нибудь, — попросил Неделин.

— Сейчас, — сказал человек без гитары. Налил и поднес к губам Неделина пластмассовый стаканчик. Неделин отхлебнул, обжег рот, выплюнул. Он уже знал вкус этого напитка: чача.

— Просто воды вы можете дать?

— Дайте ему воды, в самом деле, — сказала женщина, которая приняла его за шпиона.

Другая женщина, молчаливая, с рассеянными глазами, открыла термос, налила чего-то в тот же стаканчик, хотела подать Неделину, но упала, выронив стакан, засмеялась:

— Я такая пья-а-аная! — и так и осталась лежать, подставив лицо свету костра.

Неделин сидел, привалившись спиной к какой-то бетонной глыбе, и потихоньку шевелил кистями рук. Эластичная ткань понемногу растягивалась, еще чуть-чуть, чуть-чуть. А пока надо терпеть, пусть болтают и делают, что хотят.

— Так кто же ты, неведомый избранник? — спросил бородатый. — Зачем ты хотел нас обокрасть?

— Сдать его в милицию, — проговорил человек без гитары.

— Почему он молчит? — смеялась и возмущалась лежащая женщина. — Почему он не говорит? Давайте его пытать!

— Ничего другого не остается! — вздохнул бородатый. — Кто какие пытки знает?

— Влить ему в горло бутылку водки, а завтра не дать опохмелиться! — сказал человек без гитары.

— Твои песни хором петь! — откликнулась женщина, заподозрившая в Неделине шпиона.

— Пусть сам споет. «В лесу родилась елочка», — сказал бородатый. — Мужик, согласен? Спой от начала до конца «В лесу родилась елочка», и мы тебя отпустим. Слово джентльмена!

— Я не знаю от начала до конца, — сказал Неделин и не соврал, потому что, во-первых, у него не было голоса, а во-вторых, если бы и был, он никогда не стал бы петь, не любил, стеснялся, когда заставляли на всяких школьных праздниках, только открывал рот. — Я всего один куплет знаю.

— Не пойдет, — сказал бородач. — А что ты знаешь от начала до конца?

— Песню из «Трех мушкетеров», — сказал Неделин, младший сын которого, Сережка (Сергей Сергеич, милый очкарик), записал эту песню с телевизора на магнитофон и крутил каждый день по десять раз. Поневоле запомнишь.

— Годится, — сказал человек без гитары. — Только споешь как следует. Театрализованно. — Он взял уголек, подошел к Неделину и нарисовал ему мушкетерские усы. Бородатый одобрил и, сбегав в палатку, принес соломенную шляпу с широкими полями, которую напялил на Неделина вместо мушкетерской. Женщина, заподозрившая в нем шпиона, взяла длинный парниковый огурец и засунула в плавки Неделину. Это вместо шпаги, объяснила она. Лежавшая женщина совсем упала со смеха, валялась, охала — так ей было смешно.

— Начинай! — сказал бородатый.

— Пора, пора, порадуемся на своем веку красавице и кубку, счастливому клинку, — сказал Неделин.

— Ты не халтурь, ты пой! — потребовал человек без гитары.

— У меня нет голоса.

— Голос у всех есть. Главное — громко.

Неделин молчал.

— Тогда придется пытать его действием, — с сожалением сказал добродушный бородач. Достав из костра ветку с тлеющим рдяным концом, он стал водить ею перед лицом Неделина, перед грудью и животом, перед плавками. Лежащая женщина даже закашлялась от смеха и молила:

—Бросьте! Не надо!

Неделин, конечно, не верил, что бородатый будет тыкать его тлеющей веткой, но стало очень не по себе.

— Хватит, — сказал он. — Что вам от меня нужно?

— Кто ты такой?

— Я уже сказал. У меня украли одежду.

— Врешь.

— Ну, тогда я шпион.

— Врешь, — и добродушный бородач ткнул веткой в живот Неделина, Неделин вскрикнул.

— Не орать! — сказал человек без гитары.

— Мальчики, вы разыгрались, — сказала не лежащая женщина, но посмотрела с любопытством на красное пятно ожога.

— Ты христианин или иудей? — спросил бородатый.

— Вы идиоты, — сказал Неделин. — Я вас посажу, скоты!

— Ты христианин или иудей? — повторил бородатый.

— Да тебе-то что, дурак?

— Если христианин, — объявил бородатый, — то я выжгу тебе крест. А если иудей, звезду Давида.

— Звезда больше, — сказал человек без гитары. — Скажи, что христианин.

— Я неверующий.

— Значит, коммунист?

— Нет. Беспартийный.

— Кто не верующий, тот коммунист, — сказал бородатый. — Ты коммунист. Ты должен все вытерпеть ради идеи. Я выжгу тебе пятиконечную звезду, а потом серп и молот.

— Что-нибудь одно, что-нибудь одно! — закричала лежащая женщина.

Рядом с ней валялось сломанное весло, хороший увесистый обломок. Глядя искоса на этот обломок, Неделин все высвобождал и высвобождал руки.

— Видит Бог, я этого не хотел! — сказал небу добродушный бородач и сунул погасшую ветку в костер.

— Убей его! — истерично завопил человек без гитары. — Отомсти ему за наши муки! Кровь за кровь! Грех за грех!

Женщина, заподозрившая в Неделине шпиона, смотрела на пятно ожога. Ждала.

Добродушный бородач с печальным и строгим лицом сердобольного судьи поднес огонь к животу Неделина. И в этот момент Неделин, наконец, освободил руки. Но они затекли, их надо было незаметно размять. Он сказал:

— Постой. Минутку. Я сейчас спою песню. Про мушкетеров. Хорошо спою, громко.

— Поздно!

— Я расскажу анекдот. Очень смешной. Очень тонкий. Английский анекдот.

— Пусть расскажет! — закричала лежащая женщина.

— Ну-ну, — сказал бородатый. — Послушаем.

— Вот такую историю расскажу я вам, джентльмены, — начал Неделин. — Шел я однажды домой по некой темной стрит и увидел лягушку. И она, представляете, говорит: «Сэр! Мне холодно и бесприютно на улице! Возьмите меня с собой!» Я, джентльмены, всем известен любовью к животным. Я взял ее, принес домой и посадил в коробку в углу кухни. «Не будете ли вы так добры, сэр, — сказала она, — дать мне кусочек сыра и стаканчик вина?» Я дал ей сыра и вина и, пожелав спокойной ночи, отправился спать. Среди ночи послышались прыжки, лягушка вскочила ко мне в постель и жалобно сказала: «Сэр! Я замерзла на кухне, мне там холодно и одиноко! Пустите меня к себе!» Я не мог отказать, и вдруг она превратилась в прелестную молодую обнаженную женщину. И тут вошла моя жена, приехавшая раньше времени из нашего родового поместья. И вы думаете, джентльмены, она всему этому поверила?

С этими словами Неделин бросился к веслу, схватил его и первым делом обрушил на голову добродушного бородача. Тот схватился за голову, но не упал. Неделин ударил его ногой по болезненному месту, бородач закричал и повалился. Человек без гитары вскочил, побежал, споткнулся, упал, удар весла пришелся ему по спине. Удар плашмя, звучный. Лежавшая женщина хохотала, ничего не понимая, ей казалось, что шутки продолжаются, а другая женщина начала дико верещать, Неделину пришлось отвесить ей несколько пощечин. Добродушный бородач, кажется, не был покалечен, он лежал и снизу испуганно, трезво смотрел на Неделина. Неделин поднял весло.

— Убью, если кто двинется!

Держа весло в одной руке, свободной рукой он подобрал давешние неудачно украденные штаны и майку, запихал их в полиэтиленовый пакет, вытряхнув из него пучки зелени, туда же положил найденную у костра еду: хлеб, колбасу, две бутылки минеральной воды.

— Я из тюрьмы сбежал, суки, — сказал Неделин. — Я вас замочу, если вы тронетесь. Слыхали? Сидеть тут до утра, никуда не уходить. Иначе я вас потом найду и всем кишки выпущу. Чего лыбишься? — заорал он на бородатого, который вовсе не лыбился, а морщился от боли. Но Неделин не принял это во внимание и для острастки ударил его ногой в живот, а потом, перевернувшегося, в спину. А человека без гитары — ногой же, в лицо, с удовлетворением увидев, как потекла кровь из носа. Хотелось что-то сделать напоследок, и Неделин, взяв щепку из костра, поднес к бороде бородатого, держа над ним весло.

— Не бойся, — сказал он. — Я только подпалю. Чтобы помнил.

Бородатый закрыл глаза, губы его дрожали, красивые румяные губы среди русой мягкой, волнистой, наверное, льняной на ощупь и наверняка любимой женщинами волосни. Волосы тихо затрещали, сворачиваясь, словно убегая от огня. Бородач дернулся — огонь достал до живой кожи.

— Вот так-то, — сказал Неделин.

Он ушел не спеша. Лишь тогда, когда, по его предположениям, у костра не могли слышать его шагов, пустился бежать и бежал долго, пока не выбился из сил, тогда упал, лежа открыл зубами бутылку с водой, выпил ее всю, судорожно двигая горлом. Напившись, встал. Оделся и пошел дальше, решив поесть потом, на рассвете. Впрочем, как ни странно, чувство голода исчезло.

Под утро он увидел множество лодок под навесом. Забравшись под одну из лодок, заснул; небо уже светлело сквозь щели в борту лодки.

Проснулся он от странного шума, вскочил, ударился головой, покрутил ею, не сразу сообразив, где он и что с ним. Выглянул. Шел дождь. Ливень.

Он всегда любил дождь. Стоял у окна и смотрел. Улица пуста, но все же изредка появляются люди, которые не имеют возможности переждать дождь. Вон женщина под зонтом спешит. Может, у нее заболел ребенок, она спешит за лекарством. Или она сама врач и торопится к больному. Или это неотложное свидание, последний шанс, он ждет ее ровно в три часа дня, значит надо прийти именно в три, пусть знает обязательность ее характера, ее верность. А вот пьяный поплелся, которому не страшны ни дождь, ни буря. А вон юноша и девушка стоят в подъезде, юноша шутя выталкивает девушку под дождь, она вскрикивает, смеется и обижается на шутника. В это время у Неделина возникало неизбежно то, что можно назвать чувством дождя. Это не уютное удовлетворение от того, что ты дома, в тепле и сухости, это не чувство открытия: природа, о которой ты давно забыл, вдруг напомнила о себе громом неба, и ты с радостью вспомнил о ней, подошел и посмотрел в окно: небо, деревья, тучи, струи дождя. Мир велик, жизнь прекрасна. И т. п. Это — у Неделина — было чувством тревоги, желанием куда-то пойти, поспешить куда-то, где его встретят испуганными и веселыми криками, переоденут в сухое, усадят пить чай, скажут: «Спасибо, что ты пришел, мы так ждали!» Однажды не выдержал этой

46

тоски и засобирался, а время было неурочное, не вечернее, когда выход можно было объяснить необходимостью обязательной прогулки, и дождь был редкостный для Саратова — густо-ливневый, уже ручьи потоками потекли по улицам, уже радостная пацанва выскочила побегать по этим ручьям, не боясь теплого дождя, и на вопрос жены Неделин ответил: «Мне срочно нужно. Меня ждут». «Кто?» — с усмешкой спросила она. «Тебе какое дело?»

Он почти бежал по двору, зная, что она смотрит в окно. Но бежал и по улице, без ее наблюдения, — были ведь и другие люди, которые тоже глядели на него из окон, сочувствовали ему, сопереживали, задавались вопросом, куда спешит этот встревоженный человек, завидовали ему. А он шел никуда — и дошел до троллейбусной остановки. Подъехал троллейбус, двери открылись, пассажиры в освещенном сухом уютном салоне посмотрели на него, будто приглашая к себе просохнуть, согреться, поехать с ними, но Неделин остался сидеть. Троллейбус не дождался, закрыл двери, уехал. Дождь перестал. Неделин вернулся домой вымокший до нитки, счастливый от сознания выполненного долга.

## Глава 17

Он разделся и выбежал из-под навеса, бегал по берегу под дождем, ринулся в море, упал в теплую воду, долго плескался, плавал, потом вернулся под навес, сел на лодку и стал есть колбасу с хлебом, запивая минеральной водой. Оглядел окрестности. Окрестности были пустынными, только метрах в двухстах высилось здание с буквами наверху: «Горный утес». Какой-нибудь профсоюзный санаторий. Что ж, для отдыхающего вид у него вполне подходящий.

Никто не обратил внимания на Неделина, когда он вошел, когда прошелся по первому этажу здания, где были тренажерные комнаты, столовая, бильярдный зал, безалкогольный бар, в котором, однако, заговорщицки сидели несколько мужчин. Побродив, Неделин зашел в бильярдный зал, сел на скамью у стены и стал наблюдать за игрой. Играли худенький молчаливый паренек и высокий дородный дядя, нервный, шумный. Паренек аккуратно вбивал шар за шаром, партнер ругался и обещал сейчас же догнать, но вместо этого все больше отставал. В заднем кармашке у него торчал бумажник. Кармашек был маленький а бумажник большой, высовывавшийся больше чем наполовину.

— Верняк идет! Верняк! — закричал дородный и встал к Неделину мощным задом, резко наклонился, бумажник выскользнул из кармашка и упал, звук его падения совместился со звуком удара кия по шару, и тут же — шара по шару, и тут же — досадливого крика:

— Опять, чтоб тебя!..

Неделин быстро подгреб бумажник ногой под скамью, не прямо под себя, а чуть в сторону. На лбу выступил пот. Как теперь наклониться, как подобрать и куда спрятать бумажник? А вдруг там только очки да какая-нибудь санаторно-курортная карта? Хоть бы несколько рублей...

Нащупав пяткой бумажник, Неделин отодвинул его в сторону двери и немного подвинулся сам. Так, незаметно перемещаясь, он оказался у самой двери. Пот на лбу высох, но руки подрагивали. Дождавшись, когда оба игрока окажутся к нему спиной, Неделин быстро нагнулся, схватил бумажник и сунул его в плавки. Посидел еще немного, встал и, зевая, вышел из зала. Не спеша прошел по длинному, очень длинному коридору, свернул за угол, сел в кресло возле журнального столика. Никого. Быстро выхватил бумажник, открыл, увидел какие-то документы и деньги, взял деньги, сунул их в плавки, а бумажник сунул под кипу газет.

Все. Пора сматываться из этого «Горного утеса». Только попить чего-нибудь. Он зашел в сумрачный бар, присел к стойке на высокий стул, сказал бармену:

— Попить чего-нибудь.

Бармен, кавказец, но прекрасно разбирающийся в тонкостях русского языка, дружелюбно переспросил:

— Попит или выпит? Э?

— Выпить, — сказал Неделин.

Бармен что-то сделал под стойкой, и перед Неделиным оказался граненый стакан с коричневатой жидкостью.

— Напиток! — сказал бармен. — Пят рублей.

Неделин достал из плавок пятерку, сунул бармену, отхлебнул напитка, сморщился: это оказался дрянной портвейн. Второй глоток дался уже легче, в голове приятно заволокло, Неделин допил стакан и хотел выйти, но в коридоре послышались смятенные голоса, топот ног. В бар вбежали паренек и владелец бумажника. Неделин посмотрел на них прямо и открыто.

— Проиграли? — спросил он владельца бумажника.

— Ты был сейчас в бильярдной?

— Да, а что?

Обворованный оглядел Неделина.

— В чем дело? — улыбаясь, спросил Неделин.

— А ну встань!

— Прашу бэз никаких бэзобразий! — предупредил бармен.

— Чудак... — Неделин встал. Деньги в плавках были незаметны, бумажник обязательно обнаружил бы себя.

— Ты ничего не видел? — спросил обворованный.

— Где?

— А может, в коридоре? — подал голос паренек. — Или в бассейне?

— В бассейне? — повернулся к нему обворованный. — Ты вот что, Миша. Побудь с ним, чтобы никуда не уходил. А я пойду посмотрю.

— Ладно.

Паренек, стесняясь, сел в уголке и сделал вид, что не глядит на Неделина. Через пару минут Неделин пошел к выходу. Паренек поднялся.

— Вам нельзя, — сказал он.

— Чего нельзя? — улыбнулся Неделин.

— Подождите немного. Вы, конечно, ни при чем, но нужно подождать.

— Ничего не понимаю! — сказал Неделин. — Оставь меня в покое, мальчик!

Он шел по коридору к выходу здания, а паренек поспевал следом и говорил:

— А вы в каком номере живете? А вы куда? Надо подождать, вы слышите? Вы куда?

— Купаться.

— Вам нельзя.

— Это почему же?

— Вам нельзя! — Паренек ухватил его за руку, когда Неделин уже открывал дверь. Неделин ударил его по руке, тот ойкнул.

— Отстань, щенок! — сказал Неделин. Ему жалко стало безусого паренька, глаза которого наполнились слезами боли и обиды. Но паренек не отставал, шел за ним по аллее, ведущей к морю.

— Вы промокнете, — говорил он. (Опять начал накрапывать дождь.)

Неделин шел берегом. Неделин поднял камень.

— Убью же дурака.

— Вы отдайте деньги и идите, — сказал паренек. — Вас же все равно поймают. А я скажу, что нашел деньги в коридоре, и он успокоится. А так он заявит, и вас найдут.

Неделин кинул камень, промахнулся. Впрочем, он и не собирался попасть, он хотел лишь попугать.

Некоторое время шли молча, преследователь не отставал.

— Сейчас отойдем, — не оборачиваясь, сказал Неделин, — и я тебя пришибу. Иди домой, пацан. Иди, я сказал.

— Отдай деньги. Стой! Стой, говорю!

Неделин обернулся и увидел в руках паренька камень. Злобно вскрикнув, он бросился на него, тот опустил поднятую руку, но тут же опомнился, хотел защититься — и не успел. Неделин сшиб его на землю, вцепился, стал в бешенстве рвать на нем рубашку, тискать и мять его. Парень обхватил его руки, они стали кататься по гальке и скоро оказались в воде, волны небольшого прибоя то и дело накрывали их с головой, был момент, когда Неделин чуть не захлебнулся, в ярости насел на паренька, подмял под себя, держал его голову под водой. Отпустил.

Тело безжизненно шевелилось в воде. Неделин схватил его под мышки, вытащил на берег. Глаза паренька были закрыты, лицо посинело. Неделин бил его по щекам, разводил и сводил руки, не зная толком, как делать искусственное дыхание. Вспомнил: нажимать на грудь, и начал нажимать на грудь и вдувать воздух в рот. Изо рта наконец хлынула вода, потом паренька вырвало, он застонал и открыл глаза.

— Дышишь? — спросил Неделин.

Паренек кивнул.

— Жив?

Паренек кивнул.

Неделин немного посидел возле него. Тот лежал, обессиленный, но вот приподнялся, сел, покачиваясь, туманно глядя красными глазами.

— Отдыхай, — похлопал его по спине Неделин. — А я пойду. До свидания, мальчик. Не сердись.

## Глава 18

Под вечер, успев дважды промокнуть и высохнуть, он подошел к обрывистому месту, которое нельзя было миновать берегом, только через территорию очередного пансионата, стоявшего в глубине старого парка, и само здание было старым, в духе пятидесятых или даже тридцатых годов — с порталом, с финтифлюшками всякими. На здании значилось: «Тюльпан». Донеслись запахи кухни. Должно быть, ужин скоро. Как есть хочется... Может, проникнуть в столовую? Народу много, легко смешаться. Но ведь столы, как это обычно бывает, все закреплены за отдыхающими... Что-нибудь придумаем...

Неделин вошел в здание и попал как раз в ручеек людей, собирающихся со всех этажей на ужин. Столовая была большая, из двух залов. Неделин прошел во второй. Там он увидел несколько несервированных столов. А у входа в зал были для желающих различные закуски и хлеб — кому покажется мало того, что было на столах. Тут же и чистые запасные тарелки. Неделин взял тарелку, набрал ложкой фасоли, взял побольше хлеба, сел за свободный стол и, не думая об осторожности, жадно опустошил тарелку. После этого он ел еще квашеную капусту, морковный салат и опять фасоль — и только после четырех полных тарелок почувствовал, что желудок набит, хотя ощущение голода, как ни странно, еще осталось.

Оглядевшись — кажется, никто не обратил внимания? — Неделин отправился бродить по зданию. В холле на одном из этажей он включил телевизор, сел в кресло, вытянул ноги, задремал. Дремал недолго, около часа. Предстояло решить проблему ночлега. Для настоящего Виктора Запальцева этой проблемы, пожалуй, не было бы. Элементарно: соблазнить одинокую женщину, напроситься к ней в номер. И остаться на ночь. Вон где-то музыка играет, это танцы, какой пансионат или санаторий без танцев? Правда, одеяние не бальное, но тут все попросту, как дома.

Танцевальная площадка была вне здания, крытая, с деревянным полом, увитая плющом. Неделин не успел осмотреться, к нему подошла симпатичная женщина лет под сорок.

— Извините, — сказала она. — Я сигареты оставила. Не угостите?

Именно то, что нужно, подумал Неделин. Вон как смотрит. Не сигарета тебе нужна, милая, другое тебе нужно!

— Я тоже в номере оставил, — сказал он. — Сейчас стрельну для себя и для вас.

Стрельнул, угостил женщину, угостился сам. (Постоянно курить ему не хотелось, но иногда возникало желание.)

— Я и танцевать не собирался, — сказал Неделин. — Видите, одет как. А сейчас захотелось потанцевать. Вас вот увидел и захотелось.

— Тогда танцуем, — сказала женщина и потушила едва начатую сигарету. Они стали танцевать.

Не умея говорить, Неделин решил сразу действовать, время дорого!

Прижал женщину к себе очень тесно и поцеловал в шею, благо освещение зыбкое, неверное, со стороны не разберешь, то ли целует, то ли просто сомлел человек и склонил голову.

Женщина ничего не сказала. Неделин прямо посмотрел ей в глаза — она выдержала, ответила взглядом спокойно, согласно. Неделин взял ее за руку и повел. Привел к морю. Стал обнимать, целовать, женщина отзывалась послушно, с тихим смехом.

— Это надо же! — сказал Неделин. — Где ты раньше была?

— А ты?

— Искупаемся?

— Прохладно.

— Пройдемся?

— Уже поздно. Мне пора.

— Что значит — пора? Ты свободна?

— Как ветер. Но пора. Я вчера ночь плохо спала.

— Почему? Предчувствовала?

— Что?

— Что меня встретишь?

— Нахальничаешь.

— Еще нет.

— Мне пора.

— Я умру, я тебя не отпущу.

— Мне пора. Какой ты... Мне пора!

— Я провожу.

Танцы кончились, но где-то еще слышалась музыка.

— Где-то музыка, — сказал Неделин.

— Это в баре.

— Зайдем, выпьем что-нибудь?

— Там только сок, ты же знаешь. Сухой закон объявили в этом сезоне, идиоты.

— А вот мы посмотрим!

В баре Неделин сказал бармену, очень похожему на бармена из «Горного утеса»:

— Попить хочется чего-нибудь особенного.

— Попит или выпит? — тихо переспросил бармен.

— Выпит, дорогой, выпит!

Бармен поставил перед ними два стакана с коричневой жижей.

— Портвейн? — утвердительно спросил Неделин. — Пят рублей?

— Шест, — сказал бармен.

Неделин, подняв стакан, вспомнил наконец, что нужно представиться:

— Петр.

— Лена.

— Да?

— А что? Жену так зовут?

— Я не женат. За знакомство!

Они выпили и поговорили. Лена рассказала, что муж у нее недотепа, что работа у нее нудная, что зато теперь-то она пришла к мудрости: не требовать от людей больше того, что они могут дать, но не упускать того, что они могут дать на самом деле и без усилий. Неделин с ней согласился.

— Ну что ж... — сказала Лена, посмотрев на часы.

— Я провожу, — сказал Неделин.

Лена засмеялась. Они поднялись в лифте, прошли по слабо освещенному коридору, Лена вдруг остановилась, прижалась к Неделину, сказала глубоким волнующим шепотом: «Боже мой! Боже мой! Боже мой!» Глаза ее сверкали неведомыми драгоценными камнями, волосы разметались по плечам, она была прекрасна, и все неистовее возила и елозила она по телу Неделина своим гибким телом. Не помня себя, Неделин стал стаскивать с нее кофточку, но она отпрянула и сказала:

51

— Я пришла. Вот моя дверь.

— Мы пришли, — уточнил Неделин.

Лена мягко остановила его:

— Завтра.

— Не выдержу. Хочу к тебе.

— А что муж скажет?

— Какой муж?

— Спит который. Нарезался и спит. Теперь часов четырнадцать будет спать, не меньше. Но чутко. Так что — до завтра.

— До завтра, — уныло сказал Неделин.


## Глава 19

Он спустился в бар — ловить безнадежный шанс. Но в баре никого не было, кроме лысого аккуратного гладкощекого гражданина, который пил апельсиновый сок под холодным взглядом бармена. Неделину же бармен улыбнулся.

— Выпит? — спросил он.

— Выпит!

Выпить, а там видно будет.

Сбоку что-то появилось. Отпив глоток, Неделин повернулся: гражданин со стаканом сока.

— По какой причине пьем? — спросил гражданин.

— По причине отсутствия причины. Мне одному хорошо, извините.

— Я вас видел сегодня в столовой. Вы не из «Тюльпана». Вы бродяга? Кто вы?

— Рецидивист.

— Для рецидивиста у вас слишком культурная внешность.

— Я валютной спекуляцией занимаюсь. Интеллигентная работа.

— Сомневаюсь.

Неделин вгляделся в умное лицо собеседника — и вдруг захотел рассказать ему все. Но удержался, рассказал лишь часть. То есть часть выдуманного приключения.

— Вы угадали, я бродяга. Поссорился с друзьями. Понимаете, я приехал на их машине. Палатку разбили. И они стали относиться ко мне как к нахлебнику. Подай, принеси, порежь. Мне стало обидно. Я сказал: мне это не нравится. Они сказали: а куда ты денешься? То есть так получилось, что перед отпуском я оказался без копейки. Долги отдал. И они сами уговорили меня поехать. Мы обеспеченные люди, нам ничего не стоит! И вот... Я ушел от них — без копейки. Уже неделю хожу по берегу. Не на что уехать. Нет, теперь есть на что, — Неделин перехватил взгляд, брошенный на пачку денег, которую он легкомысленно положил на стойку. — Это краденые. Да, украл. Можете сдать меня в милицию. (По глазам видел: не сдаст. Понимает и жалеет. Настоящий человек.)

— Зачем вы, — сказал настоящий человек. — Меня Евгением зовут.

— А я — Петр.

— Очень приятно. Как дальше, это ваше дело, а ночь можете у меня

52

переночевать. У меня приличный номер — постель и диван-кровать для гостей. Диван-кровать, правда, без белья, но придумаем что-нибудь.

— Мне неудобно.

— Пустяки какие.

— Я возьму с собой вина?

— А вы не пьяница? Не напиваетесь?

— Нет. Я и для вас.

— Я не пью.

\*\*\*

В номере Евгения Неделин с наслаждением принял ванну, за это время Евгений соорудил небольшое застолье, у Неделина не хватило сил отказаться. Через полчаса он сидел, ублаготворенный, потягивал, смакуя, мерзкое вино, затягивался сигаретой — у Евгения нашлись сигареты, хотя сам он не курил, — и слушал тихие слова Евгения, любящего, как выяснилось, пофилософствовать.

— Люди привыкли жить в одномерном мире. Ну вот вам пример. Сможете из шести спичек построить четыре равносторонних треугольника?

Он высыпал на стол спички, Неделин нехотя поковырялся и бросил.

— Видите, вы даже не даете себе труда поразмыслить. Вы пытаетесь сделать это на плоскости, исключительно на плоскости.

— А-а! — догадался Неделин. Положив на стол три спички треугольником, он тремя остальными выстроил пирамиду, грани которой, включая нижнюю, и образовывали четыре равных треугольника.

— Вот именно! — сказал Евгений. — А другие и после подсказки не понимают! Привыкли, понимаете, привыкли к одномерному миру! У нас все — единое для всех. Даже партия — и та одна на всех. Даже...\*

Даже к духовным ценностям человека мы относимся одномерно, — продолжал Евгений. — Мы говорим о нравственных обязанностях человека, а человек ненавидит то, что он обязан делать. Надо говорить о нравственных ВОЗМОЖНОСТЯХ! Они невелики? Но надо строить мир с учетом их, настоящих, а не пытаться сперва переделать человека. Надо использовать в первую очередь эгоизм человека во имя всего общего блага. И надо отвыкать от одномерности. Знаете этот избитый пример о художнике, который увидел лондонский туман розовым — и после него таковым увидели туман сами лондонцы? Но дело в том, что туман-то вовсе не розовый! Он — всякий! Предметы не обладают цветом, цвет им дает солнечное излучение. Я хотел бы стать дальтоником. Какой это, должно быть, странный, СВОЙ мир!

— Вы художник? — спросил Неделин.

— Нет.

— Физик?

— С чего вы взяли?

---

* Далее — политические разговоры Евгения, бывшие актуальными и смелыми до 85-го года, но теперь не имеющие никакой цены. (*Примеч. авт.*)

— А кто, извините?

— Разве это важно? Ну, руководитель струнного ансамбля при городском Доме пионеров. Вам это что-нибудь говорит?

— Конечно. Вы любите детей.

— Да, дети. К ним мы тоже относимся одномерно. Вы заметили, что мальчики часто влюбляются в мальчиков? Более красивых, сильных. И это надо понимать, это естественные порывы детской души. Не надо видеть в этом ничего дурного. Дети ведь не имеют понятия о грехе, понятие греха им прививают взрослые. Они надеются, что прививают им как вакцину, как спасение от болезней, на самом же деле они заражают их, потому что никто не знает настоящей дозы! Понимаете?

— Понимаю... У меня у самого в детстве был кумир... Ну, или что-то в этом роде.

— Я думал, вы сами были кумиром. Наверное, вы были сильный и красивый мальчик.

— Что вы! На физкультуре в строю предпоследним стоял. Замурзанный такой, хлипкий, жутко вспомнить. А доставалось мне сколько!

— Невероятно! У вас же рост метр восемьдесят пять, не меньше.

— Вроде бы... Да, где-то так.

— Когда же вы выросли?

— Потом. Я очень хотел вырасти. Страстно хотел, вот даже как. И вырос. Уже после школы рос.

— Что ж, верю. Надо очень захотеть, и все возможно.

Евгений дружески похлопал Неделина по плечу.

Добрый, чудесный человек, подумал Неделин — и сладко зевнул.

— Да, пора спать, — сказал Евгений. — Белья вот только нет для дивана. И жесткий он. А постель у меня вон какая, аж двухместная почти. И мягкая. Вполне уляжемся. А?

Глаза у Неделина слипались, он с аппетитом посмотрел на белизну простыни и подушки, захотел туда и кивнул.

Легли.

— Господи, страшно в этом мире! — как молитву, проговорил Евгений. — Страшно! И радостно! — когда с тобой близкий человек. Который тебя поймет. — И ткнулся в плечо Неделина.

А Неделин вдруг подумал о том, чего никогда не знал близко, о чем только слышал или читал. Неужели вот оно, это самое?

Словно подтверждая его догадку, мягкая, почти женская рука Евгения легла ему на грудь. Дыхание Евгения стало учащенным.

— Ты что? — спросил Неделин.

— Ты понял, — сказал Евгений.

— Ну, знаешь...

— Ничего не говори, только слушай. Что с тобой сделается? Ведь ничего! Ведь абсолютно ничего! Тебе будет даже хорошо, я уверяю! Что изменится? Ведь ничего! Только одно случится: ты дашь человеку счастье. Тебе жалко? Ведь ничего не изменится, ты пойми! В сущности, ничего не случится. Ты ведь не одномерный человек, я чувствую. Переступи этот фальшивый порог. Его даже и нет, этого порога, его выдумали. Все называется одним словом: любовь. Это у всех есть, понимаешь? У всех живых существ это есть. Это любовь, все забудь, только помни, что это любовь.

Рука стала сползать, трясясь.

Неделин отпихнул от себя Евгения так сильно, что тот упал на пол. Сел возле постели и тихо зарыдал.

— Ну почему нет? Почему? За что, Господи? За что эти муки? Почему нет? Ведь с тобой ничего не случится, ты пойми! Ведь ничего! А мне — счастье!

— Молчи, убью гада! — Неделин начал одеваться.

— Убей! Убей! — Евгений на коленях пополз к нему, сунул тупой столовый нож, взял его руки в свои, стал тыкать закругленным концом ножа себя в грудь:

— Убей! Режь!

Нож выпал, Евгений целовал руки Неделина. Тот отшвырнул его, Евгений упал ничком и затих. Неделин выпил разом стакан вина. Сидел и смотрел на это неведомое, непонятное ему горе.

— Ложись в постель, — сказал он.

— Да? — поднял голову Евгений. — Да, да, сейчас. — И торопливо лег. — Я больше не буду, — сказал он. — Только не уходи, ладно? Я буду просто на тебя смотреть. И ничего не надо. Просто буду смотреть.

И он уставился на Неделина грустным любовным взглядом.

Нет, хватит, подумал Неделин. Украл одежду. Драка. Украл бумажник. Опять драка. Влип в странную историю, опять побил человека. Боек, слишком боек, видимо, был Витя Запальцев! Нет, хватит. Признаться первому встречному милиционеру.

Евгений что-то шептал.

— Что? — спросил Неделин.

— Стихи, — сказал Евгений. — «Когда за спиною любимый, глаза открываются шире, и суть представляется мнимой того, что есть сущее в мире. И солнце на западе всходит, и вечно пребудет в зените. "Эй, там свое место займите!" Но места никто не находит».

И все плакал тихими слезами.

— Перестань, — сказал Неделин. — Все образуется. Найдешь кого-нибудь.

— Кого-нибудь!.. А ты — ?

— Нет.

...

— Жаль.

— Извини.

— Жаль...

...

— Я пойду.

— Куда — ночью?

— Мне нужно идти.

— Подожди до утра.

— Не могу.

...

— Я засну. Выпью сейчас две таблетки снотворного и засну.

— Все равно. Мне пора.

— Тебе надо поспать.

— Не хочу спать. Честное слово. Прощай, Евгений.

— До свидания. Вдруг встретимся?

— Вряд ли.

— А я буду верить. Ты откуда, из какого города? Не говори. Зачем?

— Я пошел.

— Прощай.

— Не расстраивайся, Женя.

— Постараюсь.

— Спасибо за все.

— Шутишь?

— Нет, в самом деле. Мне с тобой было хорошо... Поговорили...

— Уходи, подлец!

— Ты что?

— Уходи! Вон! Прочь!

## Глава 20

Миновало десять дней. Неделин был все еще на черноморском побережье, но уже в Пицунде, где снимал комнату. Линялые джинсы (пляж в окрестностях Сочи), голубая футболка (пляж в Гагре), удобные, по ноге кроссовки (пляж в Гагре), сумка через плечо (пляж там же), в сумке сигареты, бутылка вина, две сотни рублей. Деньги — честные, на рынке в Гагре метался человек и искал кого-нибудь срочно разгрузить машину с фруктами. Оплатил весьма щедро, Неделину это понравилось, он разгрузил еще три машины, но его приметили местные грузчики, побеседовали с ним, пришлось убраться. В Пицунде Неделин намеревался отдохнуть дня три и двинуться дальше, у него созрел дикий план перейти границу. Вовсе не из политических соображений, как это бывало в те годы, а просто — захотелось увидеть мир. О том, как будет там блуждать, не зная языка и нравов, не имея денег, пока не задумывался.

Сегодня намечался небольшой пикник в окрестных лесах с дамочкой, которую он подцепил накануне на пляже. Дамочка была, как и Лена из «Тюльпана», замужем и звали ее, кстати, тоже Лена.

На этот раз Неделин был твердо уверен в себе. Залог успеха был уже в том, что эта Лена очень быстро согласилась на прогулку; муж уедет — в Гагру за билетами на поезд, они хотят уехать раньше: свекровь, мать мужа, заболела, телеграмму прислала, дура старая, что при смерти.

Они шли по тропкам и тропинкам, наткнулись на какой-то бесконечный забор, свернули. Лене все хотелось подальше, подальше, она говорила разные пустяки, очень оказалась разговорчивой. Вышли на небольшую полянку с мягкой густой травой.

— Все, прибыли! — сказал Неделин.

— Прибыли так прибыли, — согласилась Лена. — Тут и позагорать даже можно! — живенько осталась в одном купальничке-бикини и села напротив Неделина, ожидая, когда он откроет вино. Пластмассовая пробка не поддавалась, Неделин, не имея ножа, рвал ее зубами, поджигал спичкой, чтобы оплавилась. Лена смеялась, он посмотрел на ее белые зубы, на запрокинутую смуглую шею с обозначившимися рельефно впадинами возле горла, отбросил, так и не открыв, бутылку, упал на Лену, впился губами в шею.

— Да! Да! Да! Конечно! — и помогала ему снять с себя купальник, помогла ему освободиться и от своей одежды.

— Да! Да! Да! — бормотала и смеялась, и уже Неделин готов был, и уже предвкушал он первый счастливый вскрик ее, и вот...

— А ну встать! — услышал Неделин хлесткий окрик над собой — и отскочил от Лены, упал, запутался в кустах, бросился к одежде, прижал ее, скомканную к себе, увидел, как Лена торопливо надевает на себя купальник и все прочее.

Перед ними стоял коренастый человек в совершенно диком для этих мест виде: в костюме с галстуком, в черных лаковых туфлях.

— В чем, в чем дело? — опомнился Неделин.

— Неважно, — почему-то полушепотом сказал гражданин в костюме.

— Мы муж и жена, между прочим, — сказала Лена.

— И это неважно. Идите отсюда быстро.

— Ну и уйдем, — сказала Лена. — Тоже мне! А что тут такое, почему нельзя? — И вдруг: — А-а-а... Тут же...

— Ба-э! — передразнил, но и одобрил ее улыбкой костюм.

— А что? — не понял Неделин.

— Объясни ему, — сказал Лене костюм.

— Да, конечно. Пойдем, потом объясню.

Сожаление о том, что не произошло, обернулось в Неделине злобой.

— Почему мы должны уйти?

— По кочану! — сказал костюм и переглянулся с Леной. — Жаль, конечно, нарушать ваш... семейный союз. Но — ...

— Нет, вы объясните! Мы делаем что-то противозаконное?

— Вы делали все нормально. Можете продолжать, но не здесь.

— Почему?! — требовал Неделин.

— А ты знаешь, что тут находится? — костюм кивнул куда-то головой.

— Не знаю и знать не хочу!

— Тогда хватит рассуждать, марш отсюда!

— Что это за нахальство такое! — закричал Неделин и демонстративно уселся на землю. — Я никуда не уйду!

— Что?!

Послышались какие-то голоса. Костюм побледнел.

— Я добром прошу! — сказал он.

— А я ТЕБЯ, — подчеркнул Неделин, — тоже добром прошу: вали отсюда. Понял?

— Так... — Костюм тревожно оглянулся. После этого он быстро достал красную книжечку-удостоверение и хотел показать ее Неделину, но Неделин отвернулся.

— Плевал я на твои корочки. Тут государственная территория, а не частная.

— Заповедник! — напомнил костюм, становясь все тревожнее.

— Ну и что? Веток не ломаем, костра не жжем.

57

Голоса стали слышнее.

— Ну, ребята! — сказал костюм и достал откуда-то из-под мышки неправдоподобно настоящий пистолет.

Лена вскрикнула и вцепилась в руку Неделина:

— Пойдем! Тут же... Я тебе потом скажу. Неужели не знал? А я, дура...

— Стреляй, — сказал Неделин. — Стреляй! Ну?!

Костюм растерялся.

— Слушайте, вас просят на двадцать метров отойти. С этой полянки уйти, вот и все. Разве трудно? С этой полянки уйти, вот и все. Приходите через полчаса и сношайтесь хоть до утра, мне-то что.

— Как ты сказал?

— Ну, любите друг друга.

— Извинись!

— Ну извините.

— Без «ну».

— Извините.

Костюм торопился, ежесекундно оглядываясь. И сказал:

— Ну, падлы! Дождались... — и спрятал пистолет под мышку.

На поляну выходили люди: десятка два. Впереди шествовал тяжеловесный грузный старик в белых брюках, в белой рубашке, а на плече у него было ружье. За ним и около него шли какие-то одинаковые служебные.

Костюм переминался, бледнея. К нему подскочил другой костюм с гневным лицом, но ничего не сказал, только глянул на приближающегося старика.

Старик, не вникая в ситуацию, подошел к Неделину и Лене — и вдруг протянул руку для пожатия. Они пожали.

— Гуляете? — спросил старик.

— Да... Знаете, как-то... Воздух... Природа... — смущенно сказала Лена.

Засмущался и Неделин, в старике он узнал Главного на сегодняшний день человека страны, который, очевидно, отдыхал на здешней правительственной даче. Ясно теперь, почему гражданин в костюме требовал их удалиться: освобождал Главному маршрут прогулки.

— Сосны тут великолепные! — произнес Главный, и все из его окружения заулыбались и посмотрели на сосны одобрительно, как бы хваля их за то, что они так постарались и угодили старику.

— Это ваша вещь? — Главный указал на верхнюю часть купальника, лежащую на траве, Лена второпях забыла надеть ее.

— Да, — сказала она и сделала движение поднять, но чьи-то руки ее удержали, потому что сам Главный уже сделал шаг в том направлении.

Главный поднял и, держа двумя пальцами, преподнес Лене.

— Спасибо, — сказала Лена.

— Ничего. Как отдыхается?

— Нормально, — сказал Неделин.

— Как снабжение здесь? Хватает покушать?

— Хватает, — сказал Неделин и бодро махнул рукой: чего уж там!

Лица сопровождающих прояснели.

— Но можно было бы и лучше? — с народной лукавинкой спросил Главный.

— Нет предела совершенству! — удачно ответил Неделин, и лица сопровождающих стали совсем ясными.

— А вы-то на диете, наверное? — обратился Главный к Лене. — Вот ведь стройненькая какая!

— Я такая сама по себе, — сказала Лена.

— Тебе повезло! — сказал Главный Неделину как мужчина мужчине и подмигнул.

Сопровождающие тоже мужчински посмеялись.

ВДРУГ:

— Откуда здесь зеркало? — спросил Неделин неровным голосом.

Главный на это сказал голосом тоже зыбким:

— Вы же сами этого хотели!

— Что это? Что это? — потерянно спрашивал Неделин.

— Счастливо оставаться! — сказал Главный. И пошел прочь, следом двинулись сопровождающие, озадаченные странным диалогом.

— Куда?! — закричал Неделин. — Задержите его! Что такое? Что случилось?

— Идемте, — говорил Главный. — Идемте, им одним остаться нужно.

Неделин рванулся за ним, но на его пути встал человек в костюме, обнял его железными руками.

— Ты что? Ты сдурел, что ли?

— Ты меня — на ты? — затрясся Неделин, который, как вы уже поняли, был не Неделин, а перевоплотившийся в него Главный, — и упал в обморок.

— Займитесь им, девушка, — сказал человек в костюме.


## Глава 21

Лена кое-как привела своего спутника в чувство, он очнулся, но, очнувшись, такое стал говорить, что Лена ахнула. Он сказал, что он — Главный, что произошло какое-то недоразумение, ему срочно надо на правительственную дачу, в двенадцать часов у него государственный телефонный разговор, затем прием министра тяжелой промышленности, затем обед, затем игра в настольный теннис, затем написание резолюций, затем... А что скажет супруга, которая приедет завтра вечером?

Лена поняла, что в результате необыкновенной встречи ее несостоявшийся любовник сошел с ума. Первой ее мыслью было бежать, но она была все-таки добрая женщина и, рискуя своей репутацией, довела Главного до Пицунды, утешая его и во всем соглашаясь с ним, из автомата вызвала «скорую помощь». Через полчаса приехала «скорая» и увезла Главного. О происшествии обязаны были сообщить в милицию — и сообщили, а милиция и рада — в сумасшедшем был опознан находящийся во всесоюзном розыске Виктор Запальцев, спекулянт, перекупщик краденого, связанный с наркобизнесом и многими другими махинациями. На его след вышли уже давно, и уже саратовская милиция протягивала к нему руки, но он буквально за день до ареста скрылся, сказав жене, честной женщине, что летит в Сочи. Для очистки совести — потому что не может же преступник ехать туда, куда объявил, — попросили сочинскую милицию подключиться, та скоро отыскала его в одной из гостиниц с помощью администратора, указавшего на живущего не по средствам человека, но он опять скрылся, и след его был на некоторое время потерян, — и опять стал сужаться круг, но тут матерый опытный преступник решил упредить и прибегнуть к методу, далеко не новому в преступном мире, — спрятаться в сумасшедшем доме.

Следователь, пожилой и видавший виды человек, был, однако, удивлен тем, насколько искусно Запальцев вошел в роль, — не боясь того, между прочим, что, избежав уголовного наказания, может нарваться на серьезные политические обвинения — ишь ты, кем себя называет, это и настоящему сумасшедшему непозволительно!.. Но вдруг и в самом деле свихнулся? Вызванному психиатру поставили четкую задачу: уличить симулянта. Психиатр был в смятении: с одной стороны, все реакции пациента были нормальными, а с другой — он не сбился ни в чем, что касалось его мании. Да и в самой повадке, в манерах исследуемого, в проявлениях его державного гнева было столько натурального, что психиатру становилось не по себе. Он сказал следователю:

— Кажется, этот Запальцев... если он Запальцев...

— ?!

— Ну пусть без если. Кажется, ваш Запальцев в самом деле съехал с катушек. В конце концов, он ведь будет в изоляции — не у вас, так у нас, от нас тоже не убежишь. Понадобится — придете к нам.

— Смотри, — сказал следователь. — На твою ответственность.

— Я вас когда-нибудь подводил? — риторически спросил психиатр.


Вколов Главному умиротворяющие средства, его, уже осознавшего трагическую необратимость происшедшего, представили больным. Больные приняли его спокойно: Главный так Главный... Только какой-то тощий субъект начал беспокойно кружить вокруг него и наконец приблизился.

— Будем знакомы, — сказал он. — Маркс-Энгельс-Ленин-Сталин! Посмотрите на меня в профиль!

Главный посмотрел.

— Похож?

Главный не стал разубеждать.

Под вечер тощий проявил активность: сгруппировал людей и заставил их маршировать мимо Главного, выкрикивать здравицы и приветствия, махать флажками, вздымать транспаранты. Вместо флажков были ложки, вместо транспарантов — развернутые книги больничной библиотеки. Потом сочинил Главному приветственную телеграмму и призвал взять повышенные обязательства, кто-то начал отказываться, — приструнили энергично и кратко, виновный взял на себя сверхповышенные обязательства, крикнули ура. Потом тощий завопил: «Броневик мне!» Подкатили стоящий в углу черный рояль, напевая хором «Вихри враждебные веют над нами» с припевом: «Эх, яблочко, куды котисся, в психдурдом попадешь — не воротисся!» Тощий вскочил на рояль и объявил: «Товагищи! Геволюция, о необходимости котогой так долго говогили большевики, свегшилась!» А после этого рассвирепел и закричал, указывая на Главного: «Свергнуть паскуду!

Сбросить с корабля современности! Убейте его! Разоблачите его, дерьмо такое, и разобилитируйте!» Все бросились на Главного, тот хотел объяснить товарищам их ошибку, не соответствующую данному моменту истории, но в это время вошел дюжий санитар.

— Опять шум? — зычно спросил он и пошел на тощего с краткой фразой: — Караул устал!

Тощий соскочил с рояля и закрыл голову руками. Главный вздрогнул: по Гоголю и по Чехову он знал, что сумасшедших бьют. Но не в советской же стране! Санитар, однако, бить тощего не стал. Встав над ним, он траурно произнес:

— Работают все радиостанции Советского Союза! Важное правительственное сообщение. Сегодня в пять ноль-ноль по Гринвичу умер сами понимаете кто!

Тощий задергался и упал на пол. Застыл. Санитар снял белую шапочку. Больные заплакали. Одни выстроились в почетном карауле, другие подняли тощего, недвижимого, понесли на руках, положили на рояль. Санитар остался доволен. Выходя, он, однако, добавил:

— Ввиду запланированного парадокса истории произвести перезахоронение покойника в почетную его кремлевскую, суку, стену.

Тощий живо вскочил и побежал куда-то; наверное, он знал, что процедура перезахоронения очень неприятна. Понурые больные, лишенные удовольствия, разбрелись по углам.

День и ночь, день и ночь думал Главный о том, что произошло, — и не находил объяснения. Смутно вспоминал он что-то о переселении душ. Что-то индийское, что ли... Но это же глупости. Это — религия, это не научный взгляд на мир. Нет, лучше не ломать над этим голову, а подумать, как доказать, что он — Главный, Главный! Он каким-то образом вселился в тело случайного человека. Разыщите, разберитесь, примите меры! Но нужно что-то такое, что убедило бы всех. Главный вспомнил детскую книжицу «Принц и нищий». Какой-то американец написал. Его, Главного, детство было трудное, активное, и как-то не довелось ему в свое время читать этой книжки, а собрался однажды подарить внуку (роскошное издание, выполненное в единственном экземпляре) — и зачитался, зачитался и все никак не мог оторваться. Уже позвонили и сообщили, что машина у подъезда, чтобы ехать на именины к внуку, а он все читал, уже позвонила из соседней комнаты жена: мы едем или нет? — а он, сказав, что собирается, все читал.

Уже позвонил академик медицины Менгит и спросил, как он себя чувствует, — и он ответил, что чувствует себя вот именно неважно, о чем просит известить всех. Никакой помощи не требуется, я просто полежу, все отлично, но нужно полежать, жене скажите — пусть едет без меня, подарок купит по пути где-нибудь.

Он читал всю ночь, с досадой ощущая сгущавшуюся вокруг своего домашнего кабинета тревогу, слышал далекую суету. Но никто не посмел его обеспокоить, только жена звонила через каждый час. Ей он сухо отвечал: работаю. Это было правдоподобно, потому что на завтра назначено важное совещание, и одновременно неправдоподобно, потому что давно он уже не работал по ночам, главная подготовка к мероприятиям заключалась в том, чтобы хорошо и свежо выглядеть. Он читал всю ночь и все-таки не

61

успел, поскольку читал всегда серьезно, медленно, вдумчиво. Позвонив утром соответствующим людям, он указал перенести заседание на два часа позже. Случайно об этом узнал министр сельского хозяйства, он заподозрил, что Главным получено какое-то важное внешнеполитическое сообщение и об этом уже наверняка знают все, а вот его, министра сельского хозяйства, как всегда, держат в черном теле. Поэтому он поспешил намекнуть министру обороны, что и он, промежду прочим, в курсе некоторых событий. Министр обороны подумал, что недаром у него с вечера немела левая часть головы, почему это вдруг какой-то министришко сельского хозяйствишка знает то, о чем не знает он? — нет ли тут происков министра легкого машиностроения? — и не упрекнут ли его, министра обороны, в нерасторопности? Поспешив в свои апартаменты, он тут же отдал приказ о приведении войск в готовность номер один. Во многих частях и подразделениях готовность номер один была понята как полная боевая готовность, потому что все давно запутались, какая готовность номер один, а какая полная боевая, считая, что номер один боевая и есть. Возможно, так оно и было. Открылись шахты, показались головки ракет. Это моментально было зафиксировано спутниками-шпионами, информация поступила в штабы вероятного противника, вероятный противник открыл свои шахты и поднял в воздух стратегические бомбардировщики, которые стали хищно кружить возле наших границ, ожидая приказа. В ответ была поднята вся штатная авиация наших войск, подлодки пошли куда было указано, троцкисты объявили о начале мировой революции, отдыхавший в Каннах российский престолонаследник получил телеграмму с одним только словом: «Скоро!», на международных биржах творилось черт-те что, акции компаний, в цикле производства которых была советская нефть, стремительно падали, банки лопались один за другим, кто-то застрелился, военные заводы в Саратове получили предупреждение о возможной эвакуации, саратовские старушки, абсолютно ничего не зная об этом, стали покупать десятками буханок хлеб на сухари, и в очередной раз пропали плавленые сырки, а корреспондент Саратовского телерадио Алексей Слаповский, выслушав сплетни о летящей на Саратов из Флориды атомной бомбе, сел со скукой сочинять очередную передачу по письмам и жалобам трудящихся, в которой нещадно бичевал коммунальных и прочих начальников среднего звена, время от времени выходя в коридор покурить и подумать над замыслом веселого и грустного романа «Я — не я», но вдруг кто-то позвонил, поболтав с кем-то в зажатую ладонью трубку, он сказал своей начальнице, пряча глаза: «Я срочную жалобу проверить...» — и ушел.

К назначенному сроку Главный вошел в зал заседания. Был бледен. Собравшихся прошиб холодный пот.

— Сердце прихватило, — сказал Главный. — Ну что ж, начнем?

...Был объявлен отбой готовности номер один, ракеты спрятались в шахты, самолеты вернулись на аэродромы, военные чины рассматривали седые волосы, прибавившиеся за эти часы, престолонаследник, выехавший уже в Париж, получил телеграмму: «Будем ждать еще», акции упомянутых компаний опять подскочили, лопнуло вследствие этого еще несколько банков, кто-то опять застрелился, саратовские бабушки кормили голубей размоченными сухарями, плавленые сырки, правда, так и не появились, а корреспондент Саратовского телерадио Алексей Слаповский независимо от этих событий явился домой поздно, дыша духами, туманами и вином и, тыча пальцем вверх, мычал, кривя мокрый рот:

— Я — не я! Прошу запомнить!

— Я все запомню, — терпеливо отвечала его жена Лена.


Так вот. Главный, вспомнив книжку «Принц и нищий», вспомнил про то, как принц убедил всех, что он действительно принц, указав, где хранится большая королевская печать, которой он колол орехи (или это нищий колол орехи, надо бы перечитать). То есть и ему, Главному, следует припомнить нечто такое, что знает только он один и что докажет его права. Но у него не было большой королевской печати. У него не было даже какого-нибудь ключа от потайного сейфа, да и самого сейфа не имел, жил открыто, простодушно. Разве что обнаружить свое знание какой-нибудь большой государственной тайны? — но какой?

Были тайны, они поступали на стол Главного в виде черных папок с пятью звездочками на обложке, знак предельной секретности. На титульном листе подпись: «Сведения строжайшего характера, ознакомлены...» — и подписи пяти-шести ответственных лиц; кроме них, никто в мире не знал о содержании документа. Но Главный сейчас признался себе, что ничегошеньки не помнит из этих тайных схем, таблиц и карт. Помнит, что на карте то ли Восточной, то ли Северной Сибири он увидел кружочки, расположенные в виде созвездия Малой Медведицы, и указал на эту дешифрующую оплошность. Его замечание было воспринято оперативно, через полгода сообщили, что объекты передислоцированы с минимальными затратами в пять там или в восемь миллиардов рублей и уже ничего не напоминают своей конфигурацией, специально по звездному атласу проверяли. А вот что за кружочки, что за объекты — теперь хоть убей...

Главный поинтересовался больничной библиотекой и — вот удача! — нашел там «Принца и нищего» писателя Марка Твена. Два дня он наслаждался. Потом прочитал «Таинственный остров» Жюля Верна — пять дней удовольствия. Потом «Дети капитана Гранта» того же автора. И на этом хорошие книги в библиотеке, занимавшей половину стеклянного аптечного шкафа, кончились, остались лишь зачитанные, но не представляющие для Главного интереса: два-три зарубежных романа издательства «Прогресс» — на иностранных же языках, два-три детектива, четыре экземпляра девятьсот шестидесяти семистраничного романа М. Доломахамова «Цветенье гор», три экземпляра «Капитанской дочки» А. Пушкина и восемнадцать разрозненных томов советского писателя Мудаевского, которому Главный, кажется, несколько лет назад вручал Государственную премию. Тома были не тронуты. Главный тихо и скромно, чтобы не раздражать персонал, пожелал попасть на прием к главврачу, его допустили. Главный попросил позвонить по вертушке в Кремлевскую библиотеку, чтобы в порядке шефской помощи для нужд психически недомогающих выделили книги Жюля Верна, Марка Твена, а также того писателя, который про Незнайку написал. Каково же было удивление Главного, что в клинике нет вертушки! — и главврач помочь никак не может. Да, он согласен, библиотека скудна, он просил, он обращался, но единственное, чего добился: психбольнице пообещали прислать полное собрание сочинений Ленина.

Главный искренне огорчился, и психиатр, пожалев его, принес ему книгу своего сына: «Урфин Джюс и его деревянные солдаты». Главный принял ее обеими руками и чуть не с поклоном, тут же сделал обертку для книги и вскоре за свою аккуратность стал получать от главврача регулярно книги из его домашней библиотеки: и Жюля Верна, и Герберта Уэллса, и про Незнайку.

Главный стал самым тихим обитателем клиники, о мании своей не вспоминал, просыпался рано утром с ясной улыбкой под пение птиц, бодро умывался, завтракал и жадно приступал к очередной книге чудес и приключений.

Однажды в телевизоре он вдруг увидел себя, то есть того, кем он был раньше. Он забеспокоился, начал озираться, санитар подошел ближе. Главный закрыл глаза ладонями, что-то закричал и убежал от телевизора.

Другой раз, обертывая книгу газетой, он опять увидел свое лицо на первой странице, а под этим лицом — текст важного государственного выступления. Он прочел несколько строк, и с ним вдруг сделались судороги.

С этого времени он не подходил к телевизору, не брал в руки газет, отыскал где-то специальную книжную дерматиновую обложку и берег ее как зеницу ока; когда больной по кличке Пожарник начинал бегать по коридору и кричать: «Пожар! Пожар!» — он не спешил, как другие, выносить из палаты скудное свое больничное барахлишко, брал только книгу с обложкой и спокойно пережидал — или окончания пожара, если он действительно начнется, или когда тревогу объявят ложной.

Он был счастлив.

## Глава 22

Неделину же вживание в роль Главного далось без особого труда: бытие Главного определялось не сознанием, а распорядком, который обеспечивало множество людей. Надо было только наблюдать и подстраиваться.

Если люди охраны появлялись с ластами и масками в руках, значит, время идти к морю купаться в мелком огороженном месте или кататься на небольшом военном катере, удить рыбу; она ловилась на удивление споро, Неделин подозревал, что аквалангисты в глубине нанизывают на крючки заранее пойманных рыбин, но, впрочем, радость ловли от этого не уменьшалась — аквалангисты были не дураки, выжидали некоторое время, давали возможность поволноваться — с приятностью, а потом уже насаживали рыбу и — дерг, дерг!

Если охрана и другие служебные лица появлялись все сплошь в официальных костюмах, значит — прием или еще какое мероприятие.

Регулярно Неделину приносили папки с документами, которые ему следовало рассмотреть, то есть поставить свою подпись или не поставить. Большей частью это были наградные листы, и подписи он ставил охотно, натренировавшись перед этим расписываться так, как расписывался Главный.

Но хотелось больших дел, хотелось скорее в Москву.

И вот отпуск закончился. Неделина привезли в Москву.

И ему тут же представилась возможность показать себя: на другой день следовало состояться важному совещанию с делегатами со всей страны, он должен выступить с речью.

День настал.

Было жарко, Неделину хотелось снять к чертовой матери пиджак и галстук. И он подумал: а почему бы и нет? Он представил: двенадцать первых людей государства выходят в белых рубашках со свободно расстегнутыми воротниками. Уже одно это побудит людей подумать: не новые ли времена на носу? Вселит оптимизм.

— Жарко, — сказал Неделин.

С ним согласились.

Неделин снял пиджак, галстук — и расстегнул верхнюю пуговицу.

Подхватливый министр сельского хозяйства сообразил первым — и живенько сделал то же самое. Смущаясь и отворачиваясь, будто не пиджаки снимали, а раздевались прилюдно догола, остальные последовали его примеру. Замешкался министр обороны, так как был в парадном мундире, не допускающем снятие кителя. Но он что-то шепнул ординарцу-генералу, тот исчез и тут же принес летний полупарадный костюм с батистовой рубашкой нежно-зеленого цвета и погонами. Дольше всех держался идеолог, то расстегивал, то застегивал пуговицы, теребил лацканы, глядел на Неделина умоляюще. Но Неделин лишь неодобрительно покривился. И идеолог снял пиджак — и вот тут он впервые в жизни покраснел.

Вид у всех стал гражданский и необыкновенно свойский. Прозвучал звонок к началу. Все сгрудились у двери, оставив проход для Неделина. Предстояло подождать еще несколько минут, чтобы атмосфера ожидания накалилась и позывала к овации при появлении членов президиума.

И, слушая этот тихий прибой за дверью, Неделин занервничал, забоялся чего-то. Ему стало неловко. Пальцы сами застегнули верхнюю пуговицу рубашки, руки шарили по груди... — кто-то тут же подал галстук, он надел галстук, повел плечами... — подали пиджак, он надел пиджак.

Взмокшие от пережитого потрясения первые люди страны наперегонки бросились одеваться.

Неделин, рассердившись на себя за эту неожиданную слабость, решил отыграться. Сейчас он открыто всему народу скажет: абзац, братцы! Приехали! Угробили страну!

Он вышел на трибуну. Аплодисменты все не стихали. Переросли в овацию. Зал встал.

Начал скандировать здравицы всякие.

Как было бы приятно, подумал Неделин, если бы все это было заслуженно. Если бы он заработал такое уважение. Как было бы приятно любить эту любовь к себе. Наш народ добросердечен, он умеет быть благодарным. Он, собственно, аплодирует не ему, а величию государства. Разве оно не велико? Разве этот зал — Неделин окинул взором державный объем зала — не символ величия? Поднял руку, усмиряя овацию, сделал паузу и сказал:

— Товарищи! В этот знаменательный день... — без бумажки сказал, от сердца. И горло сжало спазмом волнения. Далее пошел по тексту — чтобы успокоиться.

Нет, думал он после этого, просматривая видеозапись своего выступления, если у людей такое единодушие — не все еще потеряно. Нужно это единодушие направить в рациональное русло. Многое и даже очень многое плохо, но... Но необходимо еще прислушиваться к мнению простых людей. А как прислушаешься, если всегда окружен официальными людьми, если всегда — в официальной обстановке?

И ему захотелось прибегнуть к старинному способу всех правителей, желающих узнать мнение о себе и посоветоваться с простыми людьми о государственном благоустройстве — пойти в народ тайно.

Он вызвал начальника охраны и приказал принести густой седой парик, накладные усы и бороду, темные очки. Начальник охраны исполнил приказание.

— Хочу по улицам пройтись, — объяснил Неделин.

— Без сопровождения, извините, нельзя!

— Ладно, только под ногами явно не путайтесь.

— Есть!

Начальник охраны побежал за Неделиным, обежал его аккуратно, чтобы не задеть, и загородил собой выход из правительственного здания.

— Извините! Человека без документов и с незнакомой внешностью ни впустить, ни выпустить не можем!

— Ты что? — удивился Неделин. — Это же я!

— Так точно. Но инструкцию нарушить не могу.

— На, смотри документ, на! — Неделин сунул ему партбилет.

— Извините! Тут другая внешность.

— Я же в парике, чудило! Я же при тебе, так сказать, маскировался!

— Возможно. Но ввиду несоответствия внешности и документа...

— На! На! — Неделин сорвал парик, усы, бороду, снял очки.

— Проходите! — козырнул начальник охраны.

Неделин опять напялил парик, усы, бороду.

— Извините — нельзя! — тут же заступил ему путь начальник охраны. — Ввиду незнакомой внешности. Инструкция...

— Идиот!

Неделин сорвал маскировку и вышел беспрепятственно из здания. Подъехала машина, начальник охраны открыл дверцу.

— Я пешком хочу, — сказал Неделин.

— Извините, невозможно. Люди обступят, признательность будут выражать. А в толпе мало ли что.

— Что? Кто в моей стране на меня покуситься может, дубина? Любят меня или нет?

— Конечно. Но по улицам иногда алкоголики изредка ходят, маньяки всякие. Иностранные агенты. И момента ждут.

— А парик-то на что? Борода-то на что? — и Неделин в который уже раз замаскировался.

— Извините, вынужден вас задержать за нахождение возле правительственного здания в незнакомом виде.

— Козел ты несуразный! — закричал Неделин. — Это же я!

— Понимаю...

— Все. Иду гулять!

— Нельзя! — отчаянно воскликнул начальник охраны.

— Как же нельзя, если уже иду?

Неделин успел сделать три шага, начальник охраны скомандовал, подбежали два молодца, одинаковых с лица, схватили Неделина, заломили ему руки, повели. Они завели его в какую-то комнатушку без окон, где не слишком больно (уважая его старость), но чувствительно намяли ему бока. Неделин невнятно восклицал и срывал с себя бороду, парик, усы. Молодцы, узнав его, отпустили, встали навытяжку, но без боязни, потому что какая может быть боязнь у человека, честно выполнявшего приказ начальника?

Охая, держась за поясницу и страшно ругаясь, Неделин пошел к правительственному подъезду, собираясь тут же уволить к чертовой матери начальника охраны, сослать его в исправительно-трудовые лагеря сроком на пятьдесят лет! Тот ждал его — бледный, но бравый. Взял под козырек:

— Разрешите проинформировать! У подъезда задержан человек неизвестной внешности с неизвестными намерениями. Приняты меры, опасность ликвидирована!

— Чтоб ноги твоей... Чтоб духу твоего... Чтоб ты... — Неделин схватился за сердце. Подбежали люди, подхватили его, осторожно подняли и понесли.

Надо сказать, что Неделин с каждым днем чувствовал себя хуже. В здоровом теле здоровый дух, утверждает пословица, следовательно, здоровье духа обеспечивает и здоровье тела, поэтому Неделин, переселившись в Главного, поначалу будто и не заметил, что физически как-то онедужил. Конечно, приходилось привыкать к чужому телу, старому, обрюзгшему, но особой немощности не ощущалось, все окружающие находили, что после отпуска Главный посвежел, помолодел и на удивление полон энергии, сволочь. Но после утомительного и ответственного выступления он как-то сразу услышал в себе печень, почки, сердце, суставы...

Едва отойдя от сердечного приступа, Неделин потребовал информации о текущих правительственных делах. Не то чтобы ему и впрямь сильно хотелось заняться делом, но он уже чувствовал себя обязанным, он должен был и болея держать в руках нити и приводные ремни мирового процесса, он не имеет права на расслабление. Из событий особой важности одно было важнейшим и горьким: взрыв на крупном предприятии, нанесен большой ущерб, погибли люди. Неделин вызвал министра соответствующей промышленности и, держась за сердце, сказал ему:

— Ну?

— Несвоевременные профилактические... Стечение объективных и субъективных обстоятельств... — забормотал министр.

— Ты! — бешено завопил Неделин, и глаза его округлились, как у заглавного героя из фильма «Петр Первый». — Вор! Вор! — Скрежетнув зубами, он рванул ворот пижамы, трясущейся рукой схватил чашку, бросил в министра. — Людей угробил! Пес! Собственное стерво жрать будешь, тать!

Все, кто узнал об этой беседе, а узнали каким-то образом многие из первых лиц, и из вторых, и даже из третьих лиц государства, сказали себе: ого! — видно, опять пришли крутые времена, и исполать, и давно пора! — и сочли необходимым назвать своих подчиненных псами, ворами, татями и кинуть в них при этом чем-нибудь. Это пошло и пошло — до самых низовых звеньев, где было кому на кого орать, и долго еще по всей стране слышались заполошные крики, летали разные предметы в повинные и неповинные головы, а дети, зачатые в эту пору, родились с совершенно круглыми глазами, широко раскрытыми то ли от гнева, то ли от изумления.

А сердце болело все сильнее, и он вдруг понял, что игра зашла слишком далеко, что он ведь на полном серьезе может умереть. Вся мощь болезни навалилась на его сознание, будто Конь Бледный каким-то чудом неслышно прошел по анфиладам и вот открыл неожиданно дверь, ударив чугунным копытом, и заржал, обнажив большие красные зубы. Страшно, Господи, страшно!

Он позвонил. Послышались торопливые шаги.

— Умираю... — шепнул Неделин.

И умер.

## Глава 23

— Ничего, старый, — говорила жена Главного, Елена Андреевна. — Ты у меня дуб крепкий, меня еще переживешь. Ну, помер разок, с кем не бывает. Кто раз помирал, тому уж смерть не страшна! Верно?

Неделин благодарно сжал ее руку, говорить ему пока не разрешали, нельзя было и двигаться, он лежал на спине, мучительно переживал естественные позывы, терпел неизвестно для чего, ведь в итоге все равно приходилось поднимать руку и показывать санитарам на места необходимейших потребностей, интеллигентные санитары (наверное, сплошь кандидаты наук) приходили на помощь, после чего меняли белье. Лица их были непроницаемы, но Неделин догадывался, что им было удивительно видеть физическое голое тело рыхлого старика с сединой уже в паху в сочетании со знакомой всей стране головой государственного деятеля. Голова же была такой, как всегда: умыта, побрита и причесана Еленой Андреевной, которая находилась при больном почти неотлучно, спала в соседней комнате, не закрывая двери, при ночнике.

Неделин чувствовал: конец скоро. Он понимал, что стоит врачам хотя бы на час оставить его, не кормить таблетками, не делать инъекций, отстегнуть провода датчиков, непрерывно фиксирующих работу сердца, — он умрет.

Боли не было, но была вяжущая слабость во всем теле, он чувствовал себя чем-то вроде студня, напичканного размягченными костями и волглым мясом.

— А помнишь... — рассказывала Елена Андреевна, чтобы развеять мужа, о том или другом событии их долгой жизни. — Помнишь, тебя в Улуйск назначили? Тебе двадцать два было, мне двадцать. Тебе перед людьми надо выступать, а ты пиджак утюгом сжег. А пиджак-то единственный! Как ты ругался! Орешь на меня, а я разве виновата? Ну, не умею я пиджаков гладить, не умею!

Смеялась.

— ...А в пургу в машине застряли, помнишь? Ты тогда меня зачем-то взял. Думали, все, гроб. Хорошо — вездеход выслали, отыскали нас...

Неделин чуть раздвинул губы: улыбался.

Он подумал, что если бы Елена Андреевна рассказывала это Главному, тот наверняка попросил бы ее перестать. Приятно ли умирающему слышать о самом себе — молодом и здоровом, о событиях тех лет, когда он жил безмятежно, не помышляя о завтрашнем дне, не веря да и не думая о том, что он, высокий, красивый, с широким лбом, умными глазами, крепкими белыми зубами и выносливым задом, когда-то окажется не в состоянии самостоятельно подняться в постели, подняться что! — повернуться даже!

Неделина навестил сын Главного, только что приехавший из длительной зарубежной командировки. Для Неделина его лицо было новым, чужим, ему не мешала родственная пригляделость, поэтому он свободно читал это лицо.

— Ну, как ты? Все в порядке? — заботливо спрашивал сын, равнодушно поправляя и без того хорошо лежащее одеяло.

Неделин шевельнул пальцами.

Помолчали.

Если бы это была обычная больница, было бы легче, нашлись бы дела и разговоры: посетитель достанет принесенные продукты, рыночные фрукты и овощи, если тонкий человек — цветы, больной что-то принимает, а что-то с благодарностью отвергает — врачи запретили. Размещение принесенных продуктов в тумбочку и в холодильник, больной ужасается: и несут, и несут, невозможно всего съесть, на-ка вот, отнеси апельсины деткам. Разговоры о всяких будничных делах за пределами палаты, о том, не нудные ли оказались соседи больного, вежливы ли медсестры и санитарки, вовремя ли и в нужном ли количестве колют уколы? — а какие? — а хороший ли, внимательный ли лечащий врач? скоро ли собираются выписывать? какой диагноз ставят?... — идет время, незаметно и нетягостно посетитель проводит возле больного и час, и два и уходит с радостным сознанием своей доброты.

Но тут все по-другому: больной не просто больной и посетитель не просто посетитель. Не просто сын отца, а Сын Отца, вот тут какие категории. Ему уже за пятьдесят, наверное, но выглядит моложе, пахнет жизнерадостно заморским одеколоном, в манжетах золотые запонки, надетые не для случая, а обыденно.

— Ты меня любишь? — спросил Неделин.

— Тебе нельзя много говорить.

— Ты меня любишь?

— Странный вопрос. Конечно.

Однако не называет его «папа» или «отец». Никак вообще, обращается безымянно: ты.

— Раньше вот писали... — сказал Неделин. — Или говорили. Готов отдать жизнь... Жизнь за царя, — усмехнулся Неделин. — Ты бы смог?

— За царя? — улыбнулся сын, не желая, чтобы разговор стал серьезным.

— За меня. Если бы тебе сказали... Что есть возможность... умереть вместо меня. Ты бы смог?

Сын не понимал. Решил просто отшутиться.

— Запросто!

— Я серьезно, — сказал Неделин. — Я тебя уверяю: если ты внимательно на меня посмотришь и пожелаешь стать мной — ты станешь. Ну?

Сын растерялся. Решил наверно, что отец съехал с последних мозгов.

— Ну? — настаивал Неделин. — Попробуй.

Сын, потакая державному сумасшествию отца, посмотрел на него серьезно, грустно, преданно, будто и впрямь захотел разделить его боль — став им.

— Врешь! — прошептал Неделин. — Ты ради меня и одной клеточкой своего организма не пожертвуешь. И ты прав.

— Это у тебя просто настроение. Все будет хорошо.

— Конечно...

Глупо, да — нельзя требовать таких вещей. От своих ведь сыновей не потребовал бы. Что они поделывают сейчас? Уроки ли готовят, гоняют ли по улице? Что там известно о нем, пропавшем? Почему розыск не объявлен? Или — как он сумел худо-бедно исполнить роль Запальцева, так и Запальцев каким-то образом затесался в его семью? Невероятно. Но что на самом деле? — жена тревожна или успокоилась, дети плачут или забыли? Или не плакали и жена не тревожилась? Нужно вернуться домой, вернуться в себя. Но как? — для обмена необходимо взаимное желание.

Через несколько дней разрешили говорить, хотя состояние не улучшилось. Это был недобрый знак: видимо, уже не надеются на выздоровление, поэтому — пусть его болтает, авось помрет быстрей, хлопот меньше.

Он вызвал идеолога, того самого, который дольше всех не мог снять пиджак.

— Послушай, — сказал ему. — Ты ведь мог бы меня спасти. Ты мне предан?

— Безусловно.

— Нужно лишь одно: посмотреть на меня и пожелать стать мной.

— Это невозможно. Я на этот пост недостоин.

— Чудак! Я не пост имею в виду, я себя как человека имею в виду!

— Тем более невозможно.

— Да ты не думай, возможно или невозможно. Ты просто смотри на меня и думай: хочу им стать, хочу им стать! Начали!

Идеолог смотрел старательно, не моргая, и видно было: действительно желал, честно выполнял задание. Неужели сам Неделин виноват? — и ему не хватает искренности в пожелании переместиться в тело идеолога? Или смущает, что идеолог сам старик? Но ведь он будет только временным вместилищем, откуда предстоит в несколько приемов перейти обратно в себя самого. Нет, не получается!

— Я знаешь, что сделаю, — от горечи сказал Неделин. — Я напоследок речь произнесу. Я скажу, что я... А впрочем... Глупо все, брат...

— Что именно?

— Все. И ты глуп. Иди.

Его навещали первые люди страны, которые наверняка связывали с его ближайшей кончиной свои надежды или опасения: в любом случае все они ждали его смерти, потому что устали жить и трудиться в одном направлении, всем хотелось чего-то иного. Хотелось перемен — и даже не обязательно к лучшему, но перемен, чтобы взбодрилась их старческая кровь, чтобы почувствовать интерес к жизни — положительный или отрицательный.

Пришла жена сына с отпрыском лет девятнадцати (внук, значит), отпрыск был нагл, трепал Неделина по плечу и фамильярно говорил:

— Хорош валяться, дед! Не симулируй! Страна без тебя пришла в упадок, поезда не ходят, самолеты не летают!

Неделин невпопад спросил, как учится внучек.

Невестка переглянулась с сыном. Напомнила:

— Мы же после школы отдыхаем. На будущий год поступать будем на дипломата.

— Почему же он не в армии, как в его возрасте положено? — жестко спросил Неделин и, не получив вразумительного ответа, прогнал родственничков, сетуя в душе на коррупцию или как это называется?

Наверное, для его смягчения был прислан другой внук, смышленый парнишка, который явно тяготился своей обязанностью, и Неделину это понравилось.

— Ты меня прости, если что не так, — прослезился вдруг Неделин совсем по-стариковски. — Но помни, я вам всем только добра хотел! Прощаешь меня?

— Да я что... Я это... Брось... — бормотал внук.


Все ждали его смерти, а если кто и надеялся на выздоровление, то это были бодрые люди, боявшиеся утратить некие благоприятствия в жизни и быту, связанные с его существованием.

Лишь Елена Андреевна не хотела его смерти бескорыстно, по-супружески, по-человечески. Неделин видел это и был рад, что она постоянно рядом. От других посетителей все чаще отказывался и, наконец, попросил никого к нему не пускать, кроме лечебного персонала.

— Как же? А вдруг война? — спросила Елена Андреевна.

— Ну и что?

— Как же без тебя-то? Ты же председатель этого, как его, Комитета обороны.

— А какой с меня, полудохлого, толк?

— И то правда, — кивнула Елена Андреевна.

Потом вздохнула:

— А в общем, нам бы вместе помереть.

Она посмотрела на него печально, как бы даже завидуя: ты, мол, почти уже готов, а мне еще предстоит мучиться, и к чему эта отсрочка?.. Неделин почувствовал в себе странное тяготение, но сказал себе: ни-ни, не думай об этом, нельзя! Это же ужас — перейти в старушечье женское тело, это, может, еще хуже самой смерти, стоит только представить... — нет, нельзя и представить этого! — И он вскрикнул, увидев перед собой лежащего старика с ввалившимися глазами, старик тоже разевал рот, но беззвучно.

— Нет! — крикнул Неделин тонким женским голосом и потерял сознание.

Очнулся весь в поту, боялся открыть глаза. Решился это сделать лишь тогда, когда почувствовал себя лежащим. Увидел белое лицо Елены Андреевны.

— Что это такое было-то? — прошептала она.

— А что?

— Непонятное что-то. Показалось... Будто я как в обморок упала, как шибануло меня чем-то... Будто лежу, как каменная...

— Ничего. Ты иди, отдохни. Я посплю.

— Поспи...

## Глава 24

И настал момент, когда в Неделине все возмутилось: с какой стати он должен принимать на себя смерть, предназначенную другому? Он, если хотите, даже не имеет на это права — ни морального, ни юридического. Слишком ответственная смерть, слишком не по чину будут похороны.

И он отдал приказ: найти человека по имени Виктор Запальцев родом из Саратова и срочно доставить к нему. Указал приметы и возможное место пребывания: тюрьма.

Нашли не в тюрьме, а в психушке, быстро доставили к Неделину. Он потребовал, чтобы при их беседе никто не присутствовал.

Вид у мнимого Запальцева был лукавый и всепонимающий — как у настоящего маньяка.

Неделин сделал ему знак отключить телефон. Тот понял, отключил еще и радио, задумчиво посмотрел на провода пожарной сигнализации.

— Вряд ли... — сказал Неделин.

— А кто их знает! — сказал двойник. И рукой (как бы хвастаясь своей молодой силой) оборвал провода.

— Будем говорить, — сказал Неделин.

— Есть о чем?

— Без шуток у меня!

— Какой строгий! Ты не цыкай, ты мне никто и звать никак!

— Ты хоть понимаешь, что случилось? Понимаешь, что я — это ты?

— Я — это я, — мудро ответил двойник.

— Ты ведь сам виноват. Вспомни: ты посмотрел на меня, позавидовал, что у меня молодая красивая женщина, захотел стать мной — и стал.

— Но, однако, и ты захотел стать мной. Разве нет?

— Пора восстановить справедливость, — сказал Неделин.

— И всегда-то справедливость в таком виде, что ее восстанавливают! — воскликнул двойник. — Вот что: ищи дурака. Скоро у меня будет интересное удовольствие: смотреть по телевизору собственные похороны. Дикторы скажут, что умер великий сын великого народа. Объявят траур. Весь день — печальная музыка. Красиво! Увижу свою неутешную вдову. Фальшиво плачущих детей и внуков. Соратников, которые будут стоять с мрачными рожами, а один из них, тот, кто будет председателем похоронной комиссии, уже будет предвкушать, как завтра он займет мой кабинет.

— Ты, оказывается, не такой уж дурак. Для пожилого человека мыслишь довольно остро, — Неделин постарался сохранить равновесие духа.

— Оттачиваю ум, — парировал бывший Главный. — Читаю мудрейшие книги. Ты читал «Тысячу и одну ночь»? Нет, ты не читал «Тысячи и одной ночи»! Несчастный человек!

— Перестань юродствовать! Ты говоришь: увидеть свои торжественные похороны. А разве ты не знаешь, что бывает потом? Восхваления в адрес покойника умолкают через неделю. Через месяц о нем забывают. Через полгода опять вспоминают — для того уже, чтобы упрекнуть в ошибках. Через год все чаще обвиняют в них. А через два-три года публично развенчивают, смеются, оплевывают прах. Хочешь это увидеть?

— Это уже ко мне не будет относиться.

— Как же ты можешь? Как у тебя хватает совести — открещиваться от самого себя?

— Не велик барин, и открещусь. Много книг еще не прочитано.

— И не будет прочитано! — придушенно закричал Неделин. — Ты света белого не увидишь! Я пока еще жив и имею власть! Через неделю тебя выкинут в тундре на снег на съедение росомахам!

— Пугай, пугай! — посмеивался двойник.

— Думаешь, не сделаю этого?

— Я бы не сделал. Я людей любил. Серьезно говорю. По-божьи: и хороших любил, и плохих любил. Все мы люди — и ничто человеческое нам не...

— Ты негодяй! Я сейчас вызову...

— Молчи, а то подушкой придушу. Не успеешь. Спокойно выйду, скажу, что ты велел меня пропустить, а себя некоторое время не беспокоить. Я буду нести впереди руку и говорить: «Ее пожал Главный!» И это будет лучше всякого пропуска. Понял?

— Постой. Давай без эмоций. Почему ты вообще решил, что я умираю?

— Вижу. Чувствую.

— Пусть так. Но неужели ты сам не устал от жизни? Ведь ты старик.

— Я?

— Ты плохо выглядишь. Это закономерно. Через полгода ты окончательно одряхлеешь и умрешь. Бесславно! А тут... Ты не представляешь, как это все... Ты умираешь, да, но как государственный человек! Ты чувствуешь значимость каждого сказанного тобой последнего слова. Это откликается в людях болью и торжеством! Ты чувствуешь себя не просто умирающим человеком, а закрывающейся страницей истории. Пусть она будет перевернута, но ее уже не вырвать, не вычеркнуть!

В глазах двойника замерцало любопытство — как в густом тумане далекий огонек.

— Читать какие-то там книги — это хобби у тебя такое? — это многим доступно, — продолжал Неделин. — Но есть что-то, доступное лишь единицам, ради чего люди иногда идут на все. Жить Главным и умереть Главным — разве не манит эта судьба? Разве не хочется до конца, до последнего момента ощущать свое величие, свою значимость? И это, в конце концов, долг — священный долг, если хочешь. Разве ты не убежденный коммунист? Разве не готов был отдать всего себя делу партии до последней капли крови? Разве ты не клялся? А теперь получается — уклоняешься?

Двойник, слушая Неделина, только хмыкал — и даже не счел нужным ответить на глупые слова.

— Значит, в тундру? На мороз? На смерть? — спросил Неделин. — Этого тебе хочется?

Двойник привстал, но не знал он, что под рукой Неделина, прикрытая одеялом, — кнопочка в стене.

Дверь тут же распахнулась.

— Ничего, ничего, — сказал Неделин, — это я случайно.

Дверь закрылась.

— Нет у тебя выхода, — сказал Неделин. — Сейчас тебя схватят и пропадешь без следа. Хватит, попил кровушки из народа. И это будет не просто тюрьма, где тебя вместо жулика Запальцева держат — а ты все не признаешься, да? — это белое безмолвие, ледяная гибель.

— Я не в тюрьме, а в психушке.

— Не вернешься ты в психушку. Сдохнешь еще раньше меня. И то, что ты умрешь, — будет справедливо.

— Ладно, — сказал двойник. — В конце концов, в почете лучше сдохнуть, чем в психушке или в твоем белом безмолвии. Хотя это произвол. Значит, меняться будем? Ты сядь, я иначе не смогу. Не получится.

Неделин радостно зашевелился, двойник стал помогать, увидел, где находилась кнопка, отодвинул Неделина от стены, вскочил сверху, замкнул тело коленями и стал одной рукой душить, другою закрывая рот.

— Нет, ты раньше подохнешь, скотина! Ты сейчас подохнешь!

Лицо Неделина посинело, глаза выпучились, рот под рукой тяжело шевелился, и двойнику, увидевшему так близко это лицо — бывшее свое, — стало страшно, будто он душил самого себя.

И тут же он увидел над собой мокрое красное лицо душителя, физическое состояние мощной ярости сменилось свинцовым удушьем, он рванулся из оставшихся сил — именно оставшихся от молодого тела, — Неделин отпустил его, встал над ним, сказал, переводя дыхание:

— Ну вот и все.

Главный лежал обессиленно, не в силах произнести ни слова. На шее проступили багровые пятна. Неделин накрыл его одеялом до подбородка, поцеловал в лоб.

— Прости.

Людям, стоявшим за дверью, он сказал:

— Не велел беспокоить. А меня... Кто здесь, так сказать?..

— Я! — догадался начальник охраны.

Неделин отвел его в сторону.

— Вам поручено проводить меня. И чтобы никакой слежки! Я — его внебрачный сын.

## Глава 24,5

Через несколько дней страна прощалась с Главным. Играла траурная музыка. На пять минут была приостановлена работа. Ревели гудки. Дети и внуки Главного были торжественно печальны. Елена Андреевна по-простому утирала глаза уголком платка и ей почему-то все хотелось погладить мужа по щеке, погладить (вспоминая, как хороша была его кожа после бритья)... а во дворе саратовского прижелезнодорожного почтамта было солнечно, веселая снежная слякоть, женщины плакали, Алексей Слаповский, бывший учитель, работающий грузчиком*, морщась от воя гудков, бросал посылки в дверь почтового вагона, где их подхватывал напарник и передавал проводнику.

— Вы что же это! — политически крикнул начальник смены Самсоныч, отплевываясь от вкуса только что выпитого поминального вина. — А ну прекратить!

— А пошел ты! — в два голоса ответили грузчики: вагон вот-вот угонят к составу, им нужно спешить, ведь платят-то им по количеству сданных посылок, сдельно!

И может, никто не плакал в тот день так искренне и сложно, как худой, плохо одетый молодой человек в грязном углу вокзала города Полынска.

## Глава 25

Неделин ехал зайцем домой, в Саратов. Ехал уже двое суток, потому что трижды его выгоняли, приходилось ждать следующих поездов, втираться, бегать по вагонам от проводников. И вот застрял в Полынске, где и застала его траурная трансляция.

Поплакав и умывшись в грязном сортире, Неделин пошел в буфет. Осмотрелся, нет ли где милиционера. Прошелся меж круглых высоких столов для кормления стоя. Люди ели черствые булки, вареную вонючую колбасу, всяческий минтай, яйца вкрутую, пили мочевидный чай. Неделин подошел к столу, за которым никого не было, но еще не убрали, в тарелочках из фольги лежали объедки. Он взял огрызок булки, откусил, стал сдирать шкуру с копченой рыбешки, которую оставил нетронутой кто-то шибко привередливый. Отпил из стакана холодной сладковатой жидкости.

Он заметил, что на него глазеют юноша и девушка. Девушка засмущалась, отвела глаза. Милая! — голод не тетка, при чем тут стыд, да гляди ты хоть сколько, а я — скушаю.

Но тут девушка, мгновенно забыв о Неделине, ткнула локтем парня:

— Смотри!

Обернулись, перестали жевать и прочие, кто был в зале.

У входа стояла группа молодых людей, одетых вольно, артистично. Впереди, неожиданный в Полынске, был Владислав Субтеев, певец-эстрадник, один из самых знаменитых, а может, и самый знаменитый певец последнего года.

— Жрать нечего, пить нечего! — громко сказал кто-то из группы, — так громко, как никогда не говорит русский человек на людях, если он не пьян, но эстрада, как и вообще всякое большое искусство, вне традиций, вне на-

---

* Здесь какая-то путаница: названный персонаж на предыдущих страницах имел другую профессию, хотя известно, что получил ее позже. Автор эту нелепицу объяснить не смог — впрочем, как и многие другие несуразности. (*От издательства.*)

75

циональности, впереди прогресса, даже если самого прогресса и нет. Об этом мимоходом подумал Неделин.

— Жрать им, видите ли, нечего, — буркнул парень.

— Как думаешь, это его жена? — спросила девушка, имея в виду находящуюся близко при Субтееве пышноволосую брюнетку. — А писали, что он неженатый.

— Так, б... попутная, — выразился парень.

— Вечно ты ругаешься.

— Ну иди, цветы ему поднеси. Поцелуй его. Или вообще ехай с ним. Валяй.

— Как хочешь, а я его обожаю. В смысле голоса, конечно.

Хотя эстрадники издали определили, что жрать и пить нечего, они все же приблизились к прилавку — чтобы уже вблизи увидеть, что жрать и пить действительно нечего.

— Хоть ситра дай, тетенька! — сказал один.

— А пива не надо, дяденька? — обиделась молодая продавщица. Пусть и дебеловатая не по летам — ну так что ж?

Неделин, когда случалось, не без удовольствия слушал и смотрел по телевизору певца Субтеева, всегда сожалея, что тот глуповат, да и песни глупы, причем глупость текста, музыки и самого исполнения часто просто самоотверженная. Не имея голоса, Неделин любил иногда мурлыкать под нос что-нибудь легкое, а бывало, и классику, романс какой-нибудь, изредка ему удавалось спеть громко и от души — когда, например, никого не было дома, а он чистил пылесосом старый плешивый палас, пылесос выл, как реактивный самолет, а Неделин сладко кричал: «Вот мчится тройка почтова-а-а-я-а...» — и из-за шума пылесоса свой голос казался даже неплохим.

Нет, в певца он, конечно, превратиться не пожелает, да и певец ни в коем случае не захочет стать каким-то там явным бичом, собирающим объедки. Только глянет с презрением. И, будто уже отвечая этому презрительному взгляду (а Субтеев действительно глянул на Неделина), он стал без стеснения собирать объедки с соседних столов.

Рассортировал и хладнокровно продолжил трапезу, поглядев на Субтеева с видом: да, жру отбросы и плевать на всех хотел, и горжусь этим!

— Пошли, пошли, — сказала пышноволосая брюнетка, спутница Субтеева. — Отправление уже объявили.

— Да? — и Неделин послушно пошел, глядя, как замызганный человек с огрызком капустного пирога в руке, закашлялся, заперхал, опуская голову, давясь и перемогаясь.

Они оказались с брюнеткой в купе на двоих. СВ то есть. Комфортно и уютно. Собственно говоря, ничего еще не случилось. Сейчас прибежит Субтеев, закричит, я не буду упираться, спокойно объясню, что от него требуется, и мы безболезненно вернемся каждый на свои места.

Поезд тронулся.

Субтеев все никак не мог прокашляться, содрогался до слез, пытался проглотить что-то застрявшее, кто-то стал колотить его по спине (парень, который с девушкой). Субтеев наконец пришел в себя, вытер слезы.

— Выпей вот, — подставил ему парень стакан с чаем.

— А?

— Выпей, пройдет.

— Да? — Субтеев выпил чай, недоуменно огляделся. — А где?.. — спросил он.

— Ушли, — сказала девушка.

— А я?

Девушка засмеялась.

Субтеев неровной походкой вышел из вокзала на перрон. Увидел отходящий поезд. Побежал. Но, когда бежал, увидел свои бегущие ноги и остановился как вкопанный.

— Это что же такое?! — заорал он, перекрывая все шумы и звуки.

— В чем дело? — появился перед ним милиционер.

— От поезда отстал. И вообще...

— Пройдемте.

## Глава 26

А Неделин уехал в поезде, в спальном вагоне, наедине с пышноволосой брюнеткой.

Ну что ж, сказал он себе.

Так тому и быть, сказал он себе.

Судьба, сказал он себе.

— Устала, — сказала брюнетка. — Жутко не высыпаюсь. Не могу спать в вагонах, и все. Нервы лечить надо.

— Лучшее лекарство от бессонницы — это любовь, — сказал Неделин, разглядывая красавицу.

— Это в каком смысле?

— В самом прямом, — хихикнул Неделин.

— Железный человек — сам над собой издеваешься. Я бы так не смогла. Если честно, я бы на твоем месте застрелилась.

— А в чем дело?

— Ладно, брось. Я представляю, как тебе обидно.

— А что?

— Ничего. Хочу спать. Главное паскудство в чем: пока сижу — умираю, хочу спать. А лягу — хоть бы черт! Но спать-то надо...

Брюнетка разделась и оказалась образцово-стройной, с изгибами, которые очень взволновали Неделина, правда, волнуясь, он смутно чувствовал какую-то недостаточность.

— Иди ко мне, — сказал Неделин.

— Перестань.

— Иди, говорю.

— Зачем? Сам будешь мучаться и меня мучить. Не школьники же — просто целоваться.

Неделин нетерпеливо повалил ее, стал целовать повсеместно — исполняя, наконец, желания, которые в нем обострились из-за множества неудач, что он претерпел в шкуре жулика Виктора Запальцева.

И лишь когда разделся, он понял, о чем говорила черноволосая женщина.

С ужасом оглядев увечье, он спросил:

— Это как же?

— Не понимаю, зачем так себя растравливать?

— Кошмар...

— Ничего. Медицина развивается. Может, еще придумают что-нибудь. Сердце вон протезное уже ставят. Ничего, Владик, ничего. Успокойся, давай начнем спать.

Она легла, укрылась с головой одеялом, повернулась к стене.

Неделину, естественно, не спалось.

Вот так влип, думал он. Попробуй теперь заставь Субтеева поменяться обратно... Меняться же с кем-то другим — слишком подло... Не нужно волноваться, рано или поздно он сумеет выпутаться. И что страшного, ведь был же он недавно в обличье дряхлого недееспособного старика? Но старик и есть старик, что для старого человека просто огорчительно (а может, и освобождает наконец от проклятья пола), то для молодого — несчастье. А почему он знает, что несчастье? Может, Субтеев вполне счастлив своим самозабвенным глупым творчеством? Славой, успехом. А эта женщина кто ему? Жена? Вместе выступают, а заодно — любовница? То есть изображает любовницу, чтобы все думали, что у Субтеева с этим все в порядке? В таком случае, она наверняка имеет выгоду из этого положения, ведь может в любой момент выдать секрет. Бедный Субтеев!

Вдруг Неделину стало по-настоящему жутко. Ему пришло в голову, что его способность превращаться в других, появившаяся так внезапно, может внезапно и прекратиться. И что же тогда? — навечно оставаться ущербным человеком?

Хотя навечно — дурацкое слово. Вечности нет ни для кого из живущих, да и послезавтрашний день — тоже довольно далеко. А вот завтра — вдруг произойдет что-то интересное? Доживем до завтра. Все будет хорошо.

Неделин, утешая себя, представил: вот он на сцене перед многочисленным залом, он покоряет зал, он приводит его в неистовство. Вспомнив одну из песенок Субтеева, он стал напевать ее, радуясь голосу, который достался ему в наследство.

— Ну и дерьмо, — сказала брюнетка. — Я ведь совсем уже спала!

— Я репетирую, — сказал Неделин.

— Идиот.

Выступления — три дня по три концерта в день — должны были состояться в Саратове — в Саратове! — во Дворце спорта «Кристалл». Вникая в разговоры сопровождающей группы, Неделин выяснил, что концерты идут под фонограмму — и пение, и музыка, так что особых хлопот не предвидится.

Родимый Саратов встретил Неделина хмурой слякотной погодой, с вокзала сразу же поехали размещаться в гостиницу «Олимпия».

Тут Неделин сказал, что отлучится на часок — и помчался на такси к своему дому. Чуть было не подумалось: бывшему своему дому.

Он стоял во дворе, глядел на окна с знакомыми голубыми шторами, на облупленный зеленый балкон, который он вот уже лет пять собирается перекрасить... Зайти, позвонить? Проверка газа, мол. Какой Лена стала, какими дети стали? Неделин направился к подъезду — и резко остановился.

Из подъезда выходило образцовое семейство. Отец был уверен в себе, молодежно одет, невзирая на возраст, жена ему соответствовала в этом отношении, два симпатичных мальчугана шли не сами по себе, стесняясь родителей, как это обычно бывает при совместных прогулках, а рядом с родителями, смеясь и оживленно беседуя. Отцом был — Неделин, женой и матерью — Лена, а мальчуганы — его сыновья. Так, значит...

Они уже проходили мимо.

— Здравствуй, Лена, — сказал Неделин.

Семья остановилась. Лена удивленно посмотрела на Неделина.

— Здравствуйте... Но...

— В чем дело? — строго спросил отец семейства.

— Ничего... Ошибся... — сказал Неделин.

Семья продолжила путь. Через некоторое время обернулись. «Нет, просто похож», — донеслось до Неделина.

Кто похож? Ну да, я похож — на певца Субтеева. Так, значит, Леночка? Так, значит, Витя Запальцев? А впрочем, скорее всего он ей ничего не объяснил. И что он сам понял? Чехарда какая-то! Но он теперь спокоен, он спокоен. Да, представьте себе, спокоен. Можно не спешить возвращаться, вот что главное. Семья — в надежных руках.

За час до концерта в номер к Неделину и его брюнетке (ее, кстати, тоже Леной звали) буквально вломился молодой человек с репортерским магнитофоном через плечо.

— Субтеев интервью не дает! — стала выгонять его Лена.

— Всего пять минут, — робко напирал молодой человек.

— Пусть, — сказал Неделин. — Пять минут — можно.

Лена пожала плечами:

— Сам же говорил... — и ушла в ванну.

— Алексей Слаповский, корреспондент областного радио, — представился молодой человек. — Честно говоря, это мое первое задание, я всего два дня работаю. Говоря языком эстрады — премьера!

Он и смущался и старался быть развязным. Присоединил микрофон, наставил на Неделина и задал вопрос, старательно выговаривая, глядя на какой-то индикатор со стрелочкой. Странно, как его взяли на радио: шипящих звуков у него было втрое больше, чем положено.

— Шькажите, пожалушта, — шькажял... тьфу, черт!.. — сказал он, но вдруг перебил себя и повторил вопрос сносно: — Скажите, пожалуйста, вы ведь не первый раз в Саратове? Как он вам понравился в этот приезд?

— Гнусный город, — сказал Неделин.

— Да? — корреспондент растерянно заглянул в блокнот. — А что именно вам больше всего понравилось?

— Больше всего мне не понравились люди, хотя я здесь их не встречал, — ответил Неделин.

— Оригинально... Услышат ли саратовские любители эстрады что-то новое в вашем репертуаре, чего еще не было на грампластинках, что не транслировалось по радио и телевидению? — упорно старался корреспондент.

— Будет все та же гадость. Слушай, парень, тебе что, нравятся эти идиотские песни?

— Как сказать... — замялся корреспондент. — У эстрады свои законы...

— Я тебя не о законах спрашиваю. Я тебя спрашиваю конкретно.

Корреспондент обиделся:

— Не хотите давать интервью, так и скажите.

— Я хочу.

— Это чисто служебное, так сказать, интервью: необязательные вопросы, необязательные ответы.

— А зачем?

— Ну... Надо же чем-то эфир заполнять.

— Ты только начал работать и уже так рассуждаешь?

— Кто у кого берет интервью? Надо, чтоб вы прозвучали, а что именно вы там скажете вашим поклонникам, все равно. После этого запустим пару ваших песен. Будет нормально.

— Ага. Вроде того: город понравился, встречи с публикой жду с нетерпением, приготовил несколько новых песен, творческие планы — съемки в музыкальном фильме. Так, что ли?

— Совершенно верно. Слушателям это интересно.

— А тебе лично?

— Тоже, в общем-то...

— А без в общем-то? Что тебе самому во мне интересно?

Корреспондент, видимо, был терпелив и вежлив до определенного предела. Он сказал:

— Мне самому — в вас — ничто не интересно.

— Вот! Это уже разговор! Ты держи микрофон, не убирай! И смотри, чтобы стрелку не зашкалило.

— А вы сами, — продолжал корреспондент, — понимаете всю глубину дебилизма ваших песен?

— Понимаю, — сказал Неделин.

— Но вы же сами сочиняете и музыку, и тексты. Вы что, не можете лучше или не хотите?

— Не хочу.

— А знаете ли вы, — судейским голосом сказал корреспондент, — что это безнравственно: сознательно халтурить? Быть глупее самого себя? И может быть, смеяться над ерундой, которую сам и делаешь?

— Точно, смеюсь.

— Тогда зачем же?

— Люблю дешевую громкую славу. И деньги.

— Так просто?

— Владислав, пора одеваться, — вошла Лена.

— Это Лена, моя любовница, — представил Неделин.

Корреспондент встал, неуклюже и галантно раскланялся.

— Вот ты, — сказал Субтеев, — имеешь таких красивых баб?

Корреспондент хотел что-то сказать, но не успел.

— Не имеешь, — сказал Неделин. — А я за свою глупость и бесталанность — сколько угодно. Я сейчас выйду — и несколько тысяч дураков заорут от счастья. Тебе приходилось это испытывать?

— Я не певец.

— Но хотел бы им быть?

— Таким, как ты, — нет.

Врет! — по глазам увидел Неделин и почувствовал вдруг знакомое тяготение. Поспешно отвернулся: нет, нельзя делать этому ни в чем не повинному пареньку такие сомнительные подарки. Нехорошо. Пакостно. И — пора идти на пиршество славы, о котором он только что с таким аппетитом говорил. (Предвкушая.)

— Всего доброго, — бросил через плечо. — Жаль, что не получилось интервью. Хотя, на мой взгляд, именно получилось.

— На мой взгляд, тоже. Но есть законы жанра. До свидания.

(О всесилии законов жанра Неделин узнал вечером, когда по местному радио услышал: «Как вам понравился город?» — «Город помолодел, он строится, что же касается публики, то в Саратове меня всегда встречают тепло, волжане вообще гостеприимны», — говорил кто-то за Владислава Субтеева. Наверное, корреспонденту надо было во что бы то ни стало выполнить свое первое задание, и он его выполнил, заставив кого-то из друзей наговорить на магнитофон за Субтеева самим корреспондентом составленные ответы».*)

Публика в огромном Дворце спорта была накалена, свистела и требовала. Конферансье в смокинге с лицом продавца пива, как умел, ублаготворял шутками эту ораву в перерывах между танцевальными номерами. Дело в том, что Росконцерт или Союзконцерт присобачил в нагрузку к Субтееву танцевальную группу «Спектр» — пятерых вечно похмельных танцоров и пятерых девушек с удовлетворительными фигурами. Публика после первого же танца пресытилась их искусством — и выкриками, свистом требовала Субтеева. Суб-те-е-ва! Суб-те-е-ва!

— Сволочи, — сказал Неделину, вытирая пот, конферансье. — «Спектр» тоже кушать хочет, но я-то при чем? Как я вас разводить должен? В меня сейчас стулом бросили. Жидким.

Пошутив бесплатно, он опять пошел отрабатывать деньги.

— Ну, чего свистим? — спросил он зал. — От радости, что ли? А давайте узнаем, кто у нас самый большой дурак? Знаете кто? А тот, кто свистнет громче всех. Ну?

Кто-то, не врубившись в ситуацию, свистнул. Зал поощрительно заржал.

— Ага! — воскликнул конферансье. — Первый претендент на звание короля дураков этого зала! Кто еще? Кто громче?

Зал молчал.

— Странно. Один дурак в зале? А мне казалось — гора-а-а-здо больше! Ничего, приятель, ты не один! — И конферансье, заложив в рот пальцы, свистнул — оглушительно, мастерски, отчего дрогнули сердца милиционеров, соблюдающих порядок.

— Итак, только для умных! — танец-пантомима «Дикий Запад»! Группа «Спектр»!

И на сцене появились кривоногие красавцы ковбои в шляпах, сапогах, с деревянными большими револьверами, и красотки, потряхивающие юбками с застенчивым бесстыдством.

— И зачем мучаться? — с ненавистью говорил конферансье Неделину. —

---

* Так оно и было. (*Автор.*)

Устроить бы сейчас на сцене групповой секс, и никакого Субтеева вообще не надо. Не сердись.

— Да нет, ты прав, — сказал Неделин.

Он волновался.

Во-первых, надо быть в образе. Субтеев — он видел по телевизору — легок, подвижен, с подтанцовкой. Во-вторых, необходимо попадать в текст. Хорошо, что среди вещей Субтеева оказался магнитофончик и кассеты с его песнями; Неделин успел прослушать их, шевеля губами, вызывая удивление Лены, — разучивал.

— Я понимаю, — звучал голос конферансье, — вы согласны весь вечер провести с группой «Спектр». (Зал взревел). Но теперь... (Зал взревел еще.) На сцену выходит... (Зал ревел не умолкая.) ВЛАДИСЛАВ СУБТЕЕВ!!!

Неделин побежал на сцену, следом побежали музыканты, зазвучала фонограмма, музыканты стали изображать, что играют, Неделин побежал к микрофону, не видя зала, была только черная дико ревущая масса. «Вла-а-а-а-а-а-а-а-а-а-адик! Вла-а-а-а-а-а...» — перекрикивал даже этот вой чей-то погибающий девичий голос.

Неделин запнулся о провод и упал.

Он упал и больно ударился головой о стойку микрофона, микрофон тоже упал. А фонограмма тем не менее уже звучала.

Наконец Неделин сумел встать, поднять стойку, всунуть выпавший микрофон. И подхватил — добавляя к фонограмме живого голоса:

............................
............................
............................
............................

и т. д.

Зал умолк, ошалело слушая, как Субтеев надсадно орет в микрофон мимо музыки и мимо текста, громыхающих сами по себе.

А опомнившись — засвистал в тысячи ртов, затопал тысячами ног, замахал тысячами кулаков. Хамство уверенное, наглое и самодовольное по отношению к себе он терпел, но терпеть не мог хамства непрофессионального.

Фонограмма резко оборвалась. Подбежал конферансье.

— Владик, ты что? Ты пьяный?

— Все в порядке. Просто споткнулся.

— С ума вы меня сведете. (И в микрофон.) Дорогие друзья! Как вы знаете, Владислава Субтеева часто пародируют. Ему это не очень нравится. И то, что вы сейчас видели, пародия на то, как пародируют Субтеева, исполненная самим Субтеевым!

Зал ответил ревом восторга.

— А теперь всерьез!

— Дорогие друзья! — догадливо подхватил Неделин. — Теперь то же самое, но всерьез, вот именно, по-настоящему. Прошу.

Он кивнул музыкантам, и пошла фонограмма.

— Микрофон пусть отключают, — сказал Неделин конферансье.

— Микрофон пусть отключают, — сказал Неделин конферансье.

И пошел, и пошел крутиться и разевать рот. От песни к песне он все больше заводил зал, он взмок от труда и от радости единения с залом. Юноши свистели, девочки кричали, изнемогая. Впрочем, и они свистели тоже.

Потом вдруг пауза. Неделин стоял, тяжело и счастливо дыша, поднимая руки.

— А теперь сюрприз! — объявил конферансье из дальнего угла сцены. — Кое-кто думает, что мы тут все под фонограмму делаем. Но следующий номер вас разубедит.

И понес, дурак, Неделину гитару, пощелкал пальцем по микрофону: работает! Сказал Неделину: «Валяй!»

Неделин повесил на себя гитару. Взял аккорд, провел по струнам. Струны нестройно, но мощно пророкотали в усилителях. Зал, восхищенный тем, что любимый певец, оказывается, чего-то и на гитаре умеет, взорвался овацией.

Неделин провел еще.

Он должен был что-то спеть, но что?

Когда-то давно, студентом на картошке будучи, он перенял три-четыре аккорда и мог под них кое-что — Высоцкого, например. Но здесь должно быть нечто свое, оригинальное — а на кассетах Субтеева он ничего такого под сопровождение одной лишь гитары не слышал.

Что ж делать-то?

С другой стороны — это ведь не его конфуз, это Субтеева конфуз, и, если освищут Субтеева, значит, может быть, одним пошлецом станет меньше. Возможно, в том и задача — раз оказался во плоти певца, сделай добро, уничтожь пошлость ее собственными руками, развенчай фальшивого кумира!

Но необходимо все-таки что-то сказать. Извините, мол, я сегодня не в форме.

Еще раз проведя по струнам, Неделин сказал:

— Извините, я сегодня немного...

И не сказал, а спел голосовыми связками Субтеева. Публика замерла. Неделин взял другой аккорд, пропев:

— Я сегодня немного, немного, я сегодня немного, чуть-чуть...

— Атас! — услышал он чей-то громкий выдох.

— Я немного сегодня, совсем немного, — уже ради баловства пел Неделин. — А если кто много, то мне наплевать, главное, я немного, немного, немного, чуть-чуть, дураки, те, кто много, а я немного, немного, немного, совсем немного, совсем чуть-чуть...

Так, используя известные ему аккорды, он пел минут пять и закончил, когда самому надоело.

Боже мой, что после этого творилось в зале! Гром и молния, штурм и натиск. Крики «бис»! Корреспондент местного радио, пришедший на концерт, несмотря на нелюбовь к Субтееву, тихо сказал: «Ни фига себе...» Виктор Запальцев, пришедший на концерт с женой и детьми, тоже одобрил: «Отлично!» Некий товарищ из КГБ, пришедший на концерт не по службе, а ради отдыха, обрадовался, что приятное сочетается с полезным, и громче других закричал «бис!» — чтобы еще раз послушать слова и запомнить. Слова-то ведь явно с тайным смыслом. (А время еще было, хоть и на излете, вязкое, цепкое.)

Неделин спел на бис — то же самое.

Он никак не думал, что после концерта разразится скандал.

Музыканты пошли ужинать в ресторан, а Субтееву ужин был заказан в номер. На ужине присутствовали Лена и конферансье.

— Ну и что это значит? — спросил конферансье.

— Это — феноменальный успех! — враждебно по отношению к конферансье сказала Лена.

— Я тебя штрафую, — сказал конферансье Неделину, — за то, что ты шлепнулся на сцене. Не хватало еще, чтобы подумали, что ты пьяница или наркоман. Штрафую на двести рублей.

— Ты жлоб, Барзевский, — сказала Лена.

— Попрошу молчать.

— Попрошу на нее не кричать! — крикнул Неделин, ничего не понимая. Кто он, этот Барзевский? Значит, не просто конферансье?

Барзевский усмехнулся и начал загибать пальцы:

— Я тебя нашел (первый палец), я тебя обул (второй палец), одел (третий палец), от пьянства спас (четвертый палец), я тебе репертуар делаю — музыку (пятый палец), тексты (шестой палец), которые якобы сочиняешь ты, я тебе делаю рекламу (седьмой палец), устраиваю концерты в самых больших залах (восьмой палец) самых крупных городов (девятый палец), я тебе бабу, наконец, уступил (десятый палец и кивок в сторону Лены). — Все пальцы оказались сжаты в кулаки. Потрясая ими, как закованный в цепи невольник, Барзевский продолжал: — А ты мне свинью решил подложить? Заигрался? Что ты мне за самодеятельность устроил? Откуда у тебя это? Кто сочинил?

— Но ведь всем понравилось, — сказала Лена.

— Договор дороже денег, а мы условились, что он поет только мое. Конечно, пока он Субтеев, будет нравиться все, хоть он коровой мычи. Но! — одна, две, три таких песенки — и он уже не Субтеев, а самопальщик. По первому разу съедят, но потом зрителей будет все меньше и меньше.

— Ну и что? — сказала Лена. — Останутся настоящие любители.

— И он будет выступать в актовых залах учреждений? И подо что будет петь? Под брень-брень? Кстати, ты что, играть разучился? Я тебе, скотина, сделал имидж, ты понимаешь это? Утратишь имидж — потеряешь все!

— Он создаст новый, — сказала Лена.

— Это еще никому не удавалось. Нет, хамство какое! Я в него столько сил вложил, столько средств!

Чем продолжительней молчанье, тем удивительнее речь, поэтому Неделин и молчал, давая возможность Барзевскому наговорить как можно больше дерзостей. А удивительная его речь была такова:

— Пошел вон!

— Что? — не поверил Барзевский.

— Пошел вон! — повторил Неделин.

— Ладно. — Барзевский посмотрел на часы. — Через двадцать минут у тебя второй концерт. После поговорим.

— Я в ваших услугах больше не нуждаюсь! — четко произнес Неделин.

— Ну-ну. Посмотрим.


Посмотреть Неделину пришлось очень скоро.

Запущена была фонограмма, но на этот раз без голоса. Неделин долго впустую пританцовывал у микрофона, пока не сообразил, что произошло. Пришлось запеть живьем.

Мало этого, в середине песни фонограмма оборвалась, публика шумно возмутилась. Музыкантам срочно пришлось подключать инструменты. Подключили, заиграли, но вразнобой, мимо ритма, а часто и мимо нот, зал хохотал негодуя. Но мало этого; взяв микрофон в руку, Неделин хотел пройтись вдоль сцены, и вдруг под ним обломились доски, он провалился, едва успев зацепиться руками, уронив микрофон. Он вылез, исцарапанный, в разорванной одежде. Зал весь был свистом, но это, пожалуй, уже был не свист гнева, а свист травли, многие зрители получали удовольствие от незапланированного зрелища не меньше, чем от концерта.

Конферансье вынес гитару.

— Скотина, — сказал ему Неделин.

— А я при чем? — удивился Барзевский. — Технические накладки! Давай спасай положение. То же самое спой. Они наслышаны, они ждут.

Публика, видимо, действительно была наслышана — все умолкли, приготовились, готовые простить.

Неделин ударил по струнам — в усилителях задребезжало что-то несуразное. Гитара была расстроена, а настраивать Неделин, понятное дело, не умел. Выбежал Барзевский с другой гитарой.

— Шутки кончились! — объявил он в микрофон. — Прошу!

Неделин взял гитару, осторожно провел по струнам, глянул на мстительное лицо Барзевского и запел:

> Я сегодня немного,
> немного совсем,
> очень мало...

— Это подло, Барзевский! — сказала Лена после концерта. — Это свинство!

— Я прекращаю концерты, — сказал Неделин. — Я заболел. Могу я заболеть?

— А неустойка?

— Кому?

— Мне. По тысяче за концерт — будьте любезны.

— Обойдешься, — сказала Лена. — И пошел вон, тебе сказали!

— Ладно, — сказал Барзевский. — Посмотрим.

Лена после его ухода долго и красиво стояла у окна, потом произнесла не оборачиваясь:

— Знаешь, если честно? Я впервые пожалела, что ты такой... Ты — человек, Владик. Ты талантливый. Почему ты скрывал, что сочиняешь такие песни?

— Да я, собственно...

— Больше ты не споешь ни одной попсятины. Я тебя уверяю: тебя назовут родоначальником русского интеллектуального рока. А на Барзевского плюй.

И она увезла Неделина из Саратова, Барзевский же в качестве неустойки выговорил себе право еще полгода использовать имя Субтеева, для этого случая он давно уже держал в группе музыкального сопровождения парня, очень похожего на Субтеева. Парень, слегка для сцены подгримированный, успешно провел оставшиеся гастроли в Саратове, а потом концерты в Волгограде, Астрахани, Ставрополе, Тбилиси, Баку, Ереване, Батуми, Сухуми, Сочи, Ялте, Донецке, Кривом Роге, Кишиневе, Киеве, Курске, Минске, Вильнюсе, Риге, Таллинне, Ленинграде, Петрозаводске, Мурманске, Архангельске, Ярославле, Нарьян-Маре, Свердловске, Магнитогорске, Ашхабаде, Душанбе, Ташкенте, Алма-Ате, Караганде, Омске, Томске, Новосибирске, Новокузнецке, Красноярске, Иркутске, Чите, Бодайбо, Якутске, Оймяконе, Магадане, Верхоянске, Анадыре, Хабаровске, Владивостоке, Петропавловске-Камчатском...

А Неделин, уезжая из Саратова, купил в поезде у проводницы местную газету «Коммунист», где прочел обличительную заметку: «ТОРЖЕСТВО ПОШЛОСТИ». «Многим залетным гастролерам, — говорилось в заметке, — видимо, невтерпеж показать «провинциалам», насколько они их презирают. В Саратове продолжаются гастроли Субтеева, и эстрадное диво от концерта к концерту демонстрирует пошлые трюки на потребу той незрелой части зрителей, которые эти трюки радостно приветствуют. Больно становится за певца, когда он демонстрирует неизвестно зачем мастерство клоуна-эксцентрика. И это тем более обидно, что В. Субтеев продемонстрировал, что может писать и исполнять неплохие песни, что, однако, тем более обязывает его более ответственно относиться к своему дарованию». Подписано было: А. Слаповский. Шустрый парень, работает на всех фронтах, подумал Неделин. Колотильщик тот еще!

Ему было любопытно: где он живет в Москве? Оказалось, вовсе и не в Москве, а в Люберцах, на улице Гоголя, в пятиэтажном панельном доме номер двадцать два, вокруг которого много деревьев и благоустроенных кустов. (Эти подробности для тех, кто до сих пор сомневается в подлинности описываемых событий; можете специально съездить в Люберцы и убедиться, что там есть и улица Гоголя, и дом двадцать два, и деревья вокруг него.) Постепенно Неделин выяснил, что родом он (Субтеев) из небольшого южного города, что там у него мама-учительница и папа, отставной военный, который приказал ему не появляться на глаза с тех пор, как случился скандал: Владик соблазнил дочь хороших родителей, она нечувствительно забеременела, хорошие родители ударили в набат, Владик все отрицал, дочь хороших родителей вдруг объявила, что она не в претензии, заманила как-то Владика к себе домой, говорила, что ее любовь к нему — ошибка, что у нее есть курсант военного училища, готовый взять ее с ребенком, Владику же нужно делать карьеру (он уже тогда начал петь в одной из городских популярных групп), и, усыпив таким образом его бдительность, предложила на прощание в знак примирения полюбить друг друга. Тогда-то это и случилось: она, осатанев от злой девичьей обиды, отгрызла все начисто в один миг! Субтеев дико орал, на крик вошел с улыбкой папа девушки, врач, быстренько обезболил, наложил швы и сказал, что если он вздумает жаловаться, то тут же будет подан встречный иск об изнасиловании — защищаясь от которого, бедная девочка и приняла необходимые меры обороны. К тому же, охота ли Субтееву, чтобы об его комическом позоре узнал весь город? Субтеев плакал, просил прощения, требовал пришить.

— Поздно! — сказал папа. — Что ж теперь поделаешь, за все, голубок, надо платить!

Потом, когда Субтеев стал знаменитым, девушка из южного города рассказала своим подругам об увечье, те рассказали прочим, слухи расходились, трансформируясь, и в окончательном варианте выглядели так: Субтеев гермафродит, он и мужчина, и женщина, поэтому одну неделю он живет с женой, дочерью посла какого-то арабского государства, а другую неделю живет с мужем, солистом Большого театра.

Лена, как оказалось, проживала отдельно, в Москве, с больной матерью и маленьким братом. Но регулярно приезжала в Люберцы — или Субтеев приезжал в Москву, имея всегда бронь в одной из центральных гостиниц.

Лена настоятельно советовала Неделину сделать новую программу из пятнадцати — двадцати песен. Он занялся этим, для начала освоив с помощью самоучителя еще несколько гитарных аккордов.

## Глава 27

А что с Субтеевым, который оставлен нами на перроне города Полынска в затруднительном положении?

Опытный вокзальный милиционер сразу же определил, что перед ним бич, бомж, бродяга. А может, и преступник, скрывающийся от розыска. Документов нет. Денег нет. Отстал от поезда? Старая песня! Куда направлялись?

— На гастроли. Я — Владислав Субтеев.

— Очень приятно. А это кто в таком случае? — И милиционер пригласил Субтеева оглянуться. На сцене возле двери был прикреплен кнопками плакат-календарь с Владиславом Субтеевым в полный рост.

— Кто это? — спросил милиционер.

— Это я.

— Тогда я — чемпион мира по шахматам Анатолий Карпов, — представился милиционер. Он в самом деле был похож на Анатолия Карпова. И на подоконнике, кстати, лежала шахматная доска.

— Меня подменили! — закричал Субтеев. — Я не знаю как, но меня подменили!

— Разберемся. А пока придется у нас погостить. Вы не против?

— Против!

— Жаль...

И, несмотря на то что задержанный был против, милиционер вызвал наряд. Субтеева препроводили в правоохранительное учреждение, которое

87

было очень правильным и первым делом направляло своих клиентов на медицинский осмотр. Войдя в небольшой кабинет, где все процедуры осмотра должна была проделать женщина-врач с синими добродушно-циничными глазами, он по ее приказу разделся донага и, увидев доставшееся ему, воскликнул:

— Ого!

— Что такое?

— Смотрите!

— Думаете, я этого не видела?

— Нет, но это же... Если бы вы знали!.. И действует!

Это было правдой. Женщина глянула с любопытством.

— А что, были трудности?

— Милая вы моя! Если б вы знали! Если бы ты... Если бы...

Субтеев пошел на нее, ласково раскинув руки, в глазах не было бешенства насильника или маньяка, только мольба — нежно-неистовая, нестерпимая.

— Ну-ну, не надо волноваться, — сказала женщина, отступая к ширме, за которой была кушетка.

— Спаси меня! Или я рехнусь!

Охранник был за дверью и войти не мог, — это она установила такой порядок, ей не нравилось, когда эти парни торчали в кабинете врача якобы для безопасности, а на самом деле — чтобы полюбоваться унижением раздетого тела. К тому же симпатичные бабенки попадались.

— Какой странный, — сказала она. — Нетерпеливый какой.

— Спаси, прошу!

И она спасла — удивляясь порыву, подобного которому она никогда в жизни не встречала.

После этого Субтеев попал в камеру предварительного заключения, где томился и метался, глядя на толстые прутья зарешеченного окна, а само окно было высоко, не допрыгнуть. И все же вечером, когда не было уже сил терпеть, он разбежался и каким-то чудодейственным образом допрыгнул, подтянулся, выглянул. Окно выходило на уровне пятого или шестого этажа на глухую улочку. Вот старуха прошла. А вот девушка идет под тусклым светом фонарей, и хоть лицо ее почти неразличимо, но ясно, что она красавица, по походке ясно, по той смелости, с которой идет она по пустой улице, не веря, что может произойти что-то плохое в ее красивой судьбе. Субтеев застонал, ухватился за прутья решетки покрепче, стал разгибать их. Прутья туго, но поддавались. Девушка вот-вот скроется из глаз. Субтеев рванул прутья — и раздвинул так, что уже можно пролезть. Вылез, сел на краю, посмотрел вниз. Высоко. Но лучше гибель, чем такие муки. Он прыгнул, упал, вскочил и, прихрамывая, побежал к девушке.

— Не пугайтесь, — сказал он. — Я вас люблю.

И она поверила.


Через несколько лет после описываемых событий вся страна подло потешалась над словами, гневно произнесенными некоей женщиной в телевизоре: «У нас секса нет!» Конечно, это можно считать одним из гениальных советских афоризмов, в котором — душа массы и ее понимание предмета. Но смех тем не менее подл. Во-первых, ясно же, что женщина совсем не то имела в виду. Во-вторых, она, вероятно, была родом из города, схожего с Полынском, а в Полынске секса воистину не было. Причин тут несколько.

1. В моду вошли изящные супружеские раздвижные диванчики, которые были почему-то полутораспальными, и разместиться на них можно было только «валетом» — широкие плечи мужчин и женщин рядом никак не умещались. Супруги терпели эти неудобства ради роскоши модной мебели, но — ...

2. Женщины Полынска искони привыкли носить синтетический вид белья под названием «комбинация», это одеяние так наэлектризовывало тело, что при малейшем прикосновении мужчин бил разряд.

3. Любовные свидания полынцы издревле привыкли сопровождать вином и водкой, но если раньше, выпив рюмочку, кавалер приступал к делу, то во времена строгих правительственных ограничений он, увидев бутылки, забывал обо всем, набрасывался на них и не успокаивался, пока не прикончит все и не упадет на стол.

4. Впрочем, полынцы всегда считали такие отношения неприличными.

5. К тому же — климат ли Полынска виноват, рабочие ли условия жителей, еще что-то? — к вечеру у них пробуждался аппетит, целыми кастрюлями поедали они холодную картошку с подсолнечным маслом, луком, чесноком и квашеной капустой, потом пили чай с булками и батонами и, добредя до постели, могли только тяжело вздыхать, икать, впадая в тяжкую дрему, а потом и в сон.

6. Секс мог и должен был существовать в молодежной среде, но отцы города, заботясь о благоустройстве, вырубили единственную рощицу на окраине Полынска, чтобы посадить культурный парк с каштанами, каштаны не прижились; больших домов с темными подъездами в Полынске не было, в каждой квартире денно и нощно сидело по бабушке, — где тут найти место влюбленным? — они ограничивались целованием на последнем ряду кинотеатра «Космос».

7. В кинотеатре, кстати, показывались сплошь индийские фильмы с такими красотами любовных отношений, что долго после этого мужчины Полынска глядели на своих женщин с ненавистью, а женщины на мужчин — с презрением.

8. Полынцы всегда были слишком мнительными, и если, прочитав в газете слово «злоупотребления», каждый, даже самый честный житель, вздрагивал и оглядывался, то при словах «разврат» и «моральное разложение» он ярко краснел, опускал глаза и мысленно обещал себе больше этого не делать.

9. К другим причинам можно отнести: дефицит стирального порошка, плохую работу дантистов, производство абортов в местных больницах только без наркоза — чтоб неповадно было, тесноту в общественном транспорте, из-за которой каждый житель с малолетства приучался прижиматься к представителям другого пола и очень скоро терял трепет, а потом и всякий интерес... Ну и так далее, это, собственно, всем известные вещи.

А то, что дети все же рождались, это... Это я даже не знаю, чем и как объяснить. По крайней мере, женщины, обнаружившие в себе признаки, тяжело и надолго задумывались...

Субтеев ничего этого не знал.

Хищно, жадно, пружинисто ходил он по городу, негодуя и удивляясь, что столько красивых женщин (а ему каждая вторая казалась красивой) тратит время на чепуху, вместо того чтобы, взявшись за руки с мужчинами, бежать, бежать с ними куда-нибудь.

Безошибочно угадывал он тех, у кого в отсутствии мужья, или совсем одиноких, подходил и говорил мягко:

— Пойдем!

И такое что-то было у него в глазах, что женщины шли, по пути говоря, что они не такие, они признают только серьезные отношения!

Субтеев с тихой досадой отвечал:

— Да нет же, нет! Ты — женщина, я — мужчина, больше ничего помнить и знать не нужно!

— Разврат! — вспоминала женщина страшное слово, дрогнув, однако, всем телом.

Субтеев усмехался и шел все быстрее, он до того был горяч ожиданием, что асфальт дымился у него под ногами. И женщина теряла память о всяких страшных словах и вела Субтеева к себе домой. Потом она чудодейственным образом забывала о Субтееве, но была уже другой, как и все, кого Субтеев любил до нее или после нее, — и именно с этого времени в Полынске появился секс как таковой, но это уже другая история, требующая изложения или возвышенного, или скабрезного, чего автор, привыкший ходить посередке, не умеет.

## Глава 28

Несмотря на старания Лены, ни Росконцерт, ни Союзконцерт, ни другие серьезные государственные организации не взяли Субтеева под свою опеку. Росконцерт сказал, что, извините, налицо явное недоразумение, настоящий Владислав Субтеев успешно гастролирует по стране и имеет, как всегда, стабильный творческий и финансовый успех, поэтому не надо подсовывать двойника, пусть похожего внешностью и голосом, но мало ли похожих людей, не пудрите мозги! Союзконцерт сказал, что, конечно, верит такой очаровательной девушке и по стране, возможно, гастролирует не настоящий Субтеев, а поддельный, но как объяснить, что настоящий Субтеев, судя по представленным фонограммам, ударился в явную самодеятельность, меж тем якобы поддельный поет уже новые песни, сочиненные в истинно субтеевском ключе? Прочие государственные организации сначала хватались за имя Субтеева с радостью, выделяли музыкантов для подыгрывания и девушек для подтанцовки, но музыканты и девушки после первой же репетиции отказывались работать, говоря, что на концерте их разнесут в клочья вместе с Субтеевым, потому что это дремучая дребедень и больше ничего.

Лена решила пойти другим путем.

Существуют признания официальное и неофициальное, и второе у нас искони почетнее первого, тем более что, слава Богу, оно уже теперь не чревато ссылкой и лагерем. Лена решила добиться для Неделина неофициального признания. Был устроен его авторский вечер в одном из заводских клубов. Неизвестно каким образом об этом вечере прослышала вся Москва, к назначенному времени возле клуба толпились не массовые, но многочисленные зрители, спрашивали лишние билетики. Среди них выделялся пышной шевелюрой музыкальный критик Семен Арнольдович Берендей, человек строгого вкуса 18 лет, сотрудник самиздатовского журнала «Стрема» (не путать со «стремой» из воровского жаргона, означающей стояние на шухере).

Неделин вышел на эстраду в ватнике, в пижамных штанах, с серьезным самоуглубленным лицом, заросшим пятидневной щетиной, которую Лена велела ему отпустить, чтобы отличаться от прежнего гладкого красавчика Субтеева, она жалела, что нельзя его загримировать так, чтобы глаза были поменьше, нос побольше и покривее, рот тонок, некрасив, ироничен, она даже всерьез уговаривала Неделина сделать пластическую операцию, но не мог же он так вольно распоряжаться чужой внешностью!

Кстати, к этому времени он по настоянию Лены взял себе псевдоним.

— Бушуев! — предложила она, подразумевая мощь и энергию.

— Нет, — сказал Неделин. — Лучше — Неделин.

— Как?

— Неделин.

— А что? Неделимость, цельность! Замечательно!

И Неделин стал Неделиным.


Он вышел, не зная, что будет петь. На сцене идея сама собой явится.

Он вышел, постоял, значительно оглядывая зал, провел по струнам и, переливаясь голосом, запел:

— Четырнадцатое место в третьем ряду, четырнадцатое кресло, старое кресло с потертой дерматиновой обивкой, а остальное — дерево, дерево, дерево, дерево...

— Дерево, дерево, дерево, дерево... — вторили юные слушательницы, тихо сходя с ума от блаженства и транса.

Критик Семен же Берендей думал о статье в журнале «Стрема», где концепция творчества Сергея Неделина будет охарактеризована как соединение в музыкальном плане чего-то схожего с додекафонией (но более медитативного) и — в плане текста — обериутивного мышления на современном этапе.

Лена впоследствии, как могла, отблагодарила Берендея, сама же послала в ряд центральных газет серию статей, где под разными псевдонимами громила творчество Неделина с таких ортодоксальных позиций, что после их опубликования популярность Неделина возросла необычайно, его наперебой стали приглашать различные рок-клубы, клубы самодеятельной песни и даже филармонии разных городов.

Началась бурная жизнь: поездки, выступления, интеллектуальные попойки, общение со многими неофициальными знаменитостями страны, от глубоких суждений которых его неизменно подташнивало; не то чтобы он не соответствовал их уровню, но уставал быть на этом уровне с утра до вечера. Лена считала, что все происходящее — лишь этап первый и предстоит теперь открыть в себе какую-то новую грань творчества.

А Неделин не хотел. Ему надоело. Ему приелось то, что его все узнают на улице (его ведь уже и по телевидению три раза показывали: времена теплели на глазах! — неофициальные кумиры табунами выходили из подполья раскланяться с благодарным народом), причем узнавали его, уже не путая с поп-Субтеевым, звезда которого за год закатилась и пала, пришла мода на певцов-мальчиков, совсем желторотых и безголосых, но симпатичных, двух таких мальчиков вывел на орбиту, бросив лже-Субтеева, Барзевский, они были похожи и выступали в разных местах под одним именем (Барзевский, наученный горьким опытом, заранее подстраховался). Неделин понял теперь, что скорее всего как раз невозможность спрятаться от любопытных назойливых взглядов и довела Владислава Субтеева до желания превратиться в бича, который питается объедками и не привлекает к себе ничьего внимания. Неделину надоело надевать ватник, драть струны и выть непредсказуемым голосом. Надоело, что все ждут от него чего-то необычного. Трюки только сначала тешат. Однажды он, не спросясь Лены, вышел на сцену в ширпотребовском костюмчике коричневого цвета (пылились тогда во всех магазинах, стоя при этом всего 80—100 рублей), в белой нейлоновой рубашке (купил в уценёнке за три рубля), в широком цветном галстуке. Против его ожиданий, это вызвало фурор, ширпотребовские костюмчики и нейлоновые рубашки исчезли из всех магазинов, пришлось многим шить эти вещи на заказ, прося, чтоб — талия под мышками, плечи узкие, брюки коротковаты и уже с бахромой...

Он стал отказываться от выступлений. Лена возмутилась, говорила, что его долг — существовать в режиме самосожжения, и чем быстрее он сгорит, тем ярче будет свет. Неделин уступал ей, но однажды, после очередной ссоры, даже ударил ее, закричав, что исчезнет неведомо куда. (Он мог бы, конечно, бежать из своей шкуры в любую другую, много нашлось бы охотников поменяться, но он считал себя обязанным вернуть эту шкуру владельцу и намеревался для этого попасть в Полынск, чтобы там отыскать следы Субтеева.)

Лена заплакала, как обиженная сестра, Неделин приласкал ее.

— Нет, действительно, тебе надо отдохнуть, — сказала она. — Набраться сил перед новым всплеском. Поживем где-нибудь в избушке, в глуши, а?

Глушь и избушка нашлись в Подмосковье, на даче подруги Лены, дочери министра или замминистра, одинокой, но доброй молодой женщины Лины. Неделин со страхом ждал от Лины мудрых бесед, но она, при том что была кандидат искусствоведения, не курила, не пила водки, не ругалась матом, могла целыми днями не упомянуть ни разу ни Малевича, ни Джойса и даже не имела пятнистого дога — и вообще собаки не имела. Зато любила выращивать землянику, огурцы и вкусно готовила.

Неделин отмяк душой, ходил купаться и загорать к мелководному пруду, гулял по березовому лесу. Раздражало только ожидание Лены. «Видишь, — говорила она на вечерней заре. — Кровавый закат. Но он умиротворяет. Правда? Кровь — умиротворяет! Тебе нужно об этом написать. Только ты сумеешь». — «Ладно», — хмуро обещал Неделин, испытывая отвращение ко всем стихам мира и к гитаре, которая лезла на глаза, желтая крутобедрая стерва, как бесстыдная бабища, воспылавшая чистой романтической любовью к юному голубоглазому пушистощекому похабнику. С Леной вообще творилось что-то странное. Она часто оставляла Неделина и Лину наедине — и вдруг неожиданно входила: лицо в пятнах, глаза — мрачные. Как-то сказала, что ей нужно срочно в город, навестить брата и мать, уедет вечером на электричке, вернется завтра к обеду. Вернулась же на самом деле ночью. Ворвалась в комнату Неделина:

— Уже ушла?

— Кто? — не понимал Неделин, продирая глаза.

— Эта тихая тварь? О, я знаю этих тварей! Уже успели?

— Что успели?

— Все, что нужно! Я знала! Я чувствовала! Я среди ночи проснулась, сердце бьется, ясно вижу — ты и она! Как будто вы в двух шагах! Нестерпимо! Так что можешь не запираться. Тихая стервочка, красоточка! Я ей харю серной кислотой сожгу!

— Опомнись!

— Молчи! Я бы простила, но зачем тайком? Ты пойми, тебя это недостойно! Ты должен делать все открыто!

Неделин был так изумлен, что даже не смеялся.

— Объясни, — сказал он. — В чем ты меня обвиняешь?

— Неясно разве? В том, что ты — с ней.

— Что? И — как?

— Это уж я не знаю!

— Ты соображаешь, что говоришь?

— Не прикидывайся! Учти: ей рожу сожгу кислотой, сама отравлюсь. А ты — живи. Тебе, скотина, надо жить.

— Дура, — сказал Неделин. — Я же ничего не могу. О чем ты?

Лена помолчала.

— Прости, я действительно... Дура... Я забыла...

И проплакала до обеда, не вставая с постели.

Причины такого ее поведения стали отчасти понятны Неделину, когда он наткнулся в ее вещах (искал таблетки от головной боли) на толстую тетрадь. Обложка сама открылась, и то, что было написано на первой странице, не могло не заинтересовать его. Крупными буквами, черными чернилами: РОК НЕДЕЛИНА. Все остальное тоже было написано черными чернилами; а некоторые слова — красными. Это выглядело жутковато. Пользуясь тем, что Лена и Лина ушли купаться, а потом собирать грибы после вчерашнего дождя, Неделин сел у окна — чтобы видеть их возвращение — и стал читать.


ЕГО РОК, начинала Лена красными чернилами, четким почерком и продолжая черными, а потом опять красными, — двузначен, это и МУЗЫКА, и СУДЬБА.

* * *

Я не буду обозначать даты. Может, потому, что годы, проведенные с НИМ, слились в один год, в один месяц, в один день.

* * *

ОН спит всегда только на спине. Это гордая и открытая поза. Я всегда стараюсь дождаться, когда ОН заснет, и подолгу при свете ночника (ОН спит только со светом) рассматриваю ЕГО лицо. ОНО некрасиво, но могу-

93

че. ОНО спокойнее, чем днем, но ОНО живет. Вот поднимаются удивленно брови. А вот нахмурились. Это самое характерное для НЕГО выражение. Многие считают, что ОН просто уродлив, они не понимают, что это КРАСОТА ДИСГАРМОНИИ. Это — печать избранности, хотя мы и отвыкли от этого слова. Давно сказано: МНОГО ЗВАНЫХ, НО МАЛО ИЗБРАННЫХ. ОН И ЗВАН И ИЗБРАН. А я при нем не Мария Магдалина, не спутница и даже не та, кто омыла ЕГО ноги миррой, я только лишь тень. В НЕМ я уничтожаю себя, ибо когда солнце ЕГО было низко, я — тень — была большой, иногда больше ЕГО самого, но я сама сделала так, чтобы солнце ЕГО стало высоко, при этом я — тень — все уменьшалась. Когда же солнце ЕГО будет в зените, я — тень — исчезну совсем. Господи, дай мне силы!

\* \* \*

Концерт в Якутске. Усталый, вымотанный до предела. Лежит в номере и плачет от страшного перенапряжения. (Неделин, читая это, весьма удивился. Впрочем, дальше удивление его стало еще больше.) Вдруг стучат в дверь. Молодые бородачи. Извинения. Это геологи, приехавшие тайком от начальства на вездеходе за 400 километров по тундре, чтобы попасть на концерт Неделина. Но из-за пурги не успели. Теперь до рассвета им нужно вернуться назад. Умоляют: хотя бы одну песню. Я выталкиваю их. «ПУСТЬ ВОЙДУТ!» — сердито говорит ОН. И поет час, другой, третий — для пятерых человек, я не в силах вмешаться, очарованная, как всегда, звучанием ЕГО голоса. Геологи сами просят ЕГО закончить и ТИХО уходят. ОН идет в ванну. Запирается. Я стучу, требую открыть. ОН открывает, пряча руки. Я хватаю руки: так и есть, кожа на пальцах содрана до мяса струнами. Я причитаю, отмачиваю ПАЛЬЦЫ в марганцовке, смазываю кремом, бинтую. Ругаю ЕГО. Говорю: «Теперь спать!» ОН смеется, притягивает меня к СЕБЕ... Я поражаюсь ЕГО выносливости, в том числе любовной.

Встаю через три часа — ЕГО уже нет в номере. Бегу к музыкантам — ОН уже среди них, с воспаленными ГЛАЗАМИ, разучивает новую композицию, которую сочинил (или сотворил? совершил? выплеснул? — все слова будут ложь), когда я уже заснула.

\* \* \*

Меня мучают ЕГО постоянные измены, но я не подаю вида. Я помню слова ЕГО песни: «ПЕРЕПЛЫВАЯ ИЗ ОДНОГО МОРЯ В ДРУГОЕ, НЕ ИЗМЕНЯЕШЬ МОРЮ». (Неделин ничего подобного не сочинял.)

\* \* \*

ТРИ ГОДА С НИМ. (Разве? — удивился Неделин.) Взлеты творчества, когда он по пять-шесть суток подряд без сна сочиняет и репетирует, сменяются приступами жестокой ипохондрии. Тогда ОН везет меня на своей «тойоте» (никакой «тойоты» у Неделина не было, да и другой машины тоже: не любил) по улицам, не обращая внимания на светофо-

ры и свистки милиционеров, привозит в какой-нибудь старый московский двор, собирает друзей детства (а как же южный город, где прошло
детство Субтеева? — Неделина): слесаря-сантехника, дворника, кочегара котельной, пьет с ними самогон, закусывая репчатым луком. Он не
поет, поют слесарь и кочегар, поют что-то дворовое, пошлое, а ОН твер-
дит: «ВОТ ПОДЛИННОЕ ИСКУССТВО!» Я спорю, а потом соглашаюсь: искренняя, прочувствованная пошлость лучше холодного, выдуманного рафине. Больше всего в искусстве он любит ЕСТЕСТВЕН-
НОСТЬ.

* * *

Едва приехали в Саратов, даже не вышли из вагона, сообщают: концерт
отменен по распоряжению свыше. ОН взбешен. А люди, знающие о ЕГО при-
езде, заполнили перрон. Скандируют. Возмущены. ОН лезет на крышу вагона
и, стоя там, поет во всю силу голосовых связок. Поезд не могут отправить,
застопорились и другие поезда. Два часа длился этот концерт. Мелькали в толпе фуражки милиционеров, но им не давали приблизиться. Напоследок ОН
сказал: «ПУСТЬ НЕ БУДЕТ ИЗ-ЗА МЕНЯ УЩЕРБА МОЕЙ БЕДНОЙ СТРА-
НЕ И ЕЕ НИЩЕЙ ЖЕЛЕЗНОЙ ДОРОГЕ! ПРОШУ ЗРИТЕЛЕЙ КИНУТЬ ВОТ
СЮДА (БРОСИВ В ТОЛПУ ФУТЛЯР ГИТАРЫ) КТО СКОЛЬКО МОЖЕТ В
ВОЗМЕЩЕНИЕ УБЫТКОВ! ПРОЩАЙТЕ!
Я вздрогнула. Почему-то в ПОСЛЕДНЕЕ ВРЕМЯ он говорит всегда не
«до свидания» или «до новых встреч», а именно «ПРОЩАЙТЕ». Денег,
кстати, было собрано, нам сказали, 456 тысяч 932 рубля.
(Что за бред? — поразился Неделин. Не было ничего этого — ни концерта на крыше вагона, ни 456 тысяч 932 рублей, да и слово «прощайте»
вовсе не говорит он после концертов!)

* * *

ЕГО НЕДОСТАТКИ — ПРОДОЛЖЕНИЕ ЕГО ДОСТОИНСТВ.

* * *

Вчера ОН сказал: «ЖИЗНЬ КОРОТКА, НО ДЛИННЕЕ, ЧЕМ МОГЛА
БЫ БЫТЬ!»

* * *

Или такая фраза: «СУМЕРКИ. А СПАТЬ НЕ ХОЧЕТСЯ». Всю ночь думала, почему ОН сказал «сумерки», а не «вечер». ОН спал.

* * *

Еще одна фраза: «ЕСЛИ ЦЕНИТЬ БОЛЬШЕ ВСЕГО ЛЮБОВЬ, ТО
САМЫЕ ЦЕННЫЕ СУЩЕСТВА — СОБАКИ». (Неделин не помнил этих
слов, но допускал, что мог такое сказать.)

Черный юмор у НЕГО всегда наготове. На экране телевизора титр передачи «Камера смотрит в мир». Он: «ЛЮБИМАЯ ПЕРЕДАЧА ЗАКЛЮЧЕННЫХ».

В другой передаче кто-то из «больших» писателей важничал: «Я должен об этом писать, потому что это всех волнует». ЕГО грубоватый комментарий: «НУ И ХРЕН ЛИ ПИСАТЬ, ЕСЛИ ВСЕХ ВОЛНУЕТ? ТЫ ПИШИ О ТОМ, ЧТО ПОКА НЕ ВОЛНУЕТ, ТЫ ВЗВОЛНУЙ!» (Да, кажется, что-то в этом духе Неделин говорил.)

* * *

«ОДИНОКИМ БЫТЬ НЕЛЬЗЯ».

* * *

«НАДО ОБЯЗАТЕЛЬНО КОГО-НИБУДЬ ЛЮБИТЬ, ХОТЬ СОСЕДСКУЮ КОШКУ».

* * *

«КАЖДЫЙ ЖИВЕТ ТАК, БУДТО ОТБЫВАЕТ ПОВИННОСТЬ — ПРИЧЕМ ЗА ДРУГОГО».

* * *

Два счастливых и мучительных года подходят к концу. (Только что было три? — не понял Неделин.) У НЕГО появилась зловещая песня: «ЕСТЬ ИСКУССТВО ВОВРЕМЯ УЙТИ, ТОЛЬКО КТО ОПРЕДЕЛИТ ТО ВРЕМЯ? ДЫМ ОСТАЛСЯ БЕЗ ОГНЯ, НЕБО НЕ КОПТИ, БЛЕДНЫЙ КОНЬ МНЕ ПОДСТАВЛЯЕТ СТРЕМЯ!» (И этой песни у Неделина не было!)

* * *

Он понимает, что его полностью оценят потом, после. Говорит: «КОГДА МЫ ВСТРЕТИМСЯ ТАМ, ТЫ РАССКАЖЕШЬ, КАК ТУТ ОБО МНЕ ГОВОРИЛИ ПОСЛЕ МОЕЙ СМЕРТИ?» Я пообещала. Проплакала весь день. Предчувствия.

* * *

Что делать? Прятать от НЕГО ножи, бритвы, все, чем можно отравиться? Не поможет. Рядом электричка, пятиминутное дело дойти и — под колеса. ОН боролся с тупостью, с непониманием, косностью, ОН СДЕЛАЛ ВСЕ, ЧТО МОГ, И ДАЖЕ БОЛЬШЕ, ЧЕМ МОГ, И ЧУВСТВУЕТ ЭТО. «ЕСТЬ ИСКУССТВО ВОВРЕМЯ УЙТИ...» Я жду. Я заранее стараюсь быть мужественной.

Чувствую — на днях, может, даже сегодня. Ночью он был нежен ко мне, страстен необычайно. Словно прощался.

## Глава 29

И смешно и грустно было Неделину, когда он закрыл тетрадь. Да, Лена приукрашивает его. Но, право же, приятно. Ведь это — от любви. Эти лирические записи станут, вероятно, основой будущей книги, такой, какую, например, написала о Высоцком Марина Влади, правда, у русской француженки все более, так сказать, точно.

Пришли Лена с Линой, с грибами, с хорошим настроением, с аппетитом.

За ужином Неделин тоже был весел, острил, говорил с черным юмором о жизни и искусстве. Но вдруг подумал, что настроение у него, несмотря на значительность всего сказанного, все-таки тривиальное, бытовое, благополучное. И разом умолк. Помрачнел. Лина пошла за чайником.

— Как нам хорошо было бы вместе, — сказала Лена.

— Да, — сказал Неделин.

— Не будем об этом, — сказала Лена.

— Как хочешь, — сказал Неделин.

— Проклятая жизнь, — сказала Лена.

— Да, — сказал Неделин. — Самое странное, что я тебя действительно полюбил. Зачем мне это нужно?

— Пить хочется, — сказала Лена.

— Да, — сказал Неделин.

— Тебе тоже? — спросила Лена.

— Да, — сказал Неделин.

— Будет теплый вечер? — сказала Лена

— Копеек восемьдесят, — сказал Неделин.

— Разве это важно? — сказала Лена.

— А ехать в трамвае без адюльтера? — сказал Неделин.

— Жаль, — сказала Лена.

— Ничего не поделаешь, — сказал Неделин.

— Как хочешь.

— Оставим это.

Вошла Лина с чайником. Лена разливала чай. Ароматен был чай. Вкусен и горяч. Парил. Бери, Сережа, сахар. Спасибо, возьму. Лена бледна.

Но и положив три ложки сахару, Неделин чувствовал какую-то горечь. Лена смотрела на него внимательно и грустно. И Неделин обжегся, фыркнул, вскочил, стал отплевываться: он вспомнил дневник Лены, ему стало почему-то страшно.

— В чем дело? — спросила Лена.

— Ничего, — сказал Неделин, борясь с тошнотой. — Обжегся.

— Тебе плохо? — Лена заглянула в чашку и увидела, что он отпил совсем немного. — Подожди, пока остынет, и выпей еще.

Неделин наотрез отказался.

Вечером пошли гулять — по березовому леску, по дачной улице, вдоль железнодорожного полотна. Приближался поезд.

— Поддержи меня.

Опираясь на Неделина, Лена сняла туфлю, стала что-то оттуда вытряхивать. Зачем она для прогулки обула туфли, а не обычные свои босоножки без каблуков?

— Давай помогу, — сказал Неделин.

— Сейчас. Попало что-то.

Поезд приближался. Совсем близко.

— Надо отойти! — прокричал Неделин.

Лена кивнула, нагнулась, обувая туфлю.

Поезд налетел грохотом, Лена вцепилась в Неделина и толкнула к рельсам, он удержался, упал вбок, она оказалась очень сильной, тащила его к поезду, толкала, кричала и плакала. Было мгновение, когда Неделин оказался совсем близко у колес, он ударил Лену, отполз, вскочил — и прочь, прочь, не разбирая дороги...

## Глава 30

Около часа ночи Неделин был в Люберцах, подходил к дому номер двадцать два по улице Гоголя. На лавке у подъезда терпеливо и тихо сидели какие-то молодые люди. Один из них встал перед Неделиным и оказался даже не молодым человеком, а мальчишкой лет двенадцати, с пухлыми детскими губами, которыми он сжимал сигаретку.

— Ждем его, ждем, — сказал мальчик, — третьи сутки дежурим. Ты где мотаешься?

— Тебе что? — спросил Неделин.

— Получены сведения, — сказал мальчик, — что тебя хотят ограбить. А мы хотим тебя защитить. — Он засмеялся. Остальные хмуро молчали.

— Я не нуждаюсь в защите.

— Не надо отказываться, — сказал мальчик. — Ты получаешь большие деньги, тебе нужна охрана. Мы тебя уже три дня охраняем, значит, ты уже нам должен три тысячи.

— А не дороговато?

— Если сразу — будет дешевле. Пятьдесят тысяч — и охрана на всю жизнь, — сказал мальчик.

— У меня нет таких денег.

— Начинается! — вздохнул мальчик и достал большой ужасный нож. — До чего все не любят по-хорошему договариваться! — Взмахнув ножом, он ловко разрезал на Неделине куртку.

— Сопляк! — высокомерно сказал Неделин, который никак не мог поверить, что это все серьезно.

— Сам сопляк, — откликнулся мальчик. — Завтра в это же время придем. Пятьдесят тысяч, понял?

И они ушли.

Дома Неделин долго и тупо сидел на кухне, уставившись в темное окно. Потом стал лихорадочно собираться, побросал в сумку все более или менее ценное (не взяв при этом ничего, что принадлежало Владиславу Субтееву, только заработанное своим трудом) и вышел из квартиры. В подъезде он долго стоял, прислушиваясь, осторожно выглядывая. Но ничего не услышал и не заметил. Подъезд был близок к углу дома, и Неделин свернул за дом, решил обойти его с тыльной стороны. Он шел, ступая на цыпочках, в узком коридоре, образованном стеной дома и высоким кустарником.

Из кустарника вынырнула небольшая бесшумная тень. Тот же мальчик с ножом в руке.

— Домой! — тихо приказал мальчик. — Не то порежу идиота. Куда собрался? Мы тебя все равно найдем. Кыш домой, я сказал!

Смертельная тоска и злоба нахлынули на Неделина. Ненавидя — не мальчика, а темную безмозглую угрозу, исходящую от него, Неделин опустил сумку и сказал:

— Ладно. Дай прикурить.

Достав сигарету дрожащими руками, мальчик поднес зажигалку, усмехаясь, и тут Неделин выбросил руку вперед и вниз, мальчик вякнул по-детски и упал, Неделин яростно содрал с него рубашку, разорвал на несколько полос, стянул ему руки и ноги, крепко завязал рот. Схватил выпавший нож мальчика, сумку — и побежал. Он бежал быстро, держа нож в руке, готовый ко всему.

Вот кто-то кинулся наперерез — страшный. Убийца. Сейчас сшибет, повалит, зарежет. Крикнув что-то диким голосом, Неделин сделал выпад и сунул в нападавшего ножом, оставил нож и побежал дальше безоружный, уже не думая, что его еще кто-то может встретить...

## Глава 31

И вот Полынск. Зал ожидания. Неделин, выспавшийся в поезде, ест в буфете какую-то рыбу, запивает какой-то жидкостью. Все тускло, грязно, неуютно. Он приехал искать Субтеева, но теперь уже и сам не знает, вправе ли требовать обратного размена и возвращать прежнему хозяину не только его увечье, но и подарить ему и новую биографию. «Медитативный рок» — это еще цветочки, а вот в Люберцах человек, возможно, зарезан — это серьезно.

Выйдя из вокзала, он сел на лавку возле привокзального садика, вернее, палисадника, обнесенного низкой чугунной оградой. В палисаднике среди кустов что-то лежало бесформенной грудой. Неделин присматривался, но в сумерках никак не мог понять, что это. Странное в его положении любопытство, но он встал, подошел поближе. Это был человек. Лицо в ссадинах и засохшей грязи, землистые веки мертвенно обтянули крупные глазные яблоки, признаков дыхания не было заметно. Неделин испуганно встряхнул человека за плечо. Тело не отзывалось, поднялась только голова, замычала — и тут же пала на землю.

Но пробуждение уже состоялось. Голова поднялась опять, зашевелилось и остальное. Одна рука коряво оперлась о землю, приподнимая туловище, а вторая вытерла рот, размазав слюну, и тоже уперлась после этого в землю, человек стал подтягивать под себя ноги, становясь на четвереньки. Не рассчитав, он завалился набок. Отдохнув немного, снова зашевелился. На этот раз он ухватился рукой за хилый ствол акации и, перебирая руками все выше, стал отталкиваться ногами, ползя щекой по стволу. Видимо, все это человек проделывал для того, чтобы вступить в беседу с неизвестным, который так неожиданно и без спросу разбудил его. Наверное, у него были свои понятия о хорошем тоне и он не мог начать разговор лежа. Обняв деревце, он уставился на Неделина и задал угрожающий вопрос:

— Какого?

Неделин промолчал.

— Какого тебе? — уточнил человек.

— Ничего, ничего... — сказал Неделин и вышел из палисадника.

Вот кому еще хуже, чем мне, подумал он. Мне плохо в чужой шкуре, я наделал глупостей, мне надоело чувствовать, что я — не я. Он же — вообще никто. Полная потеря себя. У меня есть выбор, у него — никакого.

А смог бы ты перейти в него? Ты ведь выбирал только тех, кому лучше, так тебе, по крайней мере, казалось. А этому несчастному — страшно плохо, помоги ему. Он законченный алкоголик, это видно, он мучается, освободи его.

Но необходимо взаимное желание.

«А почему этому желанию не возникнуть? Ему скверно, он может позавидовать твоему приличному виду, твоим ясным глазам, твоему чистому, здоровому дыханию. Возможно, он сам не осознает, но завидует. Выручи его».

«Я устал. Я хочу домой — к жене и детям».

«Твое место занято. Ты, оказывается, легко заменим».

«Ну, это мы еще посмотрим».

«Значит — домой?»

«Домой».

«Или — в тюрьму. Того человека в Люберцах убил не Владислав Субтеев, а ты, хоть и в его был теле. Разве нет?»

« Отстань...»

— Эй! — крикнул Неделин.

Голова алкоголика вскинулась. Как прощальный последний осмысленный взгляд умирающего — глаза алкоголика блеснули искоркой сознания.

«Халтура, брат. Ты глядишь на него, но не собираешься меняться местами. Хочешь представить, какие выгоды в его положении? Изволь: забытье. Не чувствовать себя человеком, только организмом, жаждущим опохмелки. Когда же опять пьян — никаких угрызений совести, ничего. Это даже... — любопытно!»

И тут Неделин почувствовал настоящее желание перейти в алкоголика —

и испугался своего желания, но, как загипнотизированный, все смотрел в бессмысленные глаза (которые тоже уставились). И последнее, что успел сделать, — судорожной рукой вынул из кармана и бросил возле ограды палисадника сколько-то денег...

## Глава 32

Что-то острое впилось в спину под лопаткой. Сучок? Но нет сил пошевелиться. Когда он упал? Окружающее туманится и подергивается вместе с толчками крови в разбухшей голове. Надо встать, встать, уцепившись за дерево... Кто-то мимо сознания прошел вправо, влево. Удаляется. Остановить! Непонятно зачем, но — остановить!

— Ты! Ты какого? — клокочет в горле. Тело стремится к уходящему, деревце надламывается, и Неделин опять валится на землю.

Он проснулся ночью.

Губы запеклись, он с болью разлепил их. Он чувствовал, как набухли мешки под глазами, они, казалось, оттягивали голову вниз, так были тяжелы.

Мучила жажда. Было, вернее, две жажды, первая — воды, вторая — вина. Сначала напиться. Нет, сначала что-то вспомнить. Что-то обязательно надо вспомнить. Неделин замычал, обхватив голову руками.

Чьи-то шаги. Это опасность. Бежать. Неделин встал, побрел, с трудом перелез через ограду, опираясь на нее руками, выпрямился и увидел перед собою милиционера.

— Тебе сколько раз сказано, — прозвучал спокойный голос милиционера, — чтобы ты пил дома? А, Фуфачев? Зачем ты своим видом людей пугаешь? Марш нах хаузе!

— Да, иду... — хрипит Неделин, но идти не может, ему нужно что-то вспомнить — и именно сейчас, не отходя от палисадника.

— Ну! — велит милиционер.

— Сейчас, сейчас...

Деньги! Он же бросил здесь деньги. А деньги очень нужны, на них можно купить чего-нибудь, чтобы стало легче. Сначала, конечно, просто пить, от такой жажды можно с ума сойти, а потом — чего-нибудь.

— Я тут деньги, — бормочет Неделин, — деньги тут уронил.

— Неужели? — не верит милиционер. — Ну, посмотрим.

Он включает фонарик, обшаривает палисадник лучом света, и возле растоптанного стаканчика из-под мороженого высвечивается смятый комочек. Милиционер поднимает деньги. Расправляет. Десятка, пятерка, трешница, несколько рублей.

— Хочешь сказать, твои?

— Мои, честное слово, мои! — клянется Неделин.

— Врешь, — говорит милиционер, сует десятку себе в карман, а остальные отдает Неделину. — Смотри, поймаю на чем-нибудь. И не вздумай у меня сейчас за вином рыскать. Отконвоировать тебя, что ли?

Наверное, милиционеру нечего делать, если он решил прогуляться вместе с алкоголиком. Он идет сбоку и чуть впереди, время от времени оборачивается и с улыбкой глядит на Неделина. А ночь хороша, тепла, тополи шелестят юношеской любовной тоской, девичьим испуганным и радостным шепотом, громко блаженствуют сверчки, на душе у милиционера грустно и легко, он вспоминает, как десять лет назад сидел ночами со своей невестой на качелях, привязанных к толстой ветке дерева, что росло возле ее дома. Они медленно раскачивались, он обнимал ее за плечи и говорил обо всем на свете, а в сущности — все об одном, все об одном... И милиционер опять оглядывается на алкоголика, то ли жалея его, то ли чувствуя свое превосходство истинного человека, которому есть что вспомнить в такую ночь, есть о чем и помечтать — о Тоне, например, с которой, конечно, не покатаешься на качелях на виду у всех, но как славно приходить к ней предутренней порой, стучать условным стуком в окно, и тут же, буквально в ту же самую секундочку слышать свежее: «Кто? Кто?» — и немного попугать ее, играя, изменить голос и сказать басом: «Храпишь, хозяйка, а дом горит!» Хороша жизнь — если не испохабить ее, как этот бедолага, который придет сейчас в свой срамной грязный угол к сожительнице. Фуфачева и в вытрезвитель-то давно не забирают, потому что корысть с него невелика, до него и дотронуться-то можно разве только ногой, да и то потом сапоги чисть...

Милиционер привел Неделина к ветхому кирпичному дому, они вошли в темный подъезд, милиционер пинком открыл дверь, у которой не было замка — или он был сломан, — и крикнул:

— Встречай Фуфачева, Любка Яковлевна!

Он тронул Неделина сапогом: двигай! Хотел дать пинка напоследок, но передумал: очень уж лирическое настроение. Вздохнул, плюнул с омерзением и ушел.

Затхлые запахи, в которых было что-то совершенно незнакомое, новое для Неделина, ударили ему в нос.

«Ничего! — сказал он себе. — Это тебе и нужно — для последней черты, для последнего итога. Этого ты и заслуживаешь!»

В темноте кто-то зашевелился, застонал.

— Явился, гад! — протянул женский страдальческий голос. — Тебе, гаду, поверили... И ведь не принес, скотина, знаю, что ничего не принес! Зажги свет! Зажги, говорю! Или совсем готовый?

Заскрипела кровать, что-то поднялось, прошло мимо Неделина. Зажегся свет.

Перед ним стояла женщина лет пятидесяти с опухшим лицом, глаза смотрели в щелочки, шея женщины была грязна, белели только складки морщин, жидкие волосы мокро висели по щекам. Женщина была одета в рваную сиреневую кофту, в зеленую юбку из нетленного доисторического кримплена, ноги босы, желтые отросшие ногти загибались.

— Проспался уже где-то? Гад! — Женщина плюнула в Неделина, но так слабо, что плевок не долетел, упал на пол. Шаркая ногами, она побрела к постели, легла, покрылась грязным красным одеялом, из дыр которого торчала вата, поправила, кряхтя, под головой подушку.

— Ничего не принес? — безжизненно спросила она.

Неделин не ответил, думал о воде. Увидел дверь, вошел: кухня. Долго и жадно пил воду из-под крана. Вернулся в комнату, огляделся, где бы сесть.

Но, кроме постели, круглого стола без скатерти, шкафа и радиоприемника, в комнате ничего не было. Постель, очевидно, служила и лежачим, и сидячим местом. Неделин сел на пол.

— Скотина, скотина, скотина! — выла женщина.

А Неделин, чувствуя себя во власти второй жажды, думал: она наверняка знает, где сейчас, ночью, можно достать.

— Деньги есть, — сказал он.

— Правда?

— Я говорю.

— Что ж ты не взял-то ничего?

— Не могу. Сердце болит.

— Сердце! Сволочь ты последний, а не сердце! Сходи к Светке!

— К какой Светке?

— Не тяни душу, гад, не придуривайся! К Светке-парфюмерше. Поругается, но даст. На дешевый-то хватит?

— Не знаю.

— А то скажет: только дорогой, и что тогда? Иди, гад!

Прошло несколько минут. Женщина не вступала больше в спор. Наконец, мучаясь, она поднялась с постели, проковыляла к Неделину. Он дал ей деньги.

— Еще есть?

— Нет.

— Чтоб ты мне все дал? — лицо женщины покривилось, пытаясь изобразить недоверчивую усмешку, но ничего не вышло.

Неделин ждал ее, испытывая такое нетерпение, какого у него никогда в жизни не было. Он видел старое ведро, зачем-то валяющееся под кроватью, и вдруг представил, что это ведро стоит перед ним, наполненное красной жидкостью, именно красной, рубиново-красной. Это вино. Он припадает к ведру и пьет, пьет, пьет, он лакает языком, как собака, он урчит от наслаждения и никак не может напиться. И, наконец, отваливается, ополовинив ведро, ставит его подле себя, чтобы боком чувствовать присутствие целительной жидкости, которой пока еще много...

Неделин вскочил, стал рыскать по комнате, побежал на кухню, обшарил ее, хотя понимал, что в этом доме поиски спиртного бессмысленны. Но просто сидеть и терпеть было еще мучительней.

Хлопнула дверь.

— На! — женщина сунула ему в руки какой-то пузырек.

Одеколон! Неужели он будет пить одеколон?

— На два хватило! — хвасталась женщина.

А воспаленная утроба Неделина кричала: дай! дай! дай!

Неделин слышал, что есть люди, которые могут пить одеколон, дошедшие до ручки, до крайности, они могут пить вообще все, в чем есть хоть какие-то градусы. Но сам он никогда бы не смог этого сделать. То есть сам — когда был самим собой.

Женщина пошла на кухню, и Неделин пошел за ней, он хотел видеть, как это делается.

Она открыла пузырек, понюхала и подмигнула Неделину:

— Что надо!

Взяв металлическую кружку, она набулькала в нее половину содержимого пузырька, разбавила водой из-под крана, взяла со стола жухлый огрызок огурца и прикрикнула на Неделина:

— Чего вылупился? Отвернись!

Неделин отвернулся.

Женщина сзади шумно фыркнула и захрустела огурцом.

— Малосольненькие лучше всего отбивают, — сказала она добрым голосом. — Когда если с укропчиком, с чесночком. Лучше всего отбивают. Я всем закусывала, а все-таки малосольненький огурчик после одеколона лучше всего. Что ж ты, давай, поправляйся!

Неделина тошнило от одной только мысли, что он будет пить эту невыносимо пахнущую жидкость, но что-то в нем обрушивалось с мощью водопада и ревело: дай! дай! дай! — и как за шумом водопада иногда не услышишь человеческого голоса, так и Неделин перестал слышать за этим ревом свой голос. Он, следуя примеру женщины, налил одеколон в кружку, разбавил водой. Женщина заботливо сунула ему остаток огурца и предупредительно отвернулась.

Первый глоток обжег горло и застрял в горловом спазме, хотел вырваться изо рта обратно, но вторым глотком Неделин не дал ему хода, судорожно дергал кадыком, вбирая в себя одеколонный раствор. Допил, сунул в рот огурец и стал торопливо жевать, совершенно не чувствуя вкуса огурца, но зато одеколонный привкус стал притупляться. Желудок болезненно сокращался, глаза заслезились, но организм алкаша терпел, зная, что сейчас наступит облегчение. И оно наступило, отхлынула тошнота, по телу разлилось тепло, ушла головная боль, и вокруг стало будто светлее, словно слезы промыли глаза.

— Хорошо огурчиком-то? — спросила женщина. — Я всегда говорила — малосольные напрочь отбивают. Уже и не чувствуешь, что одеколон пил, правда?

Неделин, хоть еще и чувствовал, но кивнул.

Он сел за грязный стол напротив женщины. Глаза ее чуть приоткрылись, прояснели, Неделин подумал, что ей, пожалуй, не пятьдесят, а сорок, а может, даже и меньше.

— Где деньги-то взял? — спросила женщина.

— Там... — Неделин махнул рукой. Ему хотелось лечь, но он не знал куда, не на постель же эту, под это невообразимое одеяло. В этой постели, наверное, и насекомые водятся! Как можно так жить? А почему, собственно, нет? Вот сейчас ему хорошо... Ему радостно и грязно. Так почему не забраться в тряпье, упокоить свою хмельную радость, закрыть глаза и видеть плывущие круги?..

— Эх да я-а-а... — протянула женщина. Она начала петь. — Эх да я... Да растаковская... а доля моя... растяжелая... Растяжелая она... Раз... да... не... несчастная да... она несчастная моя... А я пойду... да а я пойду... да себе горя я найду... да найду еще беду... да... бе... ду-у-у...

Это была импровизация, женщина выпевала слова, которые приходили ей на ум, это была тягучая мелодия, повторяемая в неизменяемом виде десятки раз. И в этом пении был смысл, была красота, она заключалась, может, как раз в простоте слов и повторяемости мелодии. Неделину хотелось, чтобы женщина снова и снова заводила свою песню. Она пела не для утешения или радости, она растравляла свою пьяную скорбь, слезы текли, оставляя грязные дорожки на ее щеках, и падали на стол.

Оборвав пение, она вскинула на Неделина злобные глаза, рванула руками кофту на груди и завопила:

— На, бей меня! Бей в мою бессмертную и прекрасную душу, бей в мою розу, в мою грудь, бей и убей! Бей в мою молодость и драгоценную красоту! Бей, как ты умеешь бить, сучий сволочь! Бей, мужчина! Ты же мужчина! Покажи силу, бей!

Горя, причиненного себе песней, было мало женщине, ей хотелось физической боли, чтобы окончательно захлебнуться печалью. Так понял Неделин странный бунт ее.

— Пойдем спать, — сказал он.

— Спать? — язвительно закричала женщина. — А радио слушать? Для тех, кто не спит? Как это ты заснешь, чтобы надо мной не поиздеваться, радио не включить? А?

Выкрикнув это, женщина понурилась. Потом апатично достала из-под кофты пузырек, вылила в кружку вторую половину, но пить не стала, разбавила и отнесла в комнату. Вернулась на кухню и, покопавшись в углу, неизвестно откуда извлекла целый огурец.

— Вот, сохранила! — укоризненно сказала она. — Для тебя берегла. Сидела тут и ждала тебя, по хозяйству все сделала! — женщина неопределенно повела рукой вокруг, но Неделин не мог усмотреть ни одной приметы, которая доказывала бы хозяйственную деятельность женщины. В кухне было мусорно, мойка завалена посудой, на газовой плите — ни кастрюли, ни сковородки, клеенчатый стол липок и пуст. Лишь огурец был козырем хозяйки, и она предъявила его с гордостью, ежесекундно меняясь пьяным лицом — ласковым по отношению к огурцу и оскорбленным по отношению к Неделину.

— Надо еще малосольненьких сделать. Любишь ведь, гад?

— Люблю, — сказал Неделин.

— Ну вот. Пошли, что ли, ляжем. Радио, в самом деле, послушаем...

«Что за страсть такая к слушанию радио?» — подумал Неделин.

Но ведь, и в самом деле, хорошо бы сейчас полежать, лелея в себе хмельную дремоту под бормотание радио.

Он пошел вслед за женщиной в комнату. Превозмогая брезгливость, хотел лечь.

— Ты в одежде, что ль, собрался? — проворчала женщина. — Придумал! На чистую постель в лохмотьях своих!

Из-под подушки она достала такое же, как у себя, одеяло. Неделин, отбросив сомнения, разделся, оказавшись в длинных черных трусах, и лег, радуясь тому, что не чувствует других запахов, кроме одеколонного.

— Давай найди что-нибудь. Какую-нибудь музыку, что ли.

В изголовье на ящике из-под вина или пива стояло то, что когда-то называлось радиолой: с вертушкой проигрывателя наверху, под деревянной крышкой. Неделин покрутил ручку, зажегся зеленый глазок. Стал крутить ручку настройки. Сначала было хрипение, потом морзянка, опять хрипение, потом вдруг издалека сквозь помехи зазвучал, то усиливаясь, то почти пропадая, заунывный голос, распевающий мусульманскую молитву.

Неделин вслушался, представляя, о чем эта молитва, и кто поет ее, и для кого она предназначена, он закрыл глаза и увидел мечети и минареты, пыльную прожаренную солнцем площадь, на ней — люди в белых одеждах, в чалмах, а дальше — зеленый лес, поднимающийся в гору, гора кончается снежной вершиной, а над вершиной синее-синее небо... Стоило чуть повернуть круглую ручку настройки — и молитва пропала, возник тревожный голос, что-то быстро говорящий на незнакомом языке.

— Французский, что ли? — спросила женщина.

— Нет, вроде испанский. Или португальский.

— Так Португалия-то в Испании, чудак!

— Разве? (Неделин не хотел спорить.)

— Знать надо!

Неделин крутил ручку дальше. Шорохи, свист, морзянка, иноязычное лопотание — и вдруг полилась явственная, но негромкая скрипичная музыка. Неделин взглянул на женщину, думая, что она будет против, но та шевельнула рукой: пусть.

Неделин слушал музыку — не думая, он не примерял ее к себе и не пытался услышать в ней что-то такое, что есть в нем самом, он слушал только то, что есть в самой музыке, — и ему скоро показалось, будто он сам ведет эту музыку, дирижирует ею и знает, что сейчас будет так, а сейчас так, и этой музыкой он рассказывает всем и самому себе о жизни... «Вы слушали...» — начал диктор, но Неделин уже крутил ручку, ему не хотелось знать, что это было — прелюдия, концерт или как там еще, он хотел остаться в уверенности, что слышал музыку про свою жизнь, которую нельзя назвать сонатой, квартетом и так далее. Взглянул на женщину — она плакала. Хорошо было бы для ее утешения найти что-то легкое, эстрадное. И нашлось — зазвучал голос модной певицы, исполняющей модную песню. Сразу же появилось чувство праздника, представился разноцветный концертный зал, нарядная публика, нарядная певица — и все друг другу очень рады. Женщина подняла руки и стала прищелкивать пальцами в такт, покачиваться, лежа на спине, и хоть пьяное жалкое лицо ее было некрасиво, убого, Неделин смотрел на нее уже без прежнего отвращения, он вполне разделял ее веселье и испытывал удовольствие от общности настроения. Прослушав песню, он продолжал путешествие по эфиру. Дикторы читали:

«Новый цех вступил в действие на Опрятьевском сталелитейном комбинате...»

«На очередной сессии Верховного Совета РСФСР обсуждались вопросы...»

«Завершился шестой круг чемпионата страны по гандболу...»

«Несмотря на разнузданный полицейский террор, силы народного сопротивления...»

«Колонна микроавтобусов и легковых машин окружила территорию авиабазы морской пехоты США Футэма в районе города Гинован на Окинаве...»

«Как сообщают информационные агентства из Дакки, в столице Бангладеш прошли массовые митинги...»

Эти сообщения, которые обычно проходили мимо ушей, сейчас показались Неделину крайне важными, он вслушивался в них с острым чувством сопричастности, ему казалось, что его касается и то, что вступил в действие новый цех Опрятьевского комбината, и что обсуждались вопросы на сессии Верховного Совета, и что завершился шестой круг чемпионата страны по гандболу, он с волнением слушал и про разнузданный полицейский террор (хотелось попасть туда и выразить негодование), и про демонстрацию в районе города Гинован на Окинаве (а где это? — не там ли, где лазурное море и какие-нибудь пальмы, и там было бы интересно побывать, побороться за мир), и про массовые митинги в столице Бангладеш (чего им надо, спрашивается?). Все новости касались Неделина, все он выслушал с необыкновенным интересом, и женщина, судя по выражению ее лица, разделяла этот интерес.

Вот мы лежим, маленькие частные люди, затерянные среди пространств земли, в темноте, размышлял Неделин, над нами в воздухе летают тысячи голосов, десятки тысяч звуков, и все это — для нас, все попадают в этот ящик и рассказывают нам о мире, хотят повлиять на нас, а раз так, то мы им нужны, и вообще — безмерно сложна и прекрасна жизнь!

Он понял своего предшественника, понял его страсть, она открылась ему легко — стоит только лечь, выпив, и включить радио, и ты проникаешься ощущением величественной огромности жизни, которая тебя окружает — и не в масштабах этого городка, а в масштабе мировом, глобальном. Равнодушное дневное ухо не понимает важности этих обычных сообщений, которыми пичкают с утра до вечера. Прислушивайтесь, глупцы! Представьте, что Бангладеш — это не просто название, мелькнувшее в суматохе дня, а страна с миллионами жителей, что сейчас, быть может, решается ее судьба, остановитесь, задумайтесь!

И Неделин продолжал крутить ручку, задерживаясь, когда слышал хоть что-то внятное, ему одинаково интересна была речь на любом языке, он заслушивался любой музыкой, и даже азбука Морзе стала говорить ему что-то, и женщина тоже вслушивалась в нее, серьезно сдвинув брови, будто понимала смысл.

Размягченные, довольные друг другом, они допили одеколон, причем Неделин уже не содрогался, с удивлением отметил, что по накатанному пути жидкость пролилась почти безболезненно.

Послушав еще немного радио, они заснули.

## Глава 33

Неделин просыпался — не желая просыпаться. Мысли неотвратимо яснели, но он этого не хотел. Он лежал лицом к стене, открыв глаза, рассматривая пятно на обоях, очертаниями похожее на Антарктиду, и думал о том, как холодно на Антарктиде, вспоминал, как покоряли этот материк, как Скотт лежал в своей палатке умирающий и писал: «Бороться и искать, найти и не сдаваться!» Он позавидовал Скотту. Закрыв глаза, думал о том, что на Антарктиде бушует вьюга, а здесь тепло — и уже одно это счастье. Ни о чем не помнить, только об этом счастье — и задремать, опять уснуть. Но мутная дремота не переходила в сон. Неделин пошевелил языком, обнаружил в чужом рту всего несколько целых зубов, остальные — обломки. Медленно, как перебитую, он подтянул руку к лицу, стал рассматривать чужую кисть. Грязь въелась в морщины. До чего довел себя человек. Но кому это важно, кроме него самого? Вот мысль! КОМУ ЭТО ВАЖНО, КРОМЕ НЕГО САМОГО? И еще одна мысль: если он этого ужаса не чувствовал, значит, ужаса и не было. Рядом зашевелилось. Он вспомнил — жена алкоголика. Или так, подруга. Наверное, тоже приходит в себя и тоже хочет опять заснуть, а заснуть невозможно, надо вставать, надо что-то делать.

— Денег мало, — сказала она, зная, что Неделин не спит, хотя он был к ней спиной. — Сходи к московскому поезду. Пять чемоданов отнести — пять рублей, поправиться хватит. Через час московский будет, нечего лежать. А?

Неделину вдруг захотелось что-нибудь узнать об этой женщине. Кто были родители? Где работает — если работает? Почему стала пить? Бедные, бедные люди! Неожиданно для себя он нашарил руку женщины и сказал:

— Ничего... Все будет хорошо... Бросим пить, и все будет как у людей.

Отшвырнув его руку, женщина закричала:

— На жалость берешь, курва? Пить бросим! Лежать собираешься, чтобы я тебе нашла да принесла? Шиш вот тебе! Вставай, гад!

Она сбросила с Неделина одеяло и вскочила с постели, опасаясь, вероятно, ответных действий с его стороны.

Неделину очень хотелось опохмелиться. Он понял, что Фуфачев промышляет на вокзале носильщиком, женщина посылает его на этот промысел, но как подняться? — руки и ноги словно без костей, голову не оторвать от подушки. Может, перетерпеть, не пить?

Его здоровое сознание поможет больному телу, и когда придет пора размениваться с алкоголиком, он оставит ему освободившийся от болезни организм. Но это не сейчас, не сразу, не сегодня. Сегодня все-таки — опохмелиться.

— Дай воды, — сказал он женщине.

Женщина принесла — без попреков, считая, что он готовиться встать.

Неделин жадно выпил большую кружку, проливая воду на шею и подбородок, на грудь — это освежало.

— Помоги встать.

Женщина помогла.

На дрожащих ногах, поддерживаемый ею, он дошел до туалета. Потом умылся.

— Хватит гигиену разводить, — торопила женщина. — Скоро московский придет.

Неделин надел штаны, рубашку и сел на постель, обессиленный.

— Может, проводишь? — сказал он женщине. — Сам не дойду. Подохну.

— Иди, иди! Не пойдешь — тем больше подохнешь!

Неделин приблизительно помнил, каким путем вел его вчера ночью милиционер от вокзала. Он шел, едва переставляя ноги, обливаясь потом. У вокзала его приветствовали двое мужиков в серых халатах.

— Помираешь, Фуфачев? Может, дать тебе граммульку?

— Дайте, — сказал Неделин. — Не могу...

— Дай, дай! А ты полай! Денег-то нету? Ну и полай.

— Не шути.

— Кто шутит? Полай — дам поправиться.

Неделин хотел отойти от них, но понял, что не сможет. Сказал:

— Ну, гав. Дайте, что ли.

— Плохо гавкнул.

— Гав! Гав! Гав! — залаял Неделин, глядя, как рука затейника лезет в большой отвислый карман и вынимает бутылку с остатками вина. Неделин вырвал бутылку и одним глотком вобрал в себя жидкость. Тут же стало лучше, хотелось шутить с мужиками, человеколюбиво благодарить их.

Но они прислушались — и быстро пошли на перрон.

— Московский пришел! — сказал кто-то.

Неделин направился к поезду.

— Вещи поднести... Вещи поднести... — обращался он то к одному, то к другому, но от него отмахивались. В провинциальных городах вообще такой роскоши, как пользоваться услугами носильщиков, не признают. И вдруг он увидел себя — то есть алкоголика Фуфачева в своем обличье. Фуфачев бодрый, хотя и помятый, со следами неблагоустроенного ночлега на лице и на одежде, подскакивал к пассажирам, спешащим на поезд.

— Бабуся, надорвешься! — и выхватил сумку у старухи. — Куда нести? — и бежал, старуха спешила за ним. Вскоре он вернулся и напал на новую жертву: — Мужик, ты че? Два чемодана на горбу, ты че? Придатки опустятся, у меня брат от этого помер, дай помогу! — и отнимал чемодан у плечистого мужчины, тот смеялся, едва поспевая за шустрым Фуфачевым.

«Какого черта? — подумал Неделин. — У него же в сумке и деньги, и вещи всякие. И коньяк, кстати! Коньяк! А где же сумка?»

Он встал на пути Фуфачева, но тот обежал его, устремляясь к кому-то с испуганным криком:

— Ты че? Ты че? Женщина! С яблоками! Ты че?

Женщина с двумя корзинами яблок остановилась, обернулась недоумевая.

— Ты че? — подскочил Фуфачев. — Родишь раньше время! Дай помогу!

Выхватил корзины и поволок, не слыша протестов женщины, а протестовала она потому, что уже была у своего вагона. Пробежавшись, Фуфачев, наконец, сообразил, вернулся, поставил корзины у входа в вагон, вытер пот со лба и весело потребовал:

— Рубль за услуги, мадам!

— Нахал!

— Я нахал? Я вымогатель? Я хулиган? Меня судить надо за мою же работу вам помогать? В милицию меня сдать за это? Позвать милицию, тетя? Милиция?! Где ты?

— Дурак! — сказала тетя и сунула ему рублевку.

И вот перрон опустел, поезд тронулся, Фуфачев хлопотливо пересчитывал деньги и озирался. Неделин подошел к нему.

— Тебе чего? — спросил Фуфачев.

— Не узнаешь?

Фуфачев рассеянно глянул и отвернулся.

— Неужели не узнаешь? — встал Неделин перед ним.

— Отвали, мужик, в долг не даю, — сказал Фуфачев.

И в это время Неделин увидел свою сумку, она так и осталась на скамье — и никто не взял! Ай да город Полынск, слава твоим жителям! А в сумке — коньяк. Желание опохмелиться вспыхнуло с новой силой.

— Хочешь выпить? — предложил он Фуфачеву.

— Почем?

— Нипочем. Я угощаю.

— Иди ты!

— Я серьезно.

Неделин взял сумку, пригласительно кивнул Фуфачеву, направился в глубь палисадника, в укромное местечко среди кустов. Фуфачев недоверчиво пошел за ним.

Неделин достал коньяк, пачку печенья, стакан, взятый им в дорогу для чая, торопливо откупорил бутылку, налил и хотел поднести Фуфачеву, но рука сама поднялась и выплеснула коньяк в рот. Зажевал печеньем, налил теперь уж точно Фуфачеву.

— После вчерашнего? — спросил Фуфачев.

— Угу.

— Я тоже. Нарезался так, что... По пьяни одежкой с кем-то махнулся.

— А не со мной?

— Гля, точно! Значит, мы с тобой пили? Ничего не помню! — радовался Фуфачев.

— А больше ничем не менялись? Посмотри внимательно.

— Черт его... Вроде нет...

— Ну, тогда пей.

Фуфачев поднял стакан, прищурился на него.

— Хренота какая-то... Че-то со мной... Заболел, что ли...

— А что?

— Вроде пил, так? Много, так? А голова — не болит. И даже вроде выпить не хочу. То есть хочу, но могу не пить.

— Тогда не пей.

— Это как же? — не мог представить Фуфачев. — Нолито же!

Выпил, крякнул — и озаботился.

— Сколько я тебе должен? Он ведь дорогой, падла.

— Нисколько, — сказал Неделин, чувствуя радугу в захмелевшей душе.

— Ладно, сочтемся. Скоро откроют, возьмем че-нить.

— Обязательно — как тебя?

— Константин.

— Обязательно, Костя!

## Глава 34

И вот уже восемь дней (или девять? или десять?) пьет Неделин с Фуфачевым и Любой. Они взяли тогда сразу ящик водки и сумку портвейна на деньги Неделина. Женщина обрадовалась, когда они пришли с водкой и вином, и ничуть не удивилась, что незнакомый человек запросто назвал ее Любкой, хлопнул по плечу, потом по заднице и сказал: «Хозяйка ты моя! Мечи, что есть в печи!» Радушно поставила на стол буханку хлеба и миску желтых огурцов. Не удивилась она и тому, что гость, напившись, полез с нею и с Неделиным в постель, они уснули все в обнимку, а утром торопливо глотали вино, не давая ни минуты пострадать себе после вчерашнего угара, от вина уже переходили к серьезной водке. Несколько раз Неделин пытался объяснить Фуфачеву, что произошло, но Фуфачев не мог его понять. Неделин на четвертый день добился только того, что Фуфачев с криком: «Да на, жлоб!» — снял с себя неделинскую одежду и взамен напялил свою собственную. Неделин на неопределенное время смирился — да и какая разница, из глубины чьей плоти любоваться окружающим, радоваться приятной беседе с милыми людьми, которые оказались небоянливы, петь с ними хорошие песни, говорить о дружбе, о философии жизни, о политике и о спорте. Люба то целовала Неделина — считая его Фуфачевым, и настоящий Фуфачев не был в претензии, то громким шепотом признавалась настоящему Фуфачеву, которого она принимала за гостя, что полюбила его горячо и внезапно и давай уедем. Фуфачев хохотал, Неделин радовался чувству женщины.

А вечерами, несколько раз в день напившись, поспав и опять напившись, они слушали радио. Загорался зеленый огонек, кто-нибудь крутил ручку, и Неделин, закрыв глаза, лежа на кровати или на старом пальто в углу, начинал плавание по волнам эфира, смутно различая смысл издаваемых приемником звуков, зато...

...х-х-х-х-х-х-х — ноги полощутся в синей прозрачной воде, в зеленой воде, в облаке, откуда настоящие, как стрижи, сыплются ангелы с серебряными крыльями и золотыми луками и стрелами, кружат вокруг мачты, вокруг паруса, а на ладонях мозоли от весел, розовые ладони негра, бело-желтые волдыри мозолей, в трюме душно и темно, пот разъедает кожу спины, сгибается и разгибается спина, вот я огрею ее плеткой и выйду на палубу, где жду я тебя на ложе на персидском ковре, пью вино, но я заточена в башне и вокруг частокол мечетей, на шпилях изогнуты лунные серпы, я собираю зерно, режу колосья серпами, пою и напеваю, голос мой журчит, как прохладный ручей в сумрачном лесу, где давно уже поджидает меня избушка на курьих ножках, меня убьют, но ничего страшного не случится, вон уже едет на помощь витязь на могучем коне с льняными волосами и голубыми глазами викинга, ударяются мечи о мечи, конунг указывает, где напасть и разбить, трубы трубят, олени бегут в чащу, сердце колотится бешено, я едва поспеваю за ногами матери, но вот тишина, я тычусь в сосцы и сосу молоко с медом и большим куском хлеба, потом бегу на реку, ныряю, плыву в воде с открытыми глазами, мимо рыба-ерш, хватаю нахального ерша, иглами укалываю ему руку, юркаю под корягу, выжидаю, плыву, кругом опасность, но опасность есть только тогда, когда она видна, а когда ее не видно, то и нет опасности, и нет ее гораздо чаще, чем она есть, значит, жизнь больше счастье, чем несчастье — х-х-х-х-х-х-х-х-х-х-х, — бегу по зеленому полю с мячом, обвожу, ударяю, но больно бьют по ногам, больно, «скорая помощь», больница, операционный стол, беру в руки большое дрожащее сердце, удаляю негодный клапан, вшиваю новый, че-

111

ловек будет жить, я Бог, каркас прочен, каркас самолетного крыла, планера, обтянутый яркой материей, взлетаю — х-х-х-х-х-х-х-х-х-х — ритм, ритм, только ритм, ритм, ритм, мы вдвоем, мы вдвоем, ритм, ритм, ритм, уже любовь близка, близка, ритм, ритм, ритм, твоя рука, твоя рука, ритм, ритм, ритм, только глаза и близкие губы, только урна мусорная у ресторана бросить окурок — х-х-х-х-х-х-х-х-х-х — затаенное ожидание в глубокой шахте, металлическое, мертвое, темнота, резкий звук, с лязгом открываются створки, резкий свет, содрогается, взлетает, летит, не чувствуя скорости, неподвижное в полете, война сладострастна, пули, снаряды и ракеты похожи на фаллос, большой город с нагромождением небоскребов, красиво, взрыв, красиво, ослепительный свет, грохот такой, что его не слышно, и вот бреду, маленький, в черной пустыне, из-под обломков: «Стой! Руки вверх!». Смеюсь: «Идиот! Я руками кишки придерживаю!» — «Тогда проходи». Иду, придерживая руками кишки, страшно их видеть, и не больно, только пульсирует последняя мысль: «Непоправимо! Непоправимо! Непоправимо!» Пепел под ногами хрустит, как снег, открывается дверь лесной сторожки, выходит бородатый старик с ружьем, идет ко мне, скрип, очищаю собой подошвы его ног, я снег, я белка, падающая от его выстрела, я охотник, я подбираю белку, усмехаюсь в бороду — х-х-х-х-х-х-х-х-х-х — с борта каравеллы ногой в ботфорте ступаю, нажимаю на акселератор, машина мчится среди берегов Ганга под странное пение австралийских страусов, чувствую себя Землей, знающей и помнящей каждую свою клетку, каждую свою пылинку; мышь, упавшую в лохань ванной, помнится, — не убил, не утопил, набросил полотенце, поймал, вынес на улицу и отпустил, потому что глаза этой мыши были мои предсмертные глаза, но если она заразная и разнесет заразу благодаря моей доброте, что тогда, Господи? Как же тогда — не убий? Каждый мой плевок падает мне на голову. Никакой идиот, занося топор над курицей, не почувствует себя курицей. А вдруг? Каково будет? Устрой, Господи, нам это наказание, заставь каждого чувствовать за каждого и всех — за всех. Нет, не надо, не под силу, не под силу — х-х-х-х-х-х-х-х-х-х — ВЫКЛЮЧИТЕ РАДИО, СВОЛОЧИ!..

## Глава 35

Утром одиннадцатого или двенадцатого дня Неделин проснулся, как обычно, разбитый, еле шевелящийся, с головной болью, но с утешительной мыслью, что сейчас выпьет и все придет в норму. Люба еще спала. Что-то звенело. Неделин открыл глаза. Фуфачев передвигался по комнате на четвереньках и обследовал бутылки.

— Кончилось! — простонал он.

— Не может быть!

— Может! Все кончается. Мрак.

— Ничего, деньги есть.

— Пока достанешь — сдохнешь!

Фуфачев поднялся, держась за стену. Побрел в туалет. Вышел оттуда, бледный, со спущенными штанами, капая. Показал Неделину:

— Смотри!.. Это что же? Это когда же? А? Это кто же? А?

112

Неделин думал, как объяснить Фуфачеву. И разменяться с ним наконец.
Но Фуфачев вдруг взвыл и побежал к выходу.

— Куда? — крикнул Неделин.

— А-а-а-а-а!..

Дверь хлопнула.

Неделин упал на постель. Надо бы еще подремать, набраться сил.

И кое-как задремал, забылся.

Кто-то стал толкать. Сквозь сон подумал: это Любка проснулась и сейчас потребует, чтобы он сходил, достал вина. Пусть сама идет. Деньги в сумке, в кармашке с «молнией».

— Деньги в сумке, отстань...

— Какие деньги? — спросил мужской голос.

Неделин открыл глаза: перед ним стоял, улыбаясь, приятный мужчина лет сорока, румяный.

— Привет, Фуфачев!

— Выпить есть? — спросил Неделин, надеясь, что это один из друзей-собутыльников Фуфачева.

— Нету, — засмеялся румяный. — И тебе нельзя, — добавил многозначительно.

— Почему?

— Да, такое дело... Прислали меня за тобой, значит... Ты крепись... Мать у тебя это самое... Померла.

— Ты кто?

— Чудак, проснись! Маракурин Эльдар Гаврилович, сосед твой! Ну? Але, не спи! Белая горячка у тебя, что ли? Людей не узнает, это надо! Мать у тебя померла. За тобой, это самое, послали.

— Соболезную, — сказал Неделин, — но Фуфачева нет.

Румяный засмеялся:

— Веселый ты, Фуфачев! Это правильно, веселые живут дольше. Но мать похоронить надо. Все готово уже. Нинка говорит: ничего от него не надо, то есть от тебя, пусть только придет трезвый и мать проводит.

— Нинка?

— Ну. Сестра.

— Чья?

— Твоя.

— А-а-а...

— Б-э-э... Я тебе так советую. Ты до поминок держись, не пей. А потом уже хоть из горлышка, я помогу. Все довольны будут.

— Умерла, значит?..

Фуфачева нет и делать нечего, надо идти. Мать хоронить. Как свою хоронил когда-то, впрочем, не так уж давно. Неделин заплакал.

— Правильно! — одобрил Маракурин. — Но раньше времени не это самое. Не трать силы. Пошли, что ли?

— Иди, я сейчас.

— На свежем воздухе подожду, — согласился Маракурин.

Неделин, постанывая, оделся, кое-как почистил рубашку и брюки (отряхнул ладонями), стал шарить по комнате, ни на что, однако, не надеясь.

113

Бутылки по углам, под кроватью — пусты. На кухне — тоже ничего. Посмотрел на мирно и тяжело спящую Любу. И чутье, наитие какое-то подсказало: сунул руку под подушку, на которой лежала голова Любы. Есть! Есть Ты, Господи! Полбутылки вина. Отпил, отпил еще — и еще хотел, но сумел остановиться, закупорил бутылку пластмассовой пробкой, сунул на место.

Через полчаса они с Маракуриным были на окраине Полынска, на улице, ничем не отличающейся от деревенской: деревянные дома, сады, глубокие колеи посреди улицы с зеленой застоявшейся водой.

Люди у ворот посмотрели с любопытством, Неделин поздоровался в пространство.

Вошел во двор. Рыжая собачонка с визгом бросилась к Неделину, скуля и ластясь. Он потрепал ее за ушами, не решаясь войти в дом. У крыльца стояла смуглая женщина в черном платке (или бледная от горя), под ногами у нее карапуз возил игрушечный грузовик, бибикал и кричал: «Застяя, дуя!» («Застряла, дура», — догадался Неделин.) Другой мальчик, повзрослее, ковырял щепкой меж досок крыльца. Мать ударила его по руке, запрещая, он вздохнул, поднял выпавшую из руки щепку, отошел и стал ковырять в стене дома.

Собака все скулила. Неделин все трепал ее за ушами.

— Может, и к детям подойдешь? — спросила женщина. — Алкоголик ты несчастный.

Сказала это со злобой, но тихо, прилично, не желая позорить прощального часа.

На крыльцо вышла еще женщина — полная, с горестным круглым лицом.

— Бра-а-тик! Костенька! Да что ж это тако-о-е! — пропела она причитая, сошла с крыльца, обняла Неделина.

— Обжимайся с ним, с братиком своим, с алкоголиком своим, — сказала смуглая женщина. — Счастье какое, явился мать похоронить! На своих ногах пришел, удивительно!

— Не надо, Лена, — попросила полная женщина (сестра Нина?). — Ругаться потом будем. Он больной человек, об этом и по телевизору говорили, это болезнь социальная и организма. Он, видишь, трезвый пришел, ты не ругайся.

Смуглая женщина по имени Лена отвернулась. Бывшая жена Фуфачева?

— Когда? — спросил Неделин.

— Померла-то? Позавчера, — сказала Нина. — Мы все быстро сделали, а то у них в морге и льду нет, а жара-то! А льду нет, не безобразие? Лежит вот и припахивать уже начала, припахивает уже наша мама. Она, бедная, припахивает, что ж...

Неделин вошел в дом вслед за Ниной.

В горнице на стульях стоял гроб. Неделин подошел, низко наклонился, не глядя в лицо покойницы, но поцеловать не смог.

— Вот и хорошо, — не заметила этого Нина. — Вот и попрощались. Вот и... Леонид, зови мужиков. Нести пора.

Леонид, сутулый большой мужик, сунув Неделину сочувственную ладонь, широкую и жесткую, вышел, сильно нагнув голову.

— Я тоже понесу, — сказал Неделин.

— Что ты! Что ты! — замахала руками сестра. — Тебе нельзя, ты сын! И мне нельзя, — всхлипнула она, — а то бы я одна понесла бы, понесла и понесла бы, понесла бы и понесла бы, лишь бы она живая стала... Ничего. Мужчин много, управимся. Все, мама. Прощай, прощай. Ты нас любила, мы тебя любили. Вот и хорошо. Горе, горе. Вот и понесем. И хорошо. Проходите, проходите, — приглашала она входящих мужчин. — Понесем нашу маму. Проходите. — И вдруг зарыдала во весь голос, но тут же зажала себе рот и бросилась подавать платки и полотенца.

— Взяли, — сказал Леонид.


Музыки не было.

Гроб вынесли из ворот, какая-то старуха истошно закричала, чтобы тут же закрывали, закрывали ворота.

Катафалк не подъехал к дому, стоял в конце улицы — чтобы все-таки понести гроб на плечах, как положено, а не сразу пихать в машину.

Несли молча.

На небе была большая темная туча, не закрывающая еще солнца, но наползавшая на него, двигающаяся в сторону процессии.

— Как бы дождь не это самое, — заботливо сказал Маракурин.

И в самом деле: крапнуло, крапнуло — и хлестануло. Несущие гроб пошли скорей, чуть не побежали, но опомнились, остановились. «Табуретки, табуретки давайте!» Поставили гроб на табуретки, сильные струи дождя обливали покойницу, омывали ее маленькое сморщенное лицо с выступающим подбородком — и все, как зачарованные, смотрели на это.

«Да что ж вы!..» Нина накрыла лицо белым кружевным полотном.

Подъехал задом катафалк, гроб поместили в нем — а тут и дождь кончился. Все вокруг засверкало, как новое.

— Хоть опять вынимай и неси, — сказал Маракурин. — По такой-то погоде — милое дело!

Но родственники и близкие уже рассаживались в катафалке, в автобусе, многим же соседским старухам не досталось места, и они, обиженные, побрели по домам, чтобы опять собраться на поминках. Им очень хотелось посмотреть, как все будет на кладбище, поэтому они и обиделись.

— У меня-то больше людей наберется, и автобусов Васька с атыпы (АТП, автотранспортное предприятие) хоть десять пригонит. У меня такого не будет! — говорила одна старуха.

— Разь можно! — соглашалась другая. — Это Коська-алькогольник не постарался. Пропащий.

— Похоронить путем не умеют, — поддакивала третья старуха, тоскуя о том, что сын ее тоже пьяница и ей самой, возможно, через год-два не миновать такого позора...

На кладбище быстро, почти без слов попрощались, закрыли гроб крышкой, заколотили, опустили в могилу, штатные могильщики бросили по несколько лопат, оправдывая свою должность, а потом предложили мужикам размяться, мужики согласились охотно, работали и поглядывали на водку и стаканы, которые Нина доставала из большой сумки.

— Легкая земля, — сказал стоящий рядом с Неделиным Маракурин. —

115

Сыпучая, сухой пескозем. А тещу я, помнишь, в том угле хоронил? Там земля тяжелая, глина. А это легкая земля, тут одно удовольствие хоронить.

Закончили, стали в круг, чтобы выпить над могилой.

Дали стакан и Неделину.

— Вот он для чего тут, — сказала Лена. — Не водка, он и не явился бы к родной матери...

— Выпить кто не любит! — пошутил Маракурин.

— Лена, потом, потом, — сказала Нина.

— Да мне что. Пусть хоть зальется.

— На похоронах грех не выпить, — защищая Неделина, по-мужски сказал Леонид.

Но Неделин отдал свой стакан кому-то.

— Как же, Костя? За маму? — сказала Нина.

— После.

— Ну и это правильно. Успеем.

— Выдрючивается, скотина, — печально сказала Лена.

Побрели к автобусу, ехать домой, на поминки.

Неделин задержался у могилы, у черного холмика, на котором были яркие бумажные венки и поставлен был памятник — остроконечная железная пирамидка, крашенная серебром, со звездой наверху. Большинство памятников были такими. И у матери Неделина, он вспомнил, был такой же памятник.

И он, похоронив сейчас эту чужую старуху, только теперь понял, что он ведь недавно похоронил свою мать, он понял ее смерть, осознал наконец, что он сирота и никто никогда его не будет так любить, никому он так не будет нужен, как матери. Неделин вспоминал ее лицо и не мог вспомнить. Нет, он помнит, помнит, это он в такую минуту не может вспомнить, когда все заслоняет лицо старухи, он, конечно, вспомнит, стоит лишь сосредоточиться. Неделин закрыл глаза — и увидел лицо матери. Ярко, словно освещенное близким светом. Глаза в глаза. Страшно стало. Он повалился на могилу, заплакал, плечи тряслись.


На поминках Неделин все смотрел на мальчишек, сыновей Лены (и Фуфачева), как они с удовольствием едят сладкую кутью большими ложками. Они чуждались его взгляда. Лена сказала:

— Все кобенишься, скот?

— Лена. Ле-на, — предупредительно сказала Нина.

— А чего он кобенится? Или тут не знает никто, что он алкоголик? Чего он не пьет-то, скотина такая?

— Он выпил! — сказал Маракурин. — Я с ним рядом это самое. Мы вместе. Ноздря в ноздрю.

— Я не пью, — сказал Неделин.

— Вот врать! — весело крикнул Маракурин.

— Врет, точно, — сказала Лена. — Вся порода их — вральная.

— Это как же понимать? — тихо ожесточилась Нина, устав быть обо всем внимательной.

— А так! Радуйтесь теперь, вы тут полные хозяева! Весь дом ваш теперь. Пусть теперь тут братик Костя с бабой-алкашкой поселится. Детей-алкашат заведут. А мы че ж! — Она встала и резко обняла сыновей так, что они стукнулись головами, младший заплакал и получил тут же тычка в затылок. — Мы че ж! Мы и в чужих людях поживем, и в общежитии поживем! С тараканами! У нас отца-то нету! Он есть — а нет его!

— А ты бы хотела здесь жить? — со смыслом спросила Нина.

— Зачем? Здесь ты будешь жить. Тебе с Леонидом мало собственного дома, давай и материн. Спасибо, мама, что померла.

— Да ты... Леонид!

Маракурин постучал вилкой о край тарелки.

— Поскольку это самое, — рассудил он, — то жить здесь Константину. Но у него тоже жилье его бабы. Поэтому это самое. Продать дом.

— Этого они и хотят! — сказала Лена. — Людям жить негде, а они продать хотят.

— Купи — тебе продам, — сказала Нина.

— Между прочим, — вразумительно, негромко сказала Лена, — с твоим сучьим братом я не в разводе еще. Я тут тоже права имею.

— Леонид, ты смотри! — пригласила мужа Нина. — Ты смотри!

Но Леонид мрачно смотрел на скатерть, разводя пальцем пятно на ней.

— Тихо! — сказал Неделин, быстро в уме решивший, как поступил бы Фуфачев в этой ситуации. То есть — как должен бы поступить. — Тихо! Дом мамин. Значит, теперь мой и сестры. Так?

— И Мишкин еще, — сказала Нина.

— У Мишки дом казенный еще на пять лет! — засмеялся Маракурин. — Если не это самое. Досрочно освободят. Или досрочно угробят не выходя из тюрьмы! У них это запросто!

— Так вот, — сказал Неделин. — Я ушел оттуда. От этой женщины. Я буду жить здесь. С женой и детьми.

— Нужен ты, — обронила Лена.

Нина же с легкостью обрадовалась:

— Правда, Костя? Ну и живите вы, Господи! Мамы нет, она бы-то прямо засчастливилась вся!

И заплакала.

— Костя! — сказал Леонид. — Ты человек!

## Глава 36

Все разошлись около полуночи, остались Нина с Леонидом, Неделин, Лена с детьми. Дети уже спали на высокой бабкиной кровати. Лена с Ниной мыли посуду. Шептались.

Нина подошла к Неделину.

— Ты в самом деле пить бросил? Давно? Лечился, что ли?

— Сам бросил.

— Смотри. Жили бы, действительно, плохая разве она баба? Работница. Ну, тощая, это да. Но где на всех приятных-то наберешься, сам высматривал. А всех приятных не бывает! — Она, хвалясь, поколыхала руками свои полновесные груди. — Ты лучше поблядуй, если охота, а живи с женой, с детьми. Я вон приблядовываю помаленьку, и ничего. Мамка тоже молодец была. В сарае-то я ее с Егор Егорычем-то застукала? Царство ей небесное, горе, горе! А что? От нашего папашки — да не гулять было?

Перекрестилась, взяла под руку Леонида, который пьяно мыкался по комнате, желая помочь, но ничего толком не делая, — и увела.

Стало тихо.

Нет ничего уютнее горницы такого вот деревянного старого дома, где можешь, не вставая на цыпочки и не вытягивая слишком руки, соединить собой потолок и пол, гладкие широкие доски пола так прохладны летом, по ним так приятно ходить босиком, под потолком лампа с абажуром, а не люстра, на стенах фотографии в рамках, на телевизоре накидка с кистями, закрывающая экран, — что получилось кстати в день похорон, когда телевизор, как и зеркало, положено занавешивать. Только в таких горницах можно еще увидеть старые высокие железные кровати с набалдашниками, на кроватях перины, на перинах горы подушек в цветастых наволочках. Такой же ситчик и на маленьких окнах, и занавеси в другую комнату из него же...

— Ну, пей теперь, — сказала Лена. — Пей и мучай нас. Сразу уйти или дождаться, пока ты нас гонять будешь?

— Я не пью.

— Мне-то зачем врать? Небритый, глаза гнойные... Или допился, не лезет уже?

— Ну, считай так.

— Тогда спать будем. Ты там, а я с детьми лягу. Говорить после будем.

— Не веришь мне?

— Отверилась давно. Подарок тоже. Да хоть ты не пей, не нужен все равно. Или, думаешь, из-за дома с тобой жить буду? Не буду. Мне станция квартиру дает. Все, спать иди.

Неделин пошел в другую комнату, задернул занавеси, разделся, брезгливо оглядел грязное тело, черные трусы, чувствуя вонь мочи и пота.

Лег, стал думать. Завтра нужно отыскать Фуфачева. Объяснить ему все. Скажу: не пей, можешь не пить, я-то выдержал, находясь в твоем алкогольном организме. И ты терпи. Вернись к жене. К детям. Живи, дурак. Жена у тебя — женщина на тонкий вкус, между прочим. Смуглота такая теплая, глаза карие, талия гибкая — ты что? На кого променял? Стыдись, мужик!

Колыхнулась занавеска, вошла Лена. Встала у окна, смотрела в окно.

— Спишь?

— Нет.

— Удивил, Фуфачев. Удивил. Ты любил удивлять, ты сегодня и не пил, чтобы удивить. Да?

Неделин промолчал.

— Выхваляется всегда. Пьет — выхваляется, не пьет — тоже выхваляется. Ничего без выхвалки не делал.

— Почему не делал? Зачем обо мне говорить в прошедшем времени?

— Какой-то ты...

— Какой?

— Черт тебя... Не обыкновенный какой-то.

— Почему?

— У себя спроси.

Комната была маленькой, и Неделин, не вставая с постели, дотянулся до Лены, взял ее руку, скромно сжал тонкие пальцы.

— Лена ты, Лена... Лена ты, Лена... — И пожимал костяшки пальцев, обнимая их своими пальцами.

— Чего?

— Лена ты, Лена...

— Ну чего? Не проси, не дам. Иди к своей, сифилисной.

— Я с ней ничего. Пили только вместе.

— За четыре месяца — и ничего?

— Ни разу.

— А мне, думаешь, легко без мужика? Я живая женщина. В общежитии у нас вон сколько коблов, выбирай. А я не могла. На тебя плевать — от детей стыдно, старшему шесть, а он уже письку дергает, с Маришки Сердюковой, девчушка пятилетняя, трусы стащил, давай, говорит, в паровозики играть. (Вдруг коротко засмеялась.) Маришка-то убежала, а сама потом к матери подходит, говорит: я теперь беременная, мне в садик нельзя, я на декрет сажусь. Смех...

Лена повернулась к нему, руки не убирала, и Неделин понял: ждет.

Но как позвать ее к себе в постель, если он грязен, вонюч, если он не знает, не заразен ли в самом деле от Любки, если он не Фуфачев — и за Фуфачева в таких делах не вправе распоряжаться.

Он отпустил руку.

— Пропил все? — спросила Лена.

— Да нет. Мать же похоронили. Грех.

— Господи! — испуганно охнула Лена. — Забыла, дура, наделали бы с тобой дел, в самом деле! Спи, спи. — Провела рукой по его грязным волосам.

Он повернулся лицом к стене, зарылся лицом в подушку и заплакал, в который уже раз за сегодняшний день.

## Глава 37

Проснулся от хрустящих звуков.

Маракурин сидел на подоконнике и грыз огурец.

— Живой? — спросил он шепотом. — Вот нарезался, а?

— Я не пил.

— Не смеши, а то твоя проснется. Не пил! Вставай, я тебя вылечу.

На подоконнике прозрачно в лучах утреннего солнца, прозрачно и хрустально светилась водка в бутылке, стояла тарелка с огурцами, помидорами, луковицами, хлебом. Похмелья у Неделина не было, но возникло здоровое и бодрое желание выпить, как бывало, когда он находился в других ипостасях: в Субтееве, в Запальцеве, в Главном. Что с ним станется от половины стакана?

— Наливай!

Маракурин налил, Неделин выпил, закусил помидориной.

Появился интерес к собеседнику.

— Рано же ты пришел!

— А я и не уходил. Я в коридоре спал. Там это самое. Ведро поганое стоит, а ночью кто-то на меня вместо в ведро. Не ты?

— Я не вставал.

— Значит, баба твоя. Как корова обдала. Нельзя так.

— Она не корова.

— Я для юмора сказал.

— Ну иди.

— Как выпить, то налей, а как поговорить, то иди, — обиделся Маракурин. — Сопляки твои уже во дворе шлындают. А твоя спит, не покормит их. С другой стороны, это самое. Сами найдут, если захотят.

— Пусть спит, устала.

Неделин вышел из дома, чтобы вышел и Маракурин.

Младший, как и вчера, возил у крыльца грузовик. Старший чем-то стучал в глубине сада.

— Яблоню рубит, — сказал Маракурин.

— Почему ты думаешь?

— А чего же ему еще делать?

— Иди-ка ты, знаешь...

— Иду, — сказал Маракурин и упал с крыльца, потому что оказался сильно пьяным.

Неделин поднял его.

— Не ушибся?

— Все кости переломал, — пожаловался Маракурин, но, ощупав себя, убедился, что все цело, и направился, путаясь ногами, к калитке.

Проводив его взглядом, Неделин пошел в сад. Старший сын Фуфачева сидел на земле и сбивал ржавым гвоздем две палки крест-накрест.

— Доброе утро, — сказал Неделин.

Мальчишка глянул и промолчал.

— И что же это мы делаем?

— Крест.

— И зачем?

— Кошку хоронить.

— Кошка, что ли, сдохла?

— Нет еще, седня сдохнет.

— А ты откуда знаешь?

— Я ее палкой, она и сдохнет. Царапается, гадина.

— Это нельзя. Кошек нельзя палкой. И собак нельзя. Никого вообще. Вот если бы она сама сдохла.

— Ну да, дожидайся, — сварливо сказал мальчик. — Ты иди, куда шел, не цепляйся.

— Ты грубишь отцу. Нельзя.

— Грубят матом. А я разве тебя на х... посылал? — удивился мальчик.

Неделин содрогнулся, — написал бы автор девятнадцатого века, но я так не напишу.

— Мы лучше скворечник сделаем, — сказал Неделин. — Умеешь делать скворечники?

— Не...

— Вот и сделаем. А это выбрось, это гадость.

Мальчик подумал и, размахнувшись, бросил крест за забор. Наверно, ему просто надоело с ним возиться.

Неделин пошел по саду-огороду, увидел, что помидорные кустики прибиты вчерашним дождем, расправил их. Дошел до деревянного нужника и, сделав свое дело, обломком кирпича приколотил отставшую доску.

От положительного разговора с мальчиком, от добрых хозяйственных дел он пришел в хорошее расположение духа, хотелось еще какой-нибудь семейной заботы.

Чтобы поддержать состояние радости, он вошел в дом и в маленькой комнатке выпил еще немного, закусив луковицей, — думая о том, что никогда вкус луковицы не казался ему таким приятным. И философски: надо жить плотно, потому что именно от ощущения неплотности и неполноты жизни происходят все беды русского народа, а может, и людей вообще. Все в мире взаимосцепляемо, как шестеренки в огромном часовом механизме, заведенном Божьей десницей; и если твои зубья сточены или торчат вкривь и вкось и ты вертишься вхолостую, беря Божью энергию и не отдавая ее, значит, ты нарушаешь великий промысел. Нет, в самом деле, вот часы! Самый обычный будильник. Тик-так, тик-так. А ведь величайшее изобретение человеческой мысли! Да одни ль часы! — столько вокруг чудесного, если присмотреться! Мы привыкли к этому, а этим можно ежемесячно и даже ежедневно гордиться.

Неделин, используя желтый крепкий ноготь Фуфачева как отвертку, открыл крышку и стал рассматривать внутренности будильника, радуясь и удивляясь. Что-то еще отвинтил, потрогал, пощупал, вдруг вылетела пружина, посыпались колесики и шестеренки.

— Чего ты тут? — вошла Лена.

Неделин смутился.

— Да вот, часы решил починить.

— Когда это ты в часах разбирался? — спросила Лена, глядя на рассыпанные по подоконнику детали часов и бутылку с остатками водки.

— Пустячное дело. А чего ты смотришь? Это сосед был, опохмелялся тут. Нашел тоже пивную! А я — ни-ни.

— Паразит, — сказала Лена. — Я ему поверить хотела. Кому поверить — Фуфачеву!

— Вы меня не за того принимаете. Я объясню.

— Марш отсюда, образина! Чтобы ноги твоей... А я останусь с детьми и пусть хоть с милицией выселяют; мне жить негде!

Неделин обиделся:

— Почему кричать? Это некультурно.

— Латрыга ты последний, видеть не могу!

Лена схватила бутылку, жидкость плеснулась, как бы взывая о помощи и напоминая, что она текуча и запросто может вылиться.

— Оставь, — сказал Неделин. — Там немного. Допью и в рот больше не возьму. До конца жизни.

— Обойдешься! — сказала Лена. — Сейчас в помойное ведро вылью!

— Зачем в помойное? Вонять будет! — заискивающе сказал Неделин, следя за бутылкой.

Женщина пошла из комнаты. Он — за ней. Она — в сени. Он — за ней. Женщина решительно наклонила бутылку над ведром. Неделин бросился, схватил бутылку, она не отдавала, он рвал бутылку, телом отталкивая женщину, злясь, что не понимает простейшей вещи: он ведь не хочет напиваться, ему нужно только чуть-чуть выпить, именно столько, сколько есть в бутылке, не больше, зачем же она сама себе делает хуже и приводит его в неистовство? Они молча рвали друг у друга бутылку — без успеха. Неделин, наконец, сумел отшвырнуть женщину, она упала, заплакала.

— А не надо было! — сказал Неделин. Выпил из горлышка и стал ее поднимать, утешать. — Заживем хорошо и смирно. Детишки, цветы жизни. Буду работать инженером, спорим, что смогу. Ты еще удивишься. Ты еще не знаешь, кто я такой! Завтра же устраиваюсь инженером, а потом передаю тебя твоему супругу. В неприкосновенности, прошу учесть!

Но женщина не слышала этих хороших слов, не понимала добра. Неделин раздосадованно плюнул и пошел из дома. Малыш все возился с машиной.

— Скучаешь по папке? — спросил Неделин. — А? Скучаешь? Тетешки хочешь? Хочешь тетешки? — взял его на руки и стал подбрасывать, тетешкая.

Малыш, не приученный к этому и не знающий, что это значит, заревел. Неделин, чтобы его успокоить, стал подбрасывать повыше, тут ему под ногу подвернулось что-то, он упал, а ребенок, подброшенный им, тоже стал падать — на крыльцо, на острую железку, вбитую здесь для чистки ног от грязи, Неделин ясно видел, как голова ребенка, в белом пуху, летит прямо на железку, как ударяется и раскалывается на две части, кровь и что-то белое разлетается, обрызгивая все вокруг, — и чудом каким-то Неделин рванулся, схватил ребенка, отшвыривая его в броске от железки, упал на крыльцо, вскочил, ощупал малыша — цел и невредим — и дрожащими руками посадил к машине: «Играй, играй...». Ребенок тут же затих и, сопя носом, сосредоточенно завозил машину вокруг себя...

Хмеля у Неделина — как не было.

Дверь открылась, на пороге стояла Лена с топором, топор тяжело висел в ее руке. Неделин посмотрел на нее снизу торопливо и виновато:

— Что ты, Лена? Ничего не случилось. Я уже совсем трезвый.

— Детям жрать нечего, — сказала Лена. — С поминок не осталось ничего, все подъели. Курицу заруби, алкоголик.

— Ладно.

Лена бросила топор на землю и ушла в дом.

Неделин обошел надворные постройки, отыскал курятник, открыл дверь, куры, сидевшие на насесте, забеспокоились. Неделин наметил одну побольше, хотел ухватить, но она сорвалась с жерди, а за нею и другие, закудахтали, оглушительно заголосил петух, куры бросились в открытую дверь, Неделин — за ними, а они уже разлетелись, разбежались по всему двору. Но понемногу успокоились и стали собираться у жестяного корыта — ожидая корма.

Неделин присел на чурбан отдохнуть. Вернулся хмель, но уже не радужный, а тягучий, сдавливающий виски.

— Ну чего сидишь? — крикнула с крыльца Лена.

— Сейчас, — сказал Неделин и стал подходить к курам говоря: «Цып-цып-цып!». Куры доверчиво устремились к нему, и Неделин ухватил самую торопливую за ногу. Курица забилась, захлопала крыльями, он обхватил ее, прижал к животу, курица затихла, только вертела головой. Неделин сквозь перья ощутил горячее тело курицы, полное крови, мышц и костей, и ему странно стало, что это живое существо скоро будет лежать мертвым трупом, и тут же все забудут, как она ходила по двору, и тем более не вспомнят о том, как была она желтым пушистым цыпленком, детской неуклюжестью которого умилялись, кормили с ладони пшеном, гладили по желтой спинке, бережно брали на руки крохотный комочек, целуя — если дети — в клюв. А теперь отрубят голову, ощиплют, разделают, сварят, и будет это уже неодушевленное мясо, курятина. Страшно ли сейчас курице? Понимает ли она ужас своего положения?

Тряхнув головой, прогоняя несуразные мысли, Неделин понес курицу к чурбаку, стал умещать на нем, она трепыхалась, голова ее никак не хотела лежать на чурбаке, Неделин несколько раз замахивался топором, но боялся ударить себя же по руке или вместо того, чтобы убить курицу, только ранить ее, она тогда будет мучаться. И вдруг голова курицы застыла, она вдруг спокойно и ясно посмотрела на Неделина глазом-бусинкой, Неделин, поднявший руку с топором, испугался невозможной бредовой мысли...

## Глава 38

... и, что было силы, забился, засучил ногами, рука держащего разжалась, Неделин захлопал освобожденными крыльями и помчался прочь от плахи, пахнущей куриной кровью. Тот, с топором, тоже побежал, бестолково размахивая руками, споткнулся, упал, нелепо завозился на земле.

— Совсем окосел, сволочь! — крикнула женщина с крыльца. — Иди проспись! Витька, ты где? Поймай курицу мне, отец надрызгался, ничего не может, скот такой!

Из-за дома неспешно показался старший сын Фуфачева, неторопливо, но ловко поймал курицу, зажал ее под мышкой и стал крутить голову, курица хрипела, закатывая глаза, — и смолкла.

— Топором бы, — сказала мать.

— Сойдет, — сказал Витька и бросил ей курицу. — Ножом оттяпай, дохлую легко. — И ушел опять по своим делам.

Неделин с ужасом смотрел на это, притаившись за листом лопуха. Потом осторожно подошел к лежащему человеку, бывшему Фуфачеву, бывшему Неделину, а теперь — человеку-курице. Человек-курица забулькал горлом, поднялся на четвереньки, потом, шатаясь, встал на ноги и, дергая головой, побрел, спотыкаясь на каждом шагу, в курятник, встревоженно говоря: «Ка-а? Ка-а?». В курятнике послышались треск, грохот, из дома выбежала Лена, вытащила за шиворот человека-курицу, тот ошалело кудахтал.

— Насесты поломаешь, орясина! Кому сказано — спать! — и уволокла в дом.

Наступил вечер. Лена, покормив кур, загнала их в курятник, заперла дверь. Неделин, чуть не теряющий рассудок от нелепости своего положения, хотел обратиться к ней, но вышло только: «Кдак-так... Кдак-так...»

Понурый, нахохлившийся, он сидел на насесте, наверху, в сторонке от прочих, опираясь о стену, потому что держать равновесие одними лапами было непривычно. Рядом стояла корзина и там, в удобстве, находилась наседка с красным гребешком, рябая. Сам же Неделин был белым, с коричневыми пятнами на груди.

Куриные мозги Неделина размышляли вяло, дремотно, и он даже рад был этому: утро вечера мудренее. Закрыл глаза: спать, спать, спать...

Его разбудил переполох: куры метались, тощий петух орал во все горло, в темноте действовал кто-то невидимый и страшный: ласка, хорек, лиса? Вдруг совсем рядом блеснули два глаза, Неделин подпрыгнул, перелетел в другой угол. В отличие от других, он действовал расчетливо, не метался заполошно, притаился, чувствуя, как с невероятной быстротой стучит куриное сердце. Тень метнулась, что-то хрустнуло, запахло свежей куриной кровью, у Неделина от ужаса перья встали дыбом: погибло существо, подобное ему, он сам мог быть сейчас на его месте, — страшно!

Тень мелькнула вниз, унося белую охапку, и население курятника сразу успокоилось, будто ничего и не было, расселись, закрыли глаза, задремали, лишь Неделин в своем углу никак не мог заснуть, вздрагивая от малейшего шороха.

Утром Лена выпустила их, насыпала в корыто пшена, куры набросились, Неделин подошел к Лене, чтобы обратить на себя внимание, закудахтал.

— Кши, дурная! Лопай! — пнула его ногой Лена.

После еды потянуло на сон. Найдя пыльное место, уже нагретое солнцем, Неделин поскреб лапами и прикорнул.

Кто-то клюнул его в голову. Рядом стоял тощий петух, глядя избоку с любопытством. Испытывая непонятное смущение, Неделин встал и отошел, квохча недовольно, но петух — следом. Неделин побежал трусцой — затрусил за ним и петух. Неделин прибавил ходу — прибавил и петух, и, сделав рывок, вскочил ему на спину, долбанул клювом в затылок, вспушил, а с другой стороны тела Неделин вдруг ощутил горячую приятность, которой не хотелось сопротивляться.

Уже через минуту куриный организм забыл об этом, тело само собой пошло по двору, клюв сам по себе ковырял землю, выискивая жучка или червячка, а Неделин все еще не мог оправиться от потрясения.

Впрочем, решил он, самое лучшее — отнестись ко всему юмористически.

Однако юмор юмором, а по прошествии положенного срока, забравшись в лопухи, он снес яйцо, причем сделал это не без удовольствия.

## Глава 39

Прошел день, другой, третий, Неделин не мог понять, почему же Лена до сих пор не обнаружит куриных повадок мужа: он ведь и слова-то человеческого сказать не может, ее это должно удивить, потом напугать — и что она сделает? — может, врачей позовет или родственников? Но ничего этого не было. По утрам Лена уходила на работу, взяв с собой детей, а человек-курица выходил из дома редко, бесцельно слонялся по двору и все норовил забраться в курятник, где стоял и озирался в недоумении. Неделин старался попасться ему на глаза, взглянуть в глаза, но никак не удавалось: глаза человека-курицы бегали с истинно куриной непоседливостью, ни на чем не умея остановиться.

На досуге — хотя какой досуг, когда от мрачных мыслей выть хочется, — Неделин старался выговорить хоть одно человеческое слово. Боже мой, какая это сладость, произносить человеческие слова! Неделин вспомнил, как это делается, представляя во рту, то есть в клюве, не уродливый язычок, а большой, широкий, ловкий человеческий язык. Вот обычное слово: Я. Как оно произносилось? Ну-ка, ну-ка? Кончик языка прижимается к нижним губам, а середина языка к небу, и язык останавливается к таком положении, ожидая потока воздуха, который, начинаясь узко звуком ЙЙЙЙЙЙЙЙ, вдруг широко выливается из горла: АААААААААА — можно петь сколько угодно, наслаждаясь звуком. А если взять слово посложнее, какая роскошь, какое богатство движений и звуков. Ну, например, слово, которое люди так истрепали: ЛЮБОВЬ. Кончик языка прижимается, ласково прижимается к верхним зубам, губы округляются, поют: ЛЮУУУУУУ, потом целуют друг друга звуком Б и тут же размыкаются застенчиво, испуганно, чтобы дать волю звуку ОООООО, самоуверенному, как победа в любви, но тут же переходящему в камерное, тихое, стыдливое ФЬФЬФЬФЬФЬФЬФЬФЬ, когда верхние зубы элегантно, рафинированно касаются нижней губы, чуть прикусывая ее с этаким скромным кокетством, и кончик языка тут как тут — смягчая звук: ЛЮБОФЬФЬФЬФЬФЬ... ЛЮБОФЬФЬФЬФЬФЬФЬ...

Но, как ни пытался Неделин, ничего не получалось, он пробовал что-то произнести горлом, как это делают ученые птицы — попугаи и, кажется, скворцы, но и это не привело к успеху.

Прошло еще несколько дней, в течение которых ничего не случилось. Неделин исправно нес яйца, причем уже даже и без участия рыжего петуха.

Однажды вечером в дом пришли гости: сестра Фуфачева Нина с мужем Леонидом. Теперь-то, надеялся Неделин, все раскроется, теперь жди общего недоумения и испуга. Но слышно только было, как гости и Лена пели песни, а потом Неделин видел в щелку, как Лена, обнимая человека-курицу, провожала до калитки гостей, говоря:

— Золотой мужик стал! Золотой!

— В нашем роду серебряных не бывает! — шутила Нина.


На другой день Неделин увидел, как человек-курица бродит по двору в непонятной тоске и тупо что-то ищет на земле. Вот нагнулся, стал скрести руками, показалось неудобно, встал на четвереньки, поддел что-то носом. Неделин подбежал поближе. В разрытой земле извивался аппетитный дождевой червяк. Неделин умом не желал есть эту мерзость, но куриная потребность не слушала его разума, клюв сам хватал, клевал, жрал. Вот и сейчас Неделин из-под носа человека-курицы бессознательно ухватил червяка, человек-курица посмотрел на него завистливо, и тут Неделина осенило. Он, держа червяка в клюве, встал перед лицом человека-курицы, дразня и привлекая. И — слава тебе, Господи! — земля ушла резко вниз, и вот он, Неделин, в плоти Фуфачева, стоит и смотрит на белую курицу с коричневыми пятнами, которая азартно расклевывает червяка. Кончено! А впрочем, червяка-то можно было и доесть...

## Глава 40

Фуфачев в это время находился в больнице, или при больнице, или... — в общем, так. Он прибежал сюда, ошалелый, с криками о помощи, врачи, обследовав его увечье, сказали, что оно давнишнее. Фуфачев не соглашался, никак оно не может быть давнишним, всего лишь месяц назад он по-мужски обошелся со своей сожительницей Любкой и может эту Любку хоть сейчас привести для подтверждения. Но врачи верили не его словам, а собственным наблюдениям. И даже если травма нанесена недавно, какая разница, теперь уже не поправишь, ничего не сделаешь.

— Как ничего?! — кричал Фуфачев. — Почки пересаживают, сердце пересаживают! — по радио объявляли! Не уйду, пока не сделаете!

Врачи вызвали милицию, но Фуфачев ловко где-то спрятался, а когда милиция удалилась, явился опять с теми же претензиями. Опять вызвали милицию, опять скрылся Фуфачев, милиция ушла — явился. Не устанавливать же в больнице круглосуточное милицейское дежурство? Было предложено схватить его собственными силами, но Фуфачев держался осторожно, близко не подходил, предпочитая появляться в окнах процедурных кабинетов, крича, умоляя помочь. Где он спал — неизвестно. Мысли о выпивке у него в это время отшибло, он вообще с удивлением замечал, что прежней тяги к спиртному даже как-то и нет, и это его, кстати, тоже возмущало, это было признаком его нездоровья, он надеялся, что когда исправят его страшную травму, то вернутся и прежние желания.

Однажды утром, проникнув в вестибюль и ожидая главврача, который после обхода имел обыкновение на полчаса уходить домой (жил по соседству) пить кофе, Фуфачев впервые заглянул в зеркало, бесцельно стоящее в темном углу. То, что он увидел в зеркале, его ошарашило, он водил руками по лицу и зеркалу, не веря своим глазам. Но верь не верь, а видится все то же: молодое свежее лицо, симпатичное — и в этой симпатичности признак, который Фуфачев сразу связал с болезнью.

— Яков Леонидыч! — закричал он главврачу. — Спасите, родной, вы что, не видите, я уже в женщину превращаюсь!

— В психушку его! В психушку! — закричал Яков Леонидович, скрываясь в коридоре. К Фуфачеву бросились, перекрывая выход из больницы но он юркнул в туалет, заперся и, пока вышибали дверь, успел вылезти в окно.

Один из молодых врачей решил пошутить над Фуфачевым. Увидев его однажды издали, он сказал:

— Знаете что. Мы вам поможем только в том случае, если вы принесете недостающую часть. Где она?

Фуфачев задумался. В самом деле, что он околачивается тут уже столько времени, надо же найти сволочного гостя, потребовать у него ответа, ведь никто другой не может быть виноват, — и отправился к Любке. Любка лежала пьяная, возле нее был кто-то под одеялом, высовывались штаны и сандалии на босу ногу. Не говоря ни слова, Фуфачев ударил сквозь одеяло кулаком, одеяло тонко взвизгнуло, и вылез не мужик, а женщина.

— Ты кто такой? Ты чего подругу обижаешь? — ковыляя языком, спросила Любка.

— Урод противный! — визжала подруга.

— Где этот самый? — спросил Фуфачев. — С кем пили?

— Не знаю никакого этого самого. И тебя не знаю.

— Ты что?! — озверел Фуфачев, занося над Любкой кулак, но вспомнил о странных изменениях своей внешности и сказал: — Это я, Фуфачев, просто я в женщину превращаюсь. Мне этот самый, с кем пили прошлый раз... В общем, беду он мне сделал. Или, может, это ты?

— Урод, урод противный! — визжала и мешала говорить подруга. Фуфачев ударил ее пару раз, она упала, стала выть — но тихо.

— Так, может, это ты? — наступал Фуфачев на Любку. — Точно, ты! Отдавай, курва! Отдавай, а то хуже будет! Отдавай, мне врачи пришьют!

— Да чего, чего? — кричала Любка. — Не брала я ничего! Идите своей дорогой, гражданин, мы вас не знаем!

— Ну, курва! Отдашь или нет?

— Фуфачев! — вдруг закричала Любка, обращаясь к двери. — Фуфачев, где ты мотаешься, меня тут убивают без тебя!

Фуфачев обернулся и увидел человека, кого-то очень напоминающего. Кажется, именно с этим гадом они и пили.

— Так! — сказал Фуфачев. — Я его ищу, а он сам в руки идет! — Он поднял с пола бутылку и пошел на Неделина. — Отдавай, падла! Ну!

— Остынь, — сказал Неделин. — Я для этого и пришел.

— Ты уйдешь только мертвым!

— Пойдем на кухню, — пригласил Неделин.

Они закрылись в кухне, Фуфачев дрожащими пальцами стал расстегивать брюки, чтобы показать Неделину свой ужас.

— Знаю, знаю, — сказал Неделин. — Не трудись. Сейчас все будет в порядке. Смотри мне в глаза.

— Я тебя сейчас...

— Смотри в глаза, я сказал!

— Ну...

— Тверже смотри.

— Ну!

— Я — это ты. Понял?

— Нет. Я — это я, и не надо мне мозги... Ты мне верни, что надо!

— Я — это ты. Смотри мне в глаза. Говори: хочу вернуться в себя.

— Хочу вернуться в себя, — послушно сказал Фуфачев, вдруг поверив твердому человеку.

— А я тем более, — сказал Неделин.

И они обменялись.

— Что чувствуешь? — спросил Неделин.

Фуфачев схватился рукой и радостно сказал:

— Все чувствую! Миленький ты мой! Родной ты мой!

К кому это относилось — неизвестно.

Он любовался и рассматривал.

— Теперь в зеркало посмотрись, — сказал Неделин.

— А иди ты! Хвали Бога вообще, что ноги унесешь, курва. Ты зачем это сделал? Что за шутки? Ладно, прощаю. Надо выпить по этому поводу.

— Надо, надо! — тут же явилась в двери кухни Любка.

— Любушка моя! — закричал Фуфачев, но Неделин выставил ее из кухни.

— Слушай меня внимательно, — сказал он Фуфачеву. — Так получилось, что я был вместо тебя. Матушку твою схоронил.

— Чью?

— Твою же, говорю.

— Разве померла?

— Померла, рыдать будешь после. Схоронил я ее, все честь по чести. Вернулся к жене, мы теперь в мамином доме живем, то есть ты с женой живешь. Она у тебя замечательная женщина.

— Ленка-то? Курва! Значит, это она с тобой живет?

— С тобой.

— Это как? А когда мама померла?

— Она считает, что Фуфачев — это я, то есть, что я — это ты. Потому что я временно был в твоем теле. Игра природы. Я марсианин. В общем, она нарадоваться на тебя не может: ты не пьешь, ты устроился на работу. Вот трудовая книжка, смотри. Видишь запись: принят такого-то в вагоно-ремонтные мастерские слесарем пятого разряда. Ты, оказывается, классным рабочим был. И опять будешь.

— То есть это как?

— Повторяю: я некоторое время был вместо тебя. У тебя замечательная жена, чудесные дети, только их воспитывать надо. Сейчас ты пойдешь к ним. Я отлучился костюм купить с аванса, мне аванс сегодня дали, я четвертый день уже работаю, аванс отвалили, понял? Вот тебе костюм, бритва, лосьон даже, чтобы ты вонял хорошо. Вот конфеты — детям. Вот духи — для Лены. Понял меня?

— Угу, — сказал Фуфачев, ничего не понимая.

— Я тебе даже так скажу: я бы сам там остался жить. Дом хороший, сад. В саду соловей поет, Фуфачев! Живи, пожалуйста, ладно? Тебя проводить домой?

— Да нет, мы уж сами... Всего доброго, как говорится, приятно познакомиться, — суетливо говорил Фуфачев и совал Неделину руку для прощания, подталкивая его другой рукой к двери кухни, а затем — к дверям из квартиры. — Всего доброго, всего добренького, вали, курва!

И с треском захлопнул дверь.

— Чего такое? — спросила Любка. — Чего ему?

— Психи кругом!

— Это точно! — кокетничая, сказала подруга Любки.

— Сейчас будет три сюрприза! — объявил Фуфачев. Зайдя в кухню, он переоделся и явился перед женщинами преображенный, в костюме: — Сюрприз первый!

— Хорош! Хорош! — восхитились женщины.

— Сюрприз второй! — явился Фуфачев вторично — подняв над головой большой флакон огуречного лосьона. Этот сюрприз произвел на женщин гораздо большее впечатление, чем первый.

— Сюрприз третий! — закричал Фуфачев, с вжиканьем расстегнув молнию на брюках и показав.

— Ну уж и сюрприз, — равнодушно сказала Любка.

— Не скажи, не скажи! — закричала ее подруга и, схватив лосьон, стала наливать его в кружки, говоря со вздохами:

— Какие вы милые. Какие гостеприимные. Хорошие люди.

Фуфачев нетерпеливо выпил и поблагодарил ее за такие слова поцелуем, подруга Любки оказалась страстной и тут же в процессе поцелуя всунула длинный трепетный язык в рот Фуфачева, лаская и дразня его чуткие десны, утыканные осколками зубов.

Любка хохотала: она в любовь не верила.

## Глава 41

Итак, с Фуфачевым Неделин расквитался вроде бы достойно — с физической и моральной прибылью для Фуфачева. А вот перед Владиславом Субтеевым было заранее неудобно. Ведь он за него успел достаточно пожить, он и пел за него, создав новый, так сказать, сценический образ, а главное — томило душу то ночное происшествие, когда он, возможно, сильно порезал человека. Вряд ли до смерти, и, к тому же, человек этот — преступник, но все же... Говорить ли об этом Субтееву? Эта шайка наверняка захочет отомстить, и, значит, он подвергает Субтеева опасности.

Но не находиться же вечно в чужой шкуре. Да, он виноват — а может, и не он виноват, а некое аномальное явление природы, орудием и жертвой которого он стал. Может, тут и в самом деле что-то связанное с космосом? Кто знает, кто знает — почему, например, Неделин в детстве любил сидеть по вечерам на балконе и смотреть в звездное небо? Он тогда выдумал вдруг, что если долго, очень долго смотреть на одну звезду, то можешь внезапно оказаться там, перенестись за секунду, и смотрел, смотрел, другие звезды как бы пропадали, оставалась лишь эта звезда и становилась все больше и больше, будто он приближался к ней — но не хватало терпения довести эксперимент до конца; наверное, нужно было смотреть всю ночь. Да и страшно становилось. Откуда у него появилось это? — ведь и не скажешь, что он очень интересовался фантастической литературой, больше любил обстоятельные географические книги про реальные страны, любил расстилать на полу большую карту мира и производил в уме различные усовершенствования: делал подкопы, например, во многих местах под Антарктиду, а потом с помощью большого количества одновременных взрывов отделял ее от земли, превратив в плавучий остров, и мощными кораблями буксировал на новое место в теплые широты, чтобы предоставить новую большую территорию для житья людей. Конечно же, под стаявшими льдами и снегами обнаруживались остатки древней цивилизации, более древней, чем человеческая, но возникала проблема повышения уровня Мирового океана, приходилось срочно спасать Нидерланды и другие территории, находящиеся ниже уровня моря или на одном с ним уровне: насыпались дамбы, возводились плотины; климат теплел, оленеводы Чукотки прислали срочный запрос: как быть, оленям жарко в их теплом меху, и — следовало указание: оленей заменить на сайгаков, а вместо ягеля вырастить верблюжью колючку.

Детские бредни, но ведь и понятие о коммунизме как высшей стадии человеческого развития тоже похоже на детскую мечту о том, что вот было бы здорово, если бы игрушки, конфеты и мороженое не продавались бы за деньги, а можно было бы взять сколько душе угодно. Мечтать — это хорошо, но детские мечтания, как и — что еще? — ну христианское учение, например, — основываются на вере в то, что я разумен в той же степени, что и другие, а другие разумны, как я, и что никому не взбредет в голову, когда наступит обильное будущее, взять больше игрушек, чем требуется, и, тем более, рвать у кого-то из-под носа игрушку, но как быть, как быть с извечным человеческим желанием невозможного: играть во все игрушки мира сразу, иметь власть не только над собой (что, как уверяют философы, есть высшая духовная победа и радость), но и над тысячами, миллионами других, куда денется в каждом из нас тот владетельный султан, который держит в своем мысленном гареме больше женщин, чем суждено ему ночей до конца его жизни? Мрак, мрак, думал Неделин, впервые и неожиданно для себя наткнувшийся на эти мысли, вынужденный перерабатывать их в себе самостоятельно, дилетантски...

Проживая в гостинице последние деньги, Неделин целыми днями ходил по городу. Он уже терял надежду. В самом деле, почему Субтеев должен быть в Полынске? Если он не объявился и не настиг Неделина, это еще ничего не значит, с ним могло случиться всякое: угодил в психушку, уехал в южный город, откуда родом, под машину попал наконец!..

Как-то вечером он забрел в пивной павильон возле танцплощадки, на которой уже вовсю толпилась молодежь — в небольшом пространстве, огороженном решетчатым металлическим забором — предохранением от безбилетников, те, однако, ловко перемахивали через забор на глазах у дружинников, и пока дружинники ловили одного, десять других проникали в очаг радости — деньги, предназначенные на билет, истратив пивом.

Неделин, облокотившись на перила, наблюдал за танцами. Музыка, толкотня, всеобщее возбуждение; так было давным-давно, когда их мужской технологический факультет пригласил на вечер факультет женский — филологический. Неделин сразу приметил двух подруг, которые не отходили друг от друга, стояли у стены посмеиваясь.

Одна была, естественно, красавица с пепельными распущенными волосами, другая тоже ничего себе, но, в общем-то, серенькая девушка: какие-то кудерышки на голове, глаза неумело обведены черным и синим. Неделин понимал, что шансов на красавицу у него мало, но возмутился своей медлительностью — и пошел приглашать ее на танец. Подошел.

Красавица и серенькая девушка смотрели на него с улыбками: ну в чем дело?

«Разрешите?» — спросил Неделин, глядя куда-то меж ними.

— А кого? — засмеялась красавица.

Неделин посмотрел на нее холодно и повернулся к серенькой девушке, оказывая ей подчеркнутое внимание.

— Вас!

Серенькая девушка пожала плечами (ну что ты сделаешь — пристают и пристают!) и милостиво подала руку.

Звали ее — Лена.

Она и стала женой Неделина.

Знакомое лицо мелькнуло в толпе.

Лицо Запальцева, то есть Субтеева в обличье Запальцева!

И тут же оно показалось в другом углу танцевального загона, и тут же — в противоположном.

Несколько их, что ли? — или Субтеев заметил его и мечется, желая скрыться?

Неделин, не спуская глаз с выхода, взял билет в кассе, прошел сквозь турникет и контролеров. Он боялся отойти от турникета, смешаться с толпой — Субтеев может ускользнуть. Нет, вот он, вот он! — безмятежно и весело танцует с девушкой лет семнадцати, нашептывая ей что-то, — и вот он же, но уже с женщиной лет тридцати, и ей нашептывает, — нет, вот он, с женщиной лет пятидесяти, которая, в ответ на его нашептывания, хохоча, обнажает златые зубы и вся колышется.

Что за чертовщина!

Неделин, расталкивая танцующих, устремился к Субтееву, ориентируясь на златозубое сияние (отражался свет фонарей), хлопнул по плечу, мужчина обернулся и оказался пожилым человеком.

— В чем дело?

— Извините...

Так было несколько раз: завидев Субтеева с очередной партнершей, Неделин спешил к нему, грубо толкаясь, но, когда подходил, партнерша оказывалась та же самая, Субтеев же исчезал, на его месте уже был другой. Обливаясь потом, Неделин опять увидел своего двойника, бросился подпрыгивая, чтобы поверх голов ежесекундно видеть его, наступил кому-то на ногу, обиженный ухватил его, чтобы отомстить словом или делом, Неделин хотел вырваться, глянул — и! — Субтеев! — и сам схватил его за плечи.

Так они стояли долго, и глаза Субтеева, затуманенные любовной одурью, начали проясняться. Он понял.

— Отойдем, — сказал Неделин.

— Нет.

— Я сказал!

И поволок его в угол площадки, прижал к ограде, посмотрел в глаза.

— Я не согласен! — сказал Субтеев.

— Делать нечего. Ты пойми. Если бы я отдал тебе свое собственное тело, это еще ничего. Но то, в чем ты находишься, оно принадлежит другому человеку.

— А ты кто вообще? Фокусник, волшебник, маг? Инопланетянин? Или это научный опыт такой?

— Неважно. Тебе придется вернуться. Этот другой человек ждет, я должен возвратить ему его тело. А оно у тебя. Понял? Тебе ничего не остается делать, нужно отдать.

— Ни за что. Или давай мне другое, но тоже здоровое.

— Не сходи с ума... Ты ничего такого не успел сделать?

— Я жил. А ты что поделывал?

— Меня, то есть тебя, вся страна знает. Правда, под псевдонимом — Неделин.

— А я вот не знаю! Поди ж ты! — Субтеев понемногу забирал нахальный тон.

— Ты основатель нового направления в рок-искусстве. Смотри, не урони марку. Вот тут все описано. — Неделин показал тетрадку и сунул ее обратно в карман. — Останется тут, при тебе. Главное — опасайся Лены. Она... Тут все описано.

— Какая Лена? Меня ждут, я пошел.

— Стой! — Неделин схватил его за руку. — Я понимаю, тебе не хочется. Но иначе нельзя. Каждый должен нести свой крест. Твой крест — искусство и слава. Мужайся, Владик.

— Иди ты! У тебя все равно не получится. Мне ведь, как я понял, нужно пожелать — обратно? А я не желаю.

Неделин схватил его за грудки, встряхнул, повернул к себе лицом.

Все произошло, как он предполагал: Субтеев не хотел перейти в него, но испугался, что может захотеть, и как только испугался этого, как только представил, что это возможно, — перешел.

— Вот и все, — сказал Неделин, отцепляя от себя руки Субтеева. — Прости, брат. Это не я, это природа шутки шутит.

— Сволочь, — прошептал Субтеев. — Не хочу.

— Поздно.

— Отдай, — заплакал Субтеев. — Я ведь повешусь.

— Ну-ну. Люди без рук, без ног, в параличе — живут. Надо быть мужественным.

— Нет! Не смогу! — Субтеев хлопнул себя рукой — и рука вдруг замерла — и закопошилась.

Послышался девичий стыдливый визг, потом — смех, но Субтеев не обратил внимания, он смеялся и показывал Неделину, который тоже был душевно рад этому чуду, но уговаривал Субтеева:

— Спрячь, спрячь, ты что?

А сам, пользуясь бесчувственностью счастливца, доставал у него из кармана несколько рублей, остальные деньги великодушно оставил. Документы же Запальцева, слава Богу, Субтеев носил при себе; вот он, бумажник «Бремингъ и К°», в бумажнике — паспорт.

Явились дружинники, взяли Субтеева под локотки, а он, так и не приведя себя в порядок, радостно извивался в их руках, оборачивался и кричал:

— Я скоро вернусь! Я вернусь, милые!

Дружинники ржали.


## Глава 42


Поезд на Саратов — ночью; коротая время, Неделин выпил пару кружек пива и вернулся на танцплощадку.

Он не собирался, конечно, танцевать, сел на одну из лавочек, стоявших по периметру ограждения, положил ногу на ногу, обозначая своей позой необязательность своего присутствия — и то, что одиночество его не тяготит.

Но вскоре к нему подсела девчушка лет шестнадцати, села, по-школьному упершись руками о лавку и скрестив ноги под скамьей.

Джинсы обтягивали эти ладные ножки, обнажая стройно-округлую полноту, руки были загорелы, алый маникюр на ногтях. В дочери Неделину годится.

— Закурить не угостите? — обратилась девушка к Неделину.

— Нет. И тебе рано курить, — мягко сказал Неделин.

— Щас прям! — иронически согласилась девушка. Помолчала и сказала с неожиданной прямотой: — Ты симпатичный мужик. И взрослый. Это интересно.

— Ничего интересного.

— Ну да! Командированный, что ли?

— Допустим.

— Выручи, слушай.

— В каком смысле?

— Я вон там шьюсь, — она кивнула куда-то в противоположный угол. — Ты сейчас подойди, то есть иди, будто не прямо ко мне, а будто кого-то ищешь, и скажи: Ленка, ни фига себе, разве ты не в Москве? А я тебя искал, искал! Я, скажи, и на студию ходил, а там сказали: уже снялась и уехала. Я там в фильме в эпизоде снималась, — честным голосом сказала девушка, — меня один режиссер через Полынск проезжал, увидел и пригласил, а я скажу: снялась и уехала, а тебе-то что? А ты скажешь: ну как же, я специально сюда приехал тебя искать, тоже фильм бросил, от роли отказался, то есть ты актер тоже с «Мосфильма». Тебя Андрюша зовут, ладно? Ладно, Андрюша?

— Нашла бы другого кого-нибудь.

— Ты как раз годишься. Тебя никто не знает и на артиста в самом деле похож. В общем, я жду. — И она смешалась с танцующими, Неделин не успел ей ничего сказать.

Он посидел некоторое время, усмехаясь по-доброму, и пошел по краю площадки. Увидев Лену в окружении подруг, издали замахал руками:

— Ба, Лена, нашел наконец! А я с ума схожу, вся Москва с ума сходит, «Мосфильм» с ума сходит, ты почему уехала, почему от роли отказалась?

Подруги так и впились взорами в Неделина, а Лена сказала:

— Надоели вы мне все. Ты-то зачем приперся?

— Разговор есть. Потанцуем?

— Ты что, тоже съемки бросил?

— Потанцуем, Лена?

И хорошо, что она пошла танцевать, иначе он не выдержал бы, рассмеялся.

— Ты говори, говори, — понукала Ленка. — Они вон пялятся, ты говори что-нибудь, ты меня уговаривай, а я отказываюсь. Нет, нет и нет!

— Поедем в Москву сниматься в кино.

— Нет, я сказала!

— Дадим тебе трехкомнатную квартиру и зарплату пятьсот рублей.

— Нет, и не уговаривай! И ты давай не улыбайся, ты серьезно говори.

— Лена, я тебя умоляю!

— Вот-вот.

— Я тебя умоляю: вернись, я все прощу!

— Ни за что!

— Ты пойми... Я уже не знаю, что говорить.

— Ты убеждай, убеждай. А я не согласна! Нет, я сказала!

— Ты пойми, если диалектически подходить, то так нельзя, а если с точки зрения опосредованной идеи, то тем более. Ты согласна?

— Ни в коем случае! Можешь не стараться, нет!

— У тебя глаза чудесные, Леночка. Давно школу кончила?

— Нет, я сказала!

— С твоими данными можно действительно поступить в театральный институт. Ты пробовала?

— Нет, я сказала! Теперь я буду вырываться, а ты меня держи за руку. Крепко держи.

Она сделала шаг от него, Неделин удержал ее за руку. Она стала вырываться. И что-то сказала, Неделин не расслышал из-за музыки.

— Что?

— На колени встань. Ну встань. Тебе жалко, что ли? Ну я прошу! Я пересплю потом с тобой, честное слово!

Что поделаешь с тщеславной девчонкой; Неделин встал на одно колено, как в туре старинного танца.

— Ленка! — рявкнул чей-то мощный голос. Расталкивая танцующих, приближался парень в тельняшке с красно-рыжими волосами.

— Ленка! Он пристает? Убью!

Она успела только испуганно вскрикнуть; красноволосый с ходу двинул Неделина в плечо, а хотел в самую морду, Неделин успел уклониться, упал, подбив кого-то под ноги, тот упал на него.

Свалка. Крики. Топот. Музыка все играет. В лампы полетели камни. Общая драка. Свистки милиционеров.

Неделин по краю, по краю — пробрался к выходу, возле которого стояли с улыбками человек двадцать дружинников, крепкие рабочие парни.

— Ты куда? — спросил один из них.

— Туда.

— Ну иди, — сказал дружинник и, выпуская, дал совершенно непонятно зачем пинка под зад. Нет, действительно — зачем?

## Глава 43

Перейти улицу, еще одну, свернуть — и он дома. Но Неделин идет все медленней, он до сих пор не придумал, что будет говорить жене (чуть не подумалось: бывшей жене!).

Он в темных очках, но и в них не чувствует огражденным себя от опасности — и старается не смотреть никому в глаза.

А может, цветов букетик купить на последние деньги? Цветы по летнему времени дешевы. Цветы могут придать его появлению, так сказать, иной тон.

И он с полдороги вернулся к рынку, купил при входе у старухи несколько тюльпанов.

Рядом со старухой сидел безногий нищий на тележке. Он был в зимнем полупальто с рыжим воротником, несмотря на жару, перед ним лежала шапка, в шапке — мелочь и даже рубль (видимо, для приманки, нищий ловил на живца). Неделин повертел оставшийся в руках двугривенный. Как любой средний обыватель, он не верил, что у нищенствующих нет других средств к пропитанию, зато верил, что они, попрошайничая, зарабатывают очень приличные деньги. Но, опять же как средний обыватель, он был суеверен: нищему подать — удачу приманить, душу спасти, если не всю, то хоть бы часть ее.

Даже сквозь темные очки ему было видно, что морщинистое лицо нищего — красно. Пот стекает крупными каплями. Густые мокрые волосы прилипли ко лбу.

Живет, наверное, один, в какой-нибудь полуподвальной комнатушке, средь голых стен, ест на грязной табуретке, заменяющей стол, спит на грязном тряпье и ко всему привык уже — и к вони жилья, и к своей собственной, и к тому, что целыми днями ноги идут мимо лица; все ноги, ноги с утра до вечера, и нищенство для него давно уже не унижение, а образ жизни.

Неделин снял очки, чтобы лучше разглядеть нищего, — и тут же, встретившись с ним глазами, опомнился, испугался, поспешно надел очки.

Но что-то, что-то странное так и подмывало опять посмотреть на нищего незатемненным взглядом. Ощущая тошноту страха где-то в животе, Неделин вновь снял очки. Нищий ответил ему глазами своими, равнодушными, — без вопроса, без удивления, смотрел просто пусто — и в этой пустоте было что-то завораживающее.

Сходишь с ума, сказал себе Неделин.

«Грязный угол. Забвение. Помереть раньше смерти, чтоб не ждать ее, гадину», — шепнул кто-то.

«Я молод еще, мне об этом рано...»

«Все равно — по-прежнему не сможешь жить. Соскучишься».

«Почему? Хочу к жене и детям. Люблю жену и детей. Хочу жить с ними, как нормальный человек!»

«Врешь! Лучше сделай счастье этому убогому. Большего ты в жизни не сумеешь. Благословясь — попробуй!»

«Слова-то какие: благословясь! Я в Бога не верю».

«А он в тебя — верит».

«Казуистика!»

Так что-то бормотало в Неделине и ссорилось, меж тем они с нищим все смотрели друг на друга, будто соревнуясь, кто дольше выдержит, не отведет глаз.

Вот-вот, чуть-чуть... — и ничего... Переход не состоялся.

Почти обидно. Неделин отвернулся.

Старуха, торгующая цветами, достала бутылку, стала аккуратно пить бережливым ртом.

— Дай хлебнуть, — хрипло сказал ей нищий.

Старуха отняла бутылку ото рта и, утираясь, отозвалась:

— Ена теплыя, противныя!

— Все равно. Спеклось все.

Старуха посмотрела бутылку на свет и удивилась:

— А ена и кончилась!

— ...! — выругался нищий.

Неделин подошел к бочке с квасом, что была неподалеку, взял кружку холодного пойла, встал прямо перед нищим и начал медленно пить. Сейчас нищий позавидует его утолению жажды, значит, позавидует ему в целом — и...

Но ничего не произошло.

— На, пей! — Неделин сунул кружку нищему и ушел не оглядываясь.

И пот выступил от пережитого страха, и стыдно почему-то было, и жалко — нищего, себя, всех на свете...


## Глава 44

Рано утром Запальцев, муж милой жены Лены и отец двух смышленых пацанов, вышел из дома со свежестью и энергией в серых острых глазах, сел в машину, провел рукой по гладкости руля, и тут кто-то постучал в окно. Он посмотрел, все понял, включил мотор, дал газ, и машина сорвалась с места, но тут же резко затормозила и поехала назад. Дверца открылась.

— Садись быстро!

Неделин сел.

Долго ехали молча.

— Ну давай, — сказал Запальцев. — Рассказывай. Как ты это делаешь и зачем ты вообще это сделал?

— Не я это делаю.

— А кто?

— Не знаю. То есть я, конечно. Но откуда такая способность — не понимаю. К врачу надо будет обратиться.

— Твое дело. Учти, если ты хочешь обратно, — ничего не выйдет. Я не согласен.

— Ты успел машину купить?

— А почему бы и нет?

— То есть ты спокойно занял мое место? То есть ты — вжился? Как тебе это удалось?

— Я занимаю свое место! — внушительно сказал Запальцев.

Неделин сбоку посмотрел на него: экий представительный мужчина, кто бы мог подумать, что из его внешности можно такое сотворить. И подбородок как будто стал тверже, и глаза вроде больше, и губы резко очерчены, волосы подстрижены красиво и, кажется, уложены с помощью фена. Франт, франт! И машина!

— Нет, в самом деле, откуда машина?

— Купил. Ты-то, я смотрю, ничего не нажил.

Вид у Неделина был и впрямь потрепанный.

— Наживешь тут, — отпарировал Неделин, — когда за тобой милиция по всей стране гоняется. Мошенник, спекулянт и все такое.

— Срок давности вышел.

— Ты уверен?

— А тебе-то что? — холодно спросил Запальцев.

Но Неделин уже не тот Неделин и так с собой обращаться не позволит.

— Не вякай, — сказал он. — Машина мне твоя не нужна. А вот остальное — будь добр.

— Остальное?..

Запальцев соображал, как ему быть. А мог бы ведь заранее продумать этот вариант — возвращение хозяина нынешнего его тела. Если бы только тела! Оттягивая время, Запальцев решил представиться смирившимся — и рассказал о своей послепревращенческой жизни.

Его столярные увлечения продолжались около года и надоели ему. Он решил подняться по служебной лестнице за счет общественной работы, так как на ниве общественной деятельности, партийной и профсоюзной, можно продвинуться, не имея никаких профессиональных знаний и ровно столько ума, чтобы двум свиньям щи разлить. Нужна лишь определенного рода смекалистость. И он пошел продвигаться, пошел, пошел — но это наскучило, не принося, к тому же, больших доходов. Натура брала свое, Запальцеву, как и прежде, хотелось риска, захотелось ходить по краешку — и вдруг в один день сорвать солидный куш. Впрочем, он усмирил в себе нетерпеливые желания и выбрал путь риска полублагородный, пошел в кооператоры, основав для начала маленький кооператив по ремонту квартир, а потом, так и оставив эту вывеску, разворачивал дела все шире и шире, занимаясь посредническими, торгово-закупочными и прочими серьезными делами. Уже он стал солидной фигурой в деловых кругах, ворочал большими средствами, но их не обнаруживал. Ну машину, допустим, купил, мелкое дело. Ну, дачку построил на Волге, тоже не Бог весть что. А в остальном ограничивал себя: не время. Жена доверчиво относилась к резким переменам в судьбе мужа, в последнее время она привыкла полагаться на него и знала: если он что делает, значит, это нужно в первую очередь для семьи.

Они жили дружно и хорошо, несмотря на то, что к Запальцеву пришла счастливая любовь: секретарь-машинистка Леночка со знанием английского языка (в скором времени предполагался выход на иностранные фирмы). Леночка была очень строгих правил, и это Запальцева восхитило, два месяца он только заглядывал ей в глаза и каждое утро клал ей на стол букет роз, через два месяца написал письмо в стихах, это на Леночку подействовало, и он стал счастлив окончательно, сняв для встреч с ней уютную квартирку, хозяева которой уехали на год на заработки за границу. О том, чтобы порывать с семьей, и речи не было, он жену тоже по-своему любит, детей тем более, любовь со стихами — одно, любовь семейная — иное.

С Леночкой были чудесные часы, он каждый раз писал ей по стихотворению и читал вслух, пока она раздевалась, звучала тихая музыка, плыли в сумраке по потолку и стенам блики от разноцветного кружащегося светильника...

И теперь отдать все этому плюгавцу? А самому стать тем, кого разыскивает милиция, — так, что ли?

Конечно, он не задавал этих вопросов Неделину, он коротко обрисовал ситуацию и спросил:

— Ну, что? Значит, тебе и машину отдай, и работу отдай, и любовницу отдай, и жену с детьми, которые меня обожают, между прочим. Да?

— Ничего мне не надо. То есть жену и детей — само собой. А остальное оставь при себе. Или я обращусь в органы.

— Постой. А как ты это сделал? Какой тут механизм?

Неделин помолчал. Запальцеву открывать этот механизм не нужно, он не такой простак, как Субтеев, он волевой человек и сумеет удержать себя от страха и возникающего вслед за страхом желания переселиться. Тут надо подумать.

— Не все сразу, — сказал он. — Сначала тебе нужно узнать, как я за тебя жил.

И рассказал — не все, но самое существенное. Он понимал, что Запальцеву трудно, как ни крути, а он — уголовник, его разыскивают, он вынужден будет где-то скрываться и скрываться долго, пока не пройдет срок давности. А кто его знает, каков срок...

Запальцев его даже не дослушал.

— Ладно, меня это не касается. Я понял, что не очень-то просто. Если бы ты мог так легко в меня забраться, то есть в себя, ты бы это уже сделал. А ты — нет. Значит, тут и моя доля нужна. А ее не будет. Или нет, — сказал он вдруг человеческим голосом. — Ты пойми — как я это Леночке объясню? Не жене, само собой, а другая которая? Я ее люблю очень сильно, я серьезно говорю. Я тебе эту любовь не могу отдать. Что же мне, в новой внешности к ней прийти и все ей объяснить? Но любовь понятие комплексное, она привыкла все вот это любить, а не только душу там.

— Вот это все — моложе и красивее, — польстил его внешности Неделин.

— Да плевать!.. Тут, брат, нужно подумать. Нужно ее подготовить. Давай вот что: я с ней поговорю. Как на духу. Подготовлю. А жене ничего не будем объяснять?

— Нет. Она ведь не заметит.

— Думаешь?

— Ты с ней это... Спал?

— Глупый вопрос.

— Да, конечно.

— Считай, что это ты с ней спал.

— Да, конечно.

— В общем, так. Ты пока отдохни, а я подготовлю Леночку, все ей растолкую.

— Где я буду отдыхать? На улице?

— Ну зачем же...

Запальцев привез Неделина на свою тайную квартирку и обещал быть к вечеру: кроме разговора с Леночкой, предстоит уладить серьезные дела, вернее, свернуть их, оповестить партнеров и сотрудников, что он выходит из всех игр и отбывает в неизвестном направлении. Неделин ведь не захочет и не сможет продолжать его деятельность? Ведь так?

— Не захочу и не смогу, — сказал Неделин. — Хочу работать там, где работал. Я соскучился по своему столу. И по автомату с газировкой в коридоре. И по курилке, где треплются во время обеденного перерыва.

— Автомат давно убрали, курить разрешено только в сортире, в курилке бильярд поставили, — огорчил его Запальцев.

— Не страшно, я некурящий.

В тихой квартире было сумрачно, окна зашторены, — и Неделин впервые за много дней хорошо и уютно поспал, успокоенный тем, что все вышло против его ожиданий гладко, что Запальцев так легко согласился на обратный размен.

Меж тем Запальцев и не помышлял объяснять все Леночке и сворачивать дела, он поехал за город, в ту рощу, где они с Леночкой любили устраивать пикник, и здесь, в тишине, стал обдумывать, каким образом ему избавиться от Неделина. Тот, наивный человек, даже не обратил внимания на то, что Запальцев оставил машину за квартал от дома, провел его через подворотню, идя впереди, закрывая его собой и осматриваясь; никто им не встретился, никто не знает, что Неделин в этой квартире, никто не заметит, если он исчезнет, он, собственно говоря, давно исчез, — то есть исчез Запальцев, царствие ему небесное, хороший был человек! Но как все осуществить практически? Что ни говори, а убивать еще не приходилось, страшновато с непривычки.

Тут важно помнить: уничтожаешь того, кого уже нет! Или, можно сказать, самого себя, никчемного, пустого человека, спекулянта, вредителя общества: разве он не имеет права на самоубийство?

Итак, что делать? Убить, вывезти в лес и закопать? Но — следы от машины или кто-то поедет на воскресный загородный отдых с собакой, а собака возьмет и вынюхает труп из-под земли... Утопить в Волге в глубоком месте? Это надежнее. Вывезти на катере (еще одно недавнее скромное приобретение Запальцева), ошарашить веслом по голове, привязать к телу груз — и в воду. И никаких следов.

А почему — никаких? Пусть обнаружат Запальцева, самоубийцу, утопленника, так он исчезнет вернее, исчезнет, так сказать, официально, зафиксированно. Но как сделать, чтобы не было следов насильственной смерти? Это трудно, это нужно уметь. Нет, к черту всякие хитрости, на этих хитростях и попадаются. Утопить — и все. Кто будет искать человека, который давно уже потерян?

Неделин удивился, что Запальцев вернулся так рано.

— Я не рассчитал, — сказал Запальцев. — Мне нужно минимум три дня, чтобы свернуть все дела. Тебе же лучше, хвостов не останется. Иначе мои долги перейдут к тебе, глотку перегрызут. Тут тебе быть нельзя, перекантуешься эти три дня на даче. Там хорошо, продукты есть, природа чудесная, вокруг никого. Идет?

— Идет, — согласился Неделин, который почему-то даже рад был отложить встречу с женой и детьми. Не готов еще был.

Поехали к Волге, к лодочной станции, она находилась в прибрежном поселке под названием Затон.

— Мы что, на лодке?

— На катере.

— Зачем?

— Затем, что дача на острове.

— А-а... Богато живешь, я смотрю.

— Старался. Твои дети довольны. Или — наши дети?

День был будний, погода серая, в которую злодейство душе позволительнее. Катер с двумя моторами глиссировал. Ветер отбрасывал волосы, моторы ревели, приходилось кричать, чтобы услышать друг друга.

— Продай катер! — кричал Неделин.

— Отдам даром! Все отдам — и еще накоплю. Вор я или не вор?

— Вор! — дружелюбно смеялся Неделин.

На корме лежал новый лодочный мотор, купленный Запальцевым для запаса. Придется пожертвовать этим мотором. Он будет привязан к ногам трупа. А почему именно к ногам? Нет, в самом деле, почему, обдумывая убийство, он сразу решил привязать мотор к ногам и представил, как Неделин, утопший, будет стоять на дне, покачиваясь, в человеческой позе. А если привязать к голове — это, значит, будет нехорошо, не по-человечески? — труп, стоящий вверх ногами! «Смешны люди! — сказал в уме своим мыслям Запальцев, — даже в убийстве стараются соблюсти некоторые приличия. А вот привяжу к голове, и торчи пятками вверх, призрак!»

Катер несся между островами, вокруг — никого, пустая вода. А место глубокое, судоходное, вон торчит бакен, обозначающий глубину. Здесь тому и быть.

Моторы взвыли и заглохли. Оба сразу.

— Вот еще! — воскликнул Запальцев. — В технике разбираешься?

— На уровне велосипеда.

— Ладно, будешь помогать. Видишь вон тот тросик? Тяни его.

— Вот этот?

— Да. Тяни.

Неделин тянул тросик, который совершенно ни к чему было тянуть, а Запальцев давал моторам холостые обороты, моторы выли, исходя синим дымом.

— Сильнее! — крикнул Запальцев.

Неделин старался — согнувшись над моторами, стоя спиной к Запальцеву. Надо сделать всего три движения: рывком вынуть из уключины весло, размахнуться, ударить. Три секунды. Ну пять.

— Обоими руками тяни! — крикнул Запальцев. (Чтобы не обернулся, чтобы весь ушел в свой идиотский труд.)

Раз! — вынул весло. Два! — занес над затылком Неделина. Три!

— Не обоими, а обеими! — сказал Неделин. — Неужели Елена... — и обернулся, почувствовав странную тишину за спиной.

— Что Елена? — спросил Запальцев, держа весло над головой Неделина.

— Разве она тебя не поправляет? Она не любит, когда неправильно говорят, — изумленно произнес Неделин.

Бить, конечно, надо было ребром весла, но Запальцев ударил плашмя — для того, чтобы не было крови? — или пожалел? пожалел сделать слишком больно до того, как утопить?

Неделин поднял руки, но не успел подставить их под удар, весло стукнуло и соскочило с головы вбок. Неделин сел на борт, лицо исказилось от боли. Запальцев, мучаясь от вида этой боли — на лице, которое ему так знакомо, на своем бывшем лице! — второй раз занес весло и ударил плашмя, сбоку, сшибая Неделина в воду и недоумевая, зачем он это делает.

## Глава 45

Всплеск — и тело скрылось в воде. Неделин, бросив весло, подскочил к борту, вцепился в тело руками, оно шевелилось безвольно, безжизненно. Он повернул лицом вверх, глаза Запальцева были закрыты. Что ж делать-то, Господи! Оглядевшись, Неделин увидел моток веревки, обвязал этой веревкой Запальцева под мышками, потянул на себя, но мало чего добился, тело только чуть поднялось из воды. Неделин привязал веревку — пусть будет пока хотя бы в таком положении, — схватил весло и попытался приподнять Запальцева, действуя веслом, как рычагом, подсовывая весло под веревку. Еще немного, еще — и вот уже голова на уровне борта, плечи на уровне борта, Неделин перехватил и, упираясь ногами, изо всех сил потащил страшно тяжелое тело. Наконец эта масса тяжело перевалилась через борт, грохнулась на дно лодки, скорежившись между сиденьями. Неделин стал делать искусственное дыхание: нажимать на грудь, дышать в рот, разводить и сводить руки. Хлынула изо рта вода, Запальцев что-то промычал.

— Все в порядке! — закричал Неделин. — Все в порядке, дорогой ты мой! Ты жив!

— Сволочь! — прохрипел Запальцев.

— Сволочь, сволочь, как и ты! — бодро успокоил его Неделин. — Не надо было нападать, голубчик. Надо было честно обменяться!

— Отдай! — Запальцев схватил его вялыми руками и попытался трясти. — Отдай, все равно тебе не жить!

— Ну, знаешь ли! Я ведь и к рыбам могу отправить. Мотор вон к ногам привяжу и будешь на дне стоять, пароходам честь отдавать. Так что лучше не рыпайся.

— Не хочу, — сказал Запальцев.

— Стыдно! — сказал Неделин. — Каждый должен отвечать за себя; а так, чтобы я не я и рожа не моя, — нет, брат, не выйдет!

— Ты еще мне мораль читать будешь, сука рваная?

Действительно, подумал Неделин, с его стороны морализаторство вовсе неуместно. Но вот потянуло же что-то за язык.

— Как этой дурой управлять? — спросил он. — Или сам домой отвезешь?

Запальцев прочухался, и в его голове первым делом зашевелились конкретные мысли.

— Учти, все перепишешь на мое имя. Дачу, машину, катер. Нет, на мое имя нельзя, меня ищут. На другое лицо.

— Ладно.

— Все кооперативные дела тоже передашь мне, то есть они у меня и останутся.

— Тоже через другое лицо?

— Тоже. Леночке сделаешь какую-нибудь гадость, чтобы она тебя разлюбила. А я ее опять подхвачу.

— Я попробую. То есть я просто удалюсь от всего.

— Скотина ты.

— Не ругайся. Это — игра природы...

## Глава 46

Вечер.

Жена ставит перед Неделиным тарелку с ужином: макароны и две котлеты. Говорит про ужасные времена, даже макароны трудно достать, а котлеты, извини уж, из готового фарша, купленного в кулинарке, да и то по случаю, все исчезает; все... — не очень противно?

— Нормально, — говорит Неделин.

Елена про что-то рассказывает, он не слушает, зная, что и для нее самой это исполнение ритуала, надо ведь как-то... надо ведь что-то... надо жить...

Она говорит, а сама кладет перед ним газету, он ведь всегда ел с книгой или газетой. Неделин делает вид, что читает, но на самом деле читать давно уже не может, ничего не может читать в газете: ни агонизирующих передовиц, призывающих к укреплению партийных рядов (поскольку газета называется «Коммунист»), ни более или менее содержательную середку газеты, ни даже объявления и прочую мелочь на последней полосе. Все тревожит, бесит, раздражает, все сразу же, с места в карьер, заставляет скакать мысли, воспаляет мозги — а он этого не хочет. Ну вроде что такого, если скользнуть глазами по объявлению: «Утерянную лимитированную книжку (чеки с 489802 по 489825) арендного коллектива скреперистов УМ объединения «Агропромдорстрой» с остатком 31 860 руб. 80 коп. СЧИТАТЬ НЕДЕЙСТВИТЕЛЬНОЙ». В голове же Неделина все начинает колобродить, он злится на дикое слово «Агропромдорстрой», злится на то, что не понимает, что такое УМ, он представляет, как доверенное лицо этого самого арендного коллектива, какой-нибудь хваткий деловой человек, отмечая финан-

142

совую или деловую удачу, наклюкался в ресторане, по дороге домой падал и валялся — и потерял лимитированную книжку, и его теперь презирают товарищи, а может, и изгнали из арендного коллектива скреперистов, его ругает жена, его не уважают дети, он пьет с горя... а что такое скрепер, кстати? — что-то связанное с разрытием и перевозкой земли? — и возникает перед глазами картина какой-то стройки, рабочие возятся. В холоде и грязи, поскольку осень, тоска-то какая, но вот перерыв, зашли в будку погреться, выпить чаю, а то и водки, а водку нынче достать не так просто, некоторые наловчились гнать самогон и уверяют, что это даже лучше водки, а что если тоже взять и сделать самогонный аппарат? — и цепляются, цепляются мысли и образы, лезут и лепятся, мучают, и хочешь отвлечься, думать о другом, и уже вроде получается, но как будто вдруг включают радио: «Утерянную лимитированную книжку...» — и все пошло-поехало заново.

И поневоле начнешь читать другое что-нибудь в газете — чтобы отвязаться от этой колобродицы.

А другое и того хлеще: «Объединение разнобытовых услуг «Эра» реализует траурные венки по РАЗЛИЧНЫМ И УМЕРЕННЫМ ЦЕНАМ. Обращаться по адресу...» и т. п. Здесь бесят слова «разнобытовых» — уродство какое! и «реализует» — применительно к венкам. Вспоминается объявление на саратовском похоронном бюро «Ритуал»: «Кафе "Сюрприз" организует поминальные обеды...» Мать вашу, люди, вы что? Если вы устраиваете поминальные обеды — спасибо, конечно! — вы уж переименуйте кафе-то, остолопы!.. Вспоминаются похороны матери Фуфачева... Вспоминаются похороны матери своей, к которой он после возвращения съездил-таки на могилку вместе с сестрой, сестра недавно пригласила на день рождения, пили, пели, ели, тоска, а больше всех ненавистен был бард, друг Георгия, который пел смешную песню, то есть он и голосом, и мимикой, и шустрым бряканьем гитары показывал, что песня жутко смешная, хотелось же плеснуть ему чем-нибудь прямо в его кривляющийся рот; сестра говорит — стал мрачным! Георгий сует книжку по аутотренингу — да пошли бы вы все!.. Гитару разве купить и играть себе вечерами, играть и играть...

К черту газету — сделал вид, что все просмотрел и не нашел ничего интересного. Отложил. Елена чай наливает и отрезает кусок яблочного пирога. Испекла, ждет похвалы. Прекрасный пирог. Радио долдонит о современной жизни: новости и проблемы. Чей-то елейный голос: «Сейчас всем нам нужно задуматься о возрождении культуры, о возрождении святынь. Недавно я был в заброшенной деревушке, осталось всего несколько семей. Но какая там сохранилась церковь! Если ее отреставрировать...» — и представляется деревушка на угорье, и речка там, и лес, но осень, слякоть, сгорбленная старуха выходит из дома с ведром, бредет к колодезю, опускает ведро на «журавле», достает, перебирая сухими руками. Господи, отчего так тошно-то? Выключить радио.

Телевизор бесит еще больше, поскольку к слуховым раздражителям прибавляются зрительные. Гнетет публицистика с ее анализом несчастной жизни, хочется крикнуть: да знаю я, знаю! Информация со всех сторон, изо всех стран — и каждое слово как щелчок по больному месту, даже если сообщается что-то нейтральное, даже если приятное: в стране такой-то, городе таком-то открыт театральный фестиваль, честь открыть его предоставлена советским актерам и т. п. Какие фестивали, какая честь, о чем вы? Морочите друг другу головы, веселитесь, идиоты, радуетесь — чему? Неделин смотрит в программе, не будет ли чего легкого? Ага, вот музыкальная передачка, вот комедия, именно такая, какую хочется увидеть: глупая, легкая. Но и музыкальная передача разбередила с первых минут: поет, играя глазами и совершенно голыми ногами, певица, и Неделин, раньше тихо и смирно позавидовавший бы тому, кого любит эта миловидная-таки певичка, сейчас злится, не веря бодрости ее припрыгиваний и ужимок, не веря в искренность ее белозубой улыбки, не веря заманчивости нарисованных глаз; врешь, милая, врешь! — у тебя за плечами спанье со всеми подряд ради выхода на эстраду, ради показа по телевизору, у тебя семь абортов, гинекологические неприятности, головная боль, любовник-извращенец и муж-алкоголик, и дочку ты сдала в Дом малютки, и как ты ни пытаешься заработать, а колготки-то сама себе штопаешь, знаю, знаю — поэтому не ври, зачем врать? Комедия, ожидаемая с нетерпением, облегчения не приносит, вместо того, чтобы вникнуть в похождения героя, думаешь о том, насколько неприятно было ему, например, падать в холодную воду, как надоела ему во время съемок эта катавасия — и насморк заработал, из-за которого нельзя несколько дней играть в театре, ведь совмещать приходится, и давление поднялось: немолоденький уже, и режим не позволяет выпить водки с перцем да полежать три дня. Или вместо действия следишь за массовкой, толпящейся на задворках кадра: вон паренек старается, изображая удивленную толпу, хочет, чтобы в артисты взяли, вон кто-то тощий без зубов — нанялся в массовку ради похмельного рубля, а жара на всех давит, это видно, все обливаются потом и клянут режиссера, заставившего в десятый раз делать одно и то же. Глупо, грустно, гадко. Что? Жена что-то говорит, Неделин старается понять ее речь и ответить, но ничего не понимает, смотрит только на ее шевелящиеся губы и вспоминает, какая на них утром была помада, ведь, кажется, была какая-то или она не красит губы, нет, вроде красит, но какой? — алой? темно-красной? светло-розовой? — Неделину хочется спросить, но слишком уж идиотским будет вопрос. Завтра утром не забыть посмотреть. Бедные женщины, сколько усилий, чтобы быть красивее, а толку — шиш. Но почему она, едва придя домой, тут же стирает помаду (если была помада) и смывает тушь с ресниц, тушь есть наверняка, это он точно знает, без нее лицо у Елены становится совсем другим, — а почему не красятся мужчины? Нет, действительно, если они причесываются, чтобы казаться лучше, то почему бы и не красить глаза и губы? Хотя, говорят, уже красят.

Так, думая о постороннем, Неделин досматривает комедию до конца. Пришел старший сын Виктор, который заканчивает школу в этом году, и с ним давно уже надо бы побеседовать по родительскому долгу. Неделин подходит к Виктору, заводит разговор о планах, Виктор отвечает туманно и нехотя, чему-то усмехаясь; над отцом, что ли, смеется? — за что? Запальцев уверял, что у них были прекрасные отношения — на какой почве, спрашивается? Ты не хочешь всерьез подумать о своем будущем, говорит Неделин, а пора, давно уже пора — и сам с отвращением слушает свой голос, комкает воспитательную беседу, машет неопределенно рукой: живи, мол, как знаешь.

Опять садится перед телевизором, смотрит не видя и слушает не слушая, душно на душе. Голос Сережи, Сергей Сергеича, шестиклассника, который кажется спасением: «Пап, не поможешь задачку тут...» Неделин спешит к Сергей Сергеичу, подсаживается, треплет за вихры: «Эх, недоумок!» — начинает объяснять — и вдруг запутывается, начинает сначала и кое-как, с пятого на десятое постигает суть задачки, а затем, уже сердито, разъясняет сыну, швыряя ему тетрадку: «Головой работать надо, дебил!» Через минуту уже стыдно, хочется подойти к сыну: извини, брат, я просто не в настроении сегодня, — но что-то мешает. Не гордыня родительская, а понимание, что это будет ненатурально, и Сергей Сергеич почувствует, отдалится еще больше. С Запальцевым они за город выезжали на машине, собирали грибы, но это, между прочим, смертельное занятие, в газете вон пишут, что сейчас отравляются даже съедобными грибами: отравлена почва, отравлены подземные воды, все отравлено, сидите дома, детки, так оно спокойнее. Все сидите дома и не ахайте, что плохо, — будет хуже! С другой стороны, сейчас бы груздя соленого под холодную водочку. Замечательно! Сидишь так у костра, рядом ружье валяется, дичь в этом самом, как его...

— Лен, как сумка охотничья называется?

— Какая сумка? Патронташ?

— Да нет! Сумка такая, куда дичь складывают?

— Не знаю.

— Тебе просто подумать неохота. Филолог называется!

— Чего ты злишься? И зачем тебе это нужно?

— Отвяжись!

— Кто привязывается?

Как же она называется, вот пропасть-то! Рюкзак, сидор, бурдюк, чемодан, совсем чепуха, какое-то сложное слово, труднопроизносимое... Как же... Как же... У Неделина даже голова начинает болеть, ходит нервно по комнате; нет, это нестерпимо, хватает куртку.

— Куда?

— Позвонить надо.

Бежит на улицу к автомату (свой телефон, установленный Запальцевым, вот уже полгода не работает, говорят, где-то кабель порвался. Сволочи. Запальцев небось показал бы им кабель. Плевать, он и не особенно нужен, телефон). Набирает номер сослуживца Хахарьева, охотника, спрашивает нетерпеливо, тот удивляется: зачем? Кроссворд решаю.

А-а-а. Энциклопедию надо иметь. Ягдташ, вот как!

Ягдташ, ффу, отлегло. Ягдташ. Ягдташ.

Возвращается домой.

— Позвонил?

— Да.

А зачем ему был нужен этот «ягдташ»?

...Слава богу, кончается вечер, скоро спать. Перед сном давний и обязательный ритуал — почитать что-нибудь. Елена шуршит газетой — как она может? — и даже пытается с ним обсудить чьи-то статьи, в которых особенно четко изложена суть настоящего момента; извини, я сам читаю, приходится тоже взять книгу, чтобы избавиться от разговоров. Современных авторов Неделин не переваривает, поскольку окружающая жизнь ему и въяве остобрыдла, у него на нее умственная аллергия, если хотите. Лучше-ка взять старую уютную классику, где мало что царапает, где все знакомо, читано-перечитано. Но, странное дело, и классика раздражает. Вот Гоголь с его маленькими несчастными людьми. Все вранье, они беспредельно счастливы. Башмачкин с наслаждением бумаги переписывает. Что, нет? Дальше. Ноздрев враньем счастлив, Манилов мечтательностью, Плюшкин скупостью, Собакевич кушаньем, Чичиков просто-напросто сам собой счастлив. Кто сказал, что Гоголь сатирик? Кого он бичевал и клеймил, опомнитесь! Он зверски завидует своим героям, и пусть не врут учителя литературы, нет никакого второго смысла у названия «Мертвые души», имеются в виду умершие крестьяне, а герои — души живые, самоудовлетворенные. Может, поделиться этими мыслями с Виктором, пусть порадуется за отца, умеющего извлечь из заезженного — парадокс. Но Виктор сейчас нацепил наушники и перед сном слушает каких-то там своих кумиров, в частности рок-певца Неделина, однофамильца — чем он горд, — звезда которого ярко вспыхнула и тут же закатилась. Иногда так и подмывает сказать ему: это ведь я, милый ты мой, я, которого ты считаешь уже замшелым стариком, это я, вот так-то! Но — нельзя. Знает только Елена. Ей нельзя было не рассказать — ведь надо было объяснить исчезновение машины, катера, дачи и всего прочего. А Запальцев, между прочим, уже открыто разъезжает по городу, никого не боясь. Неделин несколько раз видел его, хотя на улицу выходит очень редко, видел два раза из окна автобуса и один раз, когда ходил в магазин. Запальцев помахал ему рукой и даже остановился у тротуара, но Неделин отвернулся и быстро пошел прочь.

Знает только Елена. Когда Неделин все ей рассказал, она назвала его психом, смеялась, очень долго смеялась, зашлась смехом, и Неделин не сразу понял, что смех этот — истерический, болезненный, стал отпаивать ее водой, Лена стучала зубами, прикусывая чашку, лицо стало бледным. А сказала всего-навсего, когда успокоилась:

— Ну так, значит, так...

И больше ничего.

Она держит газету, он книгу, над ними двухламповый супружеский ночник — полоса света в ее сторону, полоса света в его сторону. Сейчас кто-то спросит:

— Будешь еще читать?

Ответ:

— Да, немного.

— А я спать, устал (устала).

— Ладно. (Это вместо — «спокойной ночи».)

Так всегда: кто-то еще читает, а кто-то засыпает. Сегодня она засыпает раньше, завтра он. Сегодня гаснет полоса света в ее сторону, завтра — полоса света в его сторону. Поочередно. Ни разу вместе. Ни разу вместе не остались в темноте. Неделин ее понимает. Ей трудно привыкнуть, трудно осознать, трудно настроиться. А он поначалу, в первые вечера, брал ее за руку или, как бывало, хотел подуть в ушко, перебрать пальцами завиток волос на виске, но она убирала руку, отворачивалась: «Не сейчас, Сережа...»

Кажется, это «не сейчас» может превратиться в «никогда». Что с ней происходит? Ведь женщина интеллектуальная, не потеря же машины, дачи и финансового благополучия ее расстроила?

Не хочется даже думать об этом. Она заснула. Можно и мне спать. Кончен день.

## Глава 47

Он устроился на прежнюю работу. Его преемник достиг некоторого начальственного положения, но Неделина взяли рангом пониже, беззлобно злорадствуя по поводу того, что вот-де, каков он хлеб вольного предпринимательства, вот они, легкие-то денежки, — а в государственном учреждении на твердом окладе, оказывается, надежнее! Эта мысль многих утешала.

Очень скоро Неделина понизили, увидев, что он совсем не справляется с работой, которую Запальцев проделывал шутя. Потом понизили еще, и Неделин вернулся на прежнее место, его встретили с неподдельной радостью, ведь он был и выглядел проигравшим, а проигравших у нас любят. Не прошло и двух-трех дней, как все словно и забыли даже, что он куда-то отлучался, что ходил в начальниках, и уже Илларионов, месяц назад называвший его по имени-отчеству, стал обращаться исключительно по фамилии, стал уже поцыкивать, поторапливать. Неделин к этому относился равнодушно.

Странные у него были мысли, на странные поступки иногда потягивало. Сидит-сидит за своим столом и до жути вдруг захочется пойти к Илларионову или к самому директору товарищу Штанцив и сделать что-нибудь... что-нибудь такое... раскованное и дерзкое, хулиганское, безобразное... только зачем?

А то вдруг очень захочется выпить. Два раза он исполнял желание, оба раза вечером молча выпил бутылку водки. Елена — ни слова, только открыла банку помидоров, маринованных ее матерью, и поставила перед Неделиным.

Но это только два раза. Остальные вечера были одинаковыми: ужин, держание в руках газеты, сидение перед телевизором, натужное общение с детьми, держание в руках книги на ночь.

— Ты еще почитаешь?

— Да, немного.

— А я спать.

— Ладно...

Как-то Елена сказала:

— Ты совсем не ходишь никуда. Устаешь на работе?

— Да так, — сказал Неделин.

Значит, вспомнила его прежнюю привычку к ежевечерним прогулкам. Сказала: «ты не ходишь никуда». А могла бы: «мы не ходим никуда». Выпроваживает.

Впрочем, действительно, сколько можно отсиживаться? — или он боится опять перейти в кого-нибудь? Теперь не захочется. Надо заставить себя, надо выйти.

Он вышел.

Стояли ясные дни бабьего лета, вечер приходил как бы нехотя, сам себя не желая, в это время Неделин и отправился на прогулку по Кировскому проспекту.

Пересекая площадь у фонтана, он вспомнил вдруг, как, утверждаясь в смелости, обеспеченной чужим обличьем, помочился на площади перед аэропортом в Адлере. Что сейчас мешает повторить этот подвиг? Тогда он был не он, тогда это делал как бы другой. Но что теперь ему мешает представить, что это делает кто-то другой? Что ему грозит? Ну, пусть штраф, пусть даже посадят на пятнадцать суток за хулиганство, но не смертная же казнь!

Так уговаривал себя Неделин, и руки уже тянулись вниз, но тут же отскакивали, тут же он делал, вид, что — ничего, случайное движение. И опять руки тянутся вниз, и вот он уже расстегнул и почти готов был все сделать, но тут увидел, что за ним с интересом наблюдает фотограф, расположившийся у фонтана с рекламными образцами своего творчества: юные красавицы, юные красавцы, почтенные старики, семейные портреты с добродетельными выражениями лиц, наклеенные на планшет. Неделин застегнулся и пошел дальше. Не смог.

В горле от пережитого волнения пересохло, а тут как раз на пути мороженщик со своим автоматом, рослый плечистый парень с умеренно дебильной мордой, делающий крохотную для своего организма работу: наполнял вафельные стаканчики коричневатой массой, сворачивающейся красивым таким завитком, который Неделину напомнил почему-то говяшку — когда хорошо работает желудок. Мороженщик сунул Неделину стаканчик с прохладной ароматической говяшкой, не глядя сунул, не глядя же раскрыл ладонь, чтобы туда положили деньги. Неделину страшно захотелось плюнуть в эту ладонь, поскольку видел, что парень презирает его, как всякий жулик (а без жульнического интереса такой здоровяга не стал бы тут работать) презирает обжуливаемого, психологически защищая себя от совести и лишних нервов. Но он не плюнул, отсчитал сорок копеек и высыпал на ладонь.

И показалось Неделину, что он идет сквозь толпу презрения, сквозь строй презрения, сквозь — будто бы — густой туман презрения. Продавщицы и продавцы магазинов, в которые он бездельно заходит, презирают его за то, что у него нет того, что есть у них, молодые люди презирают его за то, что он для них стар, плохо одет, за это же его презирают молодые женщины, о девушках уж не говоря. Неделину казалось, что торопливо идущий человек презирает его за то, что он, задрипанный, фланирует, сиротски облизывая мороженое, и ничего не делает для улучшения своей судьбы, не торопится, — презирает, а в нем самом, может, неосознанный страх: вдруг его дела не нужны, бессмысленны, не лучше ли сбавить шагу, купить тоже мороженое и пройтись спокойно, обратив внимание на природу (потому что дома, и люди, и плиты тротуара — тоже часть природы, и возможно, пора научиться любоваться окурком на тротуаре так же, как мы любуемся желтым цветком на зеленой поляне. Там желтое на зеленом, а тут на сером — оранжево-белый цилиндрик — фильтр и собственно окурок). Но нет, надо торопиться, надо все успеть, поэтому, отмахиваясь от непрошеных мыслей, он и презирает Неделина — наскоро.

Закрапал дождь, которого давно надо было ожидать, судя по небу, и многие раскрыли над собой зонты, и вот, видит Неделин, они уже презирают тех, у кого нет зонта, а те, у кого нет зонта, сразу каким-то невероятным образом умеют показать на лице, что зонт у них есть, они просто оставили его дома. И только вон тем двоим, которые идут в обнимку, лет восемнадцати, им наплевать на все, они не хотят стать под навес или в нишу подъезда, они даже хотят вымокнуть. Неделин встал в нишу подъезда, и на лице у него было ясно написано, что зонт у него есть, но он забыл его дома, на самом же деле старый допотопный зонт давно сломан, а новый купить никак не удается — то они страшно дороги, то их вообще нет.

Дождь прошел. Неделин, очень уставший за эти каких-нибудь полчаса, отправился домой, пообещав себе больше носа не высовывать на улицу: хватит, объелся, тошно. И даже не заглянул, как намеревался, в ресторан «Россия», посмотреть, работает ли там еще голубоглазая певичка Лена. Ну, допустим, работает, что дальше?

Он уходил, он прощался. Было чувство горечи и неудовлетворенности — не из-за того, что не сумел набезобразничать на площади у фонтана, из-за чего-то другого, не сделанного, не совершенного. Вон одинокая женщина стоит у кинотеатра, ждет начала сеанса, взять и подойти к ней, погладить ладонью голову и сказать, как говорили апостолы: «Радуйся!» Почему нет, почему нельзя? За сумасшедшего примет? А вдруг скажет: «Спасибо!» — и слезы заблестят на глазах. Неделин остановился перед женщиной. Она посмотрела на него. Неделин поднял руку для ласкового движения. «Вы чего? Вам чего? Вы кто?» — отшатнулась женщина с испугом.

Неделин торопливо — прочь.

Проходя мимо подворотни, длинной, как тоннель, сырой и сумрачной, он нагнулся: развязался шнурок — и что-то тревожное услышал из подворотни, посмотрел туда, увидел, как четверо молодых людей прижали к стене паренька и мытарят. Неизвестно, чего они хотели, но явно мытарили, у него был вид затравленный, а у них вкрадчивый, сладострастный, приготавливающийся. Слышалось: «Ребята, ну чего вы... Ребята...» — «Ты постой... Нет, ты постой...» Он посмотрел на Неделина. Неделин испугался: вдруг опять, вдруг переселится? Но тут же стало как-то совестно, он подумал, что если бы стал им, то смотрел бы сейчас вот так же, надеясь на помощь, а этот, глазеющий, счастливый своей свободой, завязал бы шнурок — и мимо, мимо, свободный, не удерживаемый, не унижаемый никем.

Может, этого и не хватало Неделину. Он подбежал, на бегу настраивая себя, подбежал к ним с дикими глазами и закричал, заорал, загайкал: «Ай! Ай! Что делается! Ай! Ай! (У подворотни останавливались люди.) Отдайте человека!— кричал Неделин. — Отдайте мне его! Ай! Караул! — кричал он по-бабьи. — Ай! Не могу! Ай, душа лопнет! Отдайте человека!» — и тянул несчастного к себе, выкрикивая еще какие-то странные слова, уже видя, что его принимают за сумасшедшего, и еще больше распаляясь от такого доверия, играя действительно сумасшедшего. И он отнял человека, увел его, они быстро прошли два квартала, а потом паренек побежал от Неделина — наверное, боясь его не меньше, чем недавних мучителей.

## Глава 48

Этот случай Неделина навел на такую мысль: а не стать ли действительно сумасшедшим, вернее, стать им формально и документально — пока не свихнулся на самом деле?

Ради исполнения этого замысла он специально записался в областную научную общедоступную библиотеку, взял там книги по психиатрии и стал изучать. Он понял, что полным сумасшедшим представляться трудно, почти невозможно, но достаточно сумасшествия бытового, достаточно, чтобы тебя признали психопатической личностью со склонностью к шизофрении.

Он сказал Елене, что в результате событий, о которых она знает, ему необходимо полечить нервы, она пожала плечами: ладно.

В районной поликлинике Неделин, к своему удивлению, без особого труда получил направление в психоневрологический диспансер, что на улице Тулупной: достаточно было сказать о тяге к самоубийству.

В первый же день имел беседу с лечащим врачом Матвеем Филатовичем, говорил вялым, равнодушным голосом (депрессивное состояние) опять-таки о тяге к самоубийству, о постоянной меланхолии, о тревоге за судьбы мира и цивилизации (навязчивые мысли). Матвей Филатович сказал, что случай Неделина — как раз то, чем он научно занимается, работая над диссертацией, и пообещал ему скорейшее выздоровление.

Неделину стали выдавать какие-то таблетки, наверное, успокоительные, или, как сказали его просвещенные соседи по палате, — антидепрессанты. У соседей болезни были схожие, все лечились от нежелания жить, и лишь один, по фамилии Супраков, недужил, наоборот, излишним желанием, которое его измучало.

Сидя вечером на кровати, покачиваясь взад-вперед, чтоб хоть как-то дать выход внутреннему динамизму, он рассказывает глухим голосом, взволнованно:

— Я из анекдота человек, есть анекдот про одного, который курить любит, а я все люблю, сковородку картошки съем, потом сковородку яичницы съем и еще хочу, чай с пряниками пью, двадцать пряников с чаем съем, не могу успокоиться! Пить как люблю, в смысле выпить! День пью, два пью, неделю пью, две недели пью, на работу не иду за счет отгулов... Пять раз в реанимацию возили... После этого успокаиваюсь, а через полгода опять. Говорить люблю, час говорю, два говорю, язык уже не ворочается, самому противно, тошнит, — остановиться не могу! Петь люблю! — любил, пока голос не сорвал, не дай бог с утра замурлыкать, дома пою, на работе пою, таксистом работаю, пою, клиентов пугаю, вожу и пою, ночью даже проснусь — петь охота, не могу, все, что знаю, спою, заново начинаю!

— А женщин, женщин?! — подначивают сопалатники, которые, напичканные лекарствами, интересуются женщинами лишь теоретически.

Супраков даже вскрикивает:

— Люблю! Не поверите: в церковь ходил, свечку ставил, Богу говорил: Господи, когда ж я на.....сь?! Ребята, ведь покоя уже нет! Увижу — в ней и нет-то ничего, а мне лишь бы грудь, задница и две ноги, — не могу! Прямо падаю, упрашиваю, с ума схожу, изнасиловать готов!

— И?

— Жалеют пока, уберегся... Но устал же ведь я! А как работать люблю! — вскрикивает Супраков. — Таксистом, говорю, работаю, по две смены, по три смены, как шальной, было — восемь суток подряд не спал, и все мне в удовольствие!

— Это рвачество, — сказал кто-то.

— Нет! — искренне сказал Супраков. — Люблю! Не могу больше, вот — лечиться пришел. Это же не жизнь! То пью, то работаю, то женщины, на износ, как проклятый, до пенсии не дотяну. Не хочу я этого, хочу как все. Жена уже извелась, я ее тоже люблю, перед детьми стыдно!

— И детей любишь?

— Люблю! Младшенького Васеньку из кровати достал, целый час щекотал, мял, целовал, попку кусал, животик взасос, чуть не задохся ребенок, еле отняли...

— Мама надо любит! — нравоучительно заметил Магомедов.

Магомедов — случай особенный. Он человек приезжий и по натуре очень деловой. Активен, наверное, не меньше Супракова, занятие его — многопрофильная спекуляция. Жил он припеваючи до тех пор, пока на вопрос покупателя о цене какого-то дефицитного товара назвал стоимость не тройную, а вдруг государственную. Покупатель так удивился, что заподозрил неладное и отошел. Магомедов с нетерпением поджидал другого, чтобы в отместку своему странному капризу заломить цену на этот раз впятеро больше действительной. Подошел следующий, и Магомедов, взглянув в его глаза, которыми покупатель смирно и безысходно ненавидел спекулянта, — и ему назвал государственную цену. Этот покупатель оказался бессовестным — взял товар. Брали затем и другие. Компаньоны Магомедова (а без компаньонов такие дела не делаются) очень рассердились на него, он искренне хотел исправиться, но не мог. Тогда к нему прикрепили напарника, но не успевал напарник раскрыть рот, когда покупатель спрашивал о цене, как Магомедов уже ласково кричал: «Своя цена, дорогой, своя цена!» Терпение компаньонов лопнуло, они хотели изгнать убыточного Магомедова из своих рядов, и Магомедов, отчаявшись, решил лечиться, захватив с собой в презент врачам ящик коньяка. Захватить-то захватил, но простоял с этим ящиком двое суток у диспансера, с недоумением глядя то на коньяк, то на здание больницы, как бы забыв, зачем пришел, — под дождем. Наконец его заметил все тот же Матвей Филатович, за плечи повел в приемный покой. Магомедов оборачивался и дрожащими пальцами молча показывал на ящик с коньяком.

— Подарок, что ли? — подсказал Матвей Филатович.

Но Магомедов только разрыдался, повторяя:

— Лечи, пожаласта! Лечи, пожаласта!

И вот теперь Матвей Филатович лечит, описывая, наверное, этот случай в своей диссертации. Но ящик с коньяком он не взял, не взял! Ящик стоял неделю напротив диспансера, а надо сказать, что тут же, рядышком, находится винный магазин, алкоголики, собирающиеся к его открытию, не раз подходили к ящику, тупо стояли над ним, нагибались, рассматривая, но никто не тронул ни одной бутылки — не верили. На исходе недели ящик задела колесом проезжавшая по ухабистой Тулупной машина, он перевернулся, бутылки разбились, алкоголики учуяли запах и бросились, вырывали друг у друга полуразбитые бутылки, на дне которых что-то плескалось, пили, обрезая руки и рты.

— Мама надо любит! — с увлажнившимися глазами сказал Магомедов.

— Люблю! — заплакал Супраков. — Каждый месяц к ней в деревню езжу, подарками завалил, люблю маму, люблю родное село, родину люблю, отечество! — И он неровным сиплым голосом затянул русскую народную песню, допев которую, расплакался еще горше: — Нельзя так жить!

Ему вкалывали и давали горстями нейтрализующие средства, но они, кажется, не давали результата. Супраков бродил по коридорам с мучительными глазами, заглядывал в женские палаты, женщины, знающие о его болезни, поспешно закрывали двери. Однажды медсестра, симпатичная девушка, делала ему очередной укол. Супраков застонал и взял ее за руку.

— Разве больно? — удивилась медсестра.

— Уйди! — попросил Супраков.

На следующее утро его нашли в туалетно-умывальной комнате повесившимся на разодранной и тонко, но крепко скрученной простыне, чем очень возмущалась сестра-хозяйка...


Неделин не пил лекарств, не чувствовал необходимости.

Матвей Филатович через равные промежутки времени расспрашивал Неделина о его мыслях. Неделин говорил мрачно и тихо, почти вещал о том, что его удивляет, почему люди открыто не убивают друг друга среди белого дня, это ведь давно уже возможно. И в первую очередь убить нужно его, Неделина, — уже потому, что он не представляет никакой общественной и личной ценности, и наверняка кто-то об этом догадался и преследует его исподтишка, прельщенный возможностью убить человека, гибель которого никто не заметит... Матвей Филатович не спорил, но умело направлял разговор в другое русло, вызывал Неделина на откровенность, прося рассказать о работе и семье. Неделин заготовленно жаловался и на работу, и на семью. Матвей Филатович, почувствовав в Неделине ум, способный к усвоению сказанного, стал объяснять ему, что неурядицы на работе и в семье — следствие его робости и внутренних запретов. Он видит в других способность к убийствам и насилию вообще потому, что чувствует в себе эту способность — и боится ее. Но бояться ее не нужно! Однако не следует и давать ей обязательно прямой выход! Просто нужно мужественно сказать себе: да, я частично подл, как и прочие, но если я никого еще не убил и не зарезал, значит я сильный человек! Значит — я властвую собой! Значит — и другие умеют это делать! Значит — нужно успокоиться.

— Вы это по науке говорите или исходя из себя? — с искренним интересом спросил Неделин.

— Исходя из себя. И по науке.

— Значит, вы, как и я, видите, что кругом ходят сплошные убийцы?
— Конечно!
— И как же вы?
— А что?
— Не боитесь?
— Ничуть!
— Почему?
— А потому что меня-то ведь тоже боятся! Зачем я себе буду нервы дергать? Пусть боится тот, кто слаб.
— Ладно, это страх. А зависть?
— Что зависть?
— Нет, не зависть... Как бы сказать... Ну, уверенность, что другому в себе — сытнее. То есть душе его?
— Понимаю.
— Ни черта вы не понимаете! А если бы вот вам пришлось: посмотрел на другого человека, а он на тебя, и... И поменялись!
— Тоже мне, проблема! Запросто!
Матвей Филатович глянул в глаза Неделина — и тут же Неделин оказался напротив себя самого, в белом халате.
— Ап! — воскликнул он сам с интонацией Матвея Филатовича, — и они мгновенно поменялись обратно.
— И вас это умение... не тревожит? — спросил Неделин. — И вы не переходите ни в кого? Вам как психиатру...
— Мне как психиатру и в себе самом хорошо. Мне скоро докторскую защищать, не до пустяков, извините!
— Да... Конечно...

И с этого момента Неделин словно что-то понял, словно выздоровел, он стал просить Матвея Филатовича о выписке.
— Сознайтесь, вам тут просто надоело? — спросил Матвей Филатович. Неделин разгадал тонкость этого вопроса и сказал:
— Да, признаться, надоело.
— Вот и отлично! — сказал Матвей Филатович. — Это уже признак выздоровления. Понаблюдаемся еще деньков пять — и на свободу!
Неделин запротестовал, сказал, что очень хочет домой, к детям, и чем больше уговаривал Матвея Филатовича, тем больше тот был доволен и в результате принял решение о выписке в тот же день.
Теперь Неделин имел справку о болезни, хотя, получив ее, задал себе вопрос: разве нельзя без нее было обойтись? Это уже советская привычка: документ в кармане сердце греет.

## Глава 49

В субботу среди дня он пошел на проспект Кирова. Пересекая площадь у фонтана, сделал то, что не мог сделать раньше. Неудобство ощущалось лишь одно: брызги, разлетающиеся от твердой поверхности бетонных плит,

153

закрапали ботинки. После этого он спокойно застегнулся и постоял у лужи, обводя глазами окружающих. Кто вовсе не заметил, кто улыбнулся, кто захихикал, а кто и невоспитанно заржал, показывая на Неделина пальцем, но стоило любому из глазеющих встретить взгляд Неделина — внимательный, ироничный, убежденный в своей правоте, — и он тут же отводил глаза. Неделина кто-то тронул за руку. Он обернулся: милиционер и дружинник с красной повязкой.

— И зачем же вы это сделали? — поинтересовался милиционер, демонстрируя свою вежливость, а дружинник приготовился, чтобы взять пьяного.

Но Неделин трезвым и спокойным голосом сказал:

— А захотелось.

— Больной, — сказал милиционер дружиннику, и они проследовали дальше, пресекать настоящие беспорядки.

Из магазина «Искусство» вышла девушка, она несла перед собой стопу книг — для другой девушки, которая продавала книги возле магазина с прилавка-лотка, пользуясь хорошей погодой. Известно, когда человек осторожно несет то, что может упасть, разбиться, рассыпаться, многим, кто это видит, невольно хочется, чтобы — упало, разбилось, рассыпалось. Неделин тоже уловил в себе такое желание, а уловив, подошел к девушке и толкнул ее, книги рухнули на тротуар.

— Ты очумел? Смотреть надо, куда прешь! Пьяный, что ли? — закричала девушка.

— Я не пьяный. Я нарочно, — сказал Неделин.

Девушка, не слушая, подбирала книги, сдувала с них пыль. Неделину стало жаль ее, он с извинениями помог собрать книги и донести до лотка.

Пошел дальше. А вот и тот самый мороженщик, парнище, презирающий покупателей.

— Сколько? — спросил он не глядя на Неделина.

— Одну! — сказал Неделин ехидно.

Презрительно двигая руками, мороженщик наполнил стаканчик ароматической говяшкой, сунул Неделину и держал руку с открытой ладонью, ожидая денег. И Неделин плюнул ему в ладонь. Тот заглянул в ладонь, сильно удивленный, посмотрел на Неделина и, без того краснолицый от осеннего холодка, стал багроветь, догадываясь, что его оскорбили. Неделин положил мелочь на прилавок, а мороженое приблизил к роже мороженщика — и стал ввинчивать его, стаканчик хрустел, ломаясь. Кончив дело, Неделин стал ждать. Мороженщик вытер лицо фартуком, посмотрел на Неделина с человеческой обидой и тихо спросил:

— Ты кто?

— Неделин Сергей Алексеевич.

— Нет, а кто ты? Чего тебе?

— Да ничего, собственно. Работай честно.

Мороженщик был окончательно обескуражен. Неделин не стал еще больше озадачивать его. Удалился.

Он шел, свободно и радостно глядя вокруг.

Завернул в один из магазинов — пустой, поскольку товаров едва-едва хватает самим продавщицам, их знакомым и родственникам (такова была торгово-экономическая ситуация описываемого времени), и весело, громко сказал:

— Здорово, воры!

Против его ожиданий продавщицы не дрогнули и не возмутились, посмотрели на него лениво, без интереса. Он ушел несколько уязвленный.

Что бы еще сделать?

Вот идет хмурый, озабоченный пожилой человек. Дети ли его заботят, события ли внешнего мира, собственная ли болезнь? Идет — одинокий, понимая, что никому не нужна его печаль, никто его не утешит.

Неделин протянул ему руку:

— Здравствуйте!

Пожилой человек пожал руку и только потом пробормотал:

— Извините, не припомню.

— А вы меня и не знаете. Мне просто с вами поздороваться захотелось. Все будет хорошо.

— Дурак, — сказал пожилой человек, мгновенно став злым.

— Почему? — удивился Неделин.

— Шею бы тебе намылить, скотина, урод такой! Прохода уже нет, одни психи везде!

Неделин огорчился.

## Глава 50

На работе он скучал, дела запустил, поначалу ему прощалось, как недавно болевшему, но вот дошло до того, что Илларионов вызвал его к себе в кабинет для проработки.

Неделин вошел с улыбкой.

— Я вам завидую, — сказал Илларионов. — Если бы я так работал, как вы, меня бы совесть замучила, а вы — веселитесь.

— А если бы я работал так, как вы, — ответил Неделин, — то я бы вообще повесился, но вы-то живете?

— Ты идиот или притворяешься? Думаешь, полежал с нервами — и тебе все можно? Тогда всем все можно, все с нервами, и я тоже, между прочим. Ясно?

— Я притворяюсь идиотом, — сказал Неделин. — Не всем же иметь такой естественно идиотский вид, как у вас.

— Что?!

— И не носите платок в нагрудном кармане, это старомодно. Уголок, видите ли, торчит! Не можете забыть, как тридцать лет назад на танцы ходили? — Подойдя, Неделин выхватил платок, аккуратно высморкался, бросил в корзину для бумаг и сказал: — Ну, я пойду заявление об уходе напишу.

Уволившись, Неделин стал просматривать в газетах ежедневные объявления центра по трудоустройству, решая, куда податься. Ему попадались специальности машиниста маркировочной машины, электросварщика, формовщика, крановщика мостовых и башенных кранов, арматурщика, столяра по ремонту какого-то подвижного состава, сменного мастера прачечной, ученика швей и вышивальщиц, фрезеровщика, экономиста, сторожа... стоп! — вот это годится.

И он устроился сторожем при одной организации.

Поскольку ни читать, ни слушать радио он не мог, то занимался бессмысленным и успокаивающим делом: строил из спичек домики, башенки, мечтая со временем научиться сооружать целые замки и модели кораблей, этому его научил на Тулупной один из сопалатников Незамайнов, который, правда, на этой почве и сбрендил: задумав построить модель московского Кремля в полтора метра высотой, он всеми помыслами отдался этому; работая в планово-финансовом отделе какого-то предприятия, то и дело смотрел на часы, дожидаясь конца службы, дома наскоро ужинал, закрывался у себя в комнате и творил, невзирая на скандальный голос жены за дверью, забыв, что у него сын-бездельник и дочь на выданье. Работа близилась к концу, и был день, когда он не пошел на службу. Восемь дней он не показывался из комнаты, не ел, не пил, испражнялся в горшки с цветами, на стуки и крики отвечал руганью. Пришлось вызвать психиатрическую бригаду, взламывать комнату и тащить упирающегося Незамайнова, плачущего и кричащего, что ему осталось совсем немного.

Матвей Филатович первым делом задал ему вопрос: для кого строилась эта столь превосходная модель, ведь она монолитная и ее нельзя вынести из комнаты?

— Да, все сцеплено, не разберешь, за одну спичку потянешь — другие распадутся, — гордо ответил Незамайнов.

— Так для кого же сей труд? — повторил вопрос Матвей Филатович.

— А для себя!

На этом Матвей Филатович прекратил беседу и назначил Незамайнову лекарства, в душе считая его, однако, вполне нормальным человеком.

В сторожевой работе для Неделина было плохо только то, что дежурить приходилось по суткам, а двое суток — дома. Но вскоре он сумел устроить так, что дежурил уже по двое суток подряд, ему не в тягость, а денег зато вдвое больше, этим он надеялся задобрить Елену, хотя она в последнее время не жаловалась на нищету. Она ни на что не жаловалась. Только однажды, подав Неделину еду, положила на стол не обычную газету, а какой-то листок.

— Это что? — спросил Неделин.

— Читай.

Неделин прочитал и увидел, что это заявление в суд на развод.

— Ясно, — сказал он. — А мне что теперь?

— Как что? Тоже заявление подавать. Так сказать, по взаимному согласию.

## Глава 50,5

Неделин понял, что давно уже ждал этого, — и не то чтобы обрадовался, а стало как-то спокойнее, утвердительнее на душе.

Разъехаться им, благодаря Запальцеву, сделавшему из двухкомнатной квартиры четырехкомнатную (пробив дверь к соседям, самих соседей выселив с помощью райисполкома в новый микрорайон), было проще простого: заколотили дверь, вот и все. Но Елене и этого было мало, и вскоре она сумела обменять свои две комнаты. Произошло это почти молниеносно: вернувшись после дежурства, Неделин позвонил в дверь бывшей своей квартиры, позвонил не по делу, а машинально, потому что о чем-то думал в эту минуту.

— Кто там? — послышался детский голос, голос какой-то девчушки.
— Это я, — сказал Неделин, ничего не понимая.
— Кто «я»? — допрашивал голосок.
— Ваш сосед.

Дверь открылась, на пороге стояла девочка лет десяти.
— Мамы нет дома. Что ей передать? — благовоспитанно спросила она.
— Ничего. Я так.
— Я скажу, что заходил сосед, — предложила девочка.
— Да, так и скажи. Заходил сосед.

## Глава 51

И зажила за стеной семья — мама и дочка. Маму Неделин встречал на лестнице или во дворе, здоровался. Она сразу же понравилась ему с мужской точки зрения, а потом он стал все чаще и чаще задумываться о ней, откладывая даже ради этого сооружения спичечных домиков, просто сидел и думал о ней. Надо зайти познакомиться, но как это сделать, чтобы сразу попасть в точку, чтобы сразу покорить, ошеломить? Он ведь теперь вольный, свободный человек — хотя уже не ходит гулять, показывать другим и самому себе свободу, — после того как увидел настоящую сумасшедшую, которая шла по проспекту Кирова в драной какой-то шубе, размахивала драной сумкой и орала драным голосом:

— Паразиты! Совести нет. Да? Уймись, уймись, Дюймовочка! Несчастный случай! Двадцать третье сентября! Хамло необразованное! Дай пирожок! Дай, тебе говорят! Дай, а то умру! Дай пирожок! (Это она клянчила у окошка, где продавались пироги, и, чтобы отвязаться от дурочки, ей давали-таки пирог, она неопрятно ела его и продолжала выкрикивать неопрятные слова.)

Неделин купил тетрадь в красной обложке (ему обложка понравилась) и решил не просто обдумать, а записать варианты знакомства с соседкой.

Он красиво и неторопливо писал:

ВАРИАНТ ПЕРВЫЙ

Я. Здравствуйте.
ОНА. Здравствуйте.

Я. Извините, вас не Леной зовут?

ОНА. Нет. Наташа.

Я. Слава Богу!

ОНА (смеется). Почему?

Я. Потому что мне в жизни попадаются сплошные Лены, и они приносят только несчастье.

ОНА. Но я вам еще не попалась.

Я (с усмешкой). Как знать.

. . .

А дальше что?

## ВАРИАНТ ВТОРОЙ

Я. Здравствуйте.

ОНА. Здравствуйте.

Я. Неудобно — соседи, а до сих пор незнакомы. Сергей Алексеевич, можно просто Сергей.

ОНА (к примеру). Наталья Петровна, можно просто Наташа.

Я. Очень приятно.

ОНА. Взаимно. Заходите чайку попить.

Я. Считайте, что уже зашел.

Она смеется.

...Скучно как-то это, пресно, тривиально. Не видно масштаба личности.

## ВАРИАНТ ТРЕТИЙ

Я. Здравствуйте. Я хочу тебя, пошли ко мне. Будешь довольна.

Она идет ко мне. Все.

## ВАРИАНТ ЧЕТВЕРТЫЙ

Звоню. Она открывает. Вхожу. Становлюсь на колени.

— Женщина! Спаси человека, лишенного любви к детям и к самому себе!

...Примет за психа. А не псих ли я уже, в самом деле? Нет, читал в специальных книгах, что тот, кто задает себе подобные вопросы, еще не псих. Но близок к этому.

## ВАРИАНТ ПЯТЫЙ

Встречаю на лестнице.

Я. Вы извините, но я прямой человек и поэтому иногда похож на сумасшедшего. Но я не сумасшедший. Я вас полюбил.

ОНА. Вы не поверите, но я вас тоже полюбила, хотя мы даже не знакомы.

Я. Давайте познакомимся уже потом?

ОНА. Когда потом?

Я. Не понимаете?

...Чушь какая-то...

Таким образом Неделин сочинил десять, пятнадцать, двадцать вариантов и так увлекся этим, что совсем забыл о спичечном строительстве, и на дежурстве и дома он писал, писал — и на тридцать восьмом варианте тетрадь кончилась. Это было на дежурстве, ночью. Неделин еле дотерпел до утра, до открытия магазинов, побежал и купил другую тетрадь, точно такую же, в красной обложке. Он открыл ее, заглянул на последнюю страницу исписанной тетради, чтобы продолжить с того, на чем остановился, — и увидел чистый лист. Удивившись, Неделин перевернул лист и увидел опять девственную чистоту. Так он пролистал тетрадь в обратном направлении от корки до корки и не обнаружил ни строки. Перед ним лежали две абсолютно одинаковые чистые тетради; чтобы убедиться в их одинаковости, Неделин даже сравнил внутренние стороны задних обложек, на которых было напечатано: «ОБЩАЯ ТЕТРАДЬ. АРТ. 6701 р. ГОСТ 13309-79, 96 листов, цена 95 коп.». Пересчитал листы — и там и там ровнехонько 96 листов. Что за чушь?

## Глава 52

С этой минуты он потерял интерес абсолютно ко всему, на дежурствах дремал или бесцельно смотрел в окно, как проходят люди, если это было днем, как темнеет небо, если вечером, и как ничего не видно — если ночью. Питался он чаем, кефиром, хлебом и больше, кажется, ничем. Однажды он разложил свой скудный ужин и поставил кружку с чаем на какой-то замызганный журнал, невесть как здесь оказавшийся. Взяв же кружку, вдруг подумал: а не разучился ли он читать? Мысль глупая, смешная, но раскрыл журнал с некоторым испугом. Нет, все в порядке, узнает буквы, узнает слова, а вот какая-то знакомая фамилия над рассказом с интригующим названием «Технология самоубийства». Неделин вспомнил: это тот самый корреспондент, который брал у него интервью, когда он стал певцом Субтеевым. Значит, уже литературой занялся? Неделин начал читать. Это был, собственно, не рассказ, а жизнерадостная болтовня о предмете, в котором автор явно ничего не смыслил. Например: «Одинокому человеку непременно нужно завести собаку. Когда эта бессловесная тварь лает и скулит у тебя под ухом в половине шестого утра, просясь на улицу для совершения утреннего туалета, не станешь лежать и размышлять о бренности наступающего дня: и досадуешь на собаку, и жаль ее, суку такую, всю свою собачью жизнь отдавшую твоему попечительству, и благодарен ей за то, что она не может без тебя жить. Не знаю, учитывает ли это статистика самоубийств, но мне почему-то думается, что самые одинокие и разочарованные люди не кончают с собой, если у них есть собака. Он стоит страшным вечером у открытого окна на четырнадцатом этаже, смотрит в заманчивую пропасть, ведь так просто, так быстро! — но тут собака подходит и тыкается носом под коленку, он оборачивается и вспоминает, что в случае его смерти собаку некому будет вывести поссать, — и откладывает свое решение, как минимум, до утра, а может, и навсегда. Конечно, он может отдать кому-нибудь собаку и покончить-таки с собой, но это будет уже самоубийство человека без собаки...»

Дурак, сказал Неделин автору, швырнул журнал в угол, а на другой день поехал на Сенной рынок, где, он знал, продают щенков. Продавали большей частью сомнительных щенков, выдавая их за овчарок, продавали откровенных дворняжек, но были и благородные, и даже с родословными: терьеры, пудельки, колли. На пушистого щенка колли и нацелился сперва Неделин, рядом стояла взрослая собака, демонстрируя благородство и изящество, а Неделин ведь всегда любил благородство и изящество. Но почему-то прошелся еще — и увидел на руках у полупьяной старухи вислоухого пятнистого щенка.

— Возьми, мужчина, — сказала старуха. — Настоящая кавказская гончая овчарка. Стоит двести, продаю за червонец. Возьми, а то утоплю.

И Неделин купил этого щенка.

Поначалу он доставлял немало хлопот: гадил и делал лужи где попало. Но очень скоро он научился терпеть от прогулки до прогулки. Неделин и на работу брал его — вернее, ее, — оказалась сучка, кличку он ей дал Диана, а проще — Динка. Достал книжку об уходе за собаками, изучил правила кормления, выгула и дрессировки. Кормил лучше, чем себя, — мясом, а мясо где взять, кроме как на рынке, а на рынке — цены.

В общем, много хлопотал над своей Динкой и очень ею утешался, подумывал уже о том, чтобы завести еще одну собаку — чтобы было больше хлопот и больше утешения. Но как подумал, так и раздумал, понял, что никакую другую собаку не будет любить больше Динки — с ее круглыми темно-коричневыми глазами, виляющим хвостом и заливистым лаем, которая ночью ложится с ним в постель, и Неделин не прогоняет ее, хотя это и запрещено в книге про собак; он, засыпая, чешет ей за ушами, гладит брюшко, а Динка урчит.

Неожиданно пришла соседка:

— Добрый вечер. Извините, увидела с балкона, что у вас свет. Не поможете мне кость разрубить? Купила дурацкое мясо с костью, не влезает в кастрюлю. Поможете?

— Конечно, — сказал Неделин.

Динка тоже что-то сказала своим лаем и полезла женщине под ноги, виляя хвостом.

— Красавица ты моя, — сказала женщина.

— Дворняга.

— Все равно красавица. Как нас зовут?

— Диана. Динка. А вас, извините? А то неудобно даже, сколько уже соседи.

— Ирина.

— Сергей. Сейчас мы вам порубим вашу кость.

Неделин взял топорик и пошел рубить кость.

— Какое паршивое мясо! — говорила женщина.

160

— А что сейчас не паршивое?

— Действительно.

И они стали говорить о паршивости времени — оба оказались уязвлены этой паршивостью. Разговора хватило и на то, чтобы попить чаю после рубки кости, и на то, чтобы после чая просто посидеть, неторопливо вслушиваясь друг в друга.

## Глава 53, последняя

Остальное произошло очень быстро. Они стали захаживать друг к другу все чаще. Светланка, дочь Ирины, очень полюбила Динку, к Неделину относилась терпимо, задав однажды матери вопрос:

— Замуж, что ли, за него хочешь?

— Ты что? — удивилась Ирина.

— А что? Не век одной-то куковать. И ребенку отец нужен, — с ехидством повторила Светланка неведомо чьи слова.

— Ни за кого я замуж не собираюсь! — отрезала мать.

Однажды Неделин пришел с бутылкой шампанского и сказал, что у него день рождения. Ирина быстренько приготовила яблочный пирог-пятиминутку, подарила Неделину хорошую книгу, Светланка тоже сделала подарок: талантливый рисунок из сказки про Снежную королеву.

Выпив шампанского, Неделин, волнуясь, путаясь, сказал Ирине, что он давно уже что-то чувствует, проще говоря, она ему очень нравится, еще проще говоря — он ее любит, такие вот дела.

Ирина сказала, что это очень приятно, когда в этом мире существует все-таки любовь, и любовь может спасти, так получилось и совпало, что она тоже давно уже чувствует интерес к Неделину, проще говоря, он ей нравится, еще проще — она его, кажется, тоже любит.

— Это неправда, — сказал Неделин.

— Почему же?

— Меня нельзя любить. Меня никто никогда не любил.

— Не может быть.

— Я точно говорю.

— Значит — не разглядели.

— Наоборот. Но любовь — слепа! — банально сказал Неделин. — Поэтому может быть, может быть...

И пошел.

— Куда ты? — спросила Ирина.

— А? Я так... Ничего...

Поздним вечером он позвонил в дверь Ирины. Дверь открылась. Динка тут же шмыгнула в квартиру, привыкшая заходить туда, как в свой дом.

— Присмотрите за Динкой, — сказал Неделин. — Мне надо срочно уехать.

— Так поздно?

— Она собака умная, вам с ней хлопот не будет.

— А куда вы едете?

— Так... Дела.


Через пять минут Ирина, словно опомнившись, выскочила в коридор, звонила в дверь Неделина, стучала кулаками и ногами, каким-то чутьем понимая, что — поздно.

А Неделин, стоя внизу с чемоданом в руке, слышал это — и ему было жаль, ему хотелось вернуться. И он, пожалуй, вернется, но не сейчас, сейчас он должен уехать, ему надо... — впрочем, что ему надо, он решит в дороге.

*1986—1991 гг.*

Не о содеянном — о несодеянном тоскуйте.
*Досифей-пустынник.*
*«Слово вам», XIX в.*

# ЧАСТЬ ПЕРВАЯ

## 1

Иван Захарович Нихилов терпеть не мог попов, хотя в Полынске их долгое время вовсе и не было; в таком-то году единственная действующая церковь осталась по неизвестной причине без священнослужителей, пустовала, а поскольку во всяком пустом здании, по твердому убеждению полынцев, как верующих, так и неверующих, обязательно заводится нечистая сила, то, следовательно, завелась она и в церкви, и, когда ее опять открыли, прислав из епархии молодого священника и опытного дьякона, никто, просто-таки никтошеньки из бывших прихожан в храм войти не рискнул, — тщетно отцы уговаривали. Посоветовавшись меж собою, батюшка и дьякон возопияли к епархиальному управлению с просьбой разрешить не предусмотренный каноном обряд якобы изгнания якобы бесов из церкви. Чины управления изумились, а придя в себя, трактовали это как потакание суевериям и нерадение пастырей, впавших в ересь, и отозвали их из Полынска, прислав других. Другие оказались умней: не испрашивая начальственного позволения, они тайком исполнили задуманное предшественниками. Позвав бывшего старосту и бывших певчих старушек постоять в притворе, они изобразили, что изгоняют дьявольщину. В нужный момент подговоренный дьяконом малец выпустил из мешка огромного черного кота, тот, обезумевший за ночь от темной неволи мешка и безнаказанного запаха и шуршания мышей, с нечеловеческим криком заметался по церкви — и молнией бесовской выскочил наружу. Старухи обомлели. Не давая им опомниться, владыко, размахивая кадилом, возгласил: «Свершилось! Свершилось! Да воскреснет Бог и расточатся врази его!»

«Буди имя Господне благословенно от ныне и до века!» — запели старушки дрожащими голосами, вступая в храм.

С этой поры службы наладились — насколько они могли наладиться в условиях государственного материализма. Потихоньку выполнялись обряды, в том числе и таинство крещения, правда, зачастую не в церкви, а приватно, на дому, причем родители новообращенных младенцев делали вид, что они ничего не знают, а во всем виноваты отсталые бабки и деды.

Дед и Ивана Захаровича, до революции сам учившийся в семинарии, но выгнанный за «блудодеяния и винопитие», как он со смехом рассказывал, вдруг к старости почуял в душе раскаяние и приказал сыну Захару, железнодорожнику, а именно — брубильщику, срочно окрестить десятилетнего Ваню. Захар хоть и уважал отца, но отказывался сделать это — в силу окружающего социализма и своего собственного положения секретаря партийной ячейки. Тогда дед, выпив как следует для твердости решения, пошел к батюшке, взял его за руку и повел крестить внука. Внук уж был готов: сидел на цепи, временно снятой с верного Дружка. Верный Дружок, получив в кои-то веки свободу, ошалевший, носился по улицам и успел об-рюхатить за самый короткий срок семерых дворовых сучек. Ваня мог снять цепь, которой хмельной дед опутал его не столь уж крепко, но боялся стро-гого деда. Боялся он и того неизвестного, что с ним хотят сотворить. И не знал, чего боится больше. И пока думал об этом, явился дед, таща за со-бой попа. Но вслед им явился и отец после трудового дня, тоже хмельной. Начали кричать.

— Вон из моего дома! Пошел прочь! — кричал отец на попа.

— Крести! — кричал попу дед. — Крести, варнак, так твою так! — кри-чал он грозно, но смеясь от невольно возникшей рифмы.

Батюшка, чтобы усовестить отца, поднял на него наперсный крест, но отец сорвал крест с его шеи, за что тут же получил от деда удар кулаком по скуле. Вскипев и как человек, и как коммунист, отец ударил деда крес-том — куда пришлось.

Пришлось в висок.

Дед упал.

Ваня сипел: хотел крикнуть, а не получалось, застрял крик в горле.

Поп был на суде свидетелем. Посмотреть на это собирался весь По-лынск, но заседание объявили закрытым.


С тех пор и до сего времени, вернее, до недавней поры, Иван Захаро-вич считался инвалидом детства. Такая формулировка была в документах врачебно-трудовой экспертной комиссии (ВТЭК), которая ежегодно пере-освидетельствовала Нихилова на предмет продления или аннулирования его инвалидности. Кажется — глупость, многие возмущаются и смеются по поводу бюрократической деятельности этой комиссии, вызывающей на ежегодное обследование безруких и безногих. Но, как вы увидите дальше, в этой бюрократии есть свой смысл.

Боязливое отношение Ивана Захаровича к священнослужителям не было осознанным, оно было следствием той страшной минуты в его жиз-ни, когда он потерял разум — невольно связав это с фигурой попа. След-ствием той минуты, наполненной криком и гневом, можно считать и гнев-ность речей Ивана Захаровича. Он ведь не только у церкви ораторствовал, а возле государственных учреждений Полынска, и в многолюдной столо-вой у вокзала, и в самом вокзале, и на улицах. Он призывал, он обличал, он гневался, тупоумный же народ не обращал внимания, это Ивана Заха-ровича сердило и обижало.

Жил он в старом домишке на окраине, много уж лет сиротствовал там один, без присмотра.

Нет, он не был совсем без ума; если есть выражение: человек не в своем уме, то Иван Захарович как раз был в своем уме полный хозяин в отличие от тех умников, которые вроде и умны, но не хозяева своему уму, вот и выскаки-вает из них то и дело чужой ум, оказывающийся сплошной глупостью.

Он даже вел хозяйство: кур и козу, питался яйцами от кур и молоком от козы. Был и огород, но плохо плодоносил, Иван Захарович ухаживал за ним наугад: то помидорины закопает в землю и ждет всходов, то картошку прикапывает не клубнями, а кустами, предварительно измельчив.

Кроме этого, он выписывал газету «Гудок» и читал ее. Слушал радио — хотя очень боялся передачи «Последние известия». Услышит — обязательно вздрогнет, озирается, бормочет. Как же это так, не мог понять он. Почему — последние? Значит, других уже не будет? И пусть после последних известий всегда обязательно что-то было, да и сами эти известия включались по десять раз на дню, все равно он каждый раз пугался, думал, что если раньше как-то обходилось, то теперь уж не обойдется, эти-то известия и станут по-настоящему последними.

А в полночь радио умолкало, и Иван Захарович долго лежал в тревожной темноте, не мог уснуть. Ему казалось, что утро никогда не наступит, люди сообщили себе последние, какие были, известия, — и все, покрыла землю бесконечная вечная ночь.

И каждому утру он радовался, как подарку, и спешил на улицу, чтобы посмотреть на счастливые лица людей и прохожих, но видел только грусть и усталость, будто они не отдыхали ночью, а тяжело и скучно работали — и опять идут работать, а не отдыхать. Он сердился на людей, он призывал их к улыбкам, он объяснял им, что их помиловали, но отклика в их лицах не находил.

Вполне разумно он связывал это с неправильными установками и действиями властей, — тогда шел к учреждениям, агитировал входящих и выходящих (в сами учреждения его, конечно, не пускали) опомниться и придать своим действиям другое направление, чтобы это направление повлияло на общество и оно начало по утрам улыбаться. Не добившись толка, он шел в людные места и там убеждал не дожидаться правильных поступков начальства, самим, без подсказки и приказа, начать радоваться. И опять слова пропадали даром, тогда привычным маршрутом он шел к церкви, где требовал от пришедших к литургии не постного вида, а светлого веселья в глазах. Нищенка тетя Маруся гнала его, матерно ругая, потому что Ивана Захаровича боялись и быстро проходили мимо, не успевая бросить милостыню в ладонь тети Маруси. Иван Захарович вступал с нею в спор, его зычный голос проникал в храм и мешал богослужению, батюшка, потеряв терпение, выходил сам или высылал дьякона, зная, что священническое облачение смертельно пугает Ивана Захаровича, он начинает дрожать, сгибается, закрывает голову руками — и мелкими быстрыми шагами, петляя, будто под обстрелом, убегает прочь.

Иван Захарович возвращался домой, спал вместо ночи, потом кушал, что Бог послал, и, наслушавшись «Последних известий», впав в мрачность, вновь выходил для обличений и увещеваний. На этот раз ему казалось, что люди и прохожие слишком безмятежны, даже нахально веселы, а чему радоваться, когда вот-вот грядет последний час, последний миг? Он настаивал, чтобы возникли грусть и печаль, и опять его никто не понимал, хотя Иван Захарович всегда говорил просто, доступно.

Конечно, он мог бы выключить радио — но не мог. Сколько помнил себя, оно всегда звучало в доме на полную громкость, особенно громким казалось оно в годы отсутствия отца, он сидел в тюрьме, а была война, не докатившаяся до Полынска, но присутствовавшая во всем, мать коротала вечера у окна, внимательно слушая радио и обсуждая с сыном услышанное. Иван Захарович и помыслить не смел, чтобы прикоснуться к ручке и убавить громкость, — так заведено, значит, так тому и быть. Он и газету «Гудок» выписывал потому, что она тоже всегда была в доме, соответствуя профессиональным интересам Захара Нихилова, железнодорожника брубильщика первой категории, после отсидки — третьей, но потом он опять возвысился до первой, в этой категории и помер, так как сильно пил, переживая, что в годы войны не защищал Родину винтовкой или пушкой, а долбил на Севере камень кайлом. Он просился на фронт и его, как простого убийцу, скорее всего взяли бы в штрафную роту; но в заявлении он употребил выражение «искупить грех перед отцом моим и Отцом Небесным», и ему добавили политическую статью за религиозную и тем самым антисоветскую пропаганду.

Мать ненадолго пережила его...

И еще по одной причине не мог Иван Захарович выключить радио. Он постоянно ждал какого-то важного сообщения. Он искал это сообщение в газете «Гудок». Он не знал, что это должно быть за сообщение, но уверен был, что после него с ним произойдет нечто разительное, подобное изменению после испуга при несостоявшемся крещении, но — в обратную сторону.

Это сообщение, знал он, коснется не только его, но и всех, он постоянно готовил людей, говорил об этом без устали, обходя город вдоль и поперек, в жару и стужу, забредая даже в лес.

Глупый со стороны мог подумать: псих сам с собой разговаривает, — ведь Иван Захарович часто не обращал свои речи к кому-то отдельному, а произносил их вообще. Он знал: слова не пропадают даром, не исчезают, кому надо — услышит их.

Книг Иван Захарович не читал.

И вот однажды летом тысяча девятьсот восемьдесят девятого года он забрел на городскую толкучку, родившуюся на пустоши, называемой «Водокачкой», потому что здесь когда-то действительно была водокачка, и хоть давно уж тут не было водокачки, но местность продолжали называть «Водокачкой». Бормоча вполголоса, он шел, глядя себе под ноги, не интересуясь ни товарами, ни людьми, в людях он не ожидал увидеть что-то новое, а в товарах — что-то интересное для себя.

И вдруг...

На ящике, застеленном газетой «Гудок» (Иван Захарович и вниманието обратил, заметив знакомый крупный заголовок), разложены были книги для продажи. И среди них черная толстая книга с тиснением по переплету: «Библия». Иван Захарович остановился. Он начал думать, испугаться ему или обрадоваться. Испугаться хотелось, потому что эта книга какимто неведомым образом была связана с попом, который, страшный, пришел в дом и принес беду для деда, для отца, для него, ребенка. А обрадоваться хотелось, потому что он много в последнее время слышал об этой книге по радио, читал в газете «Гудок». Это ведь очень разнообразная газета, Иван Захарович узнавал из нее и о науке, и о других странах, стихи попадались на темы не только железной дороги, но и весны, и шахматные задачи печатались, и рецепты приготовления вишневого варенья без сахара. Слышанное и читанное сводилось к тому, что книга эта — величайшая, и вот наконец она приходит свободно к нашему русскому человеку сквозь темень тоталитаризма. Пора, рассуждал смелый журналист из «Гудка», сделать доступными и другие книги, которые хитроумным образом не объявлялись запрещенными, а достать, однако же, было нельзя. Например: «Уголовный кодекс». (Заметим, что пожелания его очень скоро исполнились.)

И тут Иван Захарович понял: сообщение, которого он так долго ждал — было. Он просто проморгал его, а оно было. Сообщение — об этой книге. Иван Захарович догадался, что не брал в руки других книг (не считая прочитанных когда-то в школе, где он преодолел три с половиной класса) в опасении засорить голову лишним, ненужным, теперь же она свободна и готова для этой книги и никакой другой.

Торговец назвал цену: двести рублей. Это были серьезные деньги по тому времени, но Иван Захарович и не сомневался, что книга должна столько стоить, он строго попросил торговца припрятать Библию, побежал домой, достал из жестяной чайной банки свои сбережения, снес их на базар, вернулся с книгой, — и засел на долгие дни, долгие вечера, с сожалением отрываясь, чтобы сходить за хлебом и не дать себе умереть с голоду, прекратив обличать и обнадеживать людей, забывая даже пугаться при словах радио: «В эфире последние известия».

Он читал и думал, думал и читал.

И задумал труд.

Он купил толстую тетрадь в переплете и написал на первой странице: «Несовершенство жизни». Поразмыслил. Для такого всеобъемлющего труда одной тетради мало. И добавил: «В 10 томах».

И купил еще девять тетрадей.


2


В том же городе Полынске, и тоже на окраине, на той же улице, где жил Иван Захарович, у подножия Лысой горы, в тысяча девятьсот шестидесятом году, в декабре, родился человек по имени Петруша Салабонов.

Отец его, Максим Салабонов, был, как в свою пору отец Ивана Захаровича, работник вагоноремонтных мастерских, но кочегар, а не брубильщик. Родители Максима были хорошие, приличные люди, старший брат Павел вырос тоже отлично хорош, выучился на машиниста, стал водить, передовик, тяжелогрузные составы. Максим же — совсем другое дело. В шесть лет начал курить, с десяти жадно допивал остатки из стаканов на всяких семейных празднествах, шныряя под столом, а с тринадцати уже пьянствовал со взрослыми парнями на равных. Думали, поможет армия, но армия лишь усугубила: Максим попал в авиационные войска, в аэродромное обслуживание самолетов, а для обслуживания самолетов почему-то требуется много технического спирта, количество которого трудно учесть, чем Максим с товарищами и пользовался.

Так что вернулся он конченым алкоголиком и продолжал свой образ жизни. Правда, не был драчуном, хулиганом, не был даже прогульщиком, потому что его труд кочегара в котельной при вагоноремонтных мастерских не требовал трезвого состояния. Лишь бы хватило сил поднять лопату с углем и швырнуть в топку. Раз-другой промахнешься, но третий все-таки угодишь, идет дело...

Родители надеялись на известное средство: женитьбу. Решили свести сына с тихой, скромной Машей Завалуевой, дочерью сцепщика Петра Завалуева, вдовца. Сам Завалуев в это время нацелился жениться на хроменькой, но молодой буфетчице Зое, которая ему всем нравилась, а особенно своей профессией, потому что у него был очень удивительный, несмотря на худобу, аппетит, он даже ходил к врачам и спрашивал, нормально ли, например, три кило вареного мяса за один присест съесть, пятью литрами пива запить — и даже не подташнивает, и, пожалуй, еще чего-нибудь съел бы? Врачи ответили: бывает...

Зоя соглашалась выйти замуж за Петра Завалуева, но стеснялась быть мачехой взрослой девушки, чуть моложе самой себя, вот Завалуев и обрадовался возможности сбыть Машу с рук.

Сватали Максима очень просто: привели полупьяного в дом Завалуева, вели разговор, а он только посмеивался да икал, предвкушая свадьбу как большую выпивку.

Марии же, похоже, было все равно: с детства росла какой-то замороженной, вялой, в школе едва осилила восемь классов и пошла работать уборщицей в здание Полынского отделения железной дороги (П.О.Ж.Д.). Работники П.О.Ж.Д. славились как молодцы в отношении женского пола, но Машу совсем не замечали, лишь однажды, в канун праздника Восьмое марта, заместитель начальника отдела рабочего снабжения Самсон Игнатьевич Далилов заснул, забытый сослуживцами за пиршественным столом, очнулся в сумерках, побрел — и, заворачивая в коридор за угол, столкнулся лицом к лицу с видением: огромные серые глаза, темные брови, милая округлость подбородка. «Ах ты ж моя!...» — сказал он в восхищении и полез, но она толкнула его, он упал. Наутро Далилов и не вспомнил ничего. Но зато потом то и дело вдруг возникала в душе какая-то сосущая тревога, грезились чьи-то глаза — но чьи? почему? что такое? — он падал духом, не мог себя понять. Вскоре, однако, объяснилось это сосущее ощущение: рак желудка. В три месяца истаял цветущий мужчина.

На свадьбе Максим Салабонов пил так, что страшно было смотреть: рюмками, стаканами, из горлышка — водку, шампанское, пиво, красное вино, наливался до ушей, вылезал из-за стола, полз на улицу, совал пальцы в рот, чтобы выпростать из себя все, стать трезвым и вновь начать испытывать постепенное накопление хмельного блаженства, — а потом снова блевал — и так раз пять.

Он и после свадьбы пил без роздыха, заставляя пить и молодую жену.

— Ну, как она, Машка-то? — спрашивали друзья.

Максим честно отвечал:

— Не пробовал еще, некогда! Всякую вещь надо сперва что? Всякую вещь надо сперва обмыть! А потом уж пользоваться! Так или нет?

Приятели хохотали, хохотал и Максим, довольный, что повеселил их.

Но однажды, через месяца, кажется, полтора после свадьбы, будучи трезвым три дня подряд, он захотел-таки попользоваться, если употребить его собственное выражение.

Ничего не вышло.

То ли мощное питье подействовало, то ли катастрофически аукнулась служба на аэродроме — рядом с ним, поговаривали, располагался атомный военный объект, а излучение сами знаете как действует.

Всякое событие жизни для Максима имело смысл лишь в той степени, в которой об этом событии, выпив, можно поговорить. Не выпив, он не только не мог говорить, он даже не мог как следует уразуметь глубину постигшего его несчастья — и что это вообще несчастье. Поэтому, обнаружив свое бессилие Максим первым делом крепко нарезался — и тогда уж начал мыслить и говорить. На долгие месяцы хватило ему темы для болтовни, а друзья по работе и выпивке с удовольствием слушали его проклятья в адрес государственной военщины, атомной энергии и вообще, между прочим, цивилизации, потому что лишь тогда человек был человеком, когда жил натуральной жизнью, потребляя натуральные продукции природы, обходясь без всякой техники,— брошу вот все и уйду лесником, пасеку заведу в лесу, мед, пчелки, а то охотником стану или в Сибирь уеду, буду колотушкой кедры обивать и собирать кедровые орехи, дружок по армии рассказывал, что выгоднейшее это дело, колотушкой кедры обивать, прибыльнейшее — а заодно и свежий воздух тебе, ягоды, грибы, Сибирь же!... — так лилась, ковыляла, торопилась речь Максима, где одно цеплялось за другое, другое за третье, а сбоку прилеплялось четвертое, а время шло, — и на девятом месяце совместной жизни с Марией, будто сразу, — обнаружился у нее живот.

— Ну, слава Богу! — поздравили родители Максима.

Он принял поздравления разиня рот.

— Кто ж помог тебе, Максимка? — со смехом спрашивали его друзья и собутыльники, которым он так долго, подробно и горячо рассказывал о своей болезни и о ее причинах, забираясь в самые отдаленные мыслительные дали.

— Да я сам ей заделал! Им врешь — а они верят! У меня нормально все и даже больше того! — со смехом же отвечал Максим.

Он опять не мог отыскать в душе отклика на событие. Тогда он выпил и вспомнил, что в таких случаях положено злобно допросить жену, а то и побить.

— С кем, падла? — спросил он.

— Ни с кем, — без испуга и удивления ответила Мария.

— А может, когда мы это... Ну, пьяные обои были, ну, и это самое... и не помним?

— Может быть, — сказала Мария.

Она действительно не знала, откуда в ней зародился ребенок, но не тревожила себя пустыми вопросами. Зародился и зародился, надо, значит, теперь выродить. Скорее бы уж отделаться: она скучала по своей работе.

— Мальчика мне! — приказал Максим.

Ладно, родила Маша мальчика.

Назвали Петром, в честь деда, Петра Завалуева, который, в отличие от зятя, с Зоей попусту времени не тратил, и у Зои родился сын в один день с Петром, и его тоже назвали Петром, не зная, что Максим и Маша своего сына назвали Петром. Если бы они знали, они бы, конечно, подыскали другое имя или попросили бы Максима дать своему сыну другое имя, а не Петр, но раз уж так вышло, что ж, пусть и тот будет Петр, и этот будет Петр, — авось не перепутаем!

Через пять лет Завалуева задавило в рабочем порядке поездом.

Зоя сильно горевала. Провожая гроб на кладбище, выла не переставая, больно дергая волосенки общепивших ее подол сына Пети и дочери, младшенькой Кати, думая, что гладит им, утешая, головы.

Замуж вторично не стала выходить, воспитала детей одна, и дети получились на загляденье. Сын Петр к тридцати годам ошивался уже в самых верхах городской власти, Катя в свои двадцать восемь лет — директор музыкальной школы, две девочки-близняшки у нее, муж — начальник службы подвижного состава на станции Полынск-2. (Это — по состоянию на 90-й год, исходный в нашей истории.)

В восемьдесят втором году отца Петруши Салабонова, Максима Салабонова, разбил паралич. Все отнялось, действовали только язык и глаза.

Сначала, уверенный, что его неподвижность пройдет, он посмеивался.

— Подойди-ка, — сказал он Марии.

Она подошла.

— Надави-ка.

Она поняла, задрала ему рубаху, ткнула пальцем — и в отекшем туловище Максима появилась ямка, а в ней выступила, как роса, жидкость.

— Водка! — похвалился Максим. — Меня можно теперь на опохмелку облизывать. А то! — месяц не просыхаю. Нет, вот выздоровею — надо будет денька три отдохнуть или даже четыре.

Но через четыре дня его уже не было.

Перед смертью, глядя в одухотворенной тоске на склонившееся лицо с огромными глазами, темными дугами бровей и милым округлым подбородком, пытаясь также обнять взглядом плечи, шею, грудь, живот, Максим Салабонов прошептал:

— А должно быть, хорошая ты баба — как женщина!..

Мария усмехнулась непонятной усмешкой — и отпустила тело и душу мужа в иные дали без обиды, без горечи, без сожаления.

Сына не лелеяла, но и не сказать, чтобы совсем о нем не заботилась. Петруша был сыт, одет, обут, в школу ходил. Просто у нее много времени отнимала работа. Здание отделения было-таки не маленьким, вторую уборщицу из экономии не нанимали, платя Марии полторы ставки, и она мыла, терла, драила, шкрябала с раннего утра до позднего вечера, всю себя вкладывая в эту нехитрую работу. Ночами, бывало, ей снился мучительный сон: будто, вымыв все помещения, она вдруг натыкается на запертую комнату. Ключи от всех комнат у нее, она потом сдает их вахтеру, но от этой комнаты ключа нет. И вообще, незнакомая дверь. Она стучит, она ищет, чем открыть, она зовет на помощь — глухо, безответно. Как же я? — мечется во сне Мария, покрываясь испариной, как же я оставлю комнату неприбранной?!.. Тут она просыпается, понимает, что это всего лишь сон, вздыхает с облегчением и переворачивается на другой бок — досыпать.

Петруша частенько бегал в гости на соседнюю улицу к деду с бабкой (по отцу), пока они были живы, подкармливался там, был своим среди пацанов. Когда его родная улица нападала на эту улицу или наоборот, он не знал, к кому примкнуть. И поступал так: затешется в середку и там действует, угощая слегка то своего, то чужого — со смехом, забавляясь. Это смех и то, что он лупит и своих, и чужих, странным образом останавливало дерущихся.

— Ты за кого, растак твою так? — спрашивали дети свои и чужие.

— Я за всех! — отвечал Петруша, помирая со смеху.

Другому тут бы и не сносить головы, но, во-первых, как-то уже не хотелось драться после Петрушиного смеха, а во-вторых, не занимаясь ни зарядкой, ни каким-нибудь входящим тогда уже в моду атлетизмом, Петр имел такую природную силу, что сам ей удивлялся, а другие тем более, — и не решались с ним связываться. Вот например: застрявший в канаве колесный трактор «Беларусь», в котором копошился, ругаясь, мужичонко из пригородного совхоза, шестнадцатилетний Петр вытолкал плечом в один миг, не сильно при этом натужась. Или: в лесу увидел бревно, подходящее для подпорки дома (старый дом все больше кривился набок), взвалил на плечо, понес. По пути встретил подружку, бросил бревно, увязался провожать подружку, балагуря. Видевшие это парни, количеством пятеро, хотели пошутить над ним и упрятать куда-нибудь бревно. Взялись — ан хрен, не смогли и приподнять.

Насчет подружек Петр, да, был очень внимателен, в отличие от отца. Совсем еще несмышленый гонял девчонок по лопухам, валил, хватая за мягкие места, хотя у многих этих мягких мест еще и не было.

Бегал в клуб железнодорожников на танцы, забивался в уголок и оттуда с тихой блаженностью смотрел на взрослых красавиц.

Ему было тринадцать, когда он шел однажды майским вечером мимо почтового вагона, стоявшего в тупике на погрузке. В открытой двери скучала женщина. Петруша остановился. Они посмотрели друг на друга.

— Ну, прыгай, — сказала женщина.

Петруша запрыгнул.

Она завела его в служебное купе и стала гладить, приговаривая и чуть не плача: «Бывают же такие красавчики! И зачем же ты мне попался? Я ж тебя насмерть испорчу в одну минуточку!» И стала делать с ним вещи удивительные — такие, что уж ничего нового в женских забавах Петр за все последующие годы не мог найти.

Но все-таки не испортила она его. Он не стал кромешным бабником, не стал и пьяницей, хотя выпить никогда не отказывался, жил вообще легко, весело, все делая в удовольствие. Мы не любим чужой легкой и веселой жизни, но улыбка Петруши побеждала всех, его любили и на своей улице, и на чужих, его любили и старухи, и девушки, и женщины. И даже обиженные им мужья неверных жен, подлавливая его темной ночью с друзьями, наваливаясь скопом, били, однако так, словно не хотели повредить ему ни синих глаз, ни белых ровных красивых зубов, не причинить, то есть, никакого уродства лицу, — а их жены потом, улучив минутку, целовали синяки на возлюбленном теле, страдая сладкой болью за него.

А потом у него вдруг возникла любовь к Кате Завалуевой, к тетке по отцу, хоть она и младше.

Он прямо сказал ей об этом.

— С ума сошел, — сказала Катя, заочная студентка Института культуры и отличница Полынского музыкального училища имени Надежды Константиновны Крупской, занимающая активную гражданскую позицию в соответствии со временем (это был 83-й год).

— Почему нельзя? — спросил Петр.

— Мы тетка и племянник с тобой, — объяснила Катя.

— Я ж не замуж тебя зову.

— А что тогда?

— Да ничего. Люблю, сказано же, — сказал Петруша, склонив русую кудрявую голову.

Катя поразмыслила — и назначила ему встречу в его доме, когда мать Петруши была на работе.

Потом она вышла, как уже было сказано, замуж, родила девочек-близняшек, стала директором музыкальной школы, — а с Петрушей встречаться продолжала, о чем не знала ни одна живая душа.

— Если узнают, — говорила Катя, — убью и тебя, и себя.

Петруша улыбался, но верил.

Что еще о нем сказать?

Пожалуй, ведь больше и нечего.

Работал он все в тех же вагоноремонтных мастерских, никогда не уставая и никогда не интересуясь работой больше положенного.

Гулял с девушками и женщинами помимо Кати, не собираясь ни на ком жениться, и они это понимали, и хоть горевали при расставании с ним, но не до смерти.

Выпивал — довольно часто, и даже помногу, но никогда утром у него не болела голова.

Любил также рыбалку, любил собирать в одиночестве грибы. Наберет ведро, а домой нести лень, да и не ел он грибов ни в жареном, ни в вареном виде, вот и разбросает по лесу, нанижет на сучки — мелким зверям на съеденье.

Любил также в погожие дни просто валяться на берегу мелководной речки Мочи (ударение на первом слоге), глядя в небо с облаками или без облаков.

Из книг предпочитал исторические, а также серию «Жизнь замечательных людей». Художественных книг почти не читал, не понимая, зачем придумывать, если жизнь и так богата интересными событиями. Например: в окрестностях Полынска в конце восьмидесятых появился уродливый зверь. Какой-то волкозаяц. То есть туловище меньше волка, но больше зайца, задние ноги длинные, уши — заячьи, пасть — волчья. Петр мечтал поймать его, интересуясь, какой же у него характер при таком соединении — волчий или заячий? И что он ест? А что будет, если попробовать произвести от него потомство? Но волкозаяц ни разу не попался Петру на глаза, и это даже странно, потому что не было в Полынске человека, который не видел бы волкозайца, за диспетчером Калгановым он даже гнался, а от стрелочника Тонкина, наоборот, удирал, а грузчик Високоснов даже сфотографировал его фотоаппаратом «Смена-3», но когда проявлял пленку в чулане, дверь резко открыла жена, думая, что он забрался туда жрать домашнюю самогонку, — и засветила все на свете.

Петр тоже купил фотоаппарат, чтобы фотографировать, но забросил это увлечение, не сумев сделать ни одного приличного снимка.

Он понимал вообще, что каждому человеку свойственно какое-нибудь увлечение, и пытался себе что-нибудь придумать, но тут же возникал вопрос: а зачем, если ему и так жить хорошо? И он делал вывод, что собственно жизнь и есть его увлечение — и нечего мудрить.

Таким Петрушу Салабонова и увидел Иван Захарович Нихилов в один из летних дней тысяча девятьсот девяностого года, когда Петру было, легко сосчитать, под тридцать лет.


## 3

Конечно, он видел его и до этого, и даже часто: ведь жили по соседству. Но тут он не просто увидел, а одновременно услышал разговор двух старух. Они сказали: вот идет Петр, у которого мать девственница.

— Как это? — спросил их Иван Захарович.

Старухи удивились, потому что Иван Захарович редко вступал в человеческий разговор, но ответили: как ты не знаешь того, что знают все? Максим, покойник, не трогал жену свою Марию, а она понесла и родила. Другие же никто не трогал ее.

Иван Захарович!..

Иван Захарович быстрыми шагами пошел домой, открыл тетрадь (это был уже том 3-й) и записал: «Сегодня открылось и стало ясно. Великое. Наконец. Все понятно. Все ясно. Теперь понятно. Теперь знаю о себе и о нем».

И вдруг словно ударило его.

Он открыл первую тетрадь, стал читать и ужаснулся: дикий бред каракулями был записан на бумаге. То же — и во второй тетради. То же — и в третьей — до самой сегодняшней записи. Он вырвал листок с нею, а тетради мелко изорвал и сжег.

Он в один миг словно прозрел и понял, что был — сумасшедшим.

Он излечился.

Он в ужасе спрашивал себя, как же он жил всю свою довольно долгую жизнь во мраке ума, не понимая своего сумасшествия?

Теперь не то. Теперь ясен ум, ясна цель. Он должен исполнить предназначенное.

И он пошел к Петру Салабонову, и меж ними был разговор, который Иван Захарович потом записал. Записывая два дня, он записал вот что:

«Я вошел сказав: Ты — Иисус Христос.

Он сказал: Нет, я Петр Максимович Салабонов, человек личный.

Я сказал: Я, как по Библии, по Новому Завету, Иоанн Креститель, сын Захарии, Иван Захарович со случайной фамилией Нихилов, и должен крестить Тебя, хотя сам не крещен. Твое имя тоже случайно, на самом деле Ты, как обещано, воскрес вторично ради Судного Дня, Ты — Иисус Христос.

Он сказал: Не верю.

Я сказал: Твоя мать — Дева Мария, родила Тебя, оставшись непорочной.

Он сказал: Женщины говорят неподобное, это не так.

Я спросил: Как же?

Он не ответил.

Он спросил: Как я могу быть Иисус Христос, если я не чувствую, что Иисус Христос?

Я сказал: Теперь почувствуешь, пришло Твое время.

Он сказал: Нет, я Петр Салабонов.

Я сказал: Мнимое имя дают люди, настоящее — Бог. Настоящее Твое имя — Иисус. Мне он дал имя как пророку Иоанну, чтобы дать Тебе понять. Матери Твоей дал имя, чтобы оно подтвердило. И если Отец Твой не был Иосиф и плотник, то не все ли равно, какое имя у человека, который не был Тебе отцом?

Сравни дальше, сказал я, сколько знаков и намеков дает Господь: у Тебя, как и у Иисуса, есть братья по дяде, брату отца, ты проживаешь до тридцати лет в безбрачии.

Тут Он хотел возразить, но промолчал.

Я сказал: Как и предречено, Антихрист явился вместе с Тобой под личиной человека и даже с таким же именем. Это дядя Твой по Твоему деду Петр Завалуев; власть имущий. Он Антихрист под ликом правителя, он Ирод. Боюсь не будет ли опять избиения младенцев.

Он сказал: Ничего не знаю про это.

Я сказал: Все в Евангелии.

Он сказал: Я не читал Евангелия.

Я сказал: Прочтешь.

Он сказал: Я и так знаю.

Я спросил: Что ты знаешь?

Он сказал: Иисус творил чудеса. Я не творю чудес.

Я сказал: Пришло Твое время, будешь.

Он засмеялся в предвкушении.

Я ушел, боясь утомить Его.

Завтра быть у Него».


О разговоре с сумасшедшим стариком Петруша рассказал Кате, лаская ее, милую.

— Ты смотри, — приподнялась она на локте. — Ты шугни его, дурака, и никому не говори про это.

— Чего испугалась-то? — удивился Петруша.

— А того. Во-первых, это богохульство. Боязно, ну его к черту! А во-вторых, еще неизвестно, куда все повернет. Еще запросто обратно поедем. Вызовут тебя в КГБ: Христос, значит? И припаяют тебе срок.

— Не пойму, — озадачился Петр. — Ты как коммунистка это говоришь или как верующая говоришь?

— Как верующая коммунистка говорю, — ответила Катя.— А подумав, добавила: — Как реалист жизни!

(Еще раз придется напомнить: 90-й год на дворе был.)

Иван Захарович принес Петру Библию, велев начать чтение с Нового Завета.

Петр увлекся: все-таки историческое чтение.

И вот в доме на окраине велся такой спор:

— Как же я могу быть Иисусом Христом, — говорил Петр,— когда я родился пусть неизвестно от какого мужика, это мамино дело, но как человек родился! — а Христос один раз — и навсегда, и ему теперь надо только явиться в готовом виде! К употреблению! — засмеялся Петр.

— Чего?

— В виде, готовом к употреблению! — с удовольствием повторил Петр, забавляясь остроумием слов.

— Да так же твою так! — хлопнул себя по коленкам Иван Захарович. — Как ты не поймешь, дурило?! Ты, может, и не родился вовсе, а было вроде того, ну, как бы изображено, что ты родился — чтобы дать знать! Чтобы люди поняли! Они ведь, дуболомы, так их так, если им намека не дать, они же не сообразят же!

— Так можно было больше намекнуть! Пусть бы опять рождался в Израиле, в самом Вифлееме, если он есть.

— Есть.

— Ну вот! Пусть бы он там и рождался, пару чудес совершил — и всем все ясно.

— Не так просто! — ответил Нихилов. — За что людям такой подарок? Нет, пусть головы поломают, слишком много нагадили, пусть посоображают! Сообразят — спасутся, не сообразят — всем амбец! Понял? Понял или нет, какая миссия на тебе? И зачем тебе Вифлеем, если ты сам в Полынске живешь?

— А что Полынск?

— А то! «Звезда Полынь» в Откровении Иоанна — к просту так сказано? Это тебе — не знамение? А тот же Чернобыль, который, если перевести, означает Полынск — не знамение тебе? А землетрясения — не знамения тебе? СПИД — не знамение тебе?

И долго, долго еще перечислял Иван Захарович страшные события нашего века, нашего ближайшего прошлого, настоящего и даже, чудодейственным наитием угадав, сказал про то, что случилось позже.

— Волкозаяц-то недаром в наших лесах появился, — добавил он в заключение. — В наших лесах, а не в каких других.

Возможно, это был для Петра самый значительный факт, к СПИДу же, к землетрясениям и к Чернобыльской катастрофе он чувствовал равнодушие. А волкозаяц — да, волкозаяц его интересовал.

— Вот я его поймаю, — пообещал он, наливая Ивану Захаровичу стаканчик.

Иван Захарович стаканчик выпил: с тех пор как он почувствовал себя опять нормальным, ему не хотелось чураться обычных человеческих привычек. Вот только не закурил — потому что не успел научиться курить в тот год, когда сошел с ума. Не курил и Петр, бессознательно уважая свой организм. Выпив, Иван Захарович сказал:

— Трус ты. Ссыкло, по-нашему, по-простому говоря.

— Кого я боялся? — снисходительно спросил Петр.

— Сам себя боисься! — повысил голос Иван Захарович. — Юдоли страшися своей! — говорил он все громче с полынским выговором. — Опасайся насмешек и гонений, кои выпали на твою долю две тыщи лет назад, когда Его в своем отечестве не признавали, так их так! Тебе-то, чай, тоже не сразу в ножки кланяться будут!

— Да с чего?! — рассердился Петр. — Читай вон, читай! — тыкал он в книгу. — Иисус одним касанием лечил!

— А ты?

— Что я?

— Ты не пробовал?

— Дурак я, что ли? Я же не этот, как их... Не экстрасенс я. И он все больше прокаженных лечил, а у нас их вроде нет.

— Прокаженных нет, точно. А вот Зоя-то, вдова-то деда твоего, мать тетки твоей и Петра-Антихриста, Зоя-то Завалуева, у нее болезнь на коже, сколько лет страдает. Пойдем к ней!

— Зачем? — даже испугался Петр.

— Пойдем, говорю!


## 4


Зоя Завалуева, дети которой, Петр и Екатерина, жили в центре Полынска в отдельных благоустроенных квартирах, сама осталась в доме покойного мужа, храня о нем память.

По возрасту она годилась Петруше Салабонову в матери, но, как жена деда, оказывалась вроде и бабушкой. Впрочем, с детства, когда Петруша частенько бывал в этом доме, играя с одногодкой и тезкой Петром, он называл ее «мама Зоя» — и так осталось.

Она действительно страдала вот уж двадцать лет псориазом. Болезнь, по счастью, не распространялась дальше рук, но досаждала некрасотой, а главное — мучительно чесались руки, так бы и разодрала их ногтями, а нельзя. Издавна ее лечила бабка Ибунова, или, как ее все ласково называли, бабушка Ибунюшка. Она пользовала словесными заговорами, травными настоями, еще колола шильцем в известных ей местах. Таким образом она предвосхитила и психотерапевтов, и гомеопатов, и иглоукалывателей, расплодившихся в последнее время, поэтому они не смогли составить ей конкуренции. В областном Сарайске экстрасенсы собирали битком набитые дворцы спорта и культуры, к иглоукалывателям записывались на год вперед, травы покупали на вес золота, Полынск же эта лихорадка миновала, Полынск имел бабушку Ибунюшку, к которой, правда, обращались не так уж часто, в обычных случаясь обходясь поликлиникой. Если что-то настоящее: тяжелая сердечная болезнь, запой, диабет — вот тогда к бабушке Ибунюшке, как к последнему средству. Она была бы еще популярней и авторитетней, догадайся брать за лечение много денег, но Ибунюшка, раз и навсегда установив цены: полтинник за пучок травы, рубль за заговор и рубль же за обкалывание шильцем, не обращала внимания ни на какие инфляции. Уже даже и совестно было людям давать ей рубль, ставший фактически копейкой, они пытались — ну хоть три, пять, — бабушка Ибунюшка молча поджимала губы, поворачивала голову чуть вбок и ждала своего законного рубля.

Она умела снимать на время чесотку у Зои Завалуевой, но совсем вылечить не могла, честно сказав, что тут всю кровь надо менять, да и то вряд ли поможет. Лет десять назад, устав от болезни, Зоя поехала в областной Сарайск и легла в больницу. И натерпелась же она там стыда! Больница ведь называлась: кожно-венерический диспансер. Венерическое отделение находилось в другом крыле двухэтажного здания, кожники и венерики имели возможность общаться, но не общались: венерики брезговали кожниками,

178

боялись подцепить от них заразу. «Эй, вы! — кричали издали сифилитики. — Нам-то что! Нас пенициллином прокачают — и до свиданьица, а вы всю жизнь чесаться будете, сволочи!»

По ночам, когда на два этажа оставались дежурный врач и пара робких юных медсестер, запирающихся в ординаторской, начиналось: тени со второго этажа — на первый, мужской. В процедурных и подсобных помещениях, к которым больные давно подобрали ключи и отмычки, в туалетах и умывальных комнатах, а то и в палатах — не обязательно при этом выгоняя из них желающих мирно спать, воцарялась общая любовь с негласным эпиграфом: болезнь к болезни не прилипает.

Администрация диспансера об этих ночных праздниках знала, но знала и то, что предпринимаемые раньше попытки пресечь безобразия успеха не имели, традиции венерического отделения крепки и нерушимы, сама атмосфера, когда все как бы повязаны одним пороком, когда нечего друг друга стесняться, когда в ночи и днем слышны веселые рассказы о приключениях, приведших людей в это заведение, требовала исхода, разрядки. Условие было одно: к дежурному врачу и медсестрам ночью не стучаться, намеков через дверь не делать, спирта не просить, — и это условие выполнялось безукоризненно.

Зоя Завалуева желала скорей выписаться. Тем более что процедуры ей не помогали. Боль снимали, да, но это и бабушка Ибунюшка умеет. И вот ей предложили (прозорлива оказалась Ибунюшка!) перелить кровь. Зоя отказалась. Кто знает, что за кровь, чья кровь? От одной болезни отцепишься, другую подхватишь, рассуждала она, имея в виду сифилисное отделение. Кровь будет проверенная, чистая, обещали врачи. Нет! — как отрезала.

И вернулась невылеченной. Так и жила.

Привыкла в общем-то.

Думала лишь об одном: что делать, когда бабушка Ибунюшка умрет?

И вот к ней зашли, слегка навеселе, Петруша и Иван Захарович, гость в этом доме невиданный.

— Тебе чего тут, псих? — спросила хозяйка.

— Он теперь, мам Зой, не псих. Он выздоровел, — сказал Петруша.

— Совершенно верно,— сказал Иван Захарович, глаза которого, как у всякого русского умеренно выпившего человека, стали умней, чем у него самого же, но трезвого. И добавил: — Твой родственник, Зоя Васильевна, меня вылечил.

Петруша хотел что-то возразить, но Иван Захарович, торопя события, настойчиво продолжал:

— Необычные способности у Петра обнаружились, не то что у бабки какой-нибудь. Над головой руками поводил — и открылись мои безумные глаза. Я прозрел.

— Прям как в телевизоре,— сказала Зоя.

— Не веришь?! — с каким-то даже торжеством спросил Иван Захарович.— А ты попробуй! Ты попробуй!

— Да ну вас! — сказала Зоя.— Я вам лучше ради выходного чекушечку поставлю.

— Чекушечка не помешает, — согласился Иван Захарович,— но дело — вперед. Ну-ка, засучай рукава, Зоя Васильевна, тут все свои!

Стесняясь и посмеиваясь, Зоя все ж показала свои красные наросты.

179

— Приступай! — велел Петру Иван Захарович.

Петруша был в благодушном настроении и начал дурачиться: вознес руки, будто хотел вороном напасть на маму Зою, покружил вокруг нее, стал водить своими руками над ее руками, чего-то там себе под нос завывая.

— Сосредоточься! — приказал ему Иван Захарович.

— Да ерунда все это! — сказала Зоя. И вдруг застыла, прислушиваясь к себе.

— Что чувствуем? А? — требовал Иван Захарович голосом, не сомневающимся в результате.

— С утра так чесалося, аж жгло! — удивленно произнесла мама Зоя. — А теперь гляди-ка: отходит!

— Правда, что ль? — растерянно спросил Петруша.

— Ты работай, работай! — понукал его Иван Захарович.

Петруша сделал серьезный вид, нахмурил брови, шевелил губами, на этот раз без дураков, хотя, честно сказать, в этот-то момент его физиономия и стала дурацкой.

— Нет! — заявила мама Зоя, распробовав ощущения внутри себя. — Нет, все-таки чешется!

— Пройдет, — сказал Иван Захарович. — С первого раза ничего не бывает. Вот выпьем — и повторим сеанс.

Выпили.

Но от повторения сеанса мама Зоя отказалась, со смехом выпроводила непрошеных целителей.


— Это ничего, — говорил Иван Захарович Петруше через несколько дней вечером. — Вполне может статься, что ты и не способен творить чудеса. Бог, наверно, так рассердился на людей, что решил свои намеки очень тонкими сделать. Явился Христос — но без чудес, с виду совсем обычный. Вот если такого примете, такому поверите — тогда спасетесь. Шанс, надо сказать, весьма проблематичный. Но другого человечество просто и не заслуживает!

(Речь Ивана Захаровича, не трудно заметить, часто бывала строго правильной и научной: результат внимательного слушания радио и чтения газеты «Гудок», в которой, если взять ее на протяжении десятилетий из номера в номер, накопилось немало человеческой мудрости помимо той политики, которой эта мудрость заслонялась, но Иван Захарович умел видеть — сквозь.)

— Маловато намеков получается! — сказал Петруша. — Думаешь, я один родился у матери, которую отец не трогал? У меня одного в соседях какой-нибудь Иоанн есть? Маловато!

— А родился ты в декабре, как Иисус?

— Маловато!

— А Полынск?

— Маловато!

— А волкозаяц!

— Маловато!

— А мать — Мария?

— Маловато!

— Тьфу, так твою так, прости, Господи! Чего тебе еще?

— А волхвы? — спросил Петруша, тыча пальцем в Новый Завет, который он, имея от природы превосходную память, знал уже почти наизусть. — Что-то ни золота, ни ладана, ни этой самой... — Петруша заглянул в текст, — ни смирны какой-то — никто нам не приносил. И ни в какой Египет мать моя бежать не собиралась. И никаких младенцев не избивали!

— Это как же не избивали? — опроверг Иван Захарович. И напомнил.

В тысяча девятьсот шестьдесят втором году из школы-интерната стали пропадать дети. Девочки от восьми до двенадцати лет.

Грешили на цыган, часто кочевавших через Полынск, — тогда еще на лошадях, в кибитках, это уж потом только в поездах, современно. Ловили цыган, били их до увечий и до смерти, требовали признаться, указывая на их детей, среди которых несколько были подозрительно светловолосы. Цыгане отпирались.

Особенно активно проявлял себя в поисках директор школы-интерната Юдин. Он клялся, что лично расправится с преступниками, когда найдет их.

Интернат был возле Лысой горы.

Лысая гора местами песчана, местами каменистa. В песчаных местах брали песок для строительных работ, подрывая гору снизу— где подъехать можно, выемки часто осыпались, и в них погибло уже две неосторожные козы и пятеро человек, не вместе, а последовательно, причем один вместе с лошадью и телегой. А в каменистых местах — расщелины и даже пещеры. Две пещерки сухие, неглубокие, а в третью вход узкий, едва человеку протиснуться, впрочем, туда никто, даже шалые пацаны, в последние годы не рисковали забираться — из пещеры слышался постоянный жуткий свист непонятного происхождения. Посвист какой-то заунывный. То тише, то громче, то сиплый, то веселый, высокий, озорной. Так бы никто и не узнал, что там, в этой пещере, если бы не забрел туда, хоронясь от дождя, тендеровщик Буксатов с ружьем и собакой Жулькой. Жулька, не обратив внимания на свист, принюхалась — и бросилась внутрь. Буксатов знал ее привычки: небось падаль унюхала, вываляется теперь в ней и будет вонять целую неделю гнусным запахом животной мертвечины. Он, сердясь, полез за собакой, потому что на зов его она не выбежала.

Мертвечина оказалась не животной. Пять детских трупиков лежали там, накрытые мешковиной, пять девочек, а одна, пропавшая совсем недавно, была еще цела, на шее у нее был галстук, знакомый всем, кто слушал в клубе железнодорожников выступления директора интерната Юдина, посвященные официальным датам, поскольку он, кроме своей образованности, имел мандат депутата горсовета. Видно было, что директор не просто душил ее, а многое делал до этого. Стала ясна и причина свиста: горлышки бутылок лежали на камне у входа и звучали на разные лады от залетающих ветерков.

Буксатов не имел детей. Но он всегда их хотел и умилялся издали.

Он пошел к интернату, вошел в интернат и спросил, где директор.

В кабинете у себя.

Он вошел в кабинет и, не имея сил долго рассматривать сидящего за столом директора, поднял ружье и выстрелил в него поочередно из двух стволов...

Вот что рассказал Иван Захарович, а Петруша слушал этот рассказ хоть и не впервые, но с новым интересом.

Выслушав и обдумав, сказал:

— Ну и к чему ты это?

— А к тому! Директора того я толкую теперь как предтечу Антихриста, Ирода первого, он ведь не просто детей избивал, он искал Христа, чтобы убить, а ты ведь в это время сам в интернате был!

Действительно, в ту пору мать Петруши прирабатывала уборщицей в интернате, выплачивая долг пропойцы-мужа (его проезжие жулики обыграли в карты, уехали, оставили адрес для присылки денег, если же не пришлешь, грозились, через полгода вернемся и убьем), и иногда брала маленького Петрушу с собой.

— Но это же девочки были! — воскликнул Петр. — Зачем ему было среди девочек-то Христа искать?

— А сам-то ты не был на девчонку похож? — тыкал Иван Захарович в стену, где развешаны были в рамках семейные фотографии и на одной из них — Петруша в трех- или четырехлетнем возрасте, кудрявый, в самом деле похожий на девочку.

Петруша опять призадумался.

Какая-то логика в словах Ивана Захаровича была.

И все-таки...

— Не может этого быть! — сказал Петруша.

Иван Захарович понял, что он имеет в виду.

Помолчал.

Потом встал, подошел к Петруше, сидящему на диване, взял у него из рук книгу, отложил левой рукой, а правой что было силы ударил Петрушу по щеке — да так и застыл, внимательно глядя в Петрушины глаза. Глаза наливались влагой обиды и недоумения.

— Ты чего? — спросил Петруша.

— Ударил тебя, — сказал Иван Захарович.

— Зачем? — спросил Петруша, хотя и сам уже догадывался.

— А затем, чтобы посмотреть, ударишь ты меня в ответ или не ударишь.

— Проверяешь, значит? То есть если я Христос, то не ударю?

— Именно.

— А я ведь — ударю! — поднялся Петруша. — Я тебя так ударю, что ты у меня...

— Поздно! — ничуть не оробел Иван Захарович. — Ты теперь ударишь разумом, а не душой. Душой ты — не ударил.

— Если я тебя не стукну, — сказал Петруша, — то вовсе не из-за этого. Стариков не бью, вот из-за чего. А ненормальных — тем более. Но вторую щеку тоже не подставлю, не дождешься.

— Так ты уже подставил, Петруша, — ласково сказал Иван Захарович. — Не ударил меня, значит — подставил.

— Чего? — вылупил глаза Петр — и тут же булыхнулись его синие глаза вправо-влево вместе с лицом: Иван Захарович урезал его и по другой щеке.

Входя в дом, мама Зоя, Зоя Завалуева, услышала какие-то странные звуки — и вдруг, испуганно вскрикнув, отскочила: с треском распахнулась дверь и вылетел спиною вперед сумасшедший Нихилов. Встал на карачки, поднялся, утирая со рта кровь.

Поднялся.

Отряхнулся.

— Вы чего это? — спросила мама Зоя. — Перепились?

— Так. Играем.

— А-а...

У мамы Зои не было желания вникать, свое переполняло, пугало и радовало ее. Она вошла в дом и сказала:

— Петь, а Петь?

— Ну, — неприветливо спросил раздраженный Петруша.

— Петь, а руки-то у меня... — Мама Зоя поспешно закатала рукава и показала Петру чистые руки. — Как у молоденькой! Ну, ты дал! Ты и в самом деле, что ль, как эти? Экстрасенц? А? Спасибо тебе, Петя! Прям не верится! Спать даже не могу, не привыкла спать, когда не чешется! — разглядывала мама Зоя свои руки.

Петруша, не приближаясь, глядел в остолбенении.

— Ты потрогай, потрогай! Сливочные! — ворковала мама Зоя.

Петруша подошел, словно на деревянных ногах, тронул пальцем.

— Да, — сказал он.

Поднял глаза и увидел в двери усмехающегося Ивана Захаровича.

— Хоть и грех, а надо по этому поводу выпить, — сказала мама Зоя, доставая бутылку.

— Почему же грех? — заинтересовался Иван Захарович.

— А госпожинки же, пост же до середины августа. И купаться нельзя: бешеный бык в воду нассал.

— Откуда знаешь?

— От мами. Госпожинки, пост. Я все посты соблюдаю, от мами покойной привычка.

— Так ты верующая, значит?

— А то нет!

— Тогда знай, — сказал Иван Захарович. — Не госпожинки, а Пресвятой Богородицы пост! Верующая, а чушь несешь: госпожинки!

— Мама так говорила. Да выпить можно, чего вы?

— Верующая ты, оказывается... — задумчиво сказал Иван Захарович, поглядывая на Петрушу.

Петр побледнел.

— Тогда узнай еще... — многозначительно начал Иван Захарович.

— Нет! — закричал Петр. — Нет, мама Зоя, мне пить нельзя, мне на смену сейчас, ты оставь, мы потом! Ты иди!

И он торопливо стал провожать маму Зою, а в сенях сказал ей:

— Вот что. Ты про это никому не говори. Я тебя очень прошу.

— Ну, не скажу. А чего сказать тогда? Спросют же.

— Скажи: Ибунюшка вылечила.

— Так и поверили! Ибунюшка сроду так никого не вылечивала. Кардинально, — уточнила мама Зоя, вспомнив медицинское слово, часто слышанное в кожно-венерическом диспансере.

— Дело твое, но я — ни при чем. Очень прошу.

— Да ладно, — пожала плечами мама Зоя. — Ты только скажи, откуда это у тебя?

— Чего — это? Нет у меня ничего!

И Петр ушел в дом, хлопнув дверью.

— Случайность! — закричал он Ивану Захаровичу. — Она очень вылечиться хотела, вот и вылечилась! Наука такие случаи знает!

— Согласен, — сказал Иван Захарович, тоже читавший про такие случаи в газете «Гудок». — А если не случайность?

— Тебе опять,что ли, влепить? — спросил Петруша.

— Ничего этим не докажешь. Ну, влепил ты мне. Но вторую-то щеку уже подставил. А влепил — уже потом.

В волнении Петруша скусил зубами пробку с бутылки, налил и выпил. Иван Захарович тоже волновался, поэтому и он налил в освободившийся после Петра стаканчик и тоже выпил.

Помолчали.

— Я эту книгу насквозь изучил, — показал Петр на Новый Завет. — Есть ли Бог, не знаю, а парень этот точно был. И парень не чета мне. Говорить умел! Душа какая была!

— И ты не без души.

— Молчи! Ты знаешь?

— Что?

— А то! Сейчас скажу. Скажу — со стула упадешь.

— Ну, скажи.

— Смотри, проболтаешься — убью!

— Слушаю.

— Я с теткой живу. С Екатериной.

— Жил, — сказал Иван Захарович.

— Что?

— Жил. Нам тоже в подробностях неведомо, как и с кем жил Иисус Христос до тридцати лет, хотя с малолетства мудр был. Но с тридцати — совсем другое дело. С тридцати! Вот тебе и еще намек!

— А как насчет головы? — скакнула мысль Петра.

— Какой головы?

— Иоанну-то голову отрезали. Не боишься?

— Чему быть, тому не миновать. Даже рад буду, если это твоему делу послужит.

— Нет, Иван Захарович, как хочешь, а ты псих. Я тебя сдам.

Иван Захарович ничего не ответил.

Петруша теребил в руках книгу. Листал страницы.

— Вот, например, — нашел он. — Смотри. «Тогда Иисус возведен был Духом в пустыню, для искушения от диавола, и постившись сорок дней и сорок ночей, напоследок взалкал». Можно ли нормальному человеку сорок дней не пить, не есть?

— Нормальному — нельзя. А ты — пробовал?

— Без еды и питья?

— Почему ж. Без еды — это да, а без питья никто столько не проживет, — сказал Иван Захарович, знающий это из всеобъемлющей газеты «Гудок», впрочем, это и Петр знал еще из школьных знаний. — Иисус росу пил. Воду из ручейков. Так я полагаю.

— В пустыне-то?

— Пустыня, — объяснил Иван Захарович, — сиречь пустынное место, а не Каракумы какие-нибудь.

— Не смогу! — отрезал Петр.

— Девка скажет: не могу, ложит ногу на ногу, а миленочек-нахал взял и в глотку запихал, — возразил Иван Захарович народной частушкой. — Не пробовал — не говори! — сказал он уже всерьез.

— И не буду!.. Если только в порядке эксперимента. Просто так. Люди вон Берингов пролив переплывают зимой, на Эверест лезут, а я вот захочу — и сорок дней жрать ничего не буду!

— Не выдержишь, — подначивал Иван Захарович. И Петр видел эту явную подначку, но все же завелся — такой уж характер.

— Спорим?

— Кто спорит, тот дерьма не стоит!

— Завтра же отпуск возьму да отгулы, как раз на сорок дней наберется. Только где пустыню взять? Чтоб людей не было?

— Найдем! — успокоил его Иван Захарович.

— Ты что, со мной пойдешь? Для проверки, что ли?

— Зачем? Чтобы морально поддержать. Хочешь, иди один. Я тебе верю. Да и могу ли я не верить Господу своему Иисусу Христу?! — прорвалось вдруг у Ивана Захаровича с надрывом.

Петр смутился, отвернулся.

— Ладно, — сказал он. — Вдвоем веселее. Книжек только взять и карты, а то со скуки сдохнешь.


## 5


Они пошли искать пустыню.

Мало ли в России пустынных пространств? Стоит только сойти с дороги и пойти наугад полями и перелесками, о которых стихи в учебнике «Родная речь», — и за целый день можешь не встретить ни одного человека, поневоле задумаешься: кто ж эти стихи-то написал?

Иван Захарович и Петр так и сделали: свернули с дороги и пошли наугад. Место им было нужно такое, чтобы лесок (соорудить шалаш от непогоды) и вода поблизости: ручеек или чистая речка. А лучше всего — родник, потому что чистых ручейков и речек не осталось уже.

Они шли весь день. Вот лесок, и родничок струится, но рядом село, значит, уже не пустыня.

А вот, куда ни глянь, ни сел, ни машин проезжих, ни людей прохожих, и лесок есть, — но нет родника.

Запас воды у них с собой был, поэтому они расположились на ночлег, так и не отыскав подходящего места, расположились в березничке на сухом пригорке.

Попили воды.

Говорить от усталости не хотелось.

Иван Захарович поглядывал на хмурое лицо Петра.

— Чего смотришь? — не выдержал Петр.

— Я ничего. Хорошо, что ватнички прихватили. Ночи холодные в августе.

Ночь, однако, оказалась теплой, безветренной. Зато одолевали комары. Иван Захарович то ли нечувствительным был, то ли пожилое его тело сильно уморилось: спал. А Петр ворочался, прятал под себя голые руки, засовывал голову в воротник, но проклятые комары доставали, жиляли в руки, в шею и самое голову сквозь волосы.

Дурак я и характер у меня дурацкий, думалось Петру. Это все упрямство мое бестолковое.

Петр был упрям, правда. Еще в школе, учась легко, но довольно лениво, влюбился он в молоденькую учительницу литературы. Учительница, прибывшая в Полынск отбывать обязательный срок после университета, не скрывала, что обязательно уедет, на учеников смотрела с гадливостью. Петр этого не заметил, она нравилась ему как женщина, и он написал ей письмо в стихах наподобие «Евгения Онегина».

> Я вас увидел, и сейчас же
> В душе моей любовь зажглась.
> Но понимаю, что нельзя же,
> Чтоб ваша враз отозвалась.
> Мы с вами возрастом различны,
> К тому же вы так симпатичны,
> Что я не в силах вам сказать,
> Как я желаю вас обнять.
> Но я гляжу, как ненормальный,
> На ваших прелесть дивных ног,
> Которых Пушкин если б мог
> Увидеть, он бы моментально
> За вас бы замуж поспешил.
> Не Пушкин я — но вас любил!

(Тут надо бы «люблю» — но проклятая рифма!)

Учительница оставила его после уроков и долго, с усмешками издевалась — нет, не над любовью Петра, а над стихотворением, квалифицированно и с увлечением, не наблюдавшимся в ней во время уроков, разбирая его со всех сторон.

— Пушкина не знает, а туда же, под «Евгения Онегина» строчит! — сказала она.

— Не знаю? «Евгения — того же — Онегина» — наизусть! — сказал Петр.

— Ври дальше.

— Я сказал!

— Ну, давай. С самого начала.

— Сейчас некогда. Мать огород прополоть велела. На следующем уроке.

Следующий урок был через пятницу, субботу, воскресенье и понедельник — во вторник.

Оставалось, то есть, четыре дня. Четверо суток.

Петр засел за книгу. Сперва он сам не верил в успех. Только прочитать «Онегина» вслух занимало несколько часов, а надо — выучить. Но он долбил, долбил — без отдыха и сна, только пил крепкий чай.

Во вторник утром он стучал в дом бабушки Ибунюшки, где квартировала учительница.

Та еще спала — и удивилась. Она была одна; Ибунюшка, выгнав в стадо корову, отправилась спозаранку в лес собирать росные травы.

Учительница ни за что не хотела слушать чтение Петра.

— Вы мне не верили. А я знаю. Проверьте, — упрямо твердил Петр.

— Теперь верю.

— Нет, вы слушайте!

Она одевалась за перегородкой, а он читал. Она пила чай с пряниками и медом, а он читал. Она собралась идти, но Петр, не прекращая чтения, встал у порога.

— Хватит! — закричала учительница.

— Нет, — сказал Петр. — Пока не кончу, не уйдешь.

Она взглянула в его глаза — и села.

Петр читал сперва торопливо, взахлеб, но к середине разошелся, стал читать уже с выражением. Учительница, вместо того чтобы радоваться, изнемогала. То мягко скажет: «Ну ладно, Петя...» То строго: «Вот что, Салабонов!..» Петр, не давая ей продолжить, возвышая голос до крика, читал и читал.

И вот учительница закатила глаза и стала сползать со стула.

Петр подхватил ее, уложил на постель. Сбрызнул водой.

— Директору... пожа... — прошептала учительница — и обиженно задрожали ее девчоночьи потрескавшиеся на полынских ветрах губы.

Петр не удержался и поцеловал ее.

Через неделю учительница срочно уехала по каким-то семейным, говорили, обстоятельствам. И не вернулась.

И это только один случай, а можно еще вспомнить, как Петр на спор пообещал спрыгнуть с десятиметрового обрыва в мелководную речку Мочу (ударение на первом слоге) — и спрыгнул, рассчитав, что нужно упасть не головой или ногами — тут же стукнешься о дно, а плашмя, и упал плашмя, и так отшиб лицо, грудь и все прочее спереди, что кожа долго была красной, будто после ожога. Можно вспомнить, как он — на спор же, на ящик пива — взялся у клуба перетягивать веревку против семи крепких парней. Парни — в сумерках было дело — привязали веревку к столбу, да и не веревку, а целый канат, стали тянуть, стал тянуть и Петр, стали рвать, стал рвать и Петр. И у них — мертво, и у него — мертво. Наконец он озлился и так дернул, что столб заскрипел, он в горячке не понял, дернул еще раз, еще — и столб повалился, едва парни успели разбежаться.

Ну и так далее.

Но все это имело какую-то цель, а ради чего он будет голодать сорок дней, Петр не осознал. Вроде на спор, а вроде и нет, с Иваном Захаровичем хоть и спорили, да ни на что не поспорили. Что ж, просто так? Выходит, просто так. Но — слово дадено, нужно держать.

Есть наутро хотелось невыносимо.

Иван Захарович бодрился, ползал по траве, слизывал капельки росы и через час уверял, что вполне напился и обойдется без воды, прихваченной из дома на первое время.

Мне больше достанется, сказал Петр и допил воду.

Теперь, хочешь не хочешь, надо искать родник.

Они проплутали весь день — и уже под вечер наткнулись на ложбинку возле полузаросшей полевой дороги, где родник, вытекая, образовывал болотце, дальше низиной простирались заросли кустарника. Место сыроватое, но из кустарника зато можно соорудить кое-какой шалаш. Впрочем, оставили это на завтра, улеглись спать.

В эту ночь Петр уже не обращал внимания на комаров, спал беспробудно.

Голод утром уже не показался нестерпимым.

Они стали строить шалаш, и построили, и сели в тени отдыхать.

Но вот отдыхать Петруша устал, читать не хотелось, тем более что Иван Захарович не позволил ему взять никаких книг, кроме Библии, да Петр и сам рассудил не обременяться лишней тяжестью. А картишки все ж прихватили.

— Сметнем в очко? — предложил он Ивану Захаровичу.

Иван Захарович сначала вознамерился взять и порвать карты, но подумал, что игра ведь будет не на деньги, на интерес, не грешная. Только не в очко: воровская игра. В дурачка, милое дело, забава чистых душой старушек.

Семнадцать раз подряд обыграл Петр Ивана Захаровича, поскольку, благодаря своей памяти, всегда знал, какие карты вышли из игры, а какие остались.

— Видишь, — сказал Иван Захарович, — какие у тебя способности! Это тоже неспроста.

— Да иди ты, — ответил, скучая, Петруша.

— Нехорошо, — сказал Иван Захарович. — Ты должен свои грубости забыть. Тебе перед народом выступать предстоит. Проповедовать.

— Ага, разбежался! Не смеши ты меня, Христа ради! Ну, научусь я говорить. А дикция?

— То есть?

— Дикция! У меня же «рррэ» — слышишь? — с картавинкой!

Иван Захарович удивился.

— Не замечал, — сказал он.

— А ты заметь! Ехал грека через реку, видит грека — в реке рак! — прокричал Петр. «Р» было у него не то что картавым, а, как сказал бы Петр, если б знал это слово, — грассирующим.

— Да, — задумался Иван Захарович. — Значит, еще один знак. Еще один знак Господь тебе дал — чтобы ты речью своей отличался от прочих других! Среди евреев картавых много, а Иисус ведь еврей по человеческому происхождению. Значит, в некотором роде, по особенности речи, ты, можно сказать, тоже в некоторой степени еврей. А?

Петр на это только руками в изумлении развел. Посмотрел потом на небо, поковырял ногой землю и заявил, глядя прямо в глаза Ивану Захаровичу:

— Жрать хочу! Не Христос я! Не могу терпеть. Хочу жрать, ясно? Иду домой. Как раздолбаю десяток яичков, как зажарю на сковородочке, как замолочу!

— Яичницы я тебе, конечно, предложить не могу, — опустил глаза Иван Захарович, словно ему было чего-то совестно. — А вот... — И неведомо откуда достал кусок ржаного хлеба. Хлеб был в тряпице и не зачерствел еще.

— На, — сказал Иван Захарович и протянул Петруше, так и не поднимая головы, чувствовалось, как все его существо напряглось и насторожилось.

Петруша все понял.

— Искушаешь, значит?

— Искушаю, — шепотом сказал Иван Захарович.

— А кто тебе такое право дал? Ты дьявол, что ли, так твою так? Или заместитель его? Не много ли на себя берешь?

— Прости, Господи, — прошептал Иван Захарович.

— Я тебе не Господи! — закричал Петр. — Я тебе не Господи, а есть не буду — на спор! Сам себе хочу доказать, вот и все! — И он взял хлеб и бросил его на землю.

— Подними, — тихо сказал Иван Захарович.

Петруша посидел, помолчал. Поднял хлеб, протянул Ивану Захаровичу. Тот завернул его в тряпицу, спрятал за пазуху.

— Всегда тут будет.

— Садист, — сказал Петр.

А уже вечерняя заря догорала.

— Вот и третий день прошел, — сказал Иван Захарович. — Дальше совсем легко.

Петр не поддержал ответом его бодрости.

Среди ночи их разбудили голоса и свет в лицо.

Милиция.

Откуда, зачем, почему?

Очень просто. Пустыня, где расположились Иван Захарович и Петр, оказалась в окрестностях города Заморьина, такого же захолустного, как и Полынск. Это не город даже, а ПГТ, поселок городского типа. Но местные жители называли его городом. В подтверждение этого статуса сегодня ночью произошло по-настоящему городское преступление: угнали служебную машину, принадлежащую райкому партии. Хорошую машину, «Волгу» черного цвета. Причем с отягчающими обстоятельствами: по данным свидетелей, машину помогал угнать не кто иной, как сам шофер этой машины.

Милиция на чахлом «уазике» пустилась в погоню. Догнать, конечно, не догнали, хоть и видели вдали и два раза выстрелили в том направлении — и вот возвращались, спрямляя путь по проселку. И высветили фарами на повороте какое-то сооружение, какого здесь раньше не было.

Подъехали, увидели шалаш и двух бродяг.

— Возьмем? — посоветовался сержант Гавриилов с шофером, рядовым Внучко.

— А че ж не взять? — одобрил шофер.

Они стояли перед бродягами, освещая их фонарями.

Бродяги терли глаза.

— Документы! — потребовал Гавриилов.

А документов меж тем ни Петруша, ни Иван Захарович не взяли. Зачем, мол, если по пустыне скитаться будем, — какому лешему показывать?

— Нету, значит, документов? — радовался Гавриилов.

— Да мы ходили тут... — заторопился Петр. — Мы это, мужики, мы к родственникам это самое, на свадьбу, вот я, вот дядя мой, ходили на свадьбу, возвращались то есть уже, заблудились, из Полынска мы, проверить можно...

— Не лги! — вдруг громко, на всю окрестность сказал ему Иван Захарович. — Нельзя тебе лгать, неужели не понимаешь?

Петр умолк.

— А ты! — обратился Иван Захарович к сержанту Гавриилову, вытянув руку с обличающим перстом. — Ты! Знаешь ли ты, с кем ты говоришь?

Он, возможно, объяснил бы сержанту, с кем тот говорит, но не успел: рядовой Внучко, горячий еще от погони и желавший действий, тихо оказался сбоку и четко применил к Ивану Захаровичу прием ребром ладони по шее. Одновременно с этим, как бы одобряя и поддерживая действия подчиненного, Гавриилов выстрелил в воздух.

Но тут произошло непредвиденное. Сержанту Гавриилову и рядовому Внучко показалось, что неизвестный малый (изрядный, надо сказать, верзила), увидев упавшего старика, словно разделился надвое: одна часть бросилась на Гавриилова, другая на Внучко. На самом же деле Петр, вспомнив свое армейское десантное прошлое, Гавриилова достиг в прыжке кулаком, а Внучко в тот же миг достал ногой. Они упали без сознания, в руке Петра оказался пистолет. Кряхтя, держась за шею, Иван Захарович прохрипел:

— Брось! Нельзя тебе! Брось!

— Бежать надо, пока они вырубленные! — сказал Петр.— Они не простят.

— Пусть! — вскричал Иван Захарович. — Я, убогий, думал свое, а Бог по-своему рассудил, он тебе другое испытание приготовил! Брось пистолет, смирись, дурак, все равно по-Божьему выйдет! Как ты можешь идти против воли Его?

Петр стоял в нерешительности, разглядывая хорошо знакомый ему пистолет конструкции Макарова. Он понимал, что нужно немедленно бежать — через болотце, где не пройдет «уазик», бежать, скрыться от греха подальше.

Но вместо этого бросил пистолет к ногам приходящего в себя Гавриилова. Сержант цапнул пистолет и, отползая задом к машине, заорал:

— Руки вверх! Стреляю! Руки вверх!

Руки были подняты.

Ударами по щекам оживив рядового, сержант велел ему взять веревку и связать бандитов, — сам держал их под прицелом.

Они поехали в Заморьино.

Приехали.

Гавриилову и Внучко не терпелось поквитаться со сволочами, но они решили это сделать толково, без суеты. Не докладываясь начальству (да оно и дрыхло сейчас уже), посадили их в КПЗ, камеру предварительного заключения при поселковом отделе милиции.

Час прошел — их не было.

Уставшие, они выпивали и закусывали. Рассказывали друг другу, как они обижены. Распалялись.

— Ну? И чего ты добился? — спрашивал в это время угрюмый Петр. — Они же нас бить сейчас придут. А потом будут судить за нападение на милицию и овладение оружием. Знаю их штучки. Они нас бить будут, а мы? Молчать и щеки подставлять?

Но Иван Захарович был словно не в себе, он сиял и горел.

— Словом их пройми, словом! На то тебе Богом и право дано!

— Достал ты меня своим Богом! Атеист я, между прочим!

— Молчи! Готовься! Думай!

Но Петр не мог думать. Вернее, он думал лишь о том, как сбежать. Но ни стены, ни железная дверь, ни маленькое зарешеченное окошко не оставляли никаких надежд на спасение. Разве только дождаться, когда войдут, — и броситься? Но ведь с пистолетами войдут, суки!

Так и оказалось.

Внучко и Гавриилов, выставив дула, вошли, закрыли за собой дверь. Улыбались.

— Держи обоих на мушке, — сказал Гавриилов, подошел к Петру и ударил его под дых. Петр согнулся.

— Стойте! — закричал Иван Захарович. — Бить нас будете? Ладно! Но дайте ему сперва слово сказать! Говори, Петр!

Петр молчал, стиснув зубы.

— Тогда я сам буду говорить! — объявил Иван Захарович. И начал: — Скажите мне, чего добьетесь вы побоями? Правды? Но желающий сказать правду, скажет ее и так, а не желающий — утаит. Если же и скажет под побоями, то велика ли цена той правде?

Гавриилов засмеялся и угостил его справа — но так, чтобы тот не упал и имел возможность говорить. Гавриилову интересно стало послушать старика.

— Допустим, вы бьете преступника и злодея! — не смутился Иван Захарович. — Но исправите ли вы его побоями? Нет, он лишь озлобится и нанесет обществу еще больше вреда!

Внучко угостил его слева.

— В чем смысл побоя, удара как такового? — светлея ликом, воскликнул Иван Захарович. — В том, чтобы причинить боль! Но сравнима ли эта боль с той духовной болью, на которую человек обрекает себя сам, а паче всего — бьющий?

Гавриилов приложил его справа.

— Следственно! — почти в восторге закричал Иван Захарович (мысленно блаженно вопя: «Спасибо, Господи, за Тебя страдаю!»).— Следственно, битье — всякое! — есть действие бессмысленное! Лишь то действие человека имеет смысл, каковое улучшает природу человека, битье же избиваемому пользы не приносит, оно ему не нужно! Оно необходимо кому? — бьющему! Вывод: бить кого-то или тыкать кулаком стену — нет никакой разницы! Тычьте кулаками в стены, милые, результат тот же!

Внучко, обиженный предложением тыкать кулаками в стену, приложил старика слева посильней прежнего, Иван Захарович упал.

— Пусть отдохнет, — сказал о нем Гавриилов и шагнул к Петру.

А Петр в это время — конечно, не подробно, а промельком в уме — вспомнил, как его впервые поразила несвобода.

До семи лет ничего не стесняло.

Но вот он пошел в школу.

На одном из первых уроков учительница решила проверить память детей и задала учить маленькое стихотворение, чтобы потом тут же, на уроке, его рассказать, а сама в это время писала письмо в Салехард Алексею Рудольфовичу Антипову, красавцу и умнице, с которым она полгода назад ехала до Полынска от Сарайска, и тот успел объяснить ей свою жизнь, и оставил адрес, и вот они переписываются (а через полгода, желая сделать ему сюрприз, она поедет в Салехард и найдет Алексея Рудольфовича в окружении жены, детей, забот и мирных трудов, а вовсе не в одиноком несчастье, — и ее навсегда оставит романтическое представление о жизни).

Петруша первым выучил стихотворение, поднял руку, рассказал — и пошел из класса.

— Куда это ты? — спросила учительница.

— А я все.

— Ты-то все, да другие-то не все!

— Ну, пусть сидят, — рассудил маленький Петруша.

— И ты сиди.

— Зачем?

— Будешь слушать, как они отвечают.

— А чего слушать-то одно и то же?

— Сядь, я сказала! — исчерпала разумные доводы учительница.

— Зачем?

— Затем, что идет урок и с урока не уходят!

— Почему?

— Потому что ты школьник теперь, а не кто-нибудь.

Учительница сердилась: письмо было прервано на интересном моменте, она доказывала Алексею Рудольфовичу, что, даже не имея друзей близ себя, можно не чувствовать себя одиноким, если есть где-то, пусть даже и вдалеке, тот, кто помнит о тебе, а ты помнишь о нем...

А Петруша все стоял у двери.

— Ты сядешь или нет? — злилась учительница.

— А на кой?

— Не «на кой», а зачем?

— Ну, зачем?

— Заниматься, как и все.

— Все учат, а я выучил уже.

— А вот расскажем, другое задание будет.

— Скажите, сделаю.

— Слушай, Салабонов! Закон школы такой, что ученик слушает учительницу. Ты должен меня слушать.

— А я слушаю.

— Так садись!

— Я и стоя слушать могу.

— Дурак! — взорвалась вдруг учительница. Горько ей сделалось и обидно: так хорошо начиналось утро, так светло было на душе, а теперь явственно открылся ей мрак грядущего года, наполненного мероприятиями по воспитанию дуболомистых детей железнодорожников. Она вскочила, схватила Петрушу за плечо и поволокла его к парте, усадила его обеими руками, словно желая навечно приклеить к сиденью.

Но едва отошла — Петруша вскочил и выбежал.

Уговорили его пойти опять в школу лишь через неделю.

Потом он, конечно, попривык к условиям несвободы и в школе, и, само собой, в армии, он привык опытом, но душой и умом так и не понял. Однажды он читал историческую книгу про Италию, и ему очень захотелось в Италию, но вдруг он понял, что, скорее всего, никогда не попадет в Италию, — и даже заплакал...

Вот теперь мучает и жжет душу вопрос: почему он здесь, а не на воле?

Почему нельзя объяснять этим людям, что ему невозможно здесь находиться, что от этого и ему, и им будет только хуже?

И эта мука была в Петре сильнее страха боли и даже страха смерти (впрочем, последнего страха он никогда не имел).

— Ты меня лучше убей, сержант, — тихо сказал он приблизившемуся Гавриилову.

— Я тебя не только убью, я тебя на десять лет засажу за нападение на милицию, — сказал Гавриилов, тоже почему-то шепотом.

— Я отсижу, — сказал Петр. — Но я выйду и убью тебя. Богом клянусь.

Ах, не надо бы Гавриилову глядеть в глаза Петра, а он — глянул. А глянув — дрогнул. Хотел поднять руку — не поднимается рука.

И сказал Внучко:

— Ладно. Утром разберемся.

Внучко был не против, после выпивки, еды и физической работы над стариком он притомился и хотел спать.

Гавриилов запер КПЗ и отправился домой, дома его ждали жена и пятилетний сын.

Через десять лет жене будет тридцать четыре, думал Гавриилов. Сыну — пятнадцать. А самому Гавриилову — тридцать семь. Цветущий возраст. Только жить да жить...

Тьфу ты! Он отмахивался от глупых мыслей, но как отмахнуться от запечатлевших в уме глаз Петра?

И чем ближе он подходил к дому, тем неприятней становилось на душе.

Взлаяла собака. Гавриилов вздрогнул. Напугала проклятая шавка так, что заколотилось сердце. Он остановился переводя дух.

Он посмотрел на мутное глубокое небо и почувствовал себя под ним утопшим. И сказал себе негромко вслух: убьет!

Повернулся и быстро пошел назад.

Отомкнул КПЗ и, не заглядывая в камеру, ушел.

Иван Захарович охал от боли и удивления, когда Петр выводил его на волю.

— Как же ты их? Каким словом?

— Молча, — нехотя отвечал Петр.

— Таишь силу? Ну, таи... (Господи, — мысленно добавил старик.)

Остаток ночи они провели в пути.

Углубились в лес, который был им не страшен теперь после людей.

Брели до рассвета.

Брели до высокого солнца, пока не потеплело, и набрели на полянку-пригорок, а в исподножье пригорка — родничок в траве. Напились воды, умылись, заснули.

Оказались они, не ведая того, на территории госзаказника — и во все последующие дни никого не видели, и никто не видел их. Так они и оставались на этой полянке, живя в шалаше, — до середины сентября.

Через две недели резко обозначились скулы Петра.

Он молчал. Читал Библию. То усмехался — от чего Ивана Захаровича оторопь брала, то удивленно поднимал брови, словно увидев что-то знакомое — и Ивану Захаровичу становилось почему-то еще страшнее.

Через три недели Петр ушел от Ивана Захаровича и построил на другом краю поляны себе шалаш. Библию с собой не взял.

Через месяц, ночью, Иван Захарович, спавший чутко, увидел, как тень склонилась над ним, рука потянулась к пазухе, где был хлеб. Долго, очень долго была в таком положении рука — и опустилась. Послышался всхлип.

Через тридцать пять дней с начала поста Иван Захарович утром обнаружил, что не может встать. Он пересилил себя и пополз к шалашу Петра. Тот, обросший волосами, отощавший до ребер, но казавшийся от этого огромнее, чем был на самом деле, лежал на спине, словно придавленный к земле, и глядел в небо сквозь прутья шалаша.

— Встать можешь? — шепнул Иван Захарович.

Петр не ответил.

— Нет, Петруша. Так не годится. Я полагаю, Христос что-то ел все-таки. Ягоды. И эти. Акриды. Кузнечики, что ль? В кузнечике тоже живая сила. Калории. Или вот — хлебушек. Святая еда. Съешь хлебушка.

Петр не ответил. Он окаменел. Иван Захарович остался рядом. Превозмогая себя, иногда доползал до ручья, зачерпывая воду во фляжку, полз обратно, поил Петра, пил сам.

На тридцать восьмой день и этого не смог.

Утром сорок первого дня, полуослепший (так на нем сказался голод), Иван Захарович окликами и слабыми толчками будил Петра.

Петр не отзывался.

Умер, тупо подумал Иван Захарович. Не Христос, значит. Человек. А убил его — я. Не пожалел человека. Ах, Петя, Петруша... Однако утешает: скоро и сам помру.

И стал угасать в забытьи.

Но к полудню Петр очнулся, пошевелился.

С трудом, как тяжелый камень, Иван Захарович вынул кусок хлеба, который и тверд был, как камень.

Положил возле Петра. Петр скосил глаза. Долго поворачивался на бок, на живот — и оказался лицом возле хлеба. Он размягчился, можно было уже отщипывать крошки. Каждая крошка осторожно захватывалась языком и губами, чтобы не упала, втягивалась в рот, обжевывалась до нечувствительности — и слюна с растворенным в ней хлебом проглатывалась. Весь день до вечера, и всю ночь, и весь следующий день питались они этим куском, а потом впали в сон. Проснувшись, сумели встать на четвереньки. Тогда доползли до ручья, напились — и после этого даже смогли подняться, хоть и держась за стволы и ветки деревьев.

Так, держась за деревья и друг за друга, они побрели. Увидев съедобную ягодку, один нагибался, а другой держал его, чтобы тот не упал. Поднявший ягодку откусывал половину, вторую протягивал товарищу.

Им повезло, в тот же день они выбрели к дому лесника.

Жена лесника, крепкая бабенка не из пугливых, в это время седлала лошадь.

— Тпрру, стеррррва! — усмиряла она животное. Ее дочурка лет восьми с выгоревшими ресницами, светлоглазая, стояла рядом, расставив толстые ножонки, — и строгость матери отражалась на ее лице, она тоже смотрела на лошадь-упрямицу с сердитостью хозяйки.

— Мам, а вон Бог пришел, — указала она на Петра.

## 6

Прежде чем продолжить рассказ, надо, конечно, объяснить возглас девочки. Это не «устами младенца», не прозрение ее, все проще. В том же Полынске, на том же базаре, где Нихилов купил Библию, появился и другой ширпотреб божественного содержания, в частности портреты-календари со стилизованным изображением Христа: длинные волосы с пробором посредине лба, раздвоенная бородка. Лесничиха купила этот портрет вместо иконы, девочка видела его каждый день. А Петр просто оказался похож: и длинные волосы, окаймляющие лицо, и двоящаяся от природы бородка, выросшая за сорок дней.

Тем не менее Иван Захарович принял это как еще один знак, в чем и убеждал Петрушу через две недели после их поста, когда оба уже отъелись, поправились, к Петру вернулась его добрая усмешливость, а к Ивану Захаровичу прежний его азарт.

— Ну что? — поддразнивал Петр. — Продолжаем эксперимент?

— Нашел слово! — обижался Иван Захарович. — Какой еще эксперимент?

— Ну как же! Пост сорокадневный был. Давай теперь возноси меня на гору. Или на храм сперва? Одно не пойму: ты же не сатана, почему же взялся меня искушать?

— Богу видней, — ответил Иван Захарович. — Может, я какой-то частью сатана.

Сказал, верней, ляпнул — и сам своим словам поразился.

А ведь может быть! — возникло в его уме. Как Петр никак не осознает, что он Иисус, так и я не осознаю, что — сатана?! Но нет! Я Иван, Захарии сын, Иоанн... Но Бог волен всякий раз по-разному испытывать дух, может, я по совместительству и сатана, недаром меня иногда гордыня одолевает, что я Иоанн, избранник, а гордыня — сатанинское чувство!

Даже пот выступил у него на лбу от этих ужасных мыслей — и, чтобы не сойти второй раз с ума, он выпил немного водки. Полегчало.

— Ну, лезем на храм? — спрашивал Петр.

— Лезем, так твою так! Лезем!

Имелась в виду не та церковь, что действовала, а другая, полуразрушенное здание которой сперва использовали как склад лесоматериалов, потом наметили к реставрации: памятник архитектуры. Но все не находилось средств, они появились лишь в последнее время, когда религию вполне разрешили и стали уповать на нее в государственных целях, поэтому будущей возобновленной церкви придавалось значение уже не столько архитектурного памятника, сколько культового здания.

Иван Захарович и Петр пришли к храму ночью — чтобы не смущать людей.

— Куда лезть? — спросил Петр.

— Сказано: на воскрылие. На крыло. На край крыши, я думаю.

Кое-как добрались до крыши, покатой от центра во все стороны, лишенной куполов. Стали спускаться к краю. На краю крыши стоять было нетрудно, тут было место водостока, ложбина — и небольшое перильце. Иван Захарович присел, держась за перильце: он с детства не любил высоты. Петр же, бывший десантник, имевший за плечами пятьдесят прыжков с парашютом, из них три затяжных, высоты не только не боялся, он ее любил.

— Ну? — спросил он. — Как искушать будешь?

— Как и тогда было, — сказал Иван Захарович. И прочитал наизусть: — Если Ты Сын Божий, бросься вниз; ибо написано: Ангелам своим заповедает о Тебе, и на руках понесут Тебя, да не преткнешься о камень ногою Твоею.

— Я не Сын Божий, — сказал Петр. — И прыгать не собираюсь. Вот и все твое искушение. Аминь.

— Дурак ты, Петруша, — горько сказал Иван Захарович. — Иль ты смысла не понял? Сатана на что подбивал Христа, как ты разумеешь?

— Прыгнуть.

— Умен! — иронически констатировал Иван Захарович. — Прыгнуть! На похвальбу он его подбивал! Похвались, мол, покажи, как ангелы тебя понесут! И ведь понесли бы, если б он прыгнул, Иисус знал, что понесли бы! — но не стал хвалиться! Вот ты, знай на сто процентов, что тебя ангелы понесут — отказался бы попробовать?

— А вдруг не понесут?

— Не было для Христа этого вдруг! — рассердился Иван Захарович.— Знал: понесут! А все ж не прыгнул, не унизился до похвальбы!

— Тогда в чем смысл? Проветрились — и обратно полезем? — спросил Петруша.

— Подождем... — ответил Иван Захарович.

Петр глянул окрест, глянул вниз.

Ему приходилось бывать на куда более высоких высотах, но эта — всего метров пятнадцать — почему-то тревожила. Близость ли отвесной стены храма делала ее устрашающей, ночь ли добавляла жути, но Петр невольно отступил на шаг.

— Хочется прыгнуть? — спросил Иван Захарович.

— Хочется, — признался Петр.— Так и тянет...

— Почему?

— Черт его знает...

— Не потому ли, что надеешься остаться жив?

— Какое там...

— А вдруг? Ты ведь, Петруша, я вижу, уже устал себе не верить. Тебе хочется понять наконец, Иисус ли ты новоявленный или нет. Тебе, я вижу, мечтается разом узнать. Если Иисус — понесут тебя ангелы. Не Иисус — кончатся все вопросы. Так?

— Так! — уверенно ответил Петр, хотя до этих слов Ивана Захаровича ни о чем подобном не думал. Но вот сказал Иван Захарович — и тут же он понял, что эти мысли у него самого были, но были в глубине.

— Что ж, — сказал Иван Захарович. — Прыгай.

Петр сделал шаг вперед.

Дунул вдруг ветер, вороны, каркая, поднялись с креста колокольни.

И утих тут же ветер, вновь опустились вороны на крест.

Странными глазами смотрел Петр на то, как они летают, как движутся их крылья.

Он занес ногу на перила.

А вдруг разобьюсь? — мурашками продрала по коже мысль.

А вдруг полечу? — ознобила мысль еще более страшная.

— Нет, — сказал он.

— Боишься? — спросил Иван Захарович.

Петр презрительно промолчал.

— Если я и в самом деле Иисус, — раздумчиво сказал он, — что, конечно, чепуха, то пусть я это по-другому узнаю. Сам. Изнутри своей души. Понял? Без всяких полетов!

— Ты выдержал, Господи, — прошептал Иван Захарович.

— Чего? — не расслышал Петр. Но не стал переспрашивать, предложил: — Раз уж мы на верхотуре, давай, как там сказано, показывай мне все царства мира и обещай все это дать.

— Да ты и сам все видишь, — сказал Иван Захарович.

Петр посмотрел в ночь.

Мутно, бесформенно, редкими огнями раскинулся вокруг Полынск. А далее, если в одну сторону — ничего не видать, заслоняют гора Тожа и Лысая гора, только густое звездное небо над ними. В другую же сторону, в степь, видно лучше, но тоже не беспредельно, все теряется в темноте.

— Представь, — сказал Иван Захарович, — что люди поверят в тебя. Объявят величайшим человеком. Тебе будут доступны все земли, золото, власть. Красивейшие женщины, лучшие яства и вина будут в твоем распоряжении...

— Я бы виски шотландского попробовал, — задумчиво сказал Петр. — Ребята рассказывали: убойная вещь. И негритянку бы это самое. Интересно же, ты белый, а она черная. Вкусно, должно быть.

— Все у тебя будет, — пообещал Иван Захарович. — Но за это ты должен заплатить.

— Это чем?

— Душой, проданной дьяволу.

— Ффе! Душа — понятие нематериальное, сознание вторично, материя первична, — вспомнил Петр уроки обществоведения в десятом классе. И добавил уж заодно, словно отвечая на экзамене: — Бытие определяет сознание. Прибавочная стоимость. Проклятие наемного труда. Пролетариату нечего терять, кроме собственных цепей.

— Не ерничай! — осадил Иван Захарович. — Подумай и скажи: согласился бы ты властвовать над миром?

— А ну его на хрен! — легко ответил Петруша. — Хлопот много. Ладно. Не май месяц, холодно. Давай спускаться.

И они спустились, и Иван Захарович так и не понял, выдержал ли Петр третье искушение или не выдержал.

Впрочем, тут его вина: плохо искушал.

Или, возможно, Бог другое испытание приготовил. Было же испытание поруганием, когда они попали в милицию. А сколько их еще впереди, неведомых испытаний?

В Евангелии сказано, что после трех искушений Иисус начал проповедовать. Иоанн же вскорости попал под стражу. Но Петр к проповедованию явно не готов, поэтому оставлять его и отдаваться под стражу нельзя.

Но можно пока заняться обличением власть имущих, что делал Иоанн, следует сделать первый выпад против Антихриста, против дяди Петра по деду, Петра Завалуева, пристроившегося к власти.

И Иван Захарович отправился к зданию городского Совета. Именно там служил Петр Завалуев, а не в более почетном в то время райкоме партии, чутким нюхом своим заранее чуя, что вот-вот райкомам да и самой партии придет каюк.

То, что Петр Завалуев — Лже-Христос и Антихрист, Иван Захарович открыл для себя не так давно. Обаяющий, светлоликий, к власти бодро идущий — все признаки коварного Антихриста, прячущегося под личиной добродетели. Но главное доказательство было записано Иваном Захаровичем в его заветной тетради. Зная, что число Антихриста высчитывается по буквам имени, он долго трудился, складывая и вычитая эти буквы — соответственно их номерам в алфавите. Но как ни комбинировал, число 666, число Антихриста, не получалось. Несколько недель он потратил, по-разному переставляя цифры, умножая первую и вторую букву имени на две последние буквы фамилии, деля итог умножения цифр фамилии на сумму сложения цифр имени — ну и так далее. Хитер сатана, думал Иван Захарович, ловко замаскировал Антихриста. И лишь недавно, когда он узнал о дате рождения Петра Салабонова — и тем самым Петра Завалуева, который родился, как было сказано, в один день с Петрушей, Ивана Захаровича осенило. Рука сама набросала цифры, и с первой же попытки получился нужный результат. От числа 2512 (день и месяц рождения) он вычел число 1960 (год рождения), вышло: 552. Остальное проще простого: к 552 прибавляем сумму буквенных цифр имени и фамилии ПЕТР ЗАВАЛУЕВ (16-7-19-17, 9-1-3-1-12-20-6-3), что составляет 114, и имеем (552 + 114) ровнехонько 666!* С этими выкладками Иван Захарович познакомил Петра, тот отнесся недоверчиво. Иван Захарович увидел в этом еще одно свидетельство Петрушиной доброты, ведь он любит и врага своего. Правда, по Писанию, воскресший Христос должен биться с Антихристом, но ведь Петр пока себя Христом не осознал, так что...

На прием к Петру Петровичу Завалуеву Иван Захарович попасть, конечно, не сумел: молодой властитель хоть и был прост с народом, но ему по рангу полагалась личная секретарша, которая, узнав Ивана Захаровича (известного, как всякий городской сумасшедший — хотя Иван Захарович сумасшедшим уже не был), сказала, что Петр Петрович сегодня сильно занят, завтра уезжает, на той неделе опять занят, но есть другие люди, помельче, могут принять и выслушать, — да вы, собственно, по какому вопросу? Иван Захарович не стал вдаваться в объяснения.

Он решил встретить Петра Петровича утром: когда мозги человека — ясны, душа не наполнена ложью дня (ибо всякий день в суете своей есть накопление греха), когда совесть наиболее восприимчива.

---

* Букву Ё при своих подсчетах Иван Захарович учитывал, а вот Й упустил из виду. Но это неважно. (*Прим. автора.*)

Петр Петрович для здоровья ходил на работу пешком.

И вот путь ему преградил Иван Захарович Нихилов — в ржавом каком-то тулупе, в валенках (октябрь начался морозами в том году).

И повел разговор.

Содержание которого записал, и вот эта запись.

«Я сказал ему: Здравствуй, Антихрист.

Он сделал вид, что не понял: Кто ты и каким именем зовешь меня?

Я сказал: От лица Пославшего меня зову тебя настоящим твоим именем: Лже-Христос, Антихрист, враг рода человеческого.

Он спросил: Кто послал тебя?

Я сказал: Бог.

Он сказал: Нет Антихриста на земле.

Я сказал: Есть, и ты — он, хоть, может, не ведаешь того.

Ибо как Христос послан Богом, так ты послан дьяволом. Ты послан на завоевание мира, погубитель людей и прельститель их. Властолюбие твое не имеет предела. Чернота души твоей не имеет дна. И на этом дне вынашиваешь ты коварные планы свои. Но знай: пришел уже Тот, Кто победит тебя.

Он спросил: Кто Сей?

Я сказал: Узнаешь о Нем.

Он спросил: Что еще скажешь мне?

Я сказал: Остальное сам скажешь себе. И дал ему лист».

Листом была бумажка, на которой Нихилов начертал результаты своих вычислений:

## ПЕТР ЗАВАЛУЕВ

$$16 + 7 + 19 + 17 + 9 + 1 + 3 + 1 + 12 + 2 0 + 6 + 3 = 114$$

$$2512 - 552 = 1960$$

$$552 + 114 = 666$$

Доказано число зверя, ПЕТР ЗАВАЛУЕВ, родившийся 25.12.60 — АНТИХРИСТ!

### БОГ ДА СПАСЕТ НАС!!!

Меж тем Петр Завалуев, приучивший себя к тому, что следует вступать в разговор с любым простолюдином (он знал, какими бывают последствия небрежения народным мнением), не очень-то вникал в бормотания, но бумажку взял, думая, что это какая-нибудь жалоба или просьба. Сунул в карман и забыл о ней.

Три дня носил он ее в кармане и вот, сидя на каком-то заседании, скучая, залез рукой в карман, теребил, теребил бумажку, заинтересовался: а что это такое теребит рука? — достал, развернул, прочел.

Чертовщина какая-то.

Надо бы выкинуть, но корзины для бумаг под рукой нет, — сунул опять в карман, приказав своей памяти не забыть — выкинуть сразу же после заседания.

Но память подвела.

Лишь вечером, снимая костюм, он опять вспомнил про бумажку.

Развернул, прочел.

Чертовщина какая-то.

Петр Петрович огляделся, словно ища того, кто объяснит ему, что тут нацарапано.

Но никого в квартире он не увидел, потому что был холост.

Петр Завалуев знал, что на холостяков в его сферах смотрят несколько косо. Человек его положения должен быть добропорядочно женат, должен ухичивать дом и семью, ведь забота о семье обязательная принадлежность администратора в нравственном смысле.

Петр Завалуев знал это, но знал и то, что еще более косо смотрят на тех администраторов, кто разводится.

Почему же ему казалось, что если б он женился, то обязательно развелся бы?

Очень просто.

Петр Петрович был не просто честолюбив, а — тут Иван Захарович угодил в самую точку — болезненно честолюбив. Редко кто в двадцать лет скажет себе не в мечтании и грезах, а трезво, серьезно, глядя при этом в зеркало: в пятьдесят пять лет я стану Генеральным секретарем Центрального Комитета Коммунистической партии Советского Союза. А именно это сказал себе Петр Завалуев в двадцать лет, в 1980 году, но потом, году примерно в 87-м, далеко загодя почувствовав крушение Коммунистической партии Советского Союза и даже самого Союза Советских Социалистических Республик, он сделал поправку в своем плане (именно плане, а не прожекте): стать Президентом. Удивительность решения заключалась в том, что тогда еще не было ни постов Президента СССР, ни Президента России, никто не помышлял о таком повороте, а Петр знал, что так будет, хотя не понимал, откуда он знает.

Так вот, наблюдая загадочную, но все-таки видимую своей малой частью жизнь высших людей (по телевизору и газетным снимкам), Петр видел, как они, бедняги, вынуждены влачить за собой своих подруг комсомольской юности, с которыми опрометчиво связали судьбу. Они бы теперь и рады избавиться от состарившихся своих благоверных, ан хрен: нельзя! Нет, Петр не так, он сперва поднимется на достаточно высокую ступень, а уж потом выберет себе женщину: молодую и красивую, и это тем легче будет сделать, чем выше будет ступень.

Пока подъем совершался гладко, по графику. Все силы Петр Петрович отдавал работе, соблюдая, однако, ту черту, переходя за которую работяга становится слишком очевидным карьеристом.

И вот этот человек, скучный для моего ума, но неизбежный в жизни, как декабрь после ноября, вглядывается в бумажку с цифрами, и ему тревожно.

Словно кто-то подслушал его сокровенные мысли — и вознамерился разоблачить его.

Петр Петрович хотел порвать бумажку, но почему-то забоялся это сделать.

Хотел сжечь, но представил пепел и опять забоялся.

Разозлившись на себя, хотел использовать бумажку в туалете и спустить в унитаз, но ясно увидел, как, скомканная, размокшая, она выплывает в речке Моче (ударение на первом слоге), ее выуживают палкой вездесущие огольцы, со смехом читают слова и цифры, которым ничего не сделалось от влаги, — и бегут к нему, Петру Петровичу, дразнить и пугать его ведь для детей, как понял Петр Петрович, помня самого себя в детстве, нет ничего святого, пусть и возражает против этого общепринятое мнение.

Тогда Петр Петрович придумал напиться до беспамятства, чтобы не запомнить, что он сделает с бумажкой в пьяном виде.

Он никогда не напивался, не знал, сколько ему для этого нужно. Выпил бутылку: все понимает, все чувствует. Выпил еще полбутылки. И упал на пол, не дойдя до постели.

Утром встал и увидел бумажку на столе.

Он проанализировал свои знания о том, как напиваются некоторые из его сослуживцев. Вроде человек на ногах держится, говорит ясно, только лишь чересчур горячо, а утром смеется: ничего не помню!

Значит, спрятать бумажку нужно еще будучи не вполне напившимся, а уж потом напиться.

Он так и сделал. Выпил бутылку, спрятал бумажку в щель за плинтус, выпил еще полбутылки. Причем кому-то звонил, отдавал распоряжения, утром к нему в кабинет принесли на семи листах сводку об удойности мелкого рогатого скота по району начиная с 1923 года, — и он убей не помнил, что велел составить эту сводку, а вот про бумажку помнил отлично: за плинтусом!

Он и в мусорное ведро ее бросал, и зарывал в песок, куда ходила его любимица кошка Люся, и вкладывал в 38-й том Полного собрания сочинений В. И. Ленина, но наутро, не помня ничего другого, твердо помнил одно: бумажка в ведре, в песке, в 38-м томе.

Так и спиться недолго, подумал Петр Петрович и бросил это занятие, швырнул листок на шкаф: пусть пылится, так его так!

## 7

Мария, мать Петруши Салабонова, не замечала сперва изменений, происходящих в сыне. Но вот однажды, в воскресенье, глянула раз-другой на него, неподвижно лежащего с толстой книгой, и спросила:

— Заболел ты, что ли?

— Да нет...

— Жениться тебе надо.

— Чего?

— Жениться, говорю. Тридцать лет дураку, пора бы уж.

Она говорила это потому, что всякой ведь матери хочется видеть семейными своих выросших детей, хочется нянчить внуков, то есть она знала это про других матерей, но о себе не могла этого сказать. Ей, если по правде, было все равно, о будущих внуках не тосковала, даже побаивалась, что, появись они, придется за ними присматривать и бросить работу, — а как же без работы? Она не может без работы. Если б пенсионный возраст, а у нее возраст еще рабочий, ей еще потрудиться хочется.

И все же она сказала опять то, что матери сказать положено:

— Женись, нечего балбесничать.

— Запросто! — ответил Петр. — Щас вот пойду и женюсь.

На другой день, лежа в объятиях Кати, он сказал ей:

— Я тут, знаешь... Жениться, что ли, решил...

Нет, Екатерина не отодвинулась, не шевельнулась даже. Помолчала и спросила ровно:

— Кого выбрал?

— Выбрать не проблема. Главное — решить.

— То есть — ты в принципе?

— Ага.

— Меня, значит, тебе мало?

— Я б женился на тебе. Но ты замужем — раз. И тетка моя — два. Ты соображаешь? И главное: нормальную семью хочу. Детей, — сказал Петр без убеждения.

— Хочешь, рожу от тебя? Дураку своему скажу, что от него.

— Нельзя, — сказал Петр. — Мы родственники. Потомства нам иметь не нужно.

— Что ж, женись... — сказала Катя. И только теперь отодвинулась.

Петр любил ее, очень любил. Поэтому решил сказать правду.

— Понимаешь, Катюша. Замучил меня старик Иван Захарович. Я понимаю, псих. А на нервы действует. Долбит и долбит: ты, говорит, Иисус Христос. Вот я и думаю: женюсь — и отстанет он от меня. Иисус-то неженатым был. А я — женюсь. Значит, никакой я не Иисус! — Петруша засмеялся.

Катя холодно молчала.

— Как думаешь? — спросил он.

— Я сказала уже: женись.

— Правда? Но я тебя не брошу!

— Как бы я сама тебя не бросила.

— Нет, и ты меня не бросай. Я нарочно на какой-нибудь похуже женюсь, чтобы не влюбиться в нее. Лишь бы здоровая была, чтобы дети.

— Дурак ты, Петруша, — сказала Катя, но со вздохом облегчения — и прижалась к нему всем своим девическим телом.


И начал Петр искать невесту.

Он пошел на танцы.

Танцплощадка была в городском парке. Место хоть и под открытым небом, но популярнее, чем зал в клубе железнодорожников. Тут можно и курить спокойно, и выпить тут же в кустах, и поблевать там же, и отношения выяснить как дракой, так и любовью.

До самых холодов были здесь танцы, вот и сейчас — октябрь уж на исходе, а музыка по вечерам играет, девушки и юноши в куртках и плащах, а кто и запросто, в телогрейке, — танцуют.

Петр ходил, рассматривал. Подружки со всех сторон окликали его. Но он не хотел брать в жены ни одну из тех, кого знал. Парни здоровались, угощали вином, спрашивали, где пропадал.

— Я не пропадал, — отвечал Петр. — Я занят был.

Он ходил, не чувствуя и не слыша, как за его спиной переговариваются и посмеиваются. Ведь его дружба с психованным Нихиловым обратила на себя всеобщее внимание, а с кем поведешься, от того и наберешься, поэтому Полынск стал считать Петра человеком тоже не в себе. Парням было это утешительно, потому что сила и красота человека, который не в себе, уже ничего не стоят, эти качества — лишь подтверждение его ненормальности. Девушки жалели, но тоже втайне были рады, что с души спал груз мечты о Петре. Они и окликали-то его теперь скорее насмешливо, чем зазывно, но он и этого не понял.

Все девушки казались Петру красивее, чем нужно. Разряженные, разукрашенные, глаза блестят. Он же ищет серенькую, тихонькую, невзрачную.

Два дня высматривал Петр, на третий — углядел. Совсем юная, востроносая и, как в Полынске говорят, сикильдявая, худая то есть.

Петр поманил ее пальцем.

Она оглянулась за плечо.

— Тебя, тебя зову, иди сюда, — сказал Петр.

— Чего? — подошла она.

— Тебе сколько лет-то?

— Восемнадцать два месяца уж как.

— Ага. Замуж хочешь?

— Не собираюсь пока.

— Я в перспективе спрашиваю?

— Когда захочу, тогда и выйду, — гордо сказала девушка.

— Выходи за меня, — предложил Петр.

— Прямо сразу?

— Зачем сразу? Заявление подадим, зарегистрируемся, потом свадьба — все по порядку.

Девушка эта была дочь тендеровщика Кудерьянова, известного тем, что, прожив до сорока двух лет невыразительно, наткнулся в журнале «Техника — молодежи» на чертеж дельтаплана, а рядом была фотография с летящим дельтапланеристом. Кудерьянов срочно взял отпуск, построил дельтаплан, внес его на Лысую гору, полетел с обрыва и летел долго, минут пять, взмывая все выше и выше на удивление всем, кто это видел, но что-то там, в высоте, случилось: коршуном канул Кудерьянов с небес и разбился.

Вот чья была это дочь. И, подумав не более минуты, она сказала:

— Ладно.

— Ну и хорошо! — обрадовался Петр. — Да, а звать-то тебя как?

— Маша, — сказала девушка.


Петр отправился домой, чтобы сообщить матери о предстоящей женитьбе, но мать еще не вернулась с работы, зато его ждали мама Зоя и бабушка Ибунюшка. Ибунюшка плакала.

— Помоги, Христа ради! — взмолилась она. — Мочи нет, разогнуться не могу, пилит он меня пополам, радикулит чертов!

— Я тебе врач, что ли? — сказал Петр, с укоризной посмотрев на маму Зою.

— Ты рожи-то не корчь, а помоги человеку! Она-то, чай, всем помогает, а самою вишь как схватило! — сердито сказала мама Зоя.

— Да идите вы, ей-богу! Откуда я знаю, как его лечить? Он где вообще-то?

— В пояснице, где ж еще-то! — сказала Ибунюшка, поворачиваясь скрюченной спиной. — Не могу, рвет напополам меня всю!

Тьфу ты! — что будешь делать?

Скорее смеясь, чем всерьез, Петр стал водить руками над Ибунюшкиной поясницей, а потом и приложил руки, не брезгуя. (Он вообще на людей и людское не брезглив был.) Старушка только покряхтывала, потом замерла, как курица, несущая яйцо.

— Батюшки! — послышалось из-под ее скрюченного тела, там, где было опущенное к полу лицо. — Легко-то как сделалося! — И она потихоньку, сама себе не веря, распрямлялась. И распрямилась.

Мама Зоя глядела радостно, будто сама излечилась.

— Говорила я тебе, — похвасталась она. — Теперь бросай, Ибунюшка, свою практику, вон какой Петр у нас! Чудодей! Экстрасенц, так его так!

— Все, все, некогда мне, идите! — прикрикнул Петр. — И, мам Зой, последний раз предупреждаю: никому про это! Я ж просил!

— Ладно, ладно.

— И ты, бабушка, молчи.

— Молчу, молчу, спасибо тебе, — сказала Ибунюшка, протягивая Петру рубль: столько, сколько сама брала за лечение.

Он хотел отказаться, но мама Зоя велела:

— Возьми!

Он взял.


## 8


Пришло утро, такое же, как и остальные, что были в жизни Петра, но осененное мыслью: женюсь.

Странную тишину при пробуждении почуял он вокруг, в этой тишине таилось чье-то ждущее присутствие.

Петр открыл глаза. В комнате никого не было.

Он встал и вышел на крыльцо.

И увидел людей.

Они молчали и глядели на Петра.

Так, подумал Петр. Разболтали старухи.

Избоку к нему подошел Иван Захарович. Приблизился так, чтобы их разговора не слышали другие.

— Ну вот, — сказал он. — Настала твоя пора. Спасай их. Лечи.

— Не умею я. Случайно это. Не могу. Пусть уйдут. Страшно мне, дядь Вань...

— Случайно или нет — не тебе судить. Лечи.

— Бывает, у людей способности такие открываются. Вот и все, — словно оправдывался Петр.

— Не трать времени. Лечи.

И обратился к людям:

— Петр Максимович всех примет. Не толпитесь, заходите по одному.

И Петр, не умывшись, не поев, до обеда врачевал. Ну, как врачевал? — только водил руками да прикладывал в тех местах, где у больных болело. Как ни старался Иван Захарович регулировать очередь, дом набился битком. Петр занимался всеми сразу, руки уже устал поднимать и опускать, плечи заныли. И при этом ему казалось, что словно из него вытекает что-то, слабеет он, — и вот сзади кто-то прикоснулся к нему горячей ладонью — и почудилось Петру, что это не ладонь, а щупальца с присосками разом откачали из него всю кровь, он застонал и упал в обморок.

Когда очнулся, в доме никого не было, кроме Ивана Захаровича.

— Как ты? — спросил Иван Захарович.

Петр молчал.

— Ты устал. Поешь.

Петр сел за стол и молча стал хлебать щи.

— Что ж делать, надо давать людям облегчение. Раз у тебя дар такой. Многим легче стало. Благодарили тебя.

Петр глядел в тарелку.

Послышался стук в дверь.

— Открыто, — буркнул Петр.

Вошел мальчишка лет десяти. Поздоровался. Лицо его было в пыли и подтеках то ли от пота, то ли от слез. А пыль была не от земли — накануне снег выпал, — а от знакомой всем жителям Полынска гари и копоти маневровых паровозов.

— Вы нас не знаете, мы недавно здесь живем. В ППО, передвижном поезде-отряде живем, — сказал он.

— Ну?

— Папка у меня заболел.

— Полечим, — ободрил его Иван Захарович.

— Он вообще-то сильно заболел.

— Ну и что? Вылечим.

— Он вообще-то умер, — сказал мальчик.

Петр поднял голову и вперил в него глаза.

— Как зовут? Не Лазарь? — спросил он, странно кривя рот.

— Лазарев фамилия. Сергей Николаевич.

— Лазарев, значит? И зачем ты пришел, если он умер?

— Да я... Может, еще можно...

— Что? — не сводил с него Петр тяжелого взгляда.

Иван Захарович встал. Руки его тряслись, колени ходили ходуном.

— Господи! Господи! — твердил он дрожащими губами, поднимая руку, чтобы перекреститься на Петра.

— Нет! — закричал Петр. — Нет! — и запустил тарелкой в Ивана Захаровича, а ложкой в мальчика.

— Вон отсюда! Убью! Вон!

Мальчик убежал сам, а Ивана Захаровича пришлось вытолкать взашей. После этого Петр лег лицом вниз на кровать и окаменел.

В сумерках пришла вчерашняя серенькая девушка Маша.

— Чего ж вы? — сказала. — Сами замуж позвали, а сами чего-то пропали. А я жду.

Петр поднял голову.

— Замуж? — спросил он нехорошим голосом.

— Ну.

— Что-то молода ты очень. Тебе точно восемнадцать?

— Ну, без двух месяцев, — созналась Маша. — Пока заявление подадим, туда-сюда, как раз восемнадцать будет.

— То есть сейчас ты несовершеннолетняя еще?

— Два месяца, говорю...

— Это замечательно, что ты несовершеннолетняя, — сказал Петр, поднимаясь. — Это очень даже замечательно!

Одной рукой он приподнял ее и бросил на постель.

Другой рукой сорвал одежду с нее.

Упал на нее — и она закричала от страха.

И еще раз закричала — от боли, наверное.

И еще раз закричала — не так, как раньше, и непонятно от чего.

— И пусть теперь меня судят, — сказал Петр вставая.

Маша приподнялась, загораживаясь руками, и спросила:

— За что?

## 9

Словно проснулась в жилах Петра гнойная кровь отца: он запил и пил без просыпу, затевая драки, от которых, впрочем, все уклонялись, орал, шляясь по улицам, хулиганские песни, слов которых не знал. У него был запас денег, он копил на мотоцикл, чтобы ездить в лес и догнать волкозайца, если увидит. А человек, пропивающий деньги, один не останется, к нему вскоре присоединились двое: Дмитрий Грибогузов по кличке от фамилии — Грибогуз и Павел Ильин, тоже с кличкой и тоже от фамилии, сами понимаете, Илья. С Грибогузом Петр еще в школе учился, а Илья был человек, взявший на себя роль, которую когда-то исполнял Максим Салабонов: роль злейшего всеполынского пьяницы.

— Будете мои апостолы! — сказал им Петр.

Илья кивнул, поглядывая на бутылки в карманах Петра, и Грибогуз кивнул, потому что он был из тех как раз людей, кто за компанию утопится. Нет, в самом деле. Семейный, работящий, добрый, с одним только недостатком: куда поманят, туда и пойдет. До удивительного бывало. В день свадьбы, например, торопился с утра в парикмахерскую стричься, в парикмахерскую при вокзале, глядь — из окна поезда его дружок армейский руками машет, ртом кричит: «Грибогузина! Ай да встреча! Куда бежишь?»

— Стричься, — ответил Грибогуз.

— Успеешь, давай сюда, я в Сарайск еду! Еду — а вот где ты! Надо же! Выпьем за встречу, поговорим! Службу вспомним!

И Грибогуз поехал с ним до Сарайска, невообразимым образом полагая, что еще ничего, еще успеет вернуться. Вернулся, однако, лишь через три дня. Родня невесты не хотела простить его, но невеста простила, она любила Грибогуза и понимала его характер. Зажив с ним женою, она старалась не оставлять его одного, но в этот раз лежала в роддоме, рожая третьего ребенка, остался Грибогуз без присмотра, встретил Петрушу и был увлечен им.

Пару дней они пили и колобродили бесцельно, а потом Петр, о чем-то вспомнив, сказал:

— А где тут у нас передвижной поезд-отряд остановился?

Илья указал. Он уже бывал там в гостях.

Передвижной поезд-отряд, ППО, был странным явлением. На одной грузовой станции скопились старые пассажирские вагоны, давно снятые с движения: с деревянными стенами, зеленые, с небольшими окошками. Проезжало мимо однажды большое железнодорожное начальство, увидело безобразие, приказало составить из вагонов поезд и угнать на переплавку железных частей и переработку или уничтожение деревянных. Указание выполнили. Состав полз медленно — и вот надолго застрял в тупике близ какого-то города. Документация на него потерялась, сторож-экспедитор, приставленный к поезду в пункте отправления, бесследно исчез, осиротив троих детей, один из которых стал впоследствии тем самым хоккеистом, что перешел в зарубежную команду НХЛ и получил за это полтора миллиона долларов, открыл в Нью-Йорке пельменную, куда заглянул 17 марта 1991 года наш соотечественник, специалист по мелкоторговому производству, бывший там на стажировке, поел пельменей и в тот же вечер умер, его вернули на родину в цинковом гробу, по железной дороге отправили до дома — в Стерлитамак, но под Сарайском вагон взломали, гроб вытащили, думая, что там материальные ценности, оказалось — нет, покойника выкинули, гроб пустили на грузила и лили также дробь.

Паровоз же вместе с машинистом срочно сняли с состава на другой маршрут, а там еще на один — и через полгода машинист не смог бы вспомнить, где он оставил поезд, да его никто и не спрашивал. А некие люди меж тем стали помаленьку его заселять, обустраивая брошенные вагоны.

Прошло несколько лет. Получились из вагонов настоящие дома: с кухоньками, с крылечками, даже заборчики вокруг и палисаднички, в окнах — занавесочки ситцевые. Рельсы же тупика стали уже травой зарастать. Тем не менее тупик значился на железнодорожных картах, хоть далеко и не на всех. И вот однажды понадобилось экстренным образом приткнуть состав оборонного значения.

— Некуда! — отказывалось начальство данного желдорузла.

— А тупик? — по радиосвязи спросило начальство из Управления дороги, водя пальцем по схеме линий и ответвлений.

— А тупик... — замешкалось начальство узла.

— Чего тупик?

— Да ничего! Сделаем!

Ночью, когда обитатели вагонов-домов спали, тихо подошел маневровый паровозик, прицепился и потащил поезд-поселок из тупика. Со скрежетом и скрипом отваливались крылечки, рушились заборчики, загулькали и шумно забили крыльями голуби в голубятне, построенной на крыше одного из вагонов, закудахтали куры, посаженные в клетки-курятники меж вагонами, полетела посуда из шкафчиков и сами шкафчики, не приспособленные к движению, замяукали кошки и забрехали собаки, рожденные на твердой земле и не понимающие, что происходит.

Жители спохватились, повыскакивали, забегали вокруг состава, но тут вместо маневрового тихохода подцепили уже настоящий тепловоз, и тот пошел набирать скорость, пришлось запрыгнуть обратно в вагоны, — и поехали, ожидая, куда их завезет судьба.

Жаловаться, конечно, не собирались, потому что народ здесь подобрался несоциальный: мало кто работал, больше все семьи пьющие и бездельничающие — хотя не до такой степени, чтобы забыть человеческий образ (палисадники тому свидетельство).

И начались скитания странного состава.

Был приказ: в первом же городе выселить людей, предоставив им какое-нибудь жилье. Но ни в первом, ни во втором, ни в третьем городе, само собой, жилья не нашлось. Колесил поезд по всей стране, нигде не останавливаясь больше чем на несколько недель. Надеялись, что он от старости развалится, но жители его, раздобывая смазочные материалы, строго следили за ходовой частью, за рессорами, буксами и тому подобным. Как-то проезжал новый министр путей сообщения, увидел странный состав, спросил сопровождавшего его начальника местного управления: что за чушь? Начальник управления, обязанный знать все, происходящее на его участке, уверенно, даже и секунды не подумав, ответил: наша инициатива, ППО, передвижной поездотряд. Имеет всех специалистов: и по шпалам, и по рельсам, и по электрической части — и так далее. Чуть где потребуются комплексные работы — гонят передвижную бригаду туда. Люди и трудятся, и отдыхают не сходя с места.

«И довольны?» — спросил министр.

«Еще как!»

Министр оценил инициативу и, чтобы начать свою должность примечательным делом, даже указал внедрить ее на всех линиях. Пока составляли смету, этого министра сменил другой, и он похерил затею, всячески ее раскритиковав и показав большое знание железнодорожного дела, хотя был по образованию биохимик, а по профессии внедренец.

А поезд-призрак продолжал скитаться — и вот приткнулся на станции Полынск-2.

Здесь и помер на днях Сергей Лазарев, молодой еще мужик, живший с матерью, женой и сыном в половинке вагона номер пять. И помер как бы от пустяка: простыл. Ну, температура. Горчичники клали на спину и грудь, растирали водкой, давали аспирин, а температура все не спадала. Начал бредить. Всполошились, повели в больницу, а оттуда он уж не вернулся. Оказалось: какое-то сложное гнойное воспаление легких.

В этот-то вагон, опросив жителей, и пришел Петр, сопровождаемый Грибогузом и Ильей.

Он распахнул дверь, осмотрел жилище, спросил:

— Тут, что ль, Лазарь помер?

— Вот он! — закричал мальчик, указывая на Петра, призывая мать и бабку познакомиться. — Тот самый человек, я говорил! Он всех лечит!

— Поздно пришел, — сказала женщина, вдова. — Умер Сергей. Не Лазарь, а Сергей. Сергей Лазарев.

— Я и говорю: Лазарь! Это ничего, что умер! Воскресим! — заверил Петр. — Где он?

— На кладбище, где ж еще. Уйди, богохульник! — встала старуха.

— На кладбище? Айда! — приказал Петр своим спутникам.

И повел их на кладбище. Проходя мимо вагоноремонтных мастерских, велел Илье и Грибогузу сбегать и принести лопаты.

Далеко отстав, сзади тащилась старуха.

Ближе — поспевала вдова.

Рядом бежал, припрыгивая, мальчик.

Пришли.

— Копаем! — сказал Петр.

— Не надо, — сказала вдова.

Петр, большой и нежный, уверенный в себе, обнял ее и поцеловал по-братски в щеку.

— Радуйся, сестра! — сказал он. — Я воскрешу его!

— Не надо. Не нужен он мне, — тихо сказала женщина.

Но Петр, не слушая, уже копал. Копали и его друзья, хотя и не так рьяно, им что-то уже жутко становилось, даже хмель начал пропадать.

Приковыляла старуха. Обессилела, села на скамеечку у одной из оград, застыла, глядя на работу.

Докопались до гроба. Петр один, играючи, ухватил гроб и поднял из могилы.

Поднял крышку, легко выдернув гвозди.

Откинул покрывало с лица.

Мальчик вскрикнул.

На них глядело синее в вечернем свете лицо, тронутое уже пятнами тления.

— Молчать всем! — приказал Петр. И обратился к гробу.— Ты! — приказал он умершему. — Встань!

Тишина была вокруг.

— Встань, тебе говорю!

И вдруг в мертвом теле что-то булькнуло, труп сделал движение губами, словно улыбнулся: отрыжка вышла из мертвых губ.

Грибогуз и Илья заорали и бросились прочь.

Завопила старуха.

Заплакал мальчик.

Женщина молчала.

— Встанешь ты или нет, так твою так?! — затряс покойника Петр за плечи. — Встань, я тебя прошу! Оживись, а?

Мертвый лежал неподвижно.

Петр глянул на женщину.

Закрыл крышку. Опустил гроб. Быстро и тупо стал закапывать. Закопал, выровнял землю, положил венки, как были.

После этого вытащил из карманов телогрейки, которую снял во время работы, две бутылки водки и выпил их из горлышка одну за другой.

10

Проснувшись, он услышал стук колес.

Он увидел себя в каком-то узком пространстве.

Над головой: странный закругляющийся потолок. Слева — стена. Справа — занавеска. Закуток какой-то, в общем.

А стук колес откуда?

Он откинул занавеску и против себя увидел женщину. Женщина сидела, опершись руками о столик, какие бывают в вагонах, и смотрела в окно. За окном двигалась степь.

Петр сразу все вспомнил — он ведь никогда еще не пропивал память до той спасительной степени, когда ничего не помнишь.

— Ты прости меня, — сказал он. — Я всегда, когда выпью... Идеи у меня...

— Ничего, — сказала женщина. — Ты теперь муж мой.

— Это как?

— Сам же сказал: раз не воскресил мужа, сам мужем стану.

— Так и сказал?

— Так и сказал.

— Ясно... А мы что, едем куда-нибудь?

— Едем.

— Ну и хорошо, — сказал Петр с неожиданным облегчением. Помолчал.

— А сын твой где? Старуха где?

— В гостях, — коротко ответила женщина.

— Это тоже хорошо.

— Конечно, — сказала женщина, поняв голос мужчины, пришла к нему и задернула занавеску.

Недолго ехал поезд-поселок: до пригородной станции Сарайска с названием Светозарная. Название это, конечно, искусственное, придуманное теми, кому надо. Прежнее — народное и прямодушное название — было Грабиловка. Оно возникло вместе с небольшим сельцом, когда еще не было здесь железной дороги, а был почтовый тракт с северо-запада на юго-восток, и был здесь ям.

Почему тогда эта ямская станция называлась Грабиловкой, неизвестно, а по нынешним временам вопросов не возникало: жители Светозарной были вор на воре. С малолетства учились грабить вагоны и до того хорошо это делали, что редко кого ловили с поличным.

На этой станции имелась ветка, которая вела неизвестно куда и через километр обрывалась. Никто не мог припомнить, зачем ее проложили. Будто бы собирались здесь построить какие-то склады, но, наверное, опомнились: склады? в Грабиловке? — и бросили затею. Поскольку ветка оказалась не на балансе железнодорожного ведомства, за ее состоянием не следили, она пришла в негодность. Вот туда впопыхах диспетчер и направил безымянный состав, подчинившись полученному селектором приказу: куда хочешь! хоть под откос! Причем тепловоз предварительно отцепили, предоставив вагонам самим докатиться до конца. Они и покатились, и едва последний свернул, рельсы позади него вместе со шпалами провалились в осевшую насыпь — ее давно уже подмывали ручьи и вешние воды, минуя засорившиеся дренажные трубы под насыпью. ППО оказался отрезанным от мира — конечно, как средство передвижения, а не как поселок. Похоже, впервые он обрел долгое пристанище. Обитатели сперва этому радовались, потом стали сетовать, потому что отвыкли от оседлости. Но, узнав о вольных нравах Грабиловки, подбодрились, надеясь, что не пропадут, находя источники для поддержания жизни там, где и сами грабиловцы.

А Петр — что же — Петр очутился в непривычном для себя семейном укладе. По правде сказать, никогда у него не было ни к кому привязанности, не имел он закадычных друзей и верных женщин (кроме разве Кати), не был обязан заботиться о ком-то. И вот — пришлось.

Лидия, нареченная супруга, как он ее добродушно называл, глаз с него не сводила, смущая его этим. По нескольку раз на дню выпроваживала она сына Володьку и свекровь Николавну в гости, то есть за стенку, во вторую половину вагона номер пять, где жили больные и голодные старик со старухой Воблевы. Она давала Николавне и Володьке горячий чайник, сахар, печенье, и Воблевы были радехоньки таким гостям.

Володька проявлял недетское понимание, хотя ему и скучно было сидеть со стариками. Ходить же на воле по незнакомым местам мать ему запрещала, и он слушался, чего не стал бы делать ни один из его поездных сверстников, — впрочем, это рассуждение теоретическое, детей, кроме него да грудной Люськи из второго вагона и семнадцатилетнего Михаила из седьмого, не было больше в поезде.

А ведь Володька любил умершего отца.

Кажется, что он видел от него? — да ничего особенного от него не видел. Сергей Лазарев был как бы подвижный в подвижном: то отставал от ППО, то устремлялся, опережая, куда-то вдаль, пропадал на недели и месяцы, возвращался, хватал сына и подбрасывал его в воздух, сорил деньгами, пил, пьяный любил жену, а потом бил ее за безответность, матерно упрекал мать, что она родила его на несчастье и горе самому себе, — и опять исчезал.

А Володька любил его, уходящего и приходящего, прятал под матрац старую его рубаху, пропахшую крепким потом, прижимался к ней ночами лицом, вдыхая запах, и одно было в его сознании слово, большое, как солнце или даже сама земля: Отец.

Но теперь явился Петр — и Володька полюбил его точно так же, как и отца. Будто и не было никакого Сергея Лазарева, — а рубашку его он невзначай уронил под кровать, не заметив как бы этого, а Лидия как бы машинально выбросила ее прочь, не дав себе успеть вспомнить, что это рубашка бывшего мужа, а не просто тряпица...

Меж тем Грабиловка пэпэовцев принять не хотела.

Но так бывало всегда и везде. Стекла в вагонах побьют, двум-трем мужикам сусала размочат, бабу из ППО поймают, сделают с ней что-нибудь по настроению, но потом, после нескольких совместных выпивок, наступало перемирие. Полного мира нигде не было, обитатели ППО так и оставались пришельцами, чужаками, но все же существовать было можно.

И вот мужики из ППО, которых, нормальных и крепких, набралось всего-то пять человек, пошли к грабиловским, выставили ящик водки. Грабиловцы молча выпили водку, спросили пэпэовских: ну и какого вы к нам приехали? — и, не дождавшись ответа, отмутузили их.

Пэпэовским не привыкать; через некоторое время опять пришли к грабиловским с ящиком водки. «Чего нам делить?» — спросили они, начав угощение. «Чего делить? Они спрашивают, чего делить?!» — страшно вдруг остервенились грабиловские и отмутузили пэпэовских пуще прежнего, не допив даже водки. Зато было чем отметить победу.

Пэпэовские, сказав себе, что Бог любит троицу, помня, что не бывало еще нигде свары после третьего кряду угощения, опять купили ящик водки (на последние средства, между прочим) и опять пришли к грабиловским. Те глазам не поверили. Но — сели, стали выпивать. Пэпэовские молчали: боялись, что грабиловцы каждое их слово примут как вызов. Выпили половину. Вы что же, спросили грабиловские, в молчанку пришли играть? Нам молчунов не надо! «Да мы что! Вы молчите, и мы молчим!» — смирно отозвались пэпэовцы.

— Они хотят этим сказать, — объяснил землякам один грабиловец, острый на ум и язык, — что мы и двоих слов связать не умеем. Тупые мы для них! — объяснил он.

После этого пэпэовские мужики едва унесли ноги — и в ту же ночь подались прочь на заработки, объяснив домочадцам, что тут им действия не дают, а без денег нельзя; женщин же и стариков грабиловцы не тронут, люди они или нет?

Грабиловцы были люди, но в ту же ночь, под утро, собрались у поезда. Впрочем, не для драки.

Когда допили ящик, тот же острый умом грабиловец по фамилии Фарсиев, из обрусевших татар, человек красивый и справедливый, хотя и не всегда кстати, сказал:

— Мы чего боялись?

— Ясно чего! — ответили ему.

Грабиловцы боялись, что сумма воровства из вагонов, ставшая привычной и постоянной настолько, что на нее уже никто не обращал внимания, она была как бы уже запланирована, с появлением ППО увеличится, милиция забьет тревогу из-за повышения статистики, пришлет усиленные наряды. Сторожей наймут еще, не дай бог.

— Зря мы боялись! — сказал Фарсиев. — Нам теперь можно все на пэпэовских валить. Теперь хоть эшелон угоняй — пэпэовские виноваты! Они на рубль возьмут, а мы на них тыщу свалим! — улыбался Фарсиев своей замечательной улыбкой, подобная улыбка играет на лицах не менее десяти детей в самых разных семьях Светозарной.

Земляки оценили силу его слов — и пошли к пэпэовским мужикам сказать, что впредь не тронут их. Но зря они выкликали их. Не было уже их.

Вышел только Петр Салабонов, не участвовавший в общих событиях. Он вместе с Лидией уезжал на три дня в Сарайск к ее дальней родственнице — не гостить, а искать работу, потому что в Грабиловке не нашлось. Лидию готовы были принять во многих местах, у нее были документы, а Петра не принимали, у него документов не было. А она хотела работать только вместе с ним. И устроились наконец на швейную фабрику, она работницей, а он грузчиком под ее поручительство, пообещав, что ему скоро пришлют документы.

— Чего надо? — без вежливости спросил Петр.

— Ничего! — сказал Фарсиев. — Живите спокойно, мы вас больше не тронем.

— А меня и не трогали, — ответил Петр.

— Разве? — удивился Фарсиев своей замечательной улыбкой. — Тогда мы сейчас тебя тронем, чтобы никому не обидно, а потом уже больше не тронем.

И тут же кто-то шустрый и гибкий, чтобы похвалиться перед Фарсиевым, набежал на Петра — но отскочил, как от резиновой стены.

— Тебе же хуже! — пожалел Петра Фарсиев, доставая левой рукой ножик, чтобы им пугать и сдерживать Петра, а правой рукой его свободно бить.

Но Петр выбил ножик и сразу три зуба из замечательной улыбки Фарсиева.

Однако он не хотел дальше драться и сказал:

— Разойдемся, ребята!

Ребята не разошлись, бросились на него.

Петр лениво, словно в дреме, вялыми руками отмахивался, не сходя с места и даже не чувствуя своей силы, от которой летели в разные стороны грабиловские мужики.

— Ладно, — сказал справедливый Фарсиев. — Квиты. Но зубы я за твой счет вставлю, падла.

— Обойдешься, — сказал Петр.

На этом и кончили.

Конечно, мира в душах грабиловских мужиков не было. Еще не раз они, как напьются, так идут к ППО, вызывают Петра на бой. Если он дома — выходит, его ругают и обзывают, но до боя не доходит: размягчают грабиловцев неинтересные задумчивые глаза Петра. Если же его дома нет, бить других они тоже не решаются, твердо понимая, что Петр не простит и накажет сильнее, чем за самого себя.

В общем, потихоньку соседство наладилось, отчужденное, холодное, но — мирное.

Петр и Лидия работали.

Володька в отце души не чаял.

Николавна тоже простила Петру, что он стал вместо Сергея, чувствуя к нему человеческое чувство, материнского же почувствовать уже ни к кому не была способна после того, как Сергей, выбросивший в пьяном буйстве жену из вагона, вспомнил, что не утолил перед тем, как ее выбросить, любовную жажду, и в нем зачесалось нестерпимо, и, не умея себе отказывать, он повалил мать — правда, тоже пьяную...

Без всякого насилия над собой Петр словно уничтожил память о своем прошлом, все растворилось в изумлении перед любовью Лидии.

— Ты это... — говорил он Лидии ночью, когда Николавна и Володька спали, говорил он Лидии, с тихим плачем и тихим смехом неутомимо и нежно целующей, грызущей осторожно белыми зубами соски его грудей, — ты это... ты чего? я не баба тебе, хотя приятно, конечно. Ты зачем так? Нервы испортишь от этих эмоций, нельзя так.

— Нельзя, — соглашалась Лидия, — нельзя, а не могу... — и стискивала его, косточки в ее плечах хрустели от этого.

Она красивая была.

А за занавеской темно было.

Петр купил фонарик.

Зажжет, наставит на лицо Лидии, гладит пальцами лоб, брови, щеки и губы.

Лидия целует его гладящие пальцы.

И невообразимо хорошо Петру и очень грустно от предчувствия, что чем сильней он привязывается к этой женщине, тем быстрее придет день, когда он от нее уйдет, она же — другого устройства и не разлюбит его уже никогда. Жалко ее становилось.

— Боже ты мой, — говорил Петр в такой тоске, что слезы капали из его глаз.

Понимала Лидия или нет эти слезы, но тоже начинала тихо плакать, и они плакали как брат и сестра, дети, которых обидел или напугал кто-то взрослый, напугал просто так, из озорства, не уважая и не видя в детях людей, а видя только детей, которых так смешно и весело пугать, — гордясь, что вот его-то, взрослого, никто уже так глупо не напугает!

И эта запредельность взаимопроникновения не только Петра приготавливала к безнадежному будущему, но и Лидию. Каждую ночь поэтому она старалась длить до утра — не уверенная, что будет и другая ночь.

## 11

Однажды Лидия закончила работу, а Петр еще нет. Так бывало уже.

— Я тебя жду, — сказала Лидия.

— Я не скоро еще, — сказал Петр, хотя работы у него оставалось мало. Лидия это видела, да и он не скрывал.

Лидия молча пошла, и ушла, и уехала.

Володька встретил ее с несчастием в глазах.

— Ничего... — сказала она, погладив его по голове.

Николавна заголосила:

— У-би-и-ли! А я и зна-а-ала! Сы-ы-ночи-и-ик! Да и Пе-е-ети-инь-ка-а! — проталкивала старуха слова сквозь плач.

— Сдурела?! — крикнула Лидия. — На вторую смену остался, утром будет!

— А че ж ты? — спросила старуха, тут же перестав плакать.

— А че я?

— Ну и я ниче.

Поговорили...

Петр, подтверждая свою свободу, посягновение на которую ему почудилось в уверенных словах Лидии, что она его ждет, зашел в вокзальный ресторан — выпить. Посетителей для еды в ресторане не было из-за дороговизны, были только выпивающие. Впрочем, не рассиживались. Подойдут к стойке буфета, выпьют — и уходят, на ходу закусывая куском хлеба или конфетой.

Водку разливала женщина. Не такая красавица, как Лидия, но моложе, ярче, с утомленным хамством в глазах. Петр сидел на высоком стуле, пил и смотрел на нее.

— Не хватит тебе? — спросила она.

— Мне никогда не хватит, — сказал Петр. — Тем более разбавленная водка-то у тебя.

— Какая есть, — сказала женщина, не считая нужным стесняться его.

К тому же она ждала заигрываний от мрачного красавца, но не дождалась, вот и поддразнивала его.

— Ты перестаралась, — сказал Петр. — У меня голая вода. — И протянул ей стакан. Он хотел пошутить.

Женщина из его рук понюхала содержимое стакана и пробормотала:

— Что-то уж совсем, в самом деле... — Но тут же прикрикнула на Петра: — Нажрался и выдумывает тут! Катись отсюда, дерьмо!

Петр посмотрел на нее внимательно — и вдруг, словно сами собой, сказались слова:

— А ну-ка, налей-ка, девушка, воды. Простой воды налей мне.

— Водой не торгую.

— Неужто?

Петр сам зашел за стойку, налил воды из крана, который был под прилавком (для мытья стаканов), и отошел. Вид у него был трезвый, и буфетчица, хотевшая сперва кликнуть милицию, решила подождать.

Странный парень какой-то.

Меж тем в ресторан торопливо вошел мужчина — приготовив заранее в руке деньги.

— Выпей, друг, мою долю! — сказал ему Петр задушевно. — Что-то не лезет в меня уже.

В России водкой из чужих стаканов не брезгуют и таким неожиданным предложениям не удивляются.

Мужчина под взглядом буфетчицы, знающей, что в стакане вода, выпил одним махом, заморщился, замахал ладонью перед ртом. Она сунула ему кусок хлеба, он торопливо стал жевать.

— Первый раз, — сказал перхая, — первый раз на вокзале настоящую водку пью.

— Ну уж не надо! — начала буфетчица, но вдруг примолкла, глядя на Петра, приоткрыв рот, в углу которого тускло светились два золотых зуба.

Петр взял у мужика стакан, дал ей, велел:

— Из той же бутылки!

А ему объяснил:

— С Севера я. Отдыхаю.

— Ага, — сказал мужчина и спрятал свои деньги.

Выпил и эту порцию.

— Зверь! — воскликнул. — Зверь, а не водка! До пяток пробирает!

— Еще?

— Не закосеть бы, — засомневался мужчина. — Мне на поезд.

Но уже закосел, уже не мог собой править.

— Если только по вашей доброте, — сказал с извечной льстивостью пьяницы, пьющего на шармака. — За компанию, так сказать.

— За компанию! Конечно! — сказал Петр, подавая ему третий стакан с водой.

Через полчаса мужчина еле сидел на стуле, юзя щекой по мокрой стойке и твердя :

— Ищщо порцию! Для финиша!

— Уже финиш! — отвечала буфетчица, расторопно наливая подходящим — уже не за счет доброты, а за деньги, но из того же крана.

215

— Хорошая водка, друг! Выпей за мое здоровье! — окликал каждого Петр, чтобы тот на него посмотрел. Пьющий смотрел, опрокидывал стакан, встряхивался, морщился, благодарил.

До ночи торговала буфетчица водою — и не нашлось никого, кто почуял бы в воде воду.

Наконец она устала запихивать в ящик вороха денег и крикнула:

— Игнатьич, закрывать пора!

Откуда-то появился пожилой дядя в дешевеньком костюмчике с широким красным в белую полоску галстуком, запер дверь, подошел к стойке.

Огонек озорства зажегся в глазах буфетчицы, когда она подавала ему стакан.

— Без аш-два-о? — научно спросил швейцар, поглядывая на Петра, понимая, что раз буфетчица оставила его в закрытом ресторане, значит, он ей свой человек.

— Сорок пять градусов! — успокоил его Петр.

Швейцар выпил — и аж дух у него перехватило.

— Ну, Нинка! — сказал он. — Чем же ты меня до этого угощала?

— А тем же самым! — расхохоталась Нинка.

Швейцар покрутил головой и пошел к служебному выходу, приказывая:

— Сигнализацию включить не забудь!

— Топай, начальник!..

Нина замкнула ящик с деньгами (не хотела считать при Петре) и сказала:

— Ну и кто ты? Гипнотизер, что ль?

— Нет.

— А кто же?

— Не помнишь, значит, кто воду в вино превращал? Давно было, две тысячи лет назад.

— Гипнотизер, ясно. Мне-то эти штучки наизусть знакомы, от алкоголизма лечилась, между нами. Лучшему профессору бешеные деньги дала: на, лечи, измучилась на хрен сама от себя! Ну, он мне и показал: людей усыпит, дает воду, а они блюют, как от водки. И ты, говорит, так же будешь. Не верила, а вышло точно так. Смотреть теперь на водку не могу. Вино, бывает, пью, но тут же тошнит.

— А торгуешь водкой?

— Жить надо или нет?

Что ж, подумал Петр, видимо, гипнотические способности у него и в самом деле есть, с помощью их он и людей лечил. Но ему досадно было, что женщина не удивилась. Понятно: что человек знает один раз, вторично не потрясает его.

— Я — Иисус Христос, — сказал Петр.

— А я Алла Пугачева, — ответила Нина с присущим ей остроумием.

— Ясно, ты не веришь мне, — сказал Петр. — Или неведомо тебе, что я должен прийти? И я пришел.

— Ну, разувайся тогда, — сказала Нина. — Знаю я, чего тебе надо. А я не хочу. Денег тебе могу дать.

Лгала женщина.

216

Но очень уж обидно было ей, прошедшей через многие мужские руки, показаться легкой добычей этому красавцу.

Петр видел ее нехитрые уловки, но не женского ему от нее хотелось.

— Говорю тебе, — сказал он, хмелея гордостью, — я — Иисус Христос.

— Но, но! Меня не загипнотизируешь, загипнотизированная уже!

Петр замешкался.

— Гляди-ка! — воскликнула Нина. — Первого-то нашего клиента мы забыли! — И показала на мужчину, который спешил на поезд, но упился и незаметно уполз в зал и там спал под столиком. — Вот морока еще! Ментов, что ли, вызвать, пусть заберут.

— Человек и так на поезд опоздал, — сказал Петр.

Он выволок мужчину из-под стола, поставил перед собой, сказал ему, спящему:

— Очнись! Очнись!

Тот очнулся, поглядел вокруг совершенно трезвыми растерянными глазами.

Глянул на часы.

— Мама моя! — заметался.

Нина открыла дверь, он исчез.

— Молодец! — похвалила Нина Петра. — Тебе бы перед публикой выступать с сеансами. Ты кем работаешь вообще?

— Никем. Зачем Христу работать? У меня другая служба.

— Слушай, надоело! — покривилась Нина. — В конце концов, я рассердиться могу. Богохульствуешь тут, а я крещеная, между прочим.

— Знаю, — сказал Петр. — Все знаю. Тебе двадцать семь лет, работаешь здесь три года, имела пять мужей.

— Ну, имела! А сейчас шестого имею и приду к нему, а ты вали в другую сторону! Или хотел на пару со мной работать? Обойдусь! Тоже мне: воду в вино превращает! Я не хуже твоего это делать умею! Бери свою долю — и катись!

— Шестой не муж тебе, — сказал Петр.

Нина помолчала.

— Еще скажи, — попросила она.

— О прошлом?

— О прошлом я сама знаю. О будущем.

— Ближайшее твое будущее со мной связано.

— Все вы одинаковые, — вздохнула Нина. — Ладно, пойдем. Я тоже про тебя все знаю. Ночевать тебе негде. Пошли, гипнотизер.

У Нины действительно было пять мужей — и все по любви. Очень уж она была влюбчива, хотя через месяц после очередного брака удивлялась, какие такие достоинства нашла она в этом вахлаке, маячащем перед глазами, выгоняла вахлака, твердо гарантировала себе жизнь без любви, только с легкими приключениями, но опять влюблялась, напрочь теряя голову.

Петр не знал об этой ее особенности, но чувствовал ее — и тем более ему было досадно, что женщина не хочет его признавать.

Пришли в ее однокомнатную квартиру в доме неподалеку от вокзала.

— Если ты человек, — сказала она, — давай ляжем и спокойно поспим. Завтра я до вечера свободная, все успеем. А?

Петр согласился.

Но спокойно поспать им не удалось. Среди ночи раздался стук в дверь.

— Откуда он взялся? — тихо спросила сама себя проснувшаяся Нина.

— Шестой? — спросил Петр.

— Шестой. Не тебе чета.

В дверь уже шарашили ногой.

— А еще интеллигент считается, — сказала Нина.

— Боишься — заревнует?

— Он? Нет. Он не ревнует... А может, меня дома нет? — поставила она тихий вопрос перед тем, кто ломился в дверь.

Ответом были уверенные удары.

— До утра будет стучать. Пойду открою.

Она открыла — и вошел парень, примерно одного возраста с Петром, молоденько одетый, с сумкой через плечо. Навеселе и веселый.

— Не помешал? — бодро спросил он.

— Нечему мешать, — сказала Нина. — Пожалела, ночевать ему негде. Можешь верить, можешь не верить.

— Поверить? — спросил парень у Петра.

— Поверить. Так и было.

— Поверю. А жаль. Я бы вам устроил сейчас, я бы вас... — Парень, улыбаясь, сел в кресло, вытянул ноги. — Будем знакомиться. Вадим Никодимов, атлет интеллекта. Но люблю простое, иногда даже низменное. Ее вот люблю. А вы кто?

— Иисус Христос, — ответила за Христа Нина.

Петр промолчал.

Нина со смехом рассказала о том, как они весь вечер превращали воду в водку.

Петр молчал.

— Гипнотизер он, — объяснила Нина.

— На меня гипноз никогда не действовал, — сказал Вадим Никодимов. Из интереса пробовал: шиш! Не нашлось интеллекта, который подавил бы мой интеллект. Ну, Иисус, преврати мне воду в вино. В вино, не в водку! В «Чинзано», например.

— Я этого не пил, — сказал Петр.

— А чего ты пил?

— Ну, «Ркацители».

— Валяй, пусть будет «Ркацители»! — И Вадим Никодимов поднял руку, ожидая, когда в нее вложат стакан. Нина шустро сбегала на кухню, принесла стакан с водой, вложила его в руку.

— Итак, «Ркацители»? — спросил Никодимов.

— «Ркацители», — сказал Петр, вспоминая вкус довольно гадкого, как ему тогда показалось, когда он его пил, кислого напитка малой крепости.

Никодимов отхлебнул. Отхлебнул еще. Отставил.

— Мерзость, однако!

Нина взяла стакан, пригубила и заплевалась.

— Прямо моча какая-то! — фыркнула она.

— Но не вода! — сказал Никодимов. — Вино. Скверное, но — вино. Ладно. Вино мы свое будем пить, — достал он большую бутылку с яркой этикеткой. (Это и оказалось «Чинзано».) А теперь скажи: кто же ты?

Петр сказал печально и просто:

— Я Иисус Христос.

Коротким смехом подавилась Нина, увидев глаза Петра, на которые падал из окна призрачный свет.

— Так... — задумчиво произнес Никодимов. — Сумасшедший? Непохоже. Игра? Непохоже. Что тогда? Непонятно. Знаешь, друг, а ведь ты первый человек на земле, которого я не могу понять. Кто ты все-таки?

— Иисус Христос, — спокойно ответил Петр. — Иисус Христос, а люди дали имя Петр.

«А вдруг правда?» — подумала Нина. — И хоть знала она божественного совсем чуть-чуть — по книжке «Евангелие для детей», которая ей понравилась, потому что была тонкая и с картинками (надо же знать толику из входящих в обиход знаний), так вот, несмотря на скудость своих представлений о величественности когда-то случившихся событий, ей вдруг страшновато стало. Она решила действовать по своему заветному жизненному принципу: с упреждением. То есть — ждать от других людей больше вреда, чем, на первый взгляд, можно ждать. Нет, в самом деле. Вот похихикаешь сейчас, а потом возьмут и ноги отнимутся, болезнь приключится. Если был в самом деле когда-то чудодейственный человек Христос, то почему бы ему опять не прийти? Тут не это самое невероятное, невероятно то, что он — ей встретился, а не кому-то другому. Но ведь и в лотерею главный приз выигрывает кто-то один, который, может, и не надеялся.

— Самое страшное, Петр, — сказал Никодимов, — что я ведь и хотел бы поверить. Но, пожалуй, не смогу. Накорми мне толпу тремя хлебами, море пешком перейди, умершего воскреси — все равно не поверю. Это уж навсегда. Это в крови. Гореть мне синим пламенем в геенне огненной, не верю я.

— Никто не может о себе сказать: верю или не верю. О нас лишь Бог знает, верим ли мы.

— Это как же? — встряла Нина (не нагло, сдерживая себя). — Каждый о себе знать должен. Я вот — верующая! Да! — подтвердила она Никодимову. — Верующая!

— Ты не бормочи, — весело хмурился Никодимов, размышляя. — Значит, лишь Бог о нашей вере знает?

— Да.

— Гляди-ка, как просто. Поразил. Признаюсь — поразил. Ты — первый. Ведь действительно! Я думаю, что атеист, а может, я самый рьяный верующий и есть! Нина, ты видишь, что со мной?

— Что?

— Я волнуюсь! Ты видела, чтобы я когда-нибудь волновался?

— Ни разу, — уверенно ответила Нина.

— А вот — волнуюсь! Ты что же — богослов, слушатель семинарии, а?

— Грузчик на швейной фабрике. Среднее образование, — усмехнулся Петр.

— Понимаю!.. Не понимаю. Первый раз чего-то не понимаю! Ты откуда взял-то, извини, что ты Иисус Христос?

— Знаю.

— Видение, что ли, было?

— В самом себе знаю.

— Как говорит! — восхитился Никодимов, поворачиваясь к Нине, но тут же махнул рукой. — А, ты все равно не поймешь!

— Я понимаю. Я чай поставлю.

Нина решила — подальше от этого разговора.

А Петру было приятно, что самоуверенный атлет интеллекта дивится на него и не может решить, верить или нет.

— В любом случае, — сказал Никодимов, — ты — явление необычное, уж я людей знаю. Так что же, тебе тридцать лет?

— Тридцать.

— Проповедуешь?

— Пока нет.

— Но уже превращаешь воду в вино. Еще что?

— Лечу.

— Что лечишь?

— Все лечу.

— Правда? — обрадовался Никодимов. — Слушай, а геморрой? Такая неинтеллигентная неприятная болезнь, впрочем, как раз интеллигентная, от сидячей работы, впрочем, я давно уже подолгу не сижу, я мыслю на ходу, на лету, но — покоя не дает, вот — уже третий день мучаюсь кровью, спиртное и то не анестезирует, боль адская. Поможешь? Штаны снимать или как?

Это испытание мне, подумал Петр, без удовольствия глядя на уже подставленный ему под нос зад Никодимова, причем Никодимов хоть и спросил, снять штаны или нет, сам, не дождавшись ответа, быстренько снял. Юрок был — исключительно.

Пересиливая себя, Петр стал водить руками.

— Ничуть не легче, ничуть! — покрикивал Вадим Никодимов. — Нет, не чувствуешь ты ко мне братской любви, не любишь ты мое тело, мою задницу! Плохой ты еще Христос! Ты полюби мою задницу — и все получится!

Дурак прав, подумал Петр. Как ни крути — прав. И он начал думать не о Вадиме Никодимове, а о его ни в чем не повинном теле, которое мучается и страдает, и испытал жалость к этому телу, и стал не только водить руками, но и прикасаться к болящему месту — осторожно, ласково, думая о том, что это место ведь не хуже всякого другого, оно и необходимо организму так же, как и легкие, руки, сердце, голова, печень...

Легкая испарина выступила у него на лбу, он понял, что боль прошла.

— Ну? Чего стоишь? — сказал он Вадиму. — Не болит уже, а ты стоишь. Эх, соплежуй! — обозвал он его самым мягким мальчишеским прозвищем, каким пользуются в Полынске.

Никодимов натянул штаны, сел в кресло. Мельком увидел половину лица Нины — из-за косяка кухонной двери. Скрылась.

Никодимов извлек сигарету и изящно закурил в длинных тонких пальцах.

— Да... сказал он. — Да...

— Чего? — не терпелось Петру узнать о его мыслях.

— Того. Того самого, — не раскрывался Никодимов — умея, даже будучи облагодетельствованным, казаться благодетелем.

И вдруг бросил сигарету, упал на колени перед Петром, громко прошептал:

— Благослови, Господи!

Петр вздрогнул, положил ему руку на голову и сказал:

— Благословляю.

Поднял Вадима за плечи и поцеловал его в щеки.

Губы Вадима подрагивали.

— Боже ты мой... Боже ты мой, Боже... — повторял он. — Как было бы хорошо, если бы ты на самом деле был!

— Ты что, все не веришь, что ли?

— Не верю, — сказал Вадим Никодимов. — Извини.


## 12

Верил он или не верил, но на другой день говорил Петру так:

— Пойми, не один я буду не верить, другие тоже будут не верить, тебе надо учиться убеждать! Тебе в люди надо идти, сторонников завоевывать, понимаешь? В общем...

В общем, Вадим Никодимов, человек без определенной профессии и социальной функции, атлет интеллекта, интересующийся в жизни только тем, что ему в данный момент интересно, развернул перед Петром грандиозные планы.

Сперва выступления в нескольких самых больших залах Сарайска. Потом — гастроли по всей стране. Не пешком прогуливаться в окрестностях Иерусалима — самолетами летать надо! И — проповедовать. И демонстрировать свою силу. Христом себя не называть. Ты ж читал Евангелие, сперва его другие назвали Христом, а уж только потом он сам себя назвал, не дурак был!

Программу действий Вадим Никодимов составил на три года — «до самого распятия», как и положено. Петр слушал, и все хотелось спросить: а зачем?

Хотелось сказать, что пошутил. Ну, не то чтобы пошутил, но ведь не сошел же он с ума, чтобы действительно считать себя Иисусом Христом. Есть человек в Полынске, тот — считает, да.

Но об Иване Захаровиче он почему-то не стал рассказывать Никодимову.


А кстати, как там Иван Захарович, как там остальные прочие? Не могло же исчезновение Петра обойтись незамеченным. Оно и не обошлось.

Иван Захарович решил, что Петр наконец осознал свою юдоль и отправился в большой мир. Матери же его Марии объяснение дал другое, житейское: Петр, мол, застыдился своего неожиданного пьянства, завербовался поспешно на рыболовецкое судно, аж на Тихий океан, уехал с агентом-вербовщиком, не успев даже взять вещей (поезд агента уже уходил), не успев предупредить мать, сказав только Ивану Захаровичу. Мария всему поверила.

Правда, пьяница Илья и школьный дружок Петра Грибогузов рассказывали совсем другое: что Петр уехал с ППО, но им, бывшим в те дни мокропьяными, веры нет.

Екатерина сомневалась и в словах Ивана Захаровича, и в россказнях Ильи и Грибогуза.

Она тосковала.

И поздним вечером пришла к Ивану Захаровичу поговорить. Этот разговор Иван Захарович записал, и вот эта запись.

«Сестра Антихриста искушала меня водкой, спрашивая о Нем.
Я не стал водки и сказал: Не знаю о Нем, кроме того, что сказал Матери Его.
Она сказала: Лжешь.
Я сказал: Лгущий всех винит во лжи.
Она сказала: Чем я лгу?
Я сказал: Лжешь всею собой, став любовницей племянника. Опорочить хотела Его? Не опорочила, но сама себе заслужила вечную муку.
Она сказала: Кто сказал тебе?
Я сказал: Он сказал мне.
Она сказала: Ты не скажешь больше никому.
Я почувствовал подвиг и сказал: Отныне обличаю тебя на площадях и весях в распутстве твоем, пусть знают все.
Она сказала: Страшно.
Она сказала: Дай мне самой сказать людям.
Я сказал: Бог тебя научил. Покайся, и Он простит.
Она сказала: Через три дня услышат все и ты.
Я сказал: Иди и укрепись в мысли своей, жду три дня, на четвертый поступлю по усмотрению».

Екатерина в тот же вечер пошла к брату. Слушай, сказала она, надо Нихилова сдать в психушку. Срочно. В одиночную камеру. Что он тебе сделал? — удивился брат Петр, насторожившись душой, тоже имея к Нихилову отношение. Ему бы радоваться, что сестра подсказала ему мысль, но ситуация, наоборот, показалось ему зловещей, какой-то символической.
Надо, надо, настаивала Екатерина. Петр сказал: в областную психушку Нихилова не примут, он не буйный. Тогда Екатерина предложила открыть при городской больнице психиатрическое отделение. Нетерпение ее было так велико, что она заставила брата позвонить в полночь главврачу больницы Кондомитинову и обо всем договориться. Кондомитинов, хороший друг Петра Петровича, не отказал в любезности и пообещал завтра же к вечеру оборудовать отдельную палату с крепкой дверью и решеткой на окне.
Так что не трех дней, а одного хватило Екатерине для действий.
К вечеру палата была готова.
Утром следующего дня к Нихилову пришли из больницы и сказали: раньше, как ненормальный, ты не состоял на профилактическо-диспансерном учете, а теперь, раз выздоровел, нужно срочно на учет встать: пройти флюорографию, кардиограмму снять, анализы сдать.
Иван Захарович, даже гордящийся обязанностью делать то, что делают обычные граждане, пошел в больницу.
Его привели в палату и попросили подождать.
Когда закрылась дверь, он осмотрелся и все понял.
Стучать не стал, кричать не стал, жаловаться не стал — даже самому себе в мыслях. В его ли власти противиться воле Божьей? Бог за него — и ничто с ним не сделают ангелы сатаны. Он ведь понял, откуда сие: от Антихриста через его сестру.

Принесли обед.

Иван Захарович просил дать бумагу и ручку. Отказали.

Иван Захарович просил, кротко и слезно умолял, принести Библию. Отказали.

А на что он надеялся? Что бесы сами принесут Книгу, от которой руки у них покроются ожогами и лишаями?

(Причина отказа, правда, была прозаичней: боялись, что Иван Захарович на чистых полях книги или между строк накатает жалобу и умудрится ее передать туда, куда не надо.)

Итак, Екатерина добилась желаемого, Иван Захарович изолирован как псих, если теперь он что и скажет — всерьез не примут, честь ее в безопасности.

Но — где Петр? Где ее племянник-возлюбленный? Как жить ей теперь? Она ведь пробовала и с другими, не получая ничего от постылого мужа. Но все бесплодно: ни с кем не чувствовала она себя хоть мало-мальски оттаявшей, она вообще себя женщиной не чувствовала. Только с Петром — и как! Видно, именно то, что в связи этой была отрава кровосмесительства, воспаляло Екатерину. Она пробовала выбить клин клином и однажды оставила для индивидуальных занятий вокалом одного старшеклассника своей музыкальной школы, голубоглазого, с пушком на верхней губе. Занялись вокалом, она показывала ему, как нужно держать при пении плечи, как подобрать живот, попку не отклячивать (смеялась), перед свой вперед не выпячивать (похлопала шутливо), и все ждала, когда начнет накатывать волна горячего, сумасшедшего, срамного нетерпения, как бывало у нее с Петром. Не накатывала волна. Дала вокалисту подзатыльник — бездарь! — и выпроводила.

Брат же ее Петр все доставал со шкафа глупый листок с цифирями, где он назван был Антихристом, долго глядел на него. Хотелось пойти и тайно поговорить с Иваном Захаровичем, но чего-то боялся, откладывал.

Мистика, чепуха, говорил он сам себе, — но неуверенно говорил. Так мальчик, видя мышиный хвостик из норки, убеждает себя, что это именно мышиный хвостик, а не чертенок прячется, ничего страшного, ничего страшного, скорее бы пришли родители и прогнали мышонка, потому что сам он боится это сделать: вдруг отомстит?..

Тут грянуло еще одно событие, касающееся отсутствующего Петра. Именно грянуло: Маша Кудерьянова, которую Петр собирался взять в жены, помалкивала, помалкивала, а в канун своего совершеннолетия пошла в милицию и заявила: меня изнасиловал Петр Салабонов, требую его найти и наказать. Заявление приняли, розыск начали — и даже с аппетитом, давненько уж полынская милиция никуда не ездила, пресекая преступления на месте, а тут, раз человек скрылся, придется по имеющимся следам поискать, поездить в командировки, посмотреть окружающий мир, в дебрях которого прячется подлец.

А Вадим Никодимов меж тем устроил первое пробное выступление Петра в небольшом зале областного Дома учителя. Раз Дом учителя, то учителя и были приглашены — по умеренным ценам. Почему Никодимов выбрал для первой пробы именно учителей, непонятно. Быть может, он исходил из того, что публика эта одновременно и образованная, и простодушная, доверчивая, в свое время ему пришлось полгода проработать в школе и, глядя в праздник Восьмого марта на раскрасневшихся за столом после водочки учительш, хором поющих сначала про Чебурашку из мультфильма, а потом «Что стоишь, качаясь, тонкая рябина?», он многое понял.

Никодимов долго обдумывал костюм для Петра — вместе с модельершей Люсьен.

Люсьен, тонкая молодая женщина с удивительной, почти лысой прической и в одежде, которая могла бы, по мнению Петра, напугать до родимчика женщин Полынска, Люсьен чиркала карандашом в блокноте, поглядывая на Петра...

— Может, рашен стайл? — спрашивала она Вадима Никодимова. — Косоворотка, штаны мешком, сапоги?

— Клюква!

— Клюква... Или — стиль «я у мамы инженер». Костюмчик якобы из магазина, серенький, рубашечка в клеточку, галстучек в горошек, ботиночки-говноступы?

— Клюква!

— Клюква... — Она чиркала карандашом. — Вот! Нашла! Глянь, — показывала она Никодимову, но отнюдь не Петру. — Все белое. Белая просторная рубаха, белые штаны, белые туфли. И застенчивая улыбка. Жаль, бородки нет.

— Была, — сказал Петр. — Могу опять отрастить.

— Пока своя растет — приклеим. Волосы будут свои, волосы ничего. Годится такой вариант?

— Годится,— сказал Никодимов.

Люсьен работала быстро — и уже через два дня наряжала Петра в квартире Нины. Нина в это время работала, Никодимов мотался где-то по делам.

Раздев Петра для примерки, Люсьен сказала:

— Какая модель! — и стала одевать его. Между делом спрашивала: — Лечишь, говорят?

— Лечу...

— От чего?

— От всего. Коэффициент эффективности значительный, — солидно выразился Петр.

— Неужто? Может быть. Хотя — не верю я в эти дела. От фригидности лечишь?

— Это чего?

— Чудак. Глупый гигант, — провела она по выпуклым буграм его торса.

— Это когда женщина удовольствия не получает от мужчины.

— Разве такие бывают?

— Не встречал?

— Не приходилось.

— Мало же, значит, их было у тебя. Или притворялись.

— Притворялись вряд ли, — сказал Петр. — А чтобы мало — так нет. Штук сто, — прикинул он без хвастовства.

— Неужто? Так как, вылечишь?

224

— А в каком месте лечить-то? — спросил Петр. — То есть...
Люсьен хохотала со смеху так, что у нее грудь заболела, она закашлялась.
— Ты не смейся, — сказал Петр. — Я никогда не лечил этого. Давай-ка я тебя лучше это самое...
— Я это самое терпеть не могу.
— Ты ошибаешься, — сказал Петр и ласково посмотрел ей в глаза.

И вылечил ее.

Пришедший Никодимов увидел Петра, наряженного в белую одежду, и Люсьен, лежащую на полу, вцепившуюся в ноги Петра.
— Встань, — мягко уговаривал Петр, пытаясь высвободить ноги, но лишь волочил тело окоченевшей Люсьен.
— Чего это вы? — спросил Никодимов. — Люсьен, ты упилась уже?
Люсьен медленно встала, тряхнула изящно лысой головой, сбрасывая наваждение, поцеловала руку Петра — и ушла.
— Я умру, — сказал Никодимов. — Такого я никогда не видел. Ты уникум, Петр. Но на твоем месте я бы подальше от нее. Съест. Как все фригидные бабы, она обожает мучить мужчину, доводить до исступления. Берегись!
— Ничего не фригидная она, — сказал Петр. — И нехорошо про человека говорить, когда его нет.
— Да? Извини. Конечно, ты праведник, но я-то простой человек. И курю-то я, и пью-то я. Выпьем?
— Выпьем, что ж...

На афише значилось: «Чудодей народной медицины, магистр белой магии, экстрасенс и целитель с дипломом доктора тибетской медицины, ученик Далай-ламы, последователь христианских заветов ПЕТР ИВАНОВ». (Собственную фамилию Никодимов не позволил Петру оставить, считая ее неблагозвучной. И вообще, чтобы не светиться. Он даже ему паспорт сварганил на имя Петра Петровича Иванова, уроженца Кзыл-Орды. Тебе ж все равно, настоящее имя твое все равно другое: Иисус Христос. Сказал — и отвернулся. Улыбку прятал?)
Перед выступлением Никодимов вышел с краткой речью:
— Сейчас вы увидите необычного, но обычного человека. Он не строит из себя супермена, как некоторые другие, о которых не будем упоминать ввиду очевидности. Он излучает добро. Он не любит много говорить, но много делает. Не надо спрашивать ни о чем, не надо рассказывать о своих болезнях, он все увидит и поймет сам. Он не любит аплодисментов, поэтому категорическая просьба с первой до последней минуты сохранять полное молчание. Обращаться к нему — мысленно. Встречайте.
И скрылся за кулисами с ловкостью конферансье, а на сцену тихими шагами вышел Петр.
Впервые он стоял перед таким количеством людей, ждущих от него чего-то.

И он пожалел, что ввязался в эту историю.

Жалко и себя стало, и этих людей, захотелось сказать утешительное. И откуда-то взялось:

— Я знаю, вы жалеете о бедности своей души. А она дышит небом. Никто не горюет всю жизнь; пройдут и ваши печали.

Вам кажется, что вас обогнали, но бегущий не слышит ничего, кроме топота своих шагов, вы же можете слышать голоса птиц и детей, когда идете не спеша.

Загляните себе в сердце и увидите, что оно милостивее, чем вы представляли, добрее, чем вам хочется. Позвольте ему...

Он недолго так говорил — может, полчаса. Зал, состоявший большей частью из женщин — такова учительская среда, вздыхал, утирался платочками, плыл слезами. Правда, все правда! — откликалось в душах присутствующих.

Петр умолк.

Ладони так и чесались, чтобы похлопать, кто-то даже и хлопнул, но на него зашикали, помня наказ Никодимова.

Наступила пауза.

Слезы просохли.

И вот чей-то голос, не выдержав, нарушил запрет:

— Сказано хорошо, конечно. А лечить-то будем или нету?

— Халтура! — подхватил тут же мужской иронический баритон.

Публика зашушукалась, загомонила втихомолку. В самом деле, не ради того билет куплен, чтобы поумиляться над словами, пусть и красивыми. Пора к делу переходить.

— На сцену зови! Тащи на сцену кого-нибудь! — услышал сзади Петр шипение Никодимова.

— Может, кто-то желает сюда? — пригласил Петр. — С острой болью без очереди, — улыбнулся он, вспомнив плакат-объявление перед зубоврачебным кабинетом, куда попал раз в жизни — проходя медкомиссию перед армией, поскольку все зубы у него были целы.

И именно с зубами вышла женщина — держась за щеку и пожимая плечами, адресуя это зрителям: вот, мол, какая пустяковина, но болит — спасу нет!

Петр не знал этой боли, но представил ту боль, которая бывает, когда заедут по скуле (он хоть и силен был, но все-таки и ему иногда перепадало). Он представил эту боль, и она у него возникла. Он заставил ее усилиться.

Женщина ойкнула.

Петр поднес ладонь к ее щеке и стал мысленно просить боль, чтобы она ушла. И боль ушла. Женщина опять стала пожимать плечами, уже со значением: надо же!

— Подставка! — раздался тот же иронический баритон.

— Там кто-то сомневается? Вы, что ли? — выскочил из-за кулис Никодимов. — Вы? Вы? — тыкал он пальцем в осанистого мужчину. Директора школы, между прочим.

— Ну, допустим, — встал мужчина.

— Прошу на сцену! Прошу, прошу! — позвал Никодимов — и исчез.

Мужчина, не тушуясь, пошел на сцену. Он шел медленно. Он привык, что его ждут.

— Где болит? — спросил Петр.

— А нигде! — ответил мужчина. — Здоров на сто процентов! Даже на сто десять.

Петр стал чувствовать его — и ощутил жжение в желудке.

— У вас желудок не в порядке, — сказал он.

— Он мне будет говорить! В порядке у меня желудок, будьте спокойны! И вот что, товарищи! — обратился директор к учительской массе. — Я, извините, с другой целью сюда пришел. Я понимаю, когда необразованные люди клюют на шарлатанство. Но вы-то — образованные! Не стыдно вам? Конечно, мода: религия, шаманство и все такое! Но вы материалисты или нет? Как хотите, а я этот вопрос в областном отделе народного образования поставлю! И выяснить надо, кто разрешил, и вообще! — уничижительно посмотрел он на Петра.

И вдруг лицо его побледнело — и тут же зеленью пошло, он согнулся, обхватил руками живот, словно подстреленный.

— Сейчас, — сказал Петр. — Сейчас будет лучше!

— Не подходи! — замычал директор. — «Скорую», пожалуйста! «Скорую»! — обратился он в зал. Кто-то побежал вызывать «скорую», директор пополз со сцены в зал, больше всего желая лечь и не шевелиться, но чувство собственного достоинства не позволяло, он двигался по направлению к фойе, — и у двери упал, потеряв сознание. Петр хотел броситься к нему, но рука Никодимова его остановила.

— Сами видите! — кричал Никодимов бурлящему залу. — Обстановка сеанса испорчена, условия не выполнены, один за это уже наказан! Выступление продолжать невозможно! Впредь не позволяйте всяким дуракам глумиться над народными целителями. Вам добра желают, а вы!.. — сокрушенно покачав головой, Никодимов увлек Петра со сцены, говоря сквозь зубы:

— Деру даем, деру, пока не опомнились! Ты чего с ним сделал?

— Да ничего...

— Ладно, разберемся!

Директор школы Иннокентий Валерьевич Фомин действительно не чувствовал себя больным. Ему некогда вообще было чувствовать что-то в своем теле: слишком напряженным был ритм жизни, потому что он был замечательный директор, любящий детей и школу, но убежденный при этом коммунист (а почему — «но»? — сказалось уж так, лизнул-таки...), рационалист, материалист, очень гневающийся, что новые веяния разрушают традиционный школьный распорядок. Хоть бы пионеров-то не трогали! — горячился он мыслью, с тоской думая, как же теперь он не увидит стройных рядов мальчиков и девочек — белый верх, темный низ и алые галстучки на белых невинных шейках. Красиво же! А теперь вона что пошло! — родители требуют, чтобы детям разрешили являться в школу в гражданских шмотках, щеголяя и хвастаясь друг перед другом разноцветным тряпьем. А если семья бедна! — ?

И, как мы знаем, сорвали-таки галстучки с невинных шеек, напялили дети на себя гражданские шмотки, и многое другое произошло огорчительное для Фомина, но — но относится к нашему сюжету лишь одно: у него вот уже года три слегка подныва́л желудок. Так слегка, что и внимания обращать не стоило.

И вот совпадение! — это зрела, оказывается, язва, она-то и вызвала прободение желудка по случайности именно в тот момент, когда Фомин обличал на сцене шарлатанов от медицины.

Фомина увезли на «скорой», и тут же — на операционный стол, все обошлось хорошо, через три недели он выписался. Но не успокоился. Он считал этого самозванного целителя Петра Иванова виновником. Подлец! — вызвал в нем болезнь! Что делают, паразиты! И Фомин поклялся не оставить так этого дела — и не оставил, но об этом в свое время.

Вадим Никодимов ругательски ругал Петра.

— Ты не умеешь владеть ситуацией! — кричал он. — Ты мог его, допустим, усыпить? Загипнотизировать?

— Не знаю. Наверно, смог бы.

— Вот и усыпил бы! Плевать, что он вышел лечить болезни, которых нет, а ты дуй свое: усыпляй, публика очумеет и забудет, зачем он вышел! А ты ему болезнь всунул! Зачем? Народ подумает: навредил человеку!

— Ничего я не всовывал. Была у него болезнь.

— Ты пойми, — гнул свое Никодимов. — Уже билеты проданы на пять подряд твоих выступлений, и залы не чета этому. А слухи, знаешь, как разлетаются — завтра же все будут знать, что на сеансе с человеком плохо стало, и никто не придет! Дай Бог, если журналистов сегодня не было, а если были — тогда вообще крах и ужас! Осел ты, Петруша, как друг говорю!

— Сам осел! — сказала ему присутствовавшая при разговоре Люсьен. — Кто тебя просил выскакивать и звать на сцену этого козла? Кто? А? Козел! Выступления сорвутся! Ну и пусть! Ему не надо этого! Ему не надо славы! Он будет делать свое дело тихо, незаметно, бескорыстно! Да, Петя?

— Вообще-то, — сказал Петр. Ему неудобно было не согласиться с любящей его женщиной, а она любила его неистово, он вот уже третий день жил у нее и испытывал на себе доказательства ее любви.

— Ну уж нет! Вы хотите, чтобы меня с дерьмом съели за сорванные выступления? Нет уж, Петруша, будь добр, пять раз откатай — и на все четыре стороны! И, кстати, меньше болтовни. Сразу зови дураков на сцену и лечи, гипнотизируй, чтобы рот разинули и захлопнуть забыли!

Вопреки опасениям Вадима Никодимова в восьмисотместный зал Дворца культуры химиков, что находился в районе, где располагалось химическое производство и тут же, по соседству — кварталы работников, народу собралось множество. То ли не дошла молва о казусе во время первого выступления, то ли дошла, но каждый хотел видеть, как это происходит, считая, что при таком большом количестве людей ему лично ничего не грозит.

Петр действовал по инструкциям Никодимова. У двоих снял зубную боль, у троих почечные колики, потом пошли с простатитами, гастритами, язвами, потом с инфарктами — и т. д., и т. п., потом повалили на сцену уже валом, ругаясь и чуть не дерясь перед ступеньками, ведущими вверх. Никодимов удерживал рвущихся, как мог, а на следующее выступление, во Дворце культуры «Алмаз», нанял специально для этой цели четверых крепких ребят.

В том же «Алмазе» после трех часов сплошной сутолоки он закричал в микрофон:

— Всем сесть на места! Начинается сеанс общего оздоровления! — И сказал Петру: — Действуй!

— А что делать-то?

— То же самое. Встань перед залом, заглядывай пронзительно всем в глаза — и води руками.

Петр стал водить руками над залом. По лицам людей он видел, что на них — влияет. Он чувствовал это и по себе, потому что возникало ощущение, что кости его размягчаются, кровь разжижается, пот чуть не ручьем стекает меж лопаток. Он уже готов был упасть. Никодимов заметил это, подскочил, увел за сцену, придерживая за плечи.

Публика зароптала.

— Надеюсь на вашу совесть! — вышел Никодимов. — Петр Иванов после сеанса три часа лежит без движения, столько сил у него это отнимает. Между прочим, Петр Иванов — это псевдоним. Хотите знать настоящее имя? — Никодимов сделал паузу. Зал замер. — Я не знаю. Знает ли он сам? — Никодимов опять помолчал. — Не будем спешить! Кстати, весь гонорар за это выступление Петр Иванов передает на восстановление храма, в котором, как вы знаете, до недавнего времени был планетарий. Всего вам доброго, милые мои! Это не я говорю, это слова Петра Иванова. Идите с миром!

Женщины прослезились, мужчины смотрели в пол, подростки притихли.

За кулисами на Никодимова набросилась Люсьен.

— Ты что там болтал? Тебя просили? Нельзя еще об этом говорить!

Люсьен — первая после Ивана Захаровича — безоговорочно поверила, что ее любимый — воскресший Иисус. На ночь возжигала свечу подле его ложа. Сама ложилась на коврике на полу. «Ты чего? — звал ее Петр. — Иди сюда». — «Недостойна, Господи!» — экстатически отвечала Люсьен. «Иди, иди. Я ведь и Сын Божий, но и человеческий. По Евангелию, Христос земного не чурался». — «Правда?» — «Истинно». — И Люсьен, дрожа не от холода, а от страха и страсти, ложилась к Петру.

— Ничего я не болтал, а намекнуть — уже можно, — сказал Никодимов.

— А про деньги? Деньги на храм? В самом деле? Может, это и правильно, но почему ты за него решил?

— На храм придется дать: проверить могут. Пятой части выручки хватит.

— Отдашь все, — сказал Петр. — Как обещано.

Он был слаб, но владел собой.

— Ладно, отдам все. Но учти, тебе при твоих нервных затратах усиленно питаться надо. На какие шиши, интересно?

— Отдашь все! — сказал Петр.

— Да отдам, отдам! — рассердился Вадим Никодимов — и соврал, отдал не все, но и не пятую часть, как намеревался. Треть отдал. Остальные припрятал. Для общего дела, между прочим. Ведь организация гастролей предстоит, да то, да се.

И еще два раза ему пришлось отстегивать треть — после двух последних в Сарайске выступлений. На этот раз уже сам Петр объявлял о решении отдать весь гонорар на храм.

Но ему было нехорошо.

Стыдно ему было.

Заигрался я, думал он. Никодимов, тот, слава Богу, не верит, но вот одна уже поверила. Опасные это дела. Страшные.

И страшнее всего, что в иные ночи он вдруг просыпается, словно услышав чей-то зов. Лежит с бьющимся сердцем, и, как змея искусительная, та самая, библейская, подползает мысль: а не Иисус ли я, в самом-то деле? Пусть я не знал этого о себе. Но ведь до поры до времени я и о способностях своих ничего не знал. Открыл мне их Иван Захарович — и я узнал про них. И чувствую такую силу, что даже страшно. Так и с этим: мог же я не знать, что — Иисус? А теперь — узнал! Ведь когда-то должен явиться он. Почему мы думаем, что обязательно с громом и молнией, со всякими знамениями? Придет тихо, незаметно, в любом месте. Вот и пришел — тихо, незаметно, в захолустном Полынске.

Нет, врешь! — тут же перебивал сам себя Петруша. Врешь, не чувствуешь себя Иисусом, надумал сам себе! Да и жутко, Господи! Ведь если он, не дай Бог, и в самом деле Иисус — как же жить тогда? Ведь надо жить так, чтобы... как?

Нет, нет, не Иисус, что и говорить! Мертвого не воскресил, тремя хлебами не накормил, по воде...

По воде!..

Дом Люсьен был на набережной. Рядом протекала река Волга, разливаясь тут широко: она водохранилищем тут была.

Петр осторожно, чтобы не разбудить Люсьен (она спала, широко раскрыв рот, показывая маленькие острые зубки), вылез из кровати. Постоял над ней. Люсьен дышала тяжело: застарелый гайморит. Чужих лечу, а о ближнем не позаботился, — подумал Петр, провел рукой над лицом Люсьен, она чисто и ровно задышала носом, закрыла рот и улыбнулась.

Спи, тихо приказал ей Петр, оделся и пошел к реке.

Вокруг — никого.

Яснолуние.

Морозные звезды искрятся.

Жутко стало Петру — словно из укрытия он вышел беззащитным под очи того, кто видит все. Крамольным показалось задуманное.

Но я ведь как раз для того, чтобы доказать, что я не тот, мысленно оправдался он.

Он спустился к воде. Именно к воде, а не ко льду, хотя на дворе был декабрь (ведь довольно много времени прошло с тех пор, как он покинул Полынск). К воде — потому что здесь в реку впадала канализация, горячая вода исходила паром и пробивала себе дорогу во льду, образуя широкую и протяженную полынью.

Петр осторожно подошел к краю льда.

Подумал.

Разделся догола — чтобы, вынырнув, согреться сухой одеждой.

Решительно прыгнул в воду и чуть не закричал от ужаса: ноги его стояли на воде.

Он сделал шаг, другой — и понял.

Под ногами был бетонный причал, обычный причал, выступающий от берега на несколько метров и оказавшийся вровень со льдом, с водой. Вот по этому бетону он и идет, а сейчас — ухнет в воду.

И он ухнул, ахнул, ушел с головой, вынырнул, засмеялся от радости и быстренько полез вылезать, одеваться.

Побежал домой.

Люсьен встретила его в двери со свечой в руке. Она теперь не пользовалась дома электрическим освещением, считая его почему-то бесовским. Не включала телевизор. Лишь холодильнику позволяла работать от электричества: надо же кормить Петра свежими продуктами.

— Ты чего? — спросил Петр.

— Я видела.

— Что ты видела? Что я купался?

— Нет, купался ты потом. Когда понял, что я тебя вижу. Ведь ты понял? А до этого ты шел.

— Ничего я не шел!

— Ладно. Не хочешь говорить об этом — не говори, Господи!

— Не зови меня так! И Иисусом не зови! Чтобы не слышал больше, ясно? Я Петр Иванов! Поняла меня? Чтобы ни слова больше про это! Поняла?

— Поняла, Господи.

— Опять? В лобешник получить хочешь?

— Прости. Поняла, Петр.

— Вот и хорошо. Дай-ка водочки, застыл я.

— А тебе можно?

— Да почему нельзя-то? Почему?

— Я думала...

— Индюк тоже думал!

Она налила ему крохотную рюмочку. Петр рассердился, схватил бутылку и выпил ее всю из горлышка.

— Ясно? — спросил он.

— Ясно, — ответила Люсьен, понимая, что Иисус, как истинный Христос, не желает, чтобы вокруг его святости поднимали ажиотаж.

Он прав, подумала Люсьен.

Буду собакой ходить за ним, подумала она еще. А когда — через три года — его распнут, уйду в монастырь. Навсегда...

### 13

Вадим Никодимов объявил, что им предстоит турне по четырем крупнейшим городам Поволжья, пяти — Сибири, пяти — Центрального района, четырем — Юга, итого, будьте любезны, восемнадцать городов, по три дня в каждом, по два выступления в день.

— Ты с ума сошел! — сказала Люсьен, которая относилась к Никодимову со всевозрастающей враждебностью. — Он устал. Он не хочет. Он что, звезда эстрадная, что ли?

Никодимов, словно щелкая орехи, ловко доказал, что не ехать никак нельзя.

Во-первых, везде уже афиши висят и билеты проданы.

Во-вторых (обращаясь к Петру), человек, имеющий такие способности, просто обязан их использовать, лечить болящих и утешать скорбящих. Ну и проповедовать, само собой.

В-третьих, надо же Петру наконец мир посмотреть и себя показать. Что он видел?

— Я видел, — сказал Петр. — Я ездил. То есть летал. Когда в десантных войсках был, нас в разные места бросали. В виде учебы.

— Это не то, — сказал Никодимов.

Неизвестно, какой из перечисленных доводов более всего подействовал на Петра. Пожалуй, все три. Никодимов не обременил его совести, не назвал его при перечислении необходимых причин Христом, мягко обозначил: лечить людей. И действительно, интересно же посмотреть другие города. И действительно, билеты проданы...

Люсьен в это время отключилась, думала о своем.

Она думала: странно, право же, Иисус Христос — и десантные войска! Как-то ей дико все это казалось. Ей хотелось об этом расспросить Петра. А также о другом, например, как все происходило тогда, две тысячи лет назад? Нет, не потому, что не доверяла изложению Евангелия, но она была убеждена, что в нем, как и в других документальных книгах — и в фильмах, — изображено одно, может, даже и близкое к правде, а в самой жизни все-таки происходило другое — так, да не так. Ей хотелось все спросить, где был и что делал Иисус эти две тысячи лет. Ей хотелось спросить о будущей судьбе людей и своей собственной.

Но после того как Петр запретил называть себя Иисусом, она не смела касаться этих тем.

Никодимов с удовольствием избавился бы от нее, у него уже был расторопный администратор на посылках, было пятеро мальчиков охраны, но он понимал, что Люсьен — нужна. Пусть лучше Петр занимается ею, не отвлекаясь на красавиц, которые могут встретиться и уманить его, сбить с пути, график работы будет напряженным, не позволяющим тратить время и силы на амуры. Пусть красавицы видят, что Петр не один, это умерит пыл поклонниц и обожательниц, а что поклонницы и обожательницы будут домогаться Петра, Никодимов знал твердо, уже здесь, в Сарайске, ему пришлось отбиваться от них, в иных случаях — грехи наши невольные — принимая удар на себя.


И вот началось это турне. Заняло оно два месяца, но рассказывать о нем особо нечего, потому что все происходило одинаково, программа выступления сложилась стандартно. Никодимов говорит краткое вступительное слово, Петр демонстрирует свои способности исцелять порознь и оптом, Никодимов уводит его, обессилевшего, сообщает публике, что половина собранных средств пойдет на восстановление церкви в данном городе (таково было условие Петра), — и добавляет еще несколько туманных слов, что-де мы не знаем еще точно, с кем имеем дело, и так далее.

Каждый раз Петр упрекал его за эти слова, и каждый раз Вадим выкатывал глаза: «А что я такого сказал, друг мой?»

Петр хотел, кроме исцелений, сделать еще что-нибудь: продемонстрировать силу гипноза, сказать людям об их будущем, он научился этому не учась, само пришло: видит человека — и знает. Но Никодимов отговаривал: рано, не время. Надо подготовить народ, все сразу он не сумеет переварить.

— Чудеса должны быть дозированы, — говорил он. — Тогда в них верят. Вот, например, НЛО, пришельцы. Умные люди, занимающиеся этим, информацию выдают по чуть-чуть, по капельке. Там светилось, там взорвалось, там на пленку сняли, но туманно. А представь: взяли пришельцы и явились сразу, всем можно смотреть, всем можно пощупать. Не поверят!

— Почему? — изумился Петр.

— Потому что перебор. Скажут: специальных людей нашли, а если они на людей похожи не будут, скажут: в специальных лабораториях вырастили, чтоб народ дурить. Тут нужна недосказанность, таинственность, полуприкрытость — как в эротике. Люсьен, ты ж модельерша, подтверди: обнаженное полностью тело не так возбуждает, как искусно полуодетое! Я знаю людей, друг мой. Ну, допустим, я выхожу и говорю: перед вами выступал Иисус Христос. Поаплодируем!

Люсьен ощерилась.

— Погоди, погоди! — выставил ладонь в ее сторону Никодимов. — Итак, я объявляю. Мне, естественно, никто не верит. Даже после всяких твоих чудес — не верят.

— А если я сделаю что-нибудь... Ну, настоящее чудо?

— А разве ты не делал еще две тысячи лет назад? Воду в Кане Галилейской в вино не превращал? Мертвых не поднимал из гроба? Бесов из людей не изгонял — в свиней вгоняя? Да мало ли! И что — все поверили тебе?

— Нет, не все, — сказал Петр, хорошо помня текст Евангелия.

— Вот то-то! Допустим, я скажу: ВОТ ЧЕЛОВЕК, И ОН — ХРИСТОС. Не поверят! И я говорю так: ВОТ ЧЕЛОВЕК, КОТОРЫЙ, ВОЗМОЖНО, ХРИСТОС, — будь спокоен, тут же многие начнут тебе поклоняться. Да и начали уже, сам видишь.

Действительно, в залах Петр все чаще замечал людей, одетых так же, как он, во все белое, с крестами на шеях, кресты большие и отличающиеся от канонических: поперечина их приподнята концами вверх, отчего крест приобретает очертания самолета, летящего вниз, внизу же наконечник, как у стрелы.

— Народная мысль быстра! — объяснял Никодимов. — Этот наконечник означает, что новоявленный Христос прикончит врага своего Антихриста. Близок Страшный Суд!

— Ты чего кривляешься? — осадила его Люсьен.

— Разве?

Никодимов подумал, что, в самом деле, нельзя так откровенно смеяться над Петрушей, одаренным идиотом. Хотя — тут же из глубины его просторного мозга донеслось эхом, словно ответ на клич, которого не было, — кто знает, может, не он идиот, а я идиот?

Но встряхивался — и продолжал вершить дела, все устраивать и организовывать. Кстати, люди в белом и с крестами, и сами кресты странной формы были его выдумкой, удивительно быстро подхваченной и распространенной — уже без всяких с его стороны усилий.

— Ох, продаст он тебя! — говорила Люсьен Петру. — Как Иуда продаст. Гони ты его!

— Не могу, — сказал Петр. — Все во власти Божьей.

— Ах, ну да, конечно, — вспоминала Люсьен. — Конечно, да...

Турне подходило к завершению.

А результаты были уже налицо: расходящаяся молва, все больший ажиотаж на выступлениях (в одном из городов пришлось наряд милиции вызывать, чтобы утихомирить тех, кто не достал билета и рвался в помещение, но Петр узнал об этом, вышел и велел всех пропустить, если согласны стоять стоя и вести себя тихо, — и все не шелохнулись, стояли три часа), начала помаленьку откликаться и местная пресса, и даже центральная. Писали осторожно — как об еще одном целителе, о непознанных силах человеческого естества и тому подобное, лишь — по странному для Петра совпадению — «Гудок» отнесся полностью иронически, делая упор не на исцеления, которые производил Петр, а на странные слова его помощника, или кто он там, на странные его намеки, поэтому статья была озаглавлена: «Очередное второе пришествие». Бойкий журналист писал в том смысле, что апокалипсическое мышление нынешних людей, кем-то явно формируемое, провоцирует их на ожидание чуда, объяви сейчас себя любой авантюрист Христом, объяви о грядущем незамедлительно конце света — и у него обязательно найдутся сторонники, последователи, клевреты и апостолы.

В Полынске многие прочли эту статью, но с исчезнувшим Петром Салабоновым не связали, фотографий же Петра не было ни в «Гудке», ни в других газетах: Никодимов запрещал снимать его.

И вот позади два месяца времени, тысячи километров расстояний, восемнадцать городов, десятки переполненных залов.

— Что теперь? — спросил Петр.

— Ага! — воскликнул Никодимов. — Во вкус вошел?

— Он не во вкус вошел, — не преминула сказать Люсьен, — ему долг велит. А был бы ты человеком, ты бы дал ему отдохнуть, он с ног валится.

Петр, правда, чувствовал себя уставшим — но одновременно и необычайно возбужденным.

— Теперь, друзья мои, в Москву! — заявил Никодимов. — Почва подготовлена, хватит по провинциям ошиваться. В Москву! А там, глядишь, и выступление по телевидению, а может, и за рубеж пригласят. — Глаза Никодимова сверкнули. — Да мало ли! В Москву, в Москву, как сказано у Чехова, чего ты, Петруша, конечно, не помнишь,— фамильярничал захмелевший от удач Никодимов. — В Москву! Она слезам не верит, но чудесам верит пока! О, Москва, старая кошелка, вселенская стерва! Москва, гноище благоуханное, Москва, рубище с позументами, Москва, гордячка в муаровом платье, но с драными чулками и потасканным бельишком, Москва, богачка, считающая тайно каждый медяк, Москва, скопище снобов, дураков от рождения, дураков по призванию, дураков по службе, дураков из интереса, умных, работающих под дураков, и дураков, работающих под умных, Москва, валютчица и спекулянтка, Москва, презирающая чужаков и готовая пресмыкаться перед ними... — и долго, долго еще, никак не меньше получаса, говорил Никодимов о Москве, приголубливая ее и так, и этак, подбирая ей самые разные, большей частью нелестные эпитеты.

Видно, чем-то Москва ему насолила.

Теперь он собирался взять реванш, но, кажется, поспешил. Связавшись с Москвой, он узнал, что на рынке мероприятий, основанных на массовом сборе денег с населения, в настоящее время кризис перепроизводства: слишком много экстрасенсов, шаманов, адептов как белой, так и черной магий, астрологов — и прочая, и прочая.

— Это все фигня! — кричал в телефон Никодимов знакомому менеджеру. — Тебе разве мой представитель не намекнул?

— На что?

— Ну, что у меня не просто экстрасенс, а... — Никодимов помялся, сплюнул мысленно через левое плечо и ошарашил открытым текстом: — Иисус Христос у меня. Это тебе — не товар?

— Есть уже, — спокойно ответил менеджер.

— То есть?

— Очень просто. Шляется по Москве, выступает, толпы за ним ходят, в общем, натуральный Иисус Христос. Я с него, что мог, уже поимел.

— Да это халтура, это самодеятельность! Я тебе серьезно говорю, без дураков, ты меня знаешь, у меня настоящий Иисус Христос! Ты бы видел, что он делает!

— Я сказал: не надо! — И менеджер повесил трубку.

Никодимов после этого разговора долго не мог прийти в себя.

Но Петру, а тем более Люсьен, ничего не сказал. Решил ехать в Москву на свой страх и риск, сориентироваться на месте и действовать по обстоятельствам.

В одночасье собрались и вылетели.


## 14

Не только святое место пусто не бывает, но и всякое другое вообще.

Если где-то исчез, например, сумасшедший, значит, где-то появилась ему замена — или даже не где-то, а в этом же пространстве.

Иван Захарович выздоровел, стал нормальным, хотя и попал в сумасшедшую палату, специально для него оборудованную, — и тут же Полынск приобрел нового психа.

Которого, впрочем, никто не разглядел.

Им оказался потомственный железнодорожник, ступорщик по профессии, Григорий Разьин.

Болезнь развивалась в нем долго и произошла от того, что он был увлекающимся человеком.

Быть увлекающимся в общем-то хорошо, недаром же учителя литературы задают в школе сочинения на тему «Мир моих увлечений» — не только для грамотности, но и для воспитания. Для воспитания даже в первую очередь. Ведь каждый ученик, трудясь над сочинением, вдруг начинает понимать, что чем больше увлечений, тем выше будет отметка. И пусть он придумает себе увлечения, каких у него и нет, но, придумывая, смотришь, и всерьез чем-нибудь увлечется, поэтому в данном традиционном учительском приеме много рациональной ценности.

Но речь не о том мире увлечений, где спорт, конструирование действующих авиамоделей, выпиливание лобзиком и собирание гербариев в осеннем лесу с любовью к природе.

Речь — о свойстве характера.

Разьин увлекался именно по свойству характера — и при этом всегда как бы наперекор самому себе.

В юности он увлекся соседкой Дашей — и с этого началась его жизнь. В Даше не было ничего особенного, даже наоборот: толстовата, рябовата, глаза жидкие — но тянет к ней, что ты сделаешь! Дура ж она, уродина толстозадая, уговаривал сам себя Гриша, — и тем не менее подловил ее однажды в сумерках, стал хватать. Даша стояла без сопротивления, не из интереса, а из любопытства: ее никто еще не хватал. «Давай поженимся!» — сказал вдруг Гриша. «Рано!» — сказала Даша, но тут же побежала к родителям: выньте да положьте, хочу за Гришу, у нас любовь и отношения. Родители рассудили: если бы только любовь, тогда бы можно порассуждать, а если уже отношения, рассуждать уже нечего. К тому же хоть девчонке всего восемнадцать лет, но случай упускать нельзя, неизвестно, позарится ли кто еще на такую квашню, — да и Григорий из хорошей трудовой семьи.

Гриша то же самое своим родителям: женюсь на Даше, не могу! Отец привел резоны — и что в армию скоро идти, и что мог бы под свою внешность получше кого-нибудь найти, но говорил с безнадежностью, зная упрямство сына.

На свадьбе друзья Григория, ребята откровенные, простые, спрашивали его:

— Ты че, Гринь? На хрен тебе тумба такая? Ты че?

— Мое дело! Нравится! А если кому не нравится — пусть проваливает со свадьбы, не держим! — резко отвечал Григорий, но в голосе его и во взглядах на невесту сквозило, однако, удивление.

Никто со свадьбы проваливать, конечно, не собирался, справили как положено, отлично, с радостью.

А в армию Григория не взяли: обнаружили скрытый дефект зрения. Оказалось, что у него в глазах все предметы слегка двоятся, потому что зрачки направлены почти что параллельно. Чем ближе предмет, тем больше раздвоение. Григорий до этого и не знал про свой дефект, он думал, что у всех людей такое зрение. И родители упустили, не обратили внимания, что их сын, рассматривая что-либо или читая, закрывает ладонью один глаз.

Но этот недостаток не мешал ему жить дальше. Мешал ему теперь жить вопрос: зачем же он на Дарье-то женился? — потому что она ему очень скоро страшно разонравилась.

Она и раньше не нравилась, разбирался он мысленно сам с собой, но тогда хоть любовь была. А теперь и любовь прошла— и не нравится.

Но куда ж теперь: вон уж и ребенок родился — девочка. Вон уж и второй появился — мальчик. «Что же я делаю? — размышляет Григорий. — Зачем мне дети от нелюбимой женщины, ведь я их любить не буду!» И не любил. Однако в субботний день, после баньки, выпьет стопочку, потеплеет в его душе, ляжет он в кровать, обнимет жену — не по любви, а чтобы пожалеть ее за то, что он ее не любит, — и забудется, и вот уже третий ребенок пачкает пеленки, а Разьин — недоумевает. Так, недоумевая, прожил он с Дарьей двадцать два года, вырастил пятерых детей.

На других женщин не смотрел, боясь увлечься. Но однажды проводил долгим взглядом порывистую смазчицу Васю, Василису. «Ты не пялься! — дружески предупредили его мужики. — Она каждую ночь в военную часть бегает, у нее, всем известно, триппер на триппере сидит и триппером погоняет». Услышал это Разьин — и еще горячей увлекся, аж оскомина в скулах появилась. И вот в инструменталке, закрыв дверь, он прижал Васю, она шепнула: не надо, больная опять, погоди — вылечусь. Но ничего не слышал Разьин — и получил болезнь, которую, правда, умудрился скрыть, умолив одного своего товарища, неуемного опытного ходока, вылечить и никому не сказать. Опытный ходок вылечил и никому не сказал, честный человек, молодец.

Судьба с Дарьей — основное.

Остальные же увлечения рассыпаны по его жизни, как соль по соломе: и не собрать соль, да и не жаль соли, а главное — зачем было солому-то солить?

Вдруг увлечется выращиванием мандаринов на своем приусадебном участке. Ему говорят: брось, климат не тот, земля не та! Разьин и сам понимает, что из его затеи скорее всего ничего не выйдет, но нестерпимо хочется, так и видит он ряды деревьев, усыпанные яркими плодами, — он выносит их на базар в больших корзинах, не для продажи, а просто дарит всем: нате, кушайте на здоровье!.. Он достает саженцы мандаринов, неустанно о них заботится, утепляет на зиму, выписывает и читает садоводческий журнал, посылает письма в Академию сельскохозяйственных наук и получает, между прочим, обнадеживающие ответы. Время идет, деревья растут, а цвета — нет, завязи — нет. Оранжерею бы соорудить, но он посадил деревья не кучкой, а по всему участку, поэтому перед очередной зимой Разьин придумал каждое дерево укрепить колпаком из полиэтилена, всю осень провозился. Пришла весна — не цветут деревья!

Мученья кончились, когда все стволы оказались начисто обглоданными. Волкозайца это дело, решили все, кто видел следы зубов. Григорий вздохнул с облегчением.

Или вот: застрял на их колдобистой улице экскаватор, небольшой, на колесном ходу. Экскаваторщик полдня возился, потом ушел — и никогда не вернулся. Остался стоять экскаватор. Год, два стоит. Три стоит. За это время повыбивали стекла, проткнули колеса, оторвали руль, растащили по частям мотор. Григорий же все эти три года равнодушно ходил мимо, думая о других делах. А однажды вдруг остановился — и тут же увлекся мыслью отремонтировать экскаватор. И, заранее кляня себя за пустую затею, он нанимает трактор, тащит экскаватор к себе в подворье. Чинит. Латает камеры, достает и прилаживает части для мотора, стекла для кабины, провода, гайки, втулки. Приходит с работы и, не умывшись, наскоро поев, — к механизму. Дарья не перечит, глаза ее, жидкие в юности, совсем растаяли, и в них лишь то, что вокруг нее, то есть одно лишь отражение, а своего ничего нет. Год, два возится Григорий с экскаватором, мечтая: захочет кто-то из соседей вырыть погреб — пожалуйста! Захочет организация «Горсвет» заменить наконец столбы на их улице, поставить новые, а под новые-то ямы нужны, — пожалуйста! Захочет кто-то построить дом, а для дома нужен фундамент, а для фундамента котлован вырыть, — пожалуйста! Даром! ради одного только удовольствия!

И он сделал экскаватор.

Но погреба у всех соседей уже есть и больше рыть не собираются, организация «Горсвет» уверяет, что столбы, стоявшие полвека, еще век простоят, дома если и строили, то без котлована, а часто полынским обычаем и без фундамента. Простаивал экскаватор — пока не увели его ночью подростки: выкатили оравой бесшумно, потом завели и пошли куролесить по городу и окрестностям, пьяные, орали всякие слова и песни, натешились и, разогнав, пустили экскаватор с обрыва в речку Мочу (ударение на первом слоге), в которой он и затонул, высунув наружу ковш, как согнутую для подаяния ладонь.

А Григорий даже и не сразу заметил пропажу. Он в это время увлекся ружьем.

Он нашел ружье.

Под мостом в овраге лежало ружье. Григорий косил там траву для коровы. Вдруг: ружье. Откуда, чье? — непонятно. Ржавчиной уже тронулось, но хорошее еще охотничье ружье.

Григорий поднял его с тоской, желая выбросить куда подальше, но — принес домой. Две недели чистил его и ремонтировал — и решил, что он теперь охотник. Достал патроны, пошел в лес. Хотел волкозайца выследить и подстрелить. Но вместо волкозайца увидел зайца обыкновенного. Григорий, волнуясь, не дыша, поднял ружье, перед ним случилось дерево с сучком; целиться, положив ствол на сучок, было удобно. А заяц застыл: слушает чего-то. Григорий выстрелил, убил зайца. Побежал к нему с радостным криком. Заяц был мертв. Григорий бросил ружье, поднял зайца, прижал к лицу пушистый его теплый мех, пачкаясь кровью, — заплакал. Он ведь в детстве цыпленка случайно заденет ногой — и то переживал, а тут вовсе убил животное. Будь я проклят, твердил Разьин. За что мне такое наказание?

И долго еще можно перечислять увлечения Григория, но не в подробностях суть, а в том, что, увлекаясь, получая от этого одни огорчения, Разьин становился все мрачней и задумчивей.

Он искал причины.

И честно нашел их в самом себе.

Умная голова дураку досталась! — услышал он как-то слова старух о пьянице Костоломове, который, действительно, в редкие трезвые дни был сообразительный и ловкий мастер по электричеству, он был электрик.

Ошеломили Григория эти слова. И он подумал о себе так: у меня наоборот — дурная голова умному досталась.

Потому что он считал себя все-таки умным.

Ведь не был бы он умный, он бы все свои дела делал без всякого беспокойства. Дурак ведь что сотворит, то и считает хорошим. А он нет, что ни делает — все ему не нравится, но делать — охота, особенно спервоначалу.

Итак, голова виновата.

Это, наверное, болезнь такая.

Болезни лечат у врачей.

И тут он как раз прочитал в газете «Гудок» сразу две подряд заметки на медицинскую тему: про человека, у которого отрезало руку, а ее положили в лед, отвезли вместе с человеком в больницу и пришили через три часа после отрыва, — и про очередную операцию по пересадке сердца, которая прошла успешно.

Если уж сердце можно заменить, думал Разьин, то голову тем более. Грудь вскрывать не надо, ковыряться не надо, все сверху. Аккуратно голову отрезал, другую приставил.

Остается, значит, умную голову найти.

Но сколько он ни ходил, ни смотрел на людей, то есть на их головы, — подходящего ничего не подыскал. Все головы какую-то чушь несут, сидят криво, дергаются дурацки...

Но даже если и найду, подумал он, надо же, чтобы кто-то операцию произвел. Другому, допустим, я и сам голову оттяпаю, нехитрое дело, а свою-то не отрежу сам, тут хирург нужен. Зато этот хирург на весь мир прославится!

И вот с просьбой найти ему хирурга для такой операции он пришел однажды прямиком к главврачу городской клиники Арнольду Ивановичу Кондомитинову, молодому, но уважаемому в Полынске человеку.

Арнольд ушам своим не поверил, глядя в разумные ясные глаза Григория. А когда опомнился, убедительно попросил Разьина подождать, сам же позвал двух мужчин-врачей, и те проводили Григория в кладовку без окон, с металлической дверью. Это, сказали они, операционная. Скоро стол прикатят, инструменты принесут, человека приготовят для обмена головы, а ты ляг на тюфячки, отдохни, сил наберись.

Разьин послушно прикорнул в углу, врачи, смеясь, доложили Арнольду, Арнольд, смеясь, позвонил Екатерине, чтобы и она посмеялась.

— Ну и что ты собираешься с ним делать? — не посмеявшись, спросила Екатерина.

— В Сарайск отправлю. У нас же психушка одноместная — для старичка твоего, — пошутил Арнольд.

— Почему же она одноместная при таком дефиците больничных мест? — спросила Екатерина официальным голосом, не как сама по себе, а как сестра Петра Петровича Завалуева.

— А что ты предлагаешь? — удивился Арнольд.

— Предлагаю вечером встретиться в реабилитации.

— С удовольствием, Катя!

— Екатерина Петровна. Пока.

(И не понял Арнольд, что значило это «пока». То ли «пока» — до встречи. То ли «пока» — Екатерина Петровна, а Катя — потом...)

Реабилитация, то есть если полностью, палата реабилитации — для окончательного выздоровления больных после болезни, была уютно обставлена мягкой мебелью, здесь Арнольд отдыхал один, или с друзьями, или еще с кем-нибудь — давно мечтая, между прочим, о Кате. И однажды залучил ее туда, когда ей потребовалась от него какая-то услуга: лекарство редкое достать вроде бы. Но едва Кондомитинов начал делать однозначные намеки, Екатерина сказала, что никогда в жизни не изменяла и не будет изменять мужу, расплатится же за услугу авторитетом и помощью брата Петра. И точка.

И вот теперь — сама предложила.

За что, спрашивается?

А за то, не лукавя и снимая кофточку, сказала Екатерина, чтоб ты посадил этого психованного головореза в одну камеру, палату, с Нихиловым.

— Он же в самом деле головорез, — улыбнулся Арнольд. — Как бы чего не вышло.

— Ну и выйдет. Чего с психа взять? — пожала Екатерина обнаженными плечами.

— С психа-то не возьмешь, а с меня?

— Ты ни при чем. Ты не успел его расспросить, думал, он тихий. Маленькая врачебно-процессуальная оплошность. А куда его еще было деть? Учитывая, что больные вообще в коридорах лежат. Стройте новую больницу, а потом придирайтесь! — прикрикнула Екатерина на кого-то воображаемого.

— Ой, страшная ты женщина! — восхитился Арнольд. — Злодейка ты!

— Тем и нравлюсь! — отозвалась Екатерина, освобождаясь от последних одежд.

И оттого ли, что, в самом деле, почувствовала себя злодейкой, а в близости с Арнольдом увидела рассудительный корыстный грех, оттого ли, что совершала это ради Петруши Салабонова, впервые за долгое время Екатерина опять почувствовала себя женщиной — и настолько очаровала Арнольда, что он тотчас же лично проводил Григория Разьина в палату Нихилова. Иван Захарович, которому для успокоения давали горстями снотворные таблетки, глубоко спал, не шелохнулся.

— Нож дал бы ему, — сказала Екатерина Кондомитинову.

— Это уж слишком, — сказал Арнольд, содрогаясь от ее взгляда и желая повторения любви. — Сам что-нибудь сообразит, если захочет.

И Разьин сообразил. Полагая, что его подселили к умному человеку для обмена головами (а лицо спящего Нихилова было мудрым и понравилось Разьину), он, не дожидаясь врачей, аккуратно вынул стекло из форточки (окно было зарешечено только с внешней стороны), воткнул в шею Нихилова, подождал, пока пройдут судороги тела — и отпилил голову, жалея, что разрез получается не совсем ровным.

После этого он стал стучать и звать врачей, просить льда для головы, иначе голова испортится, протухнет, а ему тухлой головы не надо!


## 15


Так неожиданно развернулись в Полынске события, непосредственно имеющие отношение к Петру Салабонову, а Петруша, не зная ничего об этом, в тот же вечер, когда это происходило, сидел в зале на выступлении того человека, которого московский менеджер в разговоре с Вадимом Никодимовым назвал Иисусом Христом.

Хотя, конечно, объявлено было другое. На афише значилось: «Христианская миссия. Предуведомление. Провозвестие. Слово ИММАНУИЛА».

Никодимов тихо ругался сквозь зубы — на что-то досадовал. Люсьен удалось прикоснуться к плечу Петра так, что он этого не заметил, — и впала в блаженное забытье.

В зале потушили свет.

Раздалось тихое приятное пение.

Невидимые люди стали вносить на сцену свечи и расставлять их.

Кто-то за спиной Петра считал свечи, находя, очевидно, в их количестве особый смысл. «Двенадцать! — сказал он. — Двенадцать!»

И вот с большой свечой в руке, понемногу, понемногу, все ярче и ярче озаряемый прожекторами, вышел сам Иммануил. Это был стройный среднего роста брюнет с бородкой такой же формы, как и у Петра.

Вспыхнул свет в зале и на сцене.

Долго, минут пять, брюнет обводил зал жгучими черными глазами. Петру показалось, что и ресницы, и брови его тоже подведены черным. Иммануил всех осмотрел, каждому заглянул в лицо, никого не миновал. Никодимов, когда дошла до него очередь, высунул ему язык. Иммануил словно не заметил, но тот, считавший свечи, сидевший позади Петра и несколько сбоку от Никодимова, тут же углядел и прошептал, что хулиганствующих лично он будет выводить и лупить по мордасам. «Заткнись, сучара», — неинтеллигентно, но тихо ответил Никодимов — так, что сосед, пожалуй, и не услышал.

Иммануил закончил свой долгий взгляд.

Напряжение в зале, достигшее довольно высокого градуса, чуть спало.

Иммануил произнес негромким мягким голосом:

— Есть ли грех больший, чем неверие?

И умолк надолго, предоставляя возможность обдумать вопрос, заставляя нетерпеливо ждать ответа.

— Как работает, подлец! — шепнул Никодимов на ухо Петру, не скрывая зависти.

— Есть! — сказал Иммануил.

И опять помолчал.

— Этот грех: распространение неверия. Не верь, это твое беззаконное право. Но не зови других к неверию!

И он опять замолчал.

И вновь заговорил, но в его словах Петр не услышал ничего нового: это было изложение в скупых фразах евангельских проповедей. Правда, время от времени проскальзывало нечто туманное, неуловимое.

Да еще мелодия, Петр даже и не сразу заметил, что она звучит — тихая, упорная, медленная. Если бы Петр знал музыку, он бы сравнил эту мелодию с «Болеро» Равеля, но он не знал музыки, не увлекался также фигурным катанием (под эту мелодию стали чемпионами мира какие-то, кажется, американцы, имена забылись уже, а вот музыку обыватель надолго запомнил, и она стала для него в один ряд с «Прощанием славянки» и «Полонезом» Огинского, то есть с тем, что всякий и каждый знает).

241

Музыка исподволь настраивала, направляла, очаровывала, речь Иммануила текла то плавно, то прерывалась, то вдруг он восклицал почти в экстазе — и надолго умолкал после этого.

Что и говорить, повадки брюнета были впечатляющими. Жесты завораживали, голос заставлял себя слушать. И ни тени улыбки на лице, но нет и мрачности, высокая печаль на лице, такая высокая, что жаль становится человека.

И когда он все-таки улыбнулся после каких-то светлых, обнадеживающих слов — зал благодарно заулыбался в ответ, радуясь за него и за себя. Улыбка и впрямь была хороша — белозубая, милая, застенчивая.

— Как работает, как работает, подлец, вон какой МХАТ на роже устроил! — повторял Никодимов.

Даже Люсьен вперилась в брюнета, не заметив, что ее плечо вышло из соприкосновения с плечом Петра.

Никодимов ерзал, ерзал — и не вытерпел.

— Ну что, Петя, — шепнул он, — дадим бой самозванцу?

— То есть?

— Что значит — «то есть»? Он Христос или ты? Выйди — и разоблачи его!

— Зачем?

— Ты что, не видишь — людей в заблуждение вводят!

Петр видел. Но он видел также, что людям хорошо. Зачем разрушать их настроение? Петр этого никогда не любил.

К тому же был момент, когда он подумал: а не есть ли этот брюнет и в самом деле Иисус Христос? Недаром его зовут Иммануил, сказано же в Евангелии: сбудется реченное Господом через пророка, Дева родит Сына, и нарекут имя Ему: Еммануил, что значит: с нами Бог.

Он подумал об этом то ли с испугом, то ли с надеждой — но тут же прогнал от себя эту мысль. И вот Никодимов нашептывает, и в нем разгорается досада: в самом деле, какой-то прощелыга столичный, не умея ни лечить, ни гипнотизировать, ни провидеть, выучив текст Евангелия да Апокалипсис, корчит из себя неизвестно что!

И все-таки выйти на сцену смелости не хватало.

— Потом как-нибудь, — сказал он Никодимову.

Сосед сзади терпел, терпел — и дал Никодимову в спину ощутимого толчка. Дело в том, что брюнет в это время начал читать молитву. Он прочел ее раз, другой, третий, потом попросил: повторяйте за мной. Можете сначала мысленно. Не надо громко. И люди стали повторять. Сперва некоторые, потом присоединились те, кто выучил молитву тут же, в зале, после десятикратного ее повторения. И вот все громче, убежденней, слаженней звучит общая молитва — и громче звучит музыка, делаясь все настойчивей.

Вот уже почти скандируют молитву собравшиеся — и вдруг на сцену выскочил человек. Какой-то бесноватый со слюной на устах, с выпученными глазами. Он побежал к брюнету и остановился как вкопанный, в трех шагах от него.

Зал замер.

— Скажи! с неистовой мольбой закричал бесноватый. — Ты ли пришел или другого ждать? Да или нет? Скажи! Да или нет?

Страшная пауза повисла. Весь зал от мала до велика, от первого до последнего — ждал. И каждый хотел, чтобы ответ был: да! Глаза распахнуты напряженно, тела подались вперед, губы беззвучно шепчут, словно подсказывая: да! да! — в том числе и губы Люсьен, вытянувшейся в струнку, сжавшей кулачки, сморщившейся, как от боли.

— Да! Да! — просил зал, а брюнет все держал паузу.

— Ну! Ну! Ну! — толкал Никодимов Петра — а Петр не понимал, чего он от него хочет.

— Да! Да! — витало в воздухе.

— Нет! — встал Никодимов. — Нет! — закричал он, обернувшись к публике — и, быстро выбравшись из ряда, уверенно пошел на сцену.

— Прочь! — сказал он бесноватому, и бесноватый, вдруг тут же утратив бесноватость, спросил бытовым кухонным голосом:

— А чего такое-то?

— Сейчас узнаешь!

Никодимов сунул руки в карманы и встал перед залом, покачиваясь.

Народ безмолвствовал. С одной стороны — явное кощунство, надо бы освистать шельмеца и прогнать его, с другой стороны — интересно, что он скажет.

— Развесили уши? — обидел Никодимов собравшихся. И пресек поднимающийся ропот поднятием руки. — Да нет, я бы тоже развесил уши. Я бы тоже поверил бы, что этот сморчок — Иисус Христос, как он пытается вам довольно толстовато намекнуть. Если бы... — Он помолчал. — Если бы не знал настоящего человека! Я не буду называть его Иисусом, у него обычное земное имя Петр Иванов. Вы наверняка слышали о нем. Что продемонстрировал вам сей субъект (субъект меж тем, гордо скрестя руки, с презрением смотрел на Никодимова, но в глазах появилась легкая растерянность), какие чудеса предъявил? Способности к мелодекламации? Но этому, извините, в самодеятельных клубах учат. Что еще? Ни-че-го! А ведь тут, рядом с вами, — закричал Никодимов, перекрывая голоса клакеров брюнета, сидящих в зале, и останавливая жестом руки каких-то людей, ринувшихся к нему из-за кулис, — рядом с вами находится человек... Впрочем, прошу!

Чувствуя жадность людского внимания, Петр не утерпел и полез на сцену.

Лоску ему не хватает, с сожалением думал Никодимов, глядя на него. Деревенщина косолапая, хоть и десантником был. Надо было мне учителя ему по сценическому движению нанять. Хотя кому-то эта непосредственность как раз и нравится.

Петр вышел, увидел привычное уже внимание — и обрел уверенность.

— К чему слова? — сказал он Никодимову, отсылая его кивком головы к кулисам.

Ого! — радостно удивился Никодимов и отошел. За кулисами у пианино мебельного светло-коричневого колера (с узорами «под дерево») стояла девочка лет двадцати семи, которая должна была перед финалом действа спеть духовную песню, она всегда страшно, болезненно волновалась, у нее начинались спазмы желудка, на этот случай девочка обязательно брала с собой лекарство левомицетин, но сегодня будто черт подтолкнул ее под руку, вместо левомицетина она взяла другое лекарство и вот сейчас

243

с ужасом рассматривает его, ничего не видя и не слыша, не зная, что происходит на сцене, десятый раз она тупо читает: «Минмедбиопром. Борисовский ХФЗ. ФУРАЗОЛИДОН. Применять по назначению врача. Р 72. 270.10. Цена 12 к. Годен до XII. 91», — и в истерике ума хочет понять, что такое ХФЗ, вспомнить, что такое фуразолидон — будто ей легче станет от этого. В муке посмотрела она на Никодимова, а ему в эту секунду — только в эту — представилось вдруг, что он целует ноги этой девочке, просит пощадить, и девочка щадит, и они поженились, и у них родились семеро детей, но девочка так и осталась невинна...

Петр твердо посмотрел в глаза брюнету. Брюнет выдержал взгляд. Петр продолжал смотреть. Брюнет попятился.

Зал ахнул.

— Сказано, — вдохновенно начал Петр, — что явится для обольщения человечества некто похожий на Христа, но не Христос. Лже-Христос, Антихрист. Будет сладкогласен и лицеприятен. Многих обманет, многие пойдут за ним. И, набрав войско клевретов, начнет он творить истинные свои противочеловеческие дела! — Петр ткнул пальцем в Иммануила и в порыве вдохновенного прозрения увидел какой-то ореол под волосами брюнета, обозначающий контуры его головы. Уверенными шагами он подошел к брюнету, сорвал с него парик и бросил на сцену.

Зал обомлел: вместо брюнета на сцене стоял огненно-рыжий, просто клоунски рыжий человечишко с нелепой черной бородкой.

— Ну, гаденыш! — пообещал во весь голос беспокойный сосед Петра и Никодимова, усмирявший их до этого. Буква «г» в слове «гаденыш» прозвучала как х/г — по-армейски, по-начальнически, по-государственному, по-шахтерски, по-нашему, по-рабоче-крестьянски.

— Безобразие! — завизжали помощники и ассистенты Иммануила и, не приводя аргументов в защиту своего товарища, стали действовать по принципу «сам дурак».

— Ты-то сам-то, — кричали они, — кто такой?

— Кто я такой? — со спокойным достоинством откликнулся Петруша. — Я Петр Иванов, если угодно. Что вам мое имя? Одно имя дается людьми, другое — на небесах. Ведомо имя мое лишь тому, кто послал меня.

Во дает! — изумлялся Никодимов, предвкушая, какой фурор будет в Москве. Фурор, облом, обвал, бенц! Ведь не ради денег, надо отдать ему должное, старался Никодимов. Не ради их одних, а из чистого артистизма, из любви к облому, бенцу, это и было, в сущности, его хобби и заодно его профессия. Скука рядовых явлений жизни с детства бесила его, и он поклялся заниматься только тем, от чего происходят шум, треск, взрываются звезды и пробки шампанского, и, гоняясь за этими эффектами, он перепробовал много видов деятельности, но все был недоволен, поэтому так обрадовался, встретив Петра, почуяв в нем нечто небывалое.

— Итак, — продолжал Петр. — Для начала прошу на сцену тех, кто сейчас ощущает свою боль. Неважно где: в зубах, в печени, в сердце. Придите ко мне — и не будет у вас боли.

Тут же человек восемь или десять пошли на сцену. Петр начал принимать их в порядке очереди. Первой была женщина с зубной болью — как и на том памятном сеансе в сарайском Доме учителя.

Петр дотронулся до ее болящей щеки — и двинулся дальше.

— Не прошло! — сказала женщина.

— Как это — не прошло? Я же чувствую — прошло!

— Ничего не прошло! Еще сильнее болит!

— Да не может этого быть! Она обманывает! — уверил Петр зал. — Ни фига у нее не болит, она просто рыжего выручить хочет!

— Плевать мне на рыжего! — заскандалила женщина. — Не умеешь — нечего за щеки хватать! Грязными руками! — добавила она почему-то. — Еще сильнее болит, правду говорю! — поклялась она перед залом.

— Вот какая тетка упрямая! — кипятился Петр. — Говорю же тебе, не болит! И у других перестанет! — обратился к болящим Петр; но болящие отшатнулись от него.

— Ну, гаденыш! — пообещал тот же голос — на х/г.

— Тишина! — потребовал Петр. — Приступаю к общему сеансу! Сидеть тихо! Сейчас всем станет хорошо!

— Ой, боюсь! Боюсь! — запищала в зале девочка.

— Да что же он измывается над нами?! Ребенка вон до смерти напугал! — закричала женщина с зубной болью.

Болящие на сцене, среди которых было трое весьма здоровых мужчин, стали подходить к Петру.

Но вдруг откуда ни возьмись, словно с потолка свалился, — меж ними и Петром очутился лейтенант милиции.

— Минуточку! — сказал он мужчинам и обратился к Петру: — Петр Иванов?

— Ха! — удивился Петр, увидев пред собой друга детства Витьку Самарина. — Не узнал, что ль?

— Он же — Петр Максимович Салабонов? — гнул свое милиционер.

— Само собой. Да чего тебе?

— Пройдемте!

И повел озадаченного Петра со сцены в закулисье мимо окаменевшей девочки с фуразолидоном, по пути сказав Никодимову:

— Вы тоже!

Никодимов чутьем угадал, что бежать будет хуже, — и пошел.

Тем временем Иммануил, как ни в чем не бывало, надел парик.

Встал прямо.

Публика шумела, обзывалась, ругала и его, и скрывшегося Петра. Хвалила советскую милицию и вообще прошедшие советские времена (хотя они тогда еще не совсем прошли), в которые никому не позволялось так глумиться над людьми.

Иммануил молчал и смотрел.

Долго.

Народ умолк.

— Всему свое время, — сказал Иммануил. — Время скрывать имя, время открывать его. Время скрывать волосы, такого же цвета, как у Сына Божьего, время открывать их. Я не хотел. Да и не называю себя Иисусом. За что обвиняете меня?

Народ молчал.

— Мне не надо от вас ничего. И свидетельств силы своей не предъявляю,

245

как отказался предъявить Христос, когда просили его в Иудее. Нет пророка в Отечестве своем. Но есть молитва.

И он опять начал читать молитву. Зазвучала музыка.

Люсьен, не отрывая глаз от дивного лица, повторяла дивные слова молитвы, поклявшись всей душой служить этому человеку. Вот только прикид ему сменить надо, — уже работала ее профессиональная мысль.

## 16

Откуда же появился лейтенант?

Лейтенант появился из Полынска. Ему, находящемуся в хороших отношениях с начальником городского отдела внутренних дел (проще говоря — зятем приходился), было поручено вести расследование по заявлению гражданки Марии Андреевны Кудерьяновой, несовершеннолетней, о факте изнасилования ее Петром Максимовичем Салабоновым. Она, правда, в ходе расследования стала совершеннолетней, но, как известно, возраст и преступника, и потерпевшего учитывается на момент преступления.

Лейтенант Самарин взялся за дело последовательно. Версию об уезде Салабонова на Дальний Восток он отмел сразу — Дальний Восток ему не нравился. А вот предположение, что тот уехал с ППО — заслуживает внимания. Он, прихватив с собой Машу для опознания, явился в передвижной поезд-отряд, узнал, что, действительно, Петр был здесь, но исчез в Сарайске. Самарин поехал в Сарайск, расспрашивал на вокзале — и тут же напал на след, но буфетчица Нина отвечала: не знаю, не видела, не слышала.

По долгу службы Самарин зашел в областное управление милиции, а туда как раз поступило заявление от директора школы Фомина на преступные действия шарлатана Петра Иванова, приведшие к смертельно-опасной болезни. Не одно ли это лицо? — спросили в управлении Самарина с надеждой свалить одним махом два дела.

— Вполне возможно, но требует идентификации!

Гордясь грамотностью своих провинциальных кадров, управление выдало Самарину прогонные и отправило в путь.

Вместе с Машей объехал он те же города, что и Петр, но везде почему-то опаздывал. Ничего не поделаешь, приходилось, собрав показания свидетелей и наскоро отдохнув, двигаться дальше. Маша торопила, а Самарин отвечал, что расследует теперь не только изнасилование, но более масштабный вид антиобщественного поведения, для этого необходимо выследить всех сообщников и узнать, насколько разветвлена сеть.

Так он сопровождал Петра и его группу до самой Москвы и только там решил наконец, что ждать больше нечего.

За кулисами он быстро сцепил наручниками Петра и Никодимова. (Единственный на весь отдел комплект этих наручников был выдан ему завхозом отдела милиции под расписку и с большим нежеланием.) Машу он пока обвиняемому не показывал, но тут же устроил перекрестный допрос.

Никодимов весьма четко отвечал, что не понимает сути задержания. Предъявил членские билеты Союза журналистов и Союза театральных деятелей, диплом об окончании ВГИКа по сценарному отделению, удостоверение нештатного сотрудника ГАИ г. Сарайска, паспорта — обычного образца и международный, справку о том, что он является обладателем значка «Заслуженный донор», — и сам значок показал тут же, почетную грамоту ВЦСПС за организацию массовых торжеств в ознаменование 400-летия г. Сарайска и еще множество документов, которые оказались при нем в объемистом бумажнике. И сказал, что данный гражданин Петр Иванов, показав ему, Никодимову, свидетельство о своей квалификации, попросил организовать гастроли, Никодимов организовал, сдавая почти всю выручку, между прочим, в Фонд мира, Фонд защиты материнства и Фонд культуры, о чем есть справки, которые он может продемонстрировать в любое время.

— Так. Покажи свое свидетельство! — приказал лейтенант Петруше, удивляясь тому, что этот человек был когда-то другом его детских игр.

— Нет никакого свидетельства, — сказал Петр, укоризненно глядя на Никодимова. Тот посвистывал.

— А документы вообще — где?

— Нету. Дома лежат. (О подложном паспорте Петр не стал говорить, не желая подвести Никодимова.)

— С моим опытом, с моим авторитетом, с моим знанием жизни — так влопаться! — сокрушенно покачал головой Никодимов.

— Ничего, Вадим Семенович, — сказал Самарин, возвращая ему документы. — Люди и познаачительней вас ошибаются. — И он расковал Никодимова, приковав Петра к себе.

— Пройдемте!

Петр чуть замешкался.

— Одно слово ему — можно?

— Нельзя.

— Да брось ты, Витьк, — сказал Петр. — Одно словцо.

— Не «Витьк», а... — начал Самарин, но отвернулся, замолчал.

Петр поманил пальцем Никодимова. Тот усмехнулся, но не посмел не подойти.

— А что, если я в самом деле Христос? — шепнул ему Петр в самое ухо.

Никодимов отстранился, потеребил ухо, куда шептал Петр, и ответил:

— Тебе же хуже.

Но почему-то побледнел.

Отвернулся и пошел прочь.


Самарин отвел Петра в гостиницу, где остановился с Марией, чтобы тут же устроить очную ставку, а затем по телефону связаться с Полынском и запросить помощь для конвоирования пойманного преступника.

Маша, увидев Петра, бросилась ему на шею.

— Вас... тебя... вас... нашли?

— Это что за фокусы! — прикрикнул Самарин. — Гражданка Кудерьянова, узнаете гражданина, совершившего факт изнасилования над вами?

— Узнаю! — радостно сказала Маша. — Только никакого факта не было!

— То есть как? А заявление?

— Заявление я забираю, нет никакого заявления!

— Ясно...

Самарин в Полынске вырос, а не где-нибудь.

Что такое сила любви полынчанки он знал на собственном опыте после сотрясения мозга вследствие проведения профилактической работы по предупреждению антиобщественных поступков в доме Алены Ласковой, молодой тунеядки и пьяницы. (Ласковая не прозвище, как ни странно, а фамилия.) Сотрясение мозга он не у Алены получил, а дома, от жены, которая каким-то дьявольским образом узнала об этой профилактической работе. И она же, худенькая его супруга, однажды зимой, когда возвращались пешком от сельских родственников со свадьбы и застигла их пурга, три километра волокла на себе обесчувствевшего от водки и метели Самарина, сильно отморозив лицо, на котором теперь, стоит чуть побыть на холоде зимою, выступают белые пятна. Но все же: красивая женщина и, что говорить, родная. Соскучился по ней Самарин.

— Ясно, — сказал он, отомкнул Петра и спросил: — Так че, Петьк? За винцом, что ль, сбегать?

— Хорошо бы, Витьк. — И Петр полез за деньгами, но вспомнил, что все деньги остались у Никодимова.


Однако, вполне возможно, и у Никодимова скоро не будет денег.

Он сидит в ресторане «Прага», он послал одного официанта за букетом из тридцати роз — красных! — а другого за напитками: триста граммов водки, триста коньяка, триста вина. «Чинзано» есть? Нет? Тогда — «Ркацители», тоже триста, живо!

Он пьет не закусывая, поставив перед собой вазу с тридцатью розами. Потом вдруг захотелось ананаса, — есть ананас?

— Будет стоить, — предупредил официант.

— Ерунда! — вывалил Никодимов кучу денег. — Я нынче богатый. Я нынче, брат, Христа продал. Слышишь меня?

— Чего? — спросил официант, по привычке пропустивший мимо ушей слова, не относящиеся к заказу.

— Христа, говорю, продал.

Официант за шумом оркестра уловил лишь последнее слово.

— Поздравляю, — сказал он и пошел выполнять заказ.

# ЧАСТЬ ВТОРАЯ

## 1

Петр Салабонов женился на Маше Кудерьяновой.

При регистрации брака он сделал то, что и в похмельном сне не приснилось бы ни одному из полынских мужчин: взял фамилию жены.

Понятно, Кудерьянов лучше звучит, чем Салабонов, рассуждал какой-нибудь Вася Хреноватов или Серега Лизожоп. Но родовая фамилия есть родовая фамилия. Отказаться от нее — обидеть память предков, мужскую свою честь утратить, самой уже фамилией под бабой оказаться.

Нет, без ума Петруша, без ума — итожили все, имея в виду и его побег в неизвестные края, и дружбу с покойным психом Нихиловым, и попытки его лечить людей. Некоторые, правда, оказались вроде вылеченными, но, может, само прошло или еще как-нибудь, — случайное совпадение. Да и бабушка Ибунюшка ему, говорят, помогала, царство ей небесное, — которая, кстати, тоже будто бы у Петра лечиться пробовала, и вот померла ранней весной 91-го года. До этого восемьдесят семь лет прожила, а тут померла — не хотите ли обдумать и сделать выводы?

Поэтому никто больше к Петру на лечение не просился и не приходил, чему Петр был только рад.

Он был уверен, что утратил силу, и не хотел обманывать надежд людей.

И тому, что утратил силу, он тоже был рад.

Он, казалось, вообще всему был рад: молодой жене, расцветающей весне, работу свою в вагоноремонтных мастерских выполнял охотно, с огоньком.

И лишь загадочная смерть Ивана Захаровича наводила тень на его душу.

Он сходил на кладбище, поклонился его могилке, потом сделал металлическую ограду, покрасил серебрянкой, как положено, поставил крест.

О смерти его он узнал следующее: Иван Захарович впал в буйное помешательство, готовили документацию для его отправки в областную больницу, временно поместив в отдельную палату городской клиники, и не доглядели, Нихилов окончательно свихнулся, бил головой стекла, порезался и погиб.

На его место посажен был ступорщик Григорий Разьин, чокнувшийся неизвестно с чего в силу врачебной тайны; он отправлен уже в Сарайск.

Город остался без сумасшедшего.

Но это же невозможно.

В каждом городе должен быть сумасшедший.

И город ждал сумасшедшего, не подозревая об этом.
Сумасшедший пока не являлся.
Значит — зрел.


Погоревав об Иване Захаровиче, вспомнив с грустью, как они с ним сорок дней голодали в пустыне, стояли на крыше храма, часами обсуждали Евангелие, Петр в душе своей подумал, что нет худа без добра. Хоть и совестно так мыслить, но останься жив Иван Захарович — опять бы начал смущать его всякими словами. А он не хочет. Он хочет молодую горячую жену обнимать да перестраивать родительский дом. Давно ведь пора это сделать.

И Петр, отработав на работе, вечера посвящал дому.

Однажды отправился в лес вырубить пару жердей, и тут, в укромном месте, его встретила Екатерина.

— Не заглянешь, не проведаешь! — с причитанием, изображая деревенские манеры, сказала Катя. Шутя то есть как бы.

— Некогда, — сказал Петр.

— Ладно, — сказала Екатерина. — Посмотрим...

Она не верила, что Петр долго заживется семейной жизнью.

Петру же казалось, что он утвердился на одном пути — раз и навсегда. Трудиться в мастерских, обустроить дом, завести детей — ну и так далее.

Но все как-то не налаживалось.

Например, отношение к себе на работе Петр чувствовал странное. Соберутся покурить, позубоскалить, он подойдет — умолкнут почему-то. Петр пробует наладить опять разговор, расскажет анекдот — не смеются, молчат... В дни получки все засуетятся, собирая деньги на выпивку и посылая гонцов, Петр подойдет со своими деньгами, чтобы дать денег, а ему говорят: да мы послали уже, если хочешь, иди сам.

— Че ж не подождали? — с дрожью обиды спросит Петр.

— Всех не дождешься! — отвечают ему. — И, обратно, ты от нашего вина отвык небось!

— Это почему же отвык? Почему отвык, я спрашиваю?

Ему не отвечали.

И откуда им знать, к чему он привык, а от чего отвык? Что им известно о его поездках и выступлениях? Да ничего! Были, конечно, слухи, что знаменитый Петр Иванов, о котором писали в газете «Гудок», и есть Петр Салабонов (теперь — Кудерьянов), но полынцы при всей своей доверчивости эти слухи отвергали как полностью невероятные. Они верили в инопланетян, в снежного человека, они верили в чудеса прошлого и будущего, они верили даже в волкозайца, которого никто толком не видел, но верить в действительные чудеса, происходящие в настоящем времени и, главное, творимые здешним всем известным человеком, — они не могли.

Ладно, не верьте.

Но почему такое отчуждение?

Детишки малые не здороваются, старухи поджимают губы, завидя, соседи глядят исподлобья. В чем дело — непонятно.

Приходит, например, Петр к соседу за рубанком: дай, мол, рубанок.

— Зачем? — спрашивает сосед.

— Да доски обстругать.

— Много досок-то?

— Да десятка четыре.

— Куда столько-то?

— Да пол перестелить.

— Не годится пол уже, значит?

— Не годится.

— Весь перестилать будешь или частями?

— Да весь.

— А то, может, крепкие доски-то есть в полу-то, не все менять-то?

— Да нет, все сгнило.

— Как же вы ходили-то?

— Да вот так и ходили.

— А доски-то хорошие купил?

— Ничего.

— Осина, дуб?

— Сосна.

— Сосна хорошо. А дуб лучше.

— Да не достал.

— Это ясно. Но дуб гораздо лучше.

— Само собой. Да не достал.

— Он в работе трудней, а в деле-то лучше.

— Понятно.

— А сосна в работе легка, а в деле-то дрянь.

— Что ж, ничего.

— А надолго рубанок-то?

— Говорю: четыре десятка обстругать.

— Фуганком бы лучше.

— Само собой. А есть фуганок?

— Нету. Фуганком раз-раз — и готово, а рубанком долго тебе. Дня три.

— Выходные впереди, управлюсь и за два.

— Три дня, говорю!

— Двух хватит.

— Конечно, если кое-как, то и за день. А если хорошо — три дня, не меньше.

— Ну, может, и три. Тогда на три дня дай.

— Чего?

— Да рубанок-то!

— Рубанок? Да нету у меня рубанка, чудак-человек!

Петр огорчается — и напрасно, ведь всякий полынец, к которому обращаются с просьбой одолжить инструмент или другую производственную вещь, долго расспрашивает, зачем, куда и почему, и только потом дает вещь, если есть, а если нет — не дает. Петр в конце концов получил рубанок у другого соседа, точно так же ответив на множество вопросов и выслушав мнение о дубе и сосне — в пользу дуба.

Бывшие друзья, с кем учились, бегали вместе пацанами, заходят редко. И опять непонятно, в чем дело.

Илья только заходит, но лучше б не заходил.

Сядет и молчит. Потом скажет:

— Семь месяцев и пять дней не пью. В рот не беру.

— Хорошо, — говорит Петр.

— Че ж хорошего? — злится Илья. — Знаешь, как охота!

— Ну, пей.

— Не могу! С того раза, как мы мертвого вынали из могилы — не могу! Нарочно покупал, наливал, только ко рту поднесу — вспомню это, и все, не могу! Тошнит! Я уж просил товарищей: вы мне спящему влейте через трубочку. Ну, специально собрались, я заснул, они мне зубы разжали потихоньку, стали вливать. И что ты думаешь? — тут же я вскочил, все обратно выплеснул!

— Ну, а я-то при чем?

— Расколдуй!

— С ума ты сошел. Я не колдун.

— Колдун или нет, не знаю. А с тобой это связано. Расколдуй, как друга прошу! Не могу так жить! Выпить охота — сил нет уже!

— Да не умею я! — прячет глаза Петр.

— Вам ведь ясно сказано, — культурненько выговаривает Илье маленькая, но не робкая Маша. — Никакие мы не колдуны, а вы беспокоите зря. Не пьете — и хорошо. Денежки в семью несите.

— Нету у меня семьи — и не надо!

— Копите тогда, чтоб вещь купить. Мотоцикл.

— Да на хрена мне...

— А вы не ругайтеся в семейном доме! — перебивает Маша, взяв веник.

Петру делается смешно.

— Иди, — говорит он Илье.

Илья уходит, но вскоре является опять.

Садится — и:

— Семь месяцев и тринадцать дней не пью. Расколдуй!

Лыко-мочало, в общем.


Но не только в других людях видит Петр отчуждение.

В нем и самом разлад. Нападает иногда странная задумчивость, глупые вопросы лезут — будто спорят меж собой новый человек, серьезный семьянин и работник Петр Кудерьянов, и старый человек, хоть и моложе, Петруша Салабонов.

Например, занят Петр делом: нарезает резьбу на болванке болта.

И вдруг ехидный голосок Петруши спрашивает:

«Чем это мы заняты?»

«Болт нарезаю», — отвечает Петр.

«А зачем?»

Действительно, зачем? — напрягается Петр — и никак не может вспомнить простого ответа. Наконец вспоминает:

«Этим болтом скрепят доски с железным каркасом — будет вагон».

«А зачем вагон?»

«Совсем глупый дурак, вагон — чтоб грузы перевозить».

«Так! А какие грузы?»

«Тьфу ты! Да мало ли! Ну, пшеницу, например. Или — уголь».

«Уголь? Хорошо! А уголь зачем?»

«Ты спросил! Где только уголь не нужен! В домах топить, сталь варить, если промышленность, потом...»

«Стоп! Сталь варить? Для чего?»

«Вот пристал, дурачина!»

«Не хочешь ответить? Я за тебя отвечу! — балагурит Петруша.— Для того сталь варить, чтобы из нее — болты делать! Понял?»

Петр, изумленный этим круговоротом мысли, озадаченно вертит в руках заготовку болта и думает: чепуха какая-то получается! И даже бросит болт с досадой.

— Ты чего? — спросит сосед по станку.

— Так. Уронил... — ответит Петр, поднимает болт и продолжает работу, но уже не с той охотой, как в те дни, когда вернулся после отлучки в родные мастерские.

Стал угасать в нем интерес и к перестройке дома. Полы он перестелил, стены подправил, крышу покрыл новым шифером. Начал красить — не идет покраска, то и дело задумывается Петр, а под руку Петруша Салабонов язвит: «Крась, крась! Дождь пойдет — твою краску смоет! А не смоет — еще хуже. Чем новей и красивей вещь, тем трудней ее бросить!»

Скучно становится Петру.

Маша замечает это и говорит: сходи в лес, отдохни, — зная, что в лесу Петру делается лучше, он возвращается повеселевший.

Ему действительно легко в лесу. Здесь никто и ничто не требует его заботы и внимания. Да и присутствия тоже. Пришел — хорошо. Ушел — и ладно.

Но, долго ли, коротко, — осень, сыро и холодно становится в лесу, все реже выбирается Петр в лес.

И однажды, когда морось нудила с утра, он пошел попрощаться с лесом до весны — потому что зимнего голого леса, пусть и красивого по-своему, не любил. Он вообще не любил холода — словно не здесь родился, а где-то в дальних теплых краях.

Вот он и шел по лесу с этой мыслью: что слишком теплолюбив, будто не здесь родился, а в дальних теплых краях, — и не мог понять, почему эта простая мысль его тревожит, беспокоит. И увидел что-то возле рябинового куста. Живое что-то. Сейчас убежит, подумал Петр, приближаясь. Но существо не убежало.

Петр подошел совсем близко, разглядел длинные уши, мокрую серую шерсть, странное вытянутое рыло и понял, что это — волкозаяц.

2

Лишь человеку дано несчастье знать, что он мог бы родиться и стать другим.

Зайцу же и в голову не придет, что он мог бы родиться или, не приведи Бог, стать в процессе жизни вдруг волком. И уж тем более ни о чем подобном в смысле возможности для себя заячьей судьбы не может помыслить волк. Природа каждому отвела свое место, и зверь не то чтобы доволен, этого понятия у него тоже нет, а просто существует, не задавая своим существом природе вопросов. Заяц ест траву, волк ест зайца, микробы едят волка, всяк занят своим вполне спокойным делом, и даже когда заяц улепетывает от волка, он, с точки зрения высшей мудрости, с позиции самой природы — абсолютно спокоен.

Внутри каждого звериного вида, конечно, есть отличия, но естественные: по признакам пола и силы. Попадет слабый старый заяц на зуб волка — туда ему и дорога, обременительному хрычу, зато, пока его волк переваривает, матеря втихомолку жесткое мясо, молодые зайцы шляются туда-сюда под самым волчьим носом, щиплют травку и бесстыдно спариваются.

Но есть отличия, к которым всякий животный вид относится враждебно, отторгает их, поэтому, когда у обычной волчицы родился странный последыш с длинными ушами, отец-волк хотел тут же его сожрать, но вдруг раздались выстрелы: в заказник приехали поохотиться разрешенные люди. Народ дуровой, непредсказуемый, на машинах гоняют по лесу, — лучше от них подальше.

И волчья семья спустилась в овраг, оставив уродца на погибель. Но тот не погиб, прибился к оказавшейся по счастливой случайности неподалеку кормящей зайчихе. Ее до смерти напугал волчий запах, но детей не бросила и приблудышу позволила пососать молочка — а как не позволишь, как оттолкнешь от себя такого увальня?

Но подрос, стал пощипывать траву, — и зайцы дальше, дальше от него: уши и задние ноги хоть и заячьи, но пасть-то какова! — пусть он и ест этой пастью траву. Это пока траву, а потом?

От волков же он сам научился давать деру, инстинктом угадав, что добра от них ждать не приходится.

В общем, волкозаяц сторонился всех, но без горечи, считая, что таково его место в жизни, и о другой доле не мечтал, он и не знал, что бывает другая доля. И если волчьим его крепким зубам не совсем удобно было перетирать траву, то заячий желудок иной пищи не принимал. А зимой ветки, кора — вот его пища, или разроет снег, найдет увядшую зелень, лакомится.

Через год он стал матерым зайцем размером со среднюю дворовую собаку, бегал несколько неуклюже — то вприскок, по-заячьи, то пытаясь перейти на волчью рысь. Лучше всего у него получался галоп: задние ноги отталкиваются, потом передние рванут под себя землю, задние опять оттолкнутся — и пошел, пошел, пошел... Ни лисы, ни вороны, ни другая лесная живность не удивлялись этому существу, не зная, что таких существ еще не бывало и быть не должно. А он сам себе и подавно не удивлялся, даже, можно считать, был собою доволен, особенно когда сыт.

Но вот все чаще на него стало накатывать смутное волнение. Закон природы неумолим, какое чудище она ни произведет на свет, чудищу требуется продолжение рода.

И только тут волкозаяц начал понимать: что-то не так. Забыв про еду, он рыскал целыми днями по лесу, отыскивая особь такого же внешнего вида, но женского пола, поскольку сам был мужчиной. Вдруг остановится и ошалело забарабанит по пню. Выскочит из кустов очарованная мужской заячьей музыкой зайчиха, перепугается, увидев страшилище, убегает, а он и не гонится, на что она ему! Или вдруг раздастся из его глотки какой-то вой, тоскливый и протяжный. Тенью выскользнет волчица из темени чащи, а за нею маячит соперник-волк, желая драки, тут уж волкозаяц сам чешет куда подальше во все лопатки.

Нестерпимы были для него эти дни, но они миновали, как-то улеглось в душе — до следующей весны.

Пришла опять весна — и опять все повторилось — с новой силой, с новой мукой, к которой прибавилось неведомое доселе ощущение безысходности. И когда прошел гон, он не стал прежним, чувство безысходности засело глубоко, осталось навсегда. Он питался теперь почти с отвращением, не видя смысла в питании лишь для поддержания одного себя.

Как-то зимой выбрел к окраине Полынска. В лесу он людей сторонился, едва завидя, удирал, а тут людей сперва и не заметил: морозным вечером все сидели дома. Собаки же свободно бегали по улицам, перед тем как засесть на ночь на цепь для охраны, и среди них были особи самых причудливых форм: лопоухие и вовсе без ушей, с крючковатыми хвостами и вовсе без хвостов, рыжие, черные, пегие, с мордами и острыми, почти волчьими, и тупыми, сплющенными, почти заячьими. Волкозаяц заволновался, приблизился, собаки учуяли смешанный волчий и заячий дух и подняли такой хай, что, казалось, тысячи их собрались вместе. Захлопали двери, вышли хозяева перекликаясь: что за причуда?

Волкозаяц побрел в лес, понял: это не его стая.

Четыре года прожил он на свете.

И однажды заболел.

Пробовал лечиться травами, угадывая их лечебные свойства, — не помогло. Вдруг возникло смутное желание чего-то горячего, хотя он никогда не ел ничего горячего, не пробовал живого мяса или крови. Просто пасть хотела, чтобы внутри ее было горячо.

Обессиленный, он лег, чтобы умереть.

И опять же, не зная своего срока смерти, он не испытывал печали. Пришла пора умереть, что ж...

Холодно было, моросил дождь, он лежал под густым кустом.

Послышались шаги.

Человек.

Смерть смертью, а инстинкт инстинктом — от человека надо уходить. Он еле поднялся, выполз из-под куста — и застыл, не имея сил сделать больше ни шагу, но боясь упасть: природа шепнула ему на ухо, что упавших добивают.

Человек подошел, постоял. Сделался ниже. Глаза. Руки на голове — теплые.

Хорошо от них стало. Волкозаяц тихо заскулил. Человек издавал не угрожающие звуки. Взял его на руки. Волкозаяц закрыл глаза.

А, это смерть пришла, подумал он, чтобы убаюкать меня в последнюю минуту. Спасибо ей. Не знал, что она такая ласковая, а то бы раньше помер.

3

Петр принес волкозайца домой, положил на мешковину в углу, укрыл тряпьем. Дал теплого молока — волкозаяц не стал лакать. Положил кусок мяса — волкозаяц отвернул морду.

Маша, поглядев на пустые старания мужа, потерла на терке морковку. Волкозаяц почавкал немного и закрыл глаза, задремал.

— Травоядный, значит, — сказала Маша.

Она решила, если зверь выживет, полюбить его — потому что детям, когда они у нее появятся, полезно обхождение с животными, так воспитывается доброта. Правда, ее беспокоило, что вот уже сколько месяцев живет она с Петром, а признаков беременности нет. Она сходила тайком в поликлинику и проверилась, все оказалось в норме. Значит, дело в Петре, но она стеснялась сказать ему об этом. Успеется еще.

Она не знала, что и Петр ходил в поликлинику, — и у него тоже все оказалось нормально.

— Почему же тогда? — спросил он.

— Бывает — несовместимость какая-нибудь. Вообще, много разных случаев бывает, непонятных науке, — сказала молоденькая врачиха.

— Что ж, у меня со всеми несовместимость? Я не меньше сотни, извините, как бы это сказать...

— Вступали в половую связь, — помогла врачиха.

— Вот именно. И — ни одна.

— Значит, у вас все-таки бесплодие, которое имеющиеся препараты и приборы определить не могут, — сказала врачиха, слегка волнуясь.

— Ты не вздыхай грудью-то, — сказал ей рассерженный Петр. — Не совестно: при хорошем муже на других кидаться?

— Откуда вы взяли? — запунцовела врачиха. — Вранье это, сплетни!

— Знаю! — сказал Петр.

Врачиха, не шибко симпатичная, скуластенькая, но с ореховыми интересными глазами, посмотрела на дверь и вдруг открылась Петру:

— А что делать, если мне одного мало?

— Заведи такого, чтобы мало не было.

— Я и завела. Пятерых сперва попробовала, на шестом остановилась, замуж вышла за него. А оказалось — и его не хватает.

— Тогда лечись.

Врачиха усмехнулась, и по этой усмешке было ясно, что лечиться она не собирается.

— Я до шести работаю, а потом еще до восьми с бумагами тут сижу, — откровенно сказала она, невзначай глянув на больничный топчан. — Запираюсь, чтоб не мешали, и сижу.

— Ну и сиди, — пожелал ей Петр уходя.

Это было как раз перед тем, как он нашел волкозайца. Может, именно желание иметь детей, ласкать их и ухаживать за ними, побудило его приютить волкозайца, животные ведь независимо от возраста — дети.

А глаза выздоровевшего волкозайца были впрямь детские: круглые, ясные, доверчивые. Он тихо, скромно ходил по комнатам, стараясь не путаться под ногами (особенно у матери Марии, которая, он чувствовал, не любит его), благодарно принимал пищу и полагал, что у него теперь жизнь после смерти. Ему нравилась эта послесмертная жизнь и возвращаться в живую, опасную, холодную и голодную жизнь он не хотел. Даже на улицу не просился — пока не понял, что отходы его организма людям неприятны, тогда стал царапать лапой дверь, если приспичит, ему открывали, он отбегал от крыльца к куче песка — и там все делал.

Скоро стал совершенно ручным, умным, как собака, ласковым, как кошка. Маше хотелось, чтобы он научился гавкать. Гав! Гав! — учила она его. Он склонял голову набок, пытался подражать, но слышался только хрип. Маша отстала от него.

Однажды Илья, не пивший уже почти год и вконец этим измотанный, в очередной раз пришел к Петру — просить, чтобы тот расколдовал его. В это время волкозаяц как раз выгнулся дугой на куче песка — гадя.

«Ого!» — подумал Илья, прячась за забором и подбирая рукой огрызок кирпича. И собирался уже метнуть в зверя, но тут открылась дверь. «Кузя!» — позвала Маша — и чудище поскакало в дом.

Илья почувствовал такую тоску по выпивке, какой еще не было. Ведь раньше он пошел бы по друзьям, по домам, по соседям — рассказывать о волкозайце, которого поймал и приручил Петр, и ему везде наливали бы, потому что если это не повод выпить, то что тогда повод? Он мог бы неделю пить задарма за этот рассказ! А теперь — насухую отдавать людям новость?

И все же пошел рассказывать — друзьям и соседям, из дома в дом.

На другой день, благо воскресенье, чуть не весь Полынск собрался у дома Петра. Просили и требовали показать животное, изнемогая от любопытства.

Понимая, что от них не отобьешься, Петр на руках вынес волкозайца, пугливо прядающего ушами.

Много было вопросов, восклицаний, удивления.

Насытились зрелищем, ушли.

Потом Петра навестил бывший его одноклассник, а теперь сотрудник городской газеты Костя Сергеев.

— Ух ты, зверюга! — потрепал он волкозайца за уши. Тот позволил ему это, но тотчас отошел, чтобы хозяева не подумали, что он доверяет каждому постороннему так же, как им.

Сергеев навел на него фотоаппарат, щелкнул пару раз.

— Напечатать хочешь? — спросил Петр.

— Почему бы и нет?

— Валяй, конечно, — сказал Петр, хоть и предчувствовал, что из этого не выйдет ничего хорошего.


Редактор городской газеты не захотел публиковать материал Сергеева.

— Почему это, почему, почему? — кричал смелый Сергеев. — Опять скажете: аполитичность? Или скажете: непроверенные факты? Или скажете: чертовщина? (Редактор не допускал сведений о мистических событиях, аномальных явлениях, астрологических прогнозов и тому подобного; возможно, поэтому это была единственная во всей стране газета, где ни разу не появилось сообщений о лохнесском динозавре, летающих тарелках и полтергейстах.)

— Именно чертовщина! Этого волкозайца вон некоторые связывают с ухудшением экологии в наших местах, зачем же людей будоражить?

— Да они все его видели уже!

— Пускай видели. А будоражить зачем? Официально в печати зачем подтверждать? Далее, — диктовал редактор свою волю, — старухи несут чушь, что волкозайцы и другие уроды животного мира и людей появляются перед концом света. Мы что ж, поддерживать будем это мнение?

— Ну, вы даете! — развел руками Сергеев, удивленный столь неожиданным аргументом редактора.

И послал статью с фотографией в областную газету. Воспользовавшись случаем, написал не только про волкозайца, но и про совпадение этого факта с тем, что нашедший его Петр Кудерьянов (он же Салабонов, он же — выступавший в Сарайске под псевдонимом Иванов) обладает исключительными способностями гипнотизера и лечителя. Знай наших! — была подспудная мысль патриота Сергеева.

После этого и началось.

Узнав из газеты о месте жительства Петра, вдруг приехала из Сарайска Нина-буфетчица.

Приехала Лидия из ППО с сыном Володькой.

Приехала Люсьен, вернувшаяся в Сарайск после того, как разочаровалась в Иммануиле: в ответ на слова о готовности служить он поволок ее в постель и такое вытворял, что к ней вернулась болезнь, от которой ее вылечил Петр.

Остановились они в гостинице и по случайности пришли к Петру одновременно.

Маша всех приветила, угостила чаем, даже ушла, чтобы не мешать разговору. Но разговор не клеился.

— Вот что, женщины! — решительно сказала Нина. — У нас у каждой свое дело. Давайте-ка по очереди.

И они говорили по очереди: одна говорит, другие ждут на крыльце.

— Давай вместе жить, — сказала Нина. — Водичкой торговать будем, разбогатеем. А не хочешь, не будем торговать. Понравился ты мне. Не могу я забыть тебя. Иисус ты или нет, это твое дело, а хочу я тебя, милый ты мой.

— Нет, — сказал Петр.

— Вернись ко мне, — сказала Лидия. — Володька тоскует. Мать сохнет. Я сама без тебя жить не могу. Чем я хуже их? Я объективно вижу, что я лучше их грудью, задом и общей фигурой, не говоря о характере. Вернись, Петя. Грабиловские одолели нас совсем.

— Нет, — сказал Петр.

— Ничего не хочу от тебя, — сказала Люсьен. — Позволь только рядом жить. Построю шалаш и буду рядом жить — лишь бы раз в день тебя видеть. Позволь, Госпо... Позволь, Петр.

— Нет.

Женщины ушли.

Но из гостиницы не уехали, чего-то выжидая.

Вечером собирались вместе, пили водку и вино, говорили о Петре, странным образом не ревнуя друг друга.

Но тут явился лейтенант Самарин и, не предъявляя никаких обвинений, потребовал удалиться из города в двадцать четыре минуты, иначе — строгие меры.

Излишне говорить, что Самарин был направлен Екатериной через доступные ей средства власти.

4

Брат же Кати Петр Петрович Завалуев давно еще, когда узнал о смерти обличавшего его Ивана Захаровича Нихилова, — сошел с ума.

Он-то и стал городским сумасшедшим вместо Нихилова и Разьина, но об этом никто не узнал.

Знал о своем сумасшествии только сам Петр Петрович.

Признаки налицо.

Во-первых, он ночью проник в заколоченный пустующий дом Нихилова, выкрал его тетрадь, где прочел разные записи, в том числе и о себе, как об Антихристе. Разве будет нормальный человек это делать?

Во-вторых, он проверил, действительно ли из его имени, фамилии и даты рождения получается число 666. Обнаружил ошибку, увидел, что Нихилов пропустил букву Й. Но тут же взялся подсчитывать по-иному — с помощью алгоритмов и алгебраических операций, недоступных Ивану Захаровичу, и посредством одной только своей фамилии, без имени и даты, вывел цифру 666 семнадцатью способами. Разве будет нормальный человек это делать?

В-третьих, в то самое время, когда решался вопрос о продвижении его на более высокую должность, возможно, даже в областной аппарат, на него вдруг напала апатия, он перестал приходить на службу спозаранку, уходя затемно. Разве будет нормальный человек это делать?

И вот, поняв, что он сумасшедший, Петр Петрович взялся за умозаключения.

Сначала он определил, в чем именно его сумасшествие.

И вывел: при сохранении интеллектуальных способностей (которые он проверил специальными тестами, взятыми у главврача и друга Арнольда Кондомитинова) он страдает маноманией, а именно: вообразил себя Антихристом.

Конечно же, по-настоящему он себя таковым не считает, но другие его могут раскусить. Если это пришло в голову полуграмотному полудурку Нихилову, то другие тем более способны догадаться. Значит, нужно вести себя так, как не должен себя вести Антихрист. Изучив религиозную литературу, узнав, что Лже-Христос в поведении подобен Христу, то есть благонравен, добр, мудр, Петр Петрович сделался груб, аморален и тупоумен. Торопясь утвердить для себя (а там уж и для других) свой новый образ, он первым делом явился на работу пьяным и, не поздоровавшись, как обычно, любезным начальственным поклоном с секретаршей Софой, взял эту Софу и повалил на стоявшую в приемной софу. Жаль, что в это время никого не оказалось в приемной, но Петр Петрович очень надеялся на болтливость Софы. Она, однако, почему-то промолчала. Тогда Петр Петрович в деловом разговоре с председателем исполкома, вдруг прервав его сугубо официальную речь, брякнул:

— А я, Герман Юсуфович, Софку дернул!

Герман Юсуфович онемел. Потом полез в сейф, достал бутылку коньяку, налил себе и Петру Петровичу и спросил, прищурив глаза, без того уж донельзя прищуренные:

— Ну и как она?

После рассказа Петра Петровича он взял Софу к себе вместо секретарши Мизгири Егоровны, а Мизгирь Егоровну посадил к Петру. Она была очень обижена, а Петр Петрович, продолжая мероприятия по созданию ложного образа, и с ней поступил так же, как с Софой. Она осталась довольна, он — нет, впервые поняв, что аморальный образ жизни не столь уж и приятен.

Итак, он стал выпивать, стал неразборчив в связях, к работе относился халатно, на людей орал и топал ногами, издавал дурацкие распоряжения, — и тут из области пришла бумага, в которой предписывалось направить Петра Петровича Завалуева в областной аппарат в виде кадрового укрепления молодыми кадрами.

Сбылось то, о чем мечтал Петр Петрович, — вернее, в чем был уверен. Ночью в квартире Арнольда Кондомитинова раздался телефонный звонок.

— Кому там? — спросонья буркнул Кондомитинов.

— Завалуев говорит. У тебя комната-психушка действует еще?

— Всегда готова — на всякий случай.

— Случай пришел. Надо поместить одного человека.

— Это кого?

— Меня.

## 5

Тем временем в доме Петра появился не кто иной, как Иннокентий Валерьевич Фомин, директор школы, тот самый, что написал на него жалобу, обвиняя в шарлатанстве.

Болезнь, как и беда, одна не ходит. После операции желудок почти не беспокоил Иннокентия Валерьевича. Зато появились сердечные боли, почечные колики. Ненавидя неполадки в организме, Иннокентий Валерьевич пошел по врачам. Он тем более ненавидел эти неполадки, что не понимал причин их возникновения. Он не пил — совсем, не курил — даже и не пробовал. Он жил здоровой семейной жизнью с женой и двумя дочками. В выходные дни устраивал совместные вылазки на природу: зимой на лыжах, летом на велосипедах, осенью — грибы собирать, весной — вести наблюдения. В будние же дни он бегал по утрам трусцой, после чего принимал контрастный душ. То есть у кого угодно могли появиться болезни, только не у Иннокентия Валерьевича.

Но этого мало, появилась еще какая-то зараза в душе.

Словно бес нашептывал Иннокентию Валерьевичу: а что, Иннокентий Валерьевич, вдруг тот парень, на которого ты наклеветничал, пострадал из-за твоей кляузы? Не хочешь ли теперь рассудить свою болезнь как плату, так сказать, за навет?

Отмахивался Иннокентий Валерьевич.

И шел по врачам.

Ему прописывали лекарства и процедуры.

Он выполнял.

Не помогало.

Наоборот, добавились новые неприятные ощущения: то ноги похолодеют, то руки онемеют.

А бес нашептывает: что, Иннокентий Валерьевич, не успел начать недужить, а уже раскис, твердый ты и убежденный человек! Вон какие уже мысли у тебя нехорошие, уже ты подумываешь, что это, возможно, от однообразной мужской жизни с умеренной супругой, уже тайком, вспомнив, что родители твои, сельские люди, окрестили тебя при рождении, ты купил и стал надевать крестик! Украдкой нацепишь утром в ванной, а придя с работы снимаешь — чтобы супруга не увидела и не посмеялась. Как это понимать, Иннокентий Валерьевич?

Иннокентий Валерьевич не знал, как это понимать.

Он лег в больницу на всестороннее обследование.

Его успокоили.

Ничего страшного.

Вполне доброкачественная опухоль. Немножечко взрежем вас, Иннокентий Валерьевич, лишненькое удалим, будете как молоденький.

Супруга вела себя великолепно, ничем ужаса не выдала.

А он все понял.

Попросил супругу принести костюм, сказав, что на выходные ему разрешат сходить домой.

Она принесла.

Деньги в небольшом количестве он имел.

И в тот же вечер он ушел из больницы и отправился на вокзал.

При нем была статья о пойманном в Полынске волкозайце, о Петре Кудерьянове-Салабонове-Иванове.


Он спросил прямо:

— Помнишь меня?

Петр вгляделся.

— Вы бы поздоровались сначала, — вышла перед ним Маша.

Иннокентий Валерьевич всегда уважал этикет в отношении женщин.

— Прошу прощения, — сказал он. — Здравствуйте. Я, извините, применил резкость тона исключительно ввиду тех обстоятельств, которые привели меня сюда по поводу болезней, первопричина которых была нанесена мне вашим мужем, следствием чего была прободная язва, которая прошла, но вместо нее появилось другое, и я весьма подозреваю, что это другое тоже следствие тех манипуляций, которые произвел ваш муж, хотя я и абсолютно не верю во всякие потусторонние вещи, однако факты налицо и они свидетельствуют...

Тут Иннокентий Валерьевич, старавшийся объясняться вежливо, но доступно, совсем запутался.

— Петр, не знаю, как тебя по батюшке... — сказал он.

— Петр Максимович, — смутился молодой Петр перед человеком в возрасте.

— Петр Максимыч, помираю я. Спаси меня, Христа ради! — заплакал Фомин, утирая слезы с небритого лица.

— Да вы садитесь! — подставила Маша стул Иннокентию Валерьевичу.

— Спасибо...

Фомин сел и поведал о своих горестях.

Маша слушала, подставив кулачок под щеку и поглядывая на Петра: вот ведь как кому не повезет, так не повезет!

Петр выслушал.

— Язва у вас была, я ее не вызывал, — сказал он. — Я ее почувствовал. Вы не верили, а я чувствовал.

— Дурак был! — рассердился на себя Фомин. — А сейчас что чувствуете, Петр Максимович? Вылечите, Петр Максимович?

Петр смотрел в сторону.

— Что такое? Ах, понимаю... Вот! — Фомин положил на стол деньги, оставшиеся у него. — Тут мало, конечно. Но это — аванс.

— Уберите деньги! — строго сказала Маша.

— Вот именно, — сказал Петр. — Не умею я лечить. Разучился я.

— Петр Максимович! — и слышать ничего не хотел Фомин. — Спасите!

— Я же говорю: разучился! Пришло — и ушло!

— Петр Максимович! Вы на меня в обиде, понимаю. Но будьте так добры! Я... Я... — И Фомин сполз со стула — и упал на колени перед Петром.

Маша и Петр вдвоем подняли его, уложили на диван, Маша побежала за водой: с Фоминым сделалась истерика, он плакал, икал — и не мог произнести ни слова, только какие-то обрывки вылетали из его искривленного страдальческой судорогой рта.

Успокоился.

Сел на диване — расслабленный, понурый.

Жалко сделалось Петру его.

И он увидел его.

Он увидел все его больные места, а особенно в желудке, он так ясно увидел, что и у него все заболело, и он стал водить руками над Иннокентием Валерьевичем.

Маша села в сторонке — как бы побаиваясь.

Иннокентий Валерьевич вдруг повалился набок, упал на диван.

— Что это с ним? — переполошилась Маша.

— Ничего, — устало сказал Петр. — Здоров он теперь. Спать теперь будет. Да и я бы заснул... — Шатаясь, он пошел к кровати, лег, не раздеваясь, и беспробудно проспал до утра.

Когда проснулся, Фомина уже не было.

— Он тебя, не поверишь, спящего расцеловал — и убежал вприпрыжку! — смеялась Маша.

— Рано радуешься, — сказал Петр.

И оказался прав.

Вскоре из Сарайска приехала сестра Иннокентия Валерьевича, страдающая сахарным диабетом, с приветом от брата и благодарностью в виде пятнадцатитомного собрания сочинений Лиона Фейхтвангера.

— Помогите, Петр Максимович, — просила она. — Двадцать лет на уколах, на инсулине, сколько же можно!

— Не умею я этого лечить! — отказывался Петр. — Я и не знаю, где он находится, этот диабет! Как вы можете доверять безграмотному человеку?

— Я результату доверяю! У моего брата знаете что подозревали? А он после вас пошел анализы сдавать — и нет ничего! Все просто рты пораскрывали! Петр Максимович, не откажите!

Петр не хотел. Он слишком хорошо знал, что за этим последует.

В конце концов — не погибнет женщина без него, колется себе — и пускай колется.

Но она упрашивала, не отставала.

Петр наложил руки, приказал им и своему мозгу — не действовать.

Женщина ничего не почувствовала, не такая это болезнь, чтобы сразу откликнуться.

Ушла в гостиницу с надеждой.

Рано утром постучалась еле живая.

— Хотела без укола обойтись... Худо мне... Спасите, ради бога...

— Укол спасет! — ответил Петр. — Говорил же я вам, не умею!

— Петр... Максимович... — пошатнулась женщина. Петр удержал ее, посадил, начал вникать в нее, не понимая ее болезни, но уже что-то чувствуя, ему самому тошно сделалось, и он начал освобождать, очищать женщину и себя.

И он вылечил ее.

И последствия были именно те, которых он опасался.

Гостиница Полынска — переполнена.

Во всех домах, где можно было снять комнату или угол, поселились приезжие, платя за постой любые деньги.

Во дворе и возле двора, у подножия Лысой горы, появились десятки автомобилей, палаток. Разводят костры, варят пищу, баюкают детей. Просто табор какой-то.

Некто справедливый стоит у крыльца со списком и никого не пропускает без очереди. Пробовали проникнуть без очереди ветераны и социальные работники, ссылаясь на то, что в государственных лечебных учреждениях их обслуживают без очереди, на это им ответили: здесь не государственное учреждение, перед Богом и болезнью все равны — в очередь!

Петр этих слов не слышал.

Ему не до этого было. Засучив рукава, он действовал.

Начинал в восемь утра, заканчивал в восемь вечера.

Мать Петра, Мария, в эти же часы была на работе, но, возвращаясь, просила тишины.

Маша помогала Петру: меняла мокрые от пота рубашки. И без того влюбленная в мужа, она теперь еще и гордилась им.

Денег Петр не брал, но они оказывались под скатертью на столе, за телевизором, в вазе с сухими цветами, в сахарнице, под половиком у порога, в валенке, в кармане старой телогрейки, что висит у входа, и даже под подстилкой волкозайца, — и узнать, чьи деньги, было невозможно.

Маша брала из них немного на хозяйство, остальные складывала в коробку из-под обуви.

Петр исцелял без выходных, без перерывов и перекуров — а количество больных не уменьшалось.

Приходили и те, кто просил сказать про будущее или произвести сеанс гипноза, но тут Петр был тверд: гипнозом не владею, в будущее смотреть не дано. (Мысля: хватит с меня и обычного лечения!)

Шли дни.

Полынцы тоже подлечились у Петра, увидев, что он помогает другим, а раз помогает другим, то, значит, и им может помочь. Они, конечно, имели право лечиться без очереди, и Петру приходилось принимать их либо рано утром, либо поздно вечером, вне своего рабочего расписания.

Но вскоре они стали недовольны.

С одной стороны, тем, кто пускает приезжих на постой, — выгода в смысле денег, к тому же выздоровевшие на радостях устраивали для себя и хозяев щедрое угощение, и в домах, что ни день, веселье, с другой стороны, как ни терпеливы полынцы к питью, однако ж если неделями не просыхать — соскучишься. К тому же, когда у гостей кончались деньги на выпивку, у хозяев именно в это время разгоралась самая охота продолжить, они от себя выставляли водку и вино, тратя на это деньги, полученные за постой. То есть вместо выгоды получался сплошь убыток.

С одной стороны, сначала полынцы продавали приезжим на базаре яйца, масло, молоко из своих хозяйств втридорога, с другой стороны — вот уж и нечего стало продавать, самим едва хватает, и пришельцы стали начисто опустошать полынские магазины. Кабы не талонная система на важнейшие продукты (помните ее?), совсем бы у местных жителей животы подвело.

И вообще: возле дома Петра образовался очаг напряженности, как выразился лейтенант Витька Самарин. Местные парни налетают на приезжих, приезжие обороняются с переменным успехом, и ежевечерне, смотришь, ведут кого-то в травмпункт при городской клинике с пробитой головой, сломанной рукой...

Недовольство копилось...

6

А тут еще верующие, которых становилось в Полынске все больше благодаря либеральной политике государства, приступали к священнику отцу Сергию, молодому пастырю, присланному недавно в полынскую церковь: как отнестись к событиям? Не попахивает ли тут дьявольщиной?

О. Сергий был человек убежденный, ревностный в вере и службе. На досуге он занимался письменными трудами, сочиняя книгу «Чаша преполнения». Человечество, рассуждал он, есть чаша преполнения греха. Малейшее доброе дело — и капля из чаши убавляется, не позволяя излиться из нее потоку огненной лавы. Точно так же каждый из нас любым своим мелким грехом может переполнить эту чашу — и кончится терпение у Бога, возрадуется сатана. Из этого следует, что мелкий грех становится вселенским грехом, но и доброе дело имеет неоценимый вес. И потому становятся понятны максималистские требования Христа, кажущиеся невозможными для исполнения. Не сверхъестественного требовал Он, но обычного, говоря: «станьте подобны Отцу Своему», ведь это вопрос жизни и смерти не тебя лично, а народов!

Все это о. Сергий подводил к канонической мысли: не когда-то в будущем следует ждать Христа (что многих расхолаживает и успокаивает), а каждый день, каждый миг быть готовым к приходу Его. Хоть и не ново это, а до людей не дошло. И о. Сергий надеялся найти простые, доходчивые слова.

И вот верующие задали вопрос о Петре.

Шарлатанство! — уверен был о. Сергий, так и сказал прихожанам — и запретил ходить на бесовские сеансы.

Но однажды ночью проснулся вдруг в тревоге.

Встал, попил воды.

Облачился, сел у окна.

А что, если это — ОН! — пришел?! — вот какая мысль поразила его во сне и заставила проснуться. И именно то, что во сне, а не в дневном здравом размышлении пришла эта мысль, как озарение и откровение пришла, — подействовало на о. Сергия сильнее всего.

«Почему же не допустить этого? — думал он. — Ведь когда-то должен Он прийти? Не повторяется ли старая история: Он пришел, а мы не узнали Его?»

И каких знамений еще ждать, мало ли знамений было в двадцатом веке? Крупной дрожью сотрясалось тело о. Сергия в теплой горнице, страшно было ему, не мог он больше оставаться один. И он пошел к дьякону Диомиду, жившему в соседнем домишке, снимая там комнатку с отдельным входом.

Если о. Сергий был из редкой породы потомственного духовенства, крепок в вере, учен в богословии, имел в доме жену и дщерь, то дьякон Диомид, тоже молодой парень, был из мирских, не так давно был рукоположен, семью свою оставил в Сарайске, что о. Сергию не нравилось.

Впрочем, насчет семьи тут тонкость, неизвестная о. Сергию. Алексей Гулькин вырос в обеспеченной семье и имел нестесненный досуг. Папаша, человек со связями, пристраивал его в разные институты, в результате Алексей закончил три первых семестра последовательно в политехническом институте, педагогическом и зоотехническо-ветеринарном, — и наконец решительно отстал от знаний, потому что его увлекла музыка. Несколько лет посвятил созданию музыкального ансамбля, чтобы во главе его петь — у него от природы был замечательный голос. И сколотил ансамбль: и клавишник, и два гитариста, и звукооператора хорошего нашел, и синтезаторщика вместе с синтезатором, и двух стройноногих девушек для подтанцовки. Первые концерты дали по тюрьмам области: тюремное начальство хорошо платило, а публика была благодарной, как нигде.

Затем намечались гастроли по городам. Но тут ловкие люди, предложив лучшие условия, уманили сперва звукооператора, потом обоих гитаристов, потом и синтезаторщика вместе с синтезатором, а стройноногие девушки сами ушли, видя свою ненужность. Остался Гулькин наедине со своим голосом, — а примыкать к другим группам не хотел, имея гордость.

Пил, конечно.

Между делом женился, завел дитя.

Попробовал выступать один под гитару, но не пошло, у зрителей была потребность в ярком, пестром, громком. Опять стал собирать группу, опять добыл гитаристов, звукооператора, синтезаторщика-клавишника без синтезатора, синтезатор купил сам, наделав долгов, опять нашел двух стройноногих девушек для подтанцовки.

Организовал несколько выступлений в Сарайске и имел успех. Но повторилась та же история: увели гитаристов, увели звукооператора, увели синтезаторщика вместе с синтезатором (а когда Алексей предъявил свои права если не на синтезаторщика, то хотя бы на синтезатор — побили его), ушли сами стройноногие девушки, в том числе и та, что стала причиной его развода с женой.

Опять Алексей остался ни с чем.

Пил, конечно.

А уже под тридцать ему, уже и за тридцать.

Влиятельный отец вышел на пенсию, обеспеченность кончилась.

Ни работы, ни источника доходов, ни жилья (с родителями жить — тошно).

И в это время он встретил парня, с которым когда-то пел в ресторане, чередуясь, вокалиста тоже. Парень стал длинноволос, бородат и на вопрос о жизни с достоинством ответил: диакон я. Алексей выведал подробности насчет зарплаты и прочих условий, они его удовлетворили. Единственное препятствие: его развод с женой, поскольку разведенных в духовенство не берут. Тогда Гулькин потерял паспорт, уплатил штраф и еще какую-то тайную мзду, и в новом паспорте при имеющейся отметке о регистрации брака не оказалось отметки о разводе.

И вот он уже полтора года — дьякон в Полынске, среди местных жителей — свой уже человек. Но пристрастия своего не обнаруживал, пил по ночам.

Полночь — блаженное время, он как раз пришел в самое мягкое расположение духа, ополовинив бутылку и поставив на магнитофон ленту со своими прежними записями, подпевая им (особенно удачной, мелодичной была песня о русой девчонке в короткой юбчонке, что ж ты не подходишь, а стоишь в сторонке), — вдруг: стук в дверь. Он убрал водку, выключил музыку. Но дым табачный сразу не уберешь, и о. Сергий, вошедши, сказал:

— Однако!..

— Мужик соседский заходил. С женой у него всякое. Попросил рассудить, — наскоро соврал Диомид.

— Для исповеди в церкви место.

— Вот я ему и...

— Да ладно, — махнул рукой о. Сергий.

— Чаю не отведаете?

— Отведаю, спасибо.

Но с чаем закавыка: воды в доме не оказалось, значит, бежать на улицу к колонке, потом ставить чайник, заваривать чай, а чаю тоже нет, к соседям, что ли, стукнуться? — метался Диомид.

— Не хлопочите, — усмирил его о. Сергий. (Он со всеми был на «вы».)

О. Сергий заметил состояние Диомида. Да и в спертом воздухе комнаты явственно пахло не только табаком.

И с этим человеком говорить, ему — изливаться?

И вместо того разговора, который ему хотелось задушевно и тревожно начать, о. Сергий вперил в красные глаза дьякона свои очи и спросил:

— А верите ли вы в Бога, отец дьякон?

За штат уволить хочет, сволочь, подумал Диомид-Алексей, а сам, наученный эстрадной практикой актерству и от природы имеющий лицедейские задатки, горько усмехнулся:

— Если я не столь праведен, как вы, то вы уж поелику...

— Говорите нормальным современным русским языком, — прервал его о. Сергий. — Кратчайшими путями нужно идти к сердцу нынешнего человека, а значит — говорить с ним на одном наречии. Мы же затемняем учение Христово! — высказал о. Сергий заветные свои мысли о реформации церковного обрядового языка.

Но тут же упрекнул себя: перед кем?!

И повторил вопрос:

— Так веруете ли вы в Бога?

— Верую! — твердо, честно, но без лишнего нажима сказал Диомид.

О. Сергий помолчал. Спросил еще:

— И во грядущее воскресение Сына Божьего веруете?

— Странный вопрос. Сие есть... Это ведь краеугольный камень христианского учения.

— Так... А что думаете насчет Петра Кудерьянова, в котором некоторые склонны усматривать новоявленного Христа?

— Ересь!

— А вдруг нет? — задал о. Сергий главный вопрос, ради которого пришел.

«Ого! Кто из нас пьян, интересно?» — подумал Диомид.

— Вдруг — нет? — повторил о. Сергий.

— Быть этого не может!

— Почему? Почему? — настаивал о. Сергий.

По хрену и по кочану! — хотелось ответить Диомиду. Очень уж его разбирала досада, что испорчено настроение, бутылка стоит за шкафом — недопитая. Неизвестно, сколько о. Сергий будет мучать его разговорами (и зачем вообще пришел?), не успеет Диомид выпить в свое удовольствие, а потом поспать хоть немного перед службами.

О. Сергий ждал ответа.

И увидел, что не дождется.

— Как в народе говорят: без пол-литра не разберешься! Так, что ли? — спросил он.

— Вот именно! — обрадовался Диомид, метнулся к шкафу и поставил бутылку на стол. — Не откажите, батюшка! Не пьянства ради, а утешения сердца для!

— Если по маленькой... — согласился о. Сергий.


Через час они добивали вторую бутылку.

— Итак, диакон... — продолжал о. Сергий свою нестерпимую мысль, но тут Диомид хлопнул его по плечу.

— Давай попросту, слушай! Зови меня — Демой. Или даже Лехой, по-граждански.

— А я — Серега, — сказал о. Сергий. — К чему чины, в самом деле? К чему чины и условности перед лицом... перед лицом чего?

— Чего?

— То-то и оно! Отец Мень преподобный, царство ему небесное, утверждал: самосвидетельствование Христа есть главное доказательство его божественного происхождения.

— Блеф! — отрицал Леха, не читавший ни Меня, ни других авторов, но сразу все схвативший силой логики. — Блеф! Это и я о себе скажу: я Сын Божий!

— Не кощунствуй, Леха! Ты — не скажешь!

— А вот скажу! Я — Сын Божий! Что? Съел? И попробуй докажи, что нет!

О. Сергий задумался.

— А где знамения? Свидетельства? Чудеса? — спросил он.

— Ох уж, так твою так! — употребил дьякон любимое полынское изречение. — Да я тебе любые знамения и чудеса устрою! При нынешнем-то развитии техники!

— Он без всякой техники людей исцеляет. От тяжелейших болезней.

— Таких исцелителей сейчас полным-полно!

— А непорочное зачатие его матери Марии? Марии! — подчеркнул о. Сергий.

— Брехня все это!

— А если не брехня?

Как ни пьян был Диомид-Алексей, а задумался. И так далеко зашла его мысль, что он даже на время протрезвел.

— Но послушайте, отец Сергий! Послушай, Сережа! — чуть не плача сказал он. — Ведь если он Христос, то нам всем амбец пришел! Ведь если он Христос, значит, Бог есть все-таки? А если Бог есть — то как жить? Потому что пойми, Серега: без Бога жить трудно, но с Богом-то еще труднее! А люди, заметь себе, всегда стараются жить не как труднее, а как легче. Поэтому все — абсолютно! — без Бога живут!

— Не все!

— Все! И ты, Серега, без Бога живешь, тебе только казалось, что с Богом! Вот он послал тебе настоящее испытание — и ты растерялся! Обосрался ты, отче!

— Правда твоя. Обосрался, — глухо повторил о. Сергий, хлопнув водки. — Знал точно, что верую, а сейчас меня, убогого, точно так же, как и тебя, мысль уязвила: что по-настоящему-то я прихода Страшного суда не хочу, боюсь, сам не готов, хотя других зову быть готовыми. Где ж моя вера? Где?

Дьякон хихикнул и ответил ему:

— ........! — в рифму.

— Нет! — воскликнул о. Сергий, не обратив внимания на ругательство. — Не может он быть Иисусом Христом!

— Может!

— Ты же не соглашался?

— И сейчас не соглашаюсь. Ты говоришь: не может, я говорю: может!

— Так. А вот мы сейчас пойдем к нему, — грозно встал о. Сергий, — и спросим!

— И спросим!

И они пошли к Петру по ночному городу.

Маша, с детства боящаяся черных кошек, милиционеров и попов, не посмела отказать духовным лицам, разбудила тяжело спящего Петра.

— Ответь! — приступил к нему о. Сергий. — Считаешь ли ты себя Христом?

— Да! — поддержал дьякон требование. — А то, понимаешь, так твою так...

— Не Христос я, — хмуро сказал Петр.

— Да? Жаль...— уронил о. Сергий и, обессилев, сел на пол.

— Жалко! Ах, как жалко! — подхватил и дьякон, сев рядом с батюшкой, обняв его за плечи и заливаясь слезами в три ручья. — Ах, жалко, так твою так! Ты что же! — обернулся он к Петру. — Не мог приятное сделать человеку? Он так надеялся!

— Спать вам пора, отцы-священники, — сказал Петр. Подхватил их под руки, но ноги у тех уже не шли. Тогда он посадил одного на правое плечо, другого на левое — отнес каждого в свой дом.

Вернулся домой — но чтобы тут же уйти. Взял волкозайца на поводок: «Кузя! Гулять!»

— Куда? — спросила Маша.

— В лес.


## 7

Петр отправился с Кузей в лес.

Он не знал, чего хотелось ему.

Просто уйти. Пока — недалеко. А потом, может, и далеко. Туда, где его никто не знает.

Он устал.

Всех не перелечишь.

Он устал чувствовать жалость к этим просящим и болящим людям.

Он бы с удовольствием полюбил кого-то одного, чтобы не любить остальных.

Он понял, что любовь к одному спасает от любви ко всем.

А любил Петр, как ни крути, только лишь тетку свою Екатерину, которая младше его на два года и тоже любит его.

Может, это и не любовь, но к другим он таких чувств не испытывал.

Петр свернул и вместо леса пошел к дому Екатерины.

Собаки брехали на волкозайца, Петр успокаивал его голосом, волкозаяц понимал, но прижимался к его ногам.

Пятиэтажный дом, где жила Екатерина, был темен.

Она жила на втором этаже.

Он бросил камешек в окно.

Он почему-то был уверен, что она тут же проснется и все поймет.

И стал ждать на ветру и на холоде.

Через пять минут она вышла, кутаясь в шубу.

— Пришел?

— Пришел.

— Я знала.

— Вот что. Давай вместе.

— Каким образом?

— Каким хочешь. Чтобы все видели и знали. Да, такой я. С теткой живу. Открыто.

— А я — не такая. Нет, Петя, — сказала Екатерина, любуясь глазами Петра, которыми он любовался ею. — Нет, Петя. Я ждала, когда ты поймешь, что не можешь без меня. Ты понял. А по факту действительности будет так, как было: чтобы никто не знал.

— Тогда никак не будет, — сказал Петр. — Или открыто, или никак. Поняла?

— Нет, Петя. Я уже столько сделала, что еще сделать могу. Жену твою отравить могу.

— Наговариваешь на себя.

— Я-то? — усмехнулась Катя. — А кто голову Нихилову отрезал — знаешь?

И рассказала Петру, как было дело.

Она не думала, что этот рассказ на него так подействует.

Петр побледнел, рукой полез теребить волосы под шапкой, не заметив, что поднял волкозайца на поводке в воздух. Волкозаяц захрипел, Петр опустил его.

— Жуткая скотина какая, — сказала на него Катя. — Удавил бы ты его.

Петр отвернулся и пошел.

— Это как понимать? — негромко окликнула его Екатерина.

Петр не ответил.

Ушел.

Ушел через продуваемую ледяным ветром Лысую гору — в лес.

Ему хотелось лечь, чтобы его засыпало сугробом вместе с волкозайцем. Заснуть, замерзнуть.

Все как написано, думал он, все как написано. Родила меня мать не от отца, а неизвестно от кого. Родила и будто изничтожилась, исчезла в свою работу, словно желая, чтобы никто ничем не мог вспомнить ее, став при жизни легендой, тенью. Дальше: в тридцать лет мне встретился Иван Захарович, Иоанн. Дальше: людей стал исцелять неизвестно как. Дальше: воду в вино превращал. Дальше: а дальше-то некуда уже после рассказа Екатерины о том, как отрезали голову Ивану Захаровичу, подобно Иоанну Крестителю — по наущению Иродиады, а тут — Екатерины... Слишком много совпадений, слишком много...

Углубленный в свои мысли, он не заметил, что волкозаяц насторожился, рыскает на поводке, поскуливает.

И вдруг заметил: там, там, там и там — из-за темных кустов замерцали огоньки, выступили тени.

Волки, подумал Петр.

Но это были не волки, а звери похуже волков, это были дикие собаки.

Они обитали неподалеку, на городской свалке. Никто никогда не смел подходить к ним. Их ежегодно отстреливали, но они плодились и оказывались в том же количестве.

Петр спокойно ждал их нападения. Он только за волкозайца переживал — и решил спустить его, чтобы он смог убежать.

Спустил. Но волкозаяц остался рядом.

Он, может быть, и сумел бы оторваться от преследования собак, но подумал, что раз хозяин привел его сюда, то именно для этой встречи с собаками. Так, значит, кончается посмертная жизнь, кончается рай — и наступает окончательный конец, за которым уже ничего, вероятно, не будет. И поняв это, он тоже стал спокоен, у него теперь была одна цель: драться, а какой исход будет у драки — все равно.

Дикие псы бросились.

Молнией носился волкозаяц вокруг Петра, не позволяя собакам приблизиться к нему. Щелкал зубами направо и налево, кусал, царапал своими передними короткими лапками, лягал длинными и сильными задними. Но вот какой-то мохнатый кобель прыгнул, вцепился в ляжку, повис всей тяжестью. С рычанием навалились остальные, чьи-то клыки вонзились в горло, пеленой стали застилаться глаза, — и вдруг прошла боль, и пришел такой покой, какого волкозаяц еще не знал.

Да это же лучше всего! — мысленно воскликнул он, не зная, кого благодарить за это, да и не думая об этом.

Петр стоял и смотрел, понимая, что он ничего не может сделать. Когда же собаки увлеклись разрыванием зверя, сгрудившись над ним всей сворой, Петр подошел и стал их расшвыривать. Собаки опомнились, бросились на него. Одной рукой защищая горло, другой рукой Петр ухватывал нападающего пса за загривок, ударял о дерево, пес издыхал.

Так он прикончил всех.

Легче стало в теле, но еще тяжелее на душе.

Не глянув на растерзанные останки Кузи, он стал спускаться с Лысой горы.

8

Не только Петр не спал в эту ночь.

Не спали и Петр Петрович Завалуев и главврач Арнольд Кондомитинов. Они выпивали в комнате-психушке.

— Нет, я не сумасшедший, — говорил Завалуев. — Но мизерная должность пусть даже в областном аппарате — извините! Передо мной другая высота!

— Какая же? — интересовался Арнольд Кондомитинов, в жизни больше всего любя (кроме женщин) выпить и поговорить с умным человеком.

— Мировая высота, если хочешь, — снисходительно сказал Петр Петрович.

— В качестве кого?

— Ну да! Скажи тебе, а ты меня в настоящую психушку посадишь!

— А это не настоящая? — обиделся за вверенное ему лечебное учреждение Кондомитинов.

— Лучше я задам тебе вопрос! — сказал Завалуев.

— Валяй!

— Чувствовал ли ты в себе тягу, например, к убийству?

271

— Конечно, — сказал Кондомитинов, в молодости убивший человека, который, пьяный, забрел на дачу, где Арнольд был с девушкой, дачу ее родителей, девушка спала, пьяный бродяга просил выпить и неубедительно грозил столовым ножом. Кондомитинов отнял нож и убил его, четыре раза ударив кирпичом по голове, а потом сволок в глубокий овраг и хорошо зарыл. Никто ничего не узнал. Кондомитинов редко вспоминал об этом случае — и равнодушно.

— Хорошо! — похвалил Завалуев. — А чувствовал ли ты тягу к насилию?

— Конечно, — сказал Кондомитинов, полгода назад изнасиловавший глухонемую четырнадцатилетнюю пациентку, заболевшую пневмонией, и она умерла потом от пневмонии.

— Так! — все больше радовался Завалуев. — Но ради чего ты мог бы убить и изнасиловать?

— Ради процесса.

— Ты врешь! — закричал Завалуев.— Ты хочешь, чтобы я о тебе думал лучше, чем ты есть! На самом деле ты ни на что не способен! А я вот способен на все! Ради власти! Я хочу, чтобы я стоял на вершине мира, а люди, как тараканы, ползали бы подо мной! Не страна, понял меня, а весь мир! — вот моя цель!

— Ты закусывай, закусывай, — сказал Кондомитинов.

Завалуев достал тетрадь Нихилова (она всегда теперь была у него под рукой), потряс ею и сказал:

— Знаешь, кого вы с Катькой прирезали?

— Не мы с Катькой, а сумасшедший Разьин.

— Вы прирезали Иоанна Предтечу!

— Это кто?

— Ты Евангелие читал?

— Купить купил, а читать нет. Скучновато. Я больше детективчики.

— А вот прочти! — посоветовал Завалуев. — Нихилов был не Нихилов, а Иоанн Креститель, а Христос знаешь кто?

Кондомитинов не мог понять: то ли совсем закосел его приятель, то ли дело серьезней, чем он предполагал.

— Ну кто? — спросил он.

— Петька Салабонов, двоюродный мой племянник! Катькин любовник, между прочим, чего она не знает, что я знаю, а я знаю!

— В самом деле? — заинтересовался Кондомитинов.

— Ты слушай! Петька — Иисус, Иван Захарович Нихилов — Иоанн Предтеча, а я, как ты думаешь, кто?

— Иуда?

— Бери выше: я Антихрист, Лже-Христос! Я должен вызвать на бой Христа. И проиграть. Так написано. Но это еще большой вопрос! Почему обязательно проиграть? А если — выиграть? Ты — будешь помогать мне?

— Нет, она в самом деле — с Салабоновым? Ты не врешь?

— Кто?

— Да Катька-то?

— Ты слушай дальше, дурак!

Но Кондомитинов уже не хотел слушать. Он очень огорчился, что неприступная Екатерина, женщина с умным умом и красивым телом, отдана не ему, а какому-то Петру Салабонову, заделавшемуся знахарем, что уже само по себе смешно. Но нельзя ли, размышлял он, эти сведения обратить в свою пользу, чтобы Екатерина за них заплатила Арнольду? Постоянной любви ему ни от нее, ни от других женщин не надобно, а время от времени — очень было бы хорошо.

Погруженный в эти мысли, он не сразу очнулся: Завалуев тыкал ему под нос тетрадь.

— Видишь? — спрашивал он. — Математически доказано, что я — Антихрист. Шестьсот шестьдесят шесть — видишь? Число зверя, как предсказано!

— Мало ли! Это и меня можно сосчитать, тоже 666 выйдет! — посмеялся Кондомитинов.

— А хо-хо не хо-хо? — показал ему Завалуев кукиш, свидетельствующий о том, что он давно уже не стриг ногти.

Кондомитинов обиделся, вынул свой блокнот и начал подсчеты.

Очень скоро он предъявил Завалуеву листок с цифрами:

$$\text{К О Н Д О М И Т И Н О В}$$

$$12\ 16\ 15\ \ 5\ 16\ 14\ 10\ 20\ 10\ 15\ 16\ 3$$

$$12 + 16 + 15 + 5 + 16 + 14 + 10 + 20 + 10 + 15 + 16 + 3 = 152$$

$$152 \times 4 = 608$$

$$608 + 35 = 643, \quad 643 + 23 = 666.$$

— Это что? — спросил Завалуев, начиная часто дышать.

— Сам видишь. Сумма чисел, обозначающих буквы моей фамилии, помноженная на число месяца моего рождения, на апрель, на четыре, дает 608. 608 плюс число моих лет, тридцать пять, равняется — 643. А 643 плюс число дня моего рождения, 23 апреля, насколько ты знаешь, — помнишь, в прошлом году на природе по шашлычкам ударяли, весна теплая, ранняя была? — получается ровнехонько шестьсот шестьдесят шесть. Ну? Кто из нас Антихрист?

Завалуев отвернулся. Он боялся, что на его лице будут видны его мысли. Он отвернулся и стал глазами смотреть вокруг, ища предмет. Он нашел — и совсем рядом: подушка, он ведь сидел на кровати.

— У меня есть еще доказательства, — сказал он. — Под подушкой.

— Покажи.

— Сам посмотри.

И приподнял подушку.

Кондомитинов заглянул туда.

Недаром славящийся своей силой Петр Салабонов был от корня Завалуевых по матери, Петра Петровича Бог тоже силой не обидел.

Минут десять он лежал, прижимая собой барахтающееся тело Кондомитинова, задавив его голову подушкой — намертво.

273

Кондомитинов дергался все слабее.

Затих.

Петр Петрович даже не стал любоваться делом рук своих — вышел.

Он шел к дому Петра Кудерьянова-Салабонова, чтобы вызвать его на бой.

Но встретил его возле дома — оборванного, грязного.

— Ага! — закричал Завалуев. — Сам вышел мне навстречу, Иисус! Падай ниц передо мной, не то хуже будет! Не хочешь? Тогда сразимся!

И Петр Петрович взмахнул найденной по дороге жердью.

Петруша стоял не шевелясь.

— Не Иисус я, — сказал он тихо.

— Ты думаешь, я твой родственник? Я твой противник! Я — Антихрист!

— Заболел ты, — сказал Петруша.

— Пришел конец света! Торжество сатаны! Царство мрака! — закричал истошно Завалуев, подняв жердину над головой Петра.

Петр глянул на него:

— Зима на дворе, а ты раздет совсем; замерзнешь.

Завалуев уронил жердь и заплакал. Петр накинул на него свой полушубок и повел в дом.


— Вот, уже и убийства начинаются, — сказал лейтенант Самарин на другой день, осматривая тело задушенного Кондомитинова.

Завалуева нашли в доме Петра, взяли.

— Слуги Антихристовы! — кричал он. — На своего князя руку подымаете! И ты, Витька Самарин, и ты, Брут?!

После этого пошли выгонять из домов приехавших на лечение, спроваживать тех, кто жил в автомобилях и палатках.

Болящие бросились к дому Петра, столпились, ожидая от него чего-то.

Петр вышел.

Раздались крики.

И средь них один — неистовый вопль, пронзивший, казалось, пространство от земли до неба:

— Господи! Помоги!

— Пошли прочь, — тихо сказал Петр.

— Что? Что он сказал? Что? — зашептались в толпе.

— Пошли прочь! Прочь! Прочь! — кричал Петр.— Пошли на хрен, гады, сволочи, ненавижу, прочь, прочь!

Петр исчез.

Его не было три ночи и три дня, и мать спервоначалу не беспокоилась о нем.

Только на исходе этого срока она стала беспокоиться о нем.

И как только подумала, пришел Петр.

Он пришел и заговорил так, будто продолжал с нею разговор, хотя никакого разговора меж ними раньше никогда не было.

Он сказал:

— Ты вот что. Время прошло, чего уж теперь. Ты мне скажи, я знать должен: ты не от отца меня родила?

Мария не удивилась, рассматривая свои красные, измученные работой руки, ответила:

— Не бреши зря. От отца.

Петр подумал и сказал:

— Ага. Ясно. От отца, само собой. От отца — да не от того! Так?

— Как же не от того? — усмехнулась мать. — От того самого.

— Ясно... — медленно произнес Петр и ушел.

В полночь в дверях дома отца Сергия раздался стук.

— Кто? — спросил о. Сергий ясным голосом, словно и не спал. Откликнулся тут же. — Кто? — спросил он.

Не успело еще замереть эхо от последнего удара в дверь, не успели собаки окрестных домов отозваться брехом на стук, а о. Сергий сразу же:

— Кто?

— Сам знаешь, — ответил Петр.

Он сказал это уверенно, но еще за минуту до этого не предполагал, что скажет это. И вот:

— Сам знаешь, — сказал он.

И любой другой на месте отца Сергия, услышав незнакомый голос (а он не помнил голоса Петра), ни за что не открыл бы, не потребовав хотя бы назваться, он испугался бы, услышав это странное:

— Сам знаешь!

Но о. Сергий хоть и испугался, а открыл тут же — не успев осмыслить действия.

Как у Петра сказалось само, так и у него открылось само.

Оба надолго запомнят это.

— Зачем пришел? — спросил о. Сергий на кухне, притворив дверь от спящих домочадцев.

— Пойдешь со мной? — спросил Петр. Ему казалось, он свободно читает в глазах и душе священника.

О. Сергий не стал увиливать, что не понимает. Он сказал сразу напрямик:

— Боюсь.

— Чего боишься?

— И не соблазниться о тебе боюсь, и соблазниться о тебе боюсь.

— Говори ясней!

— И поверить боюсь, что это — ты, и не поверить боюсь. Не поверю — а вдруг ты — это ты. Поверю — боюсь бремени.

— Какого еще?

— Бремени первозванства. Ведь ты первым меня позвал?

— Первым.

— Не достоин, — тихо сказал о. Сергий.

— Это не выбор, а указание, — сказал Петр.

— Чье? — совсем безгласно спросил о. Сергий. Петр промолчал.

Он сказал о другом:

— Что ж ты думаешь, у Христа было время отбирать из всех живущих

275

самых достойных? Очумеешь по свету рыскать. Кого увидел — те и стали достойными. Потому что каждый достоин, если подумать. И каждый недостоин. Кто как себя поведет. Иуда-то вон как себя повел.

— Постой! — сказал о. Сергий. — Ты говоришь: Христос. Не о себе говоришь? Кто же ты?

— Петр Салабонов. Какая разница? Иисус, Иммануил, Петр, дело-то не в этом!

— Хорошо, — согласился о. Сергий. — Но как быть с указанием, что ты явишься после ужасных знамений вершить последний и окончательный суд? Что не родишься, а сойдешь по сверкающей лестнице с небес уже помимо матери? Что же, это — не второе пришествие?

— Все во власти Божьей, — твердо ответил Петр. — Его власть казнить, его власть и миловать. Это — первое второе пришествие.

— ?!?!

— Отсрочка вам дадена. Еще одно испытание подарено. Не опомнитесь и на этот раз, не станете людьми по образу и подобию — амбец тогда вам всем.

Петр даже и грубее выразился, и опять о. Сергий затуманился минутным сомнением, но тут же вспомнил евангельское о Христе: пьет вино и ест, как все... Значит, и ругнуться может, как все.

Страшно было о. Сергию.

— Что же, — спросил он, — нам нужно делать?

— А все то же, — сказал Петр. — Как тогда. Чтобы люди поняли.

— Вплоть до... — о. Сергий умолк.

— Вплоть до креста. Впрочем, вместо креста другое найдется.

— Что?

— Там видно будет, — загадочно ответил Петр, и в этот-то момент отец Сергий и уверовал в него окончательно и бесповоротно.

И ничего он уже не видел перед собой, кроме долга.

— Значит, нужно остальных одиннадцать сперва подобрать, — сказал он.

— Учи ученого, — сказал Петр. — Сегодня же и займемся.

— А может, поспать, сил набраться.

Петр глянул на о. Сергия, и тот усовестился.

Он пошел одеваться, но ему не удалось сделать это тихо и незаметно. Проснулась его супруга Любовь.

— Разве всенощная нынче? — спросила она, не понимая времени.

— Нет. Ухожу.

Супруга тут же сбросила с себя сон, села на постели.

— Это куда же вдруг?

— По Божьему делу.

— Какие такие Божьи дела среди ночи? А? Кто это там тебя поджидает?

И, как была, в рубашке, она выскочила в переднюю комнату, увидела Петра.

— Это кто такой? А-а! — разглядела. — Целитель! Знахарь! Вот ты с кем водишься, попяра! Не знают в епархии о твоем поведении, но — узнают! Повадился блукать по ночам, аж приносят его, латрыгу несчастного! — укорила она о. Сергия недавним случаем. И на Петра: — Марш отсюда! Чтоб ноги твоей здесь! Чтоб духу твоего!

— Ты на кого голос повысила! — в ужасе сказал о. Сергий и до того осерчал, что даже руку приподнял, чтобы — не ударить, нет, а оттолкнуть богохульствующую женщину.

— Убил! Убил! — заголосила Любовь, отшатнувшись, ударившись плечом о косяк и почувствовав боль.

Петр сделал шаг, глянул женщине в глаза, положил руку на плечо.

— Что ты? — сказал он.

Любовь, ощущавшая в теле и в душе кликушеские позывы, вдруг ослабла, приникла головой к груди Петра.

— Что ты? Что ты? — говорил Петр, не говоря ничего более, гладя женщину по голове.

Ах, как хорошо стало о. Сергию! Высшая любовь, где нет женщин и мужчин, а есть один любвеобильный свет, пригрезилась и открылась ему — и вот тут-то он поверил в Петра окончательно и бесповоротно.

Внимательный человек заметит и скажет: но ведь о. Сергий уже поверил один раз окончательно и бесповоротно, как же он может сделать это вторично? Два раза не рождаются, два раза не умирают, — так и тут. Но, во-первых, родиться можно дважды — сначала телом, а потом душой, например, — и умереть тоже — в соответствии хотя бы с новейшими достижениями медицины, реанимацию имея в виду. Поэтому о. Сергий сперва — да, подумал, что поверил окончательно и бесповоротно, но это оказалось лишь черновой верой, он понял это, когда поверил вторично, на самом же деле, по-настоящему, — впервые.


Все-таки они остались дома в эту ночь. Легли поздно, вернее, рано утром. Угощались умеренно водочкой, Петр рассказывал о. Сергию об Иване Захаровиче, о многих других совпадениях в своей биографии с биографией Христа. И вот мне открылось, сказал он, что я это он и есть. Я как вспомнил все. Понимаешь?

Дрожь пробрала о. Сергия.

— И Голгофу помнишь? — спросил он.

Петр засучил рукава и показал две метины на запястьях, похожие на родимые пятна.

— На ногах такие же. Показать?

— Не надо! Верую! — поспешно сказал о. Сергий, но Петр видел его глубоко.

— Хочется ведь? — спросил ласково.

— Прости... — прошептал поп.

Петр разулся, приподнял штаны. О. Сергий жадно посмотрел.

— Да... — сказал он.

И вся его ученость словно пропала, наивно и житейски он спросил:

— Что ж ты делал все эти две тысячи лет?

— Две тысячи лет? Один миг! — укоризненно сказал Петр.— Или не знаешь?

— Знаю, конечно...

Много, много вопросов еще было у о. Сергия, но он сдержался.

Но один все-таки задал:

— Кого вторым возьмем?

— Да вот хоть дьякона твоего, — сказал Петр.

О. Сергий изумился: дьякон и пьющ, и курящ, да и вообще, кажется, втайне атеист.

— Ну и что? — ответил его мыслям Петр. — Пьет да курит — это еще ничего. А вот был у нас в части один непьющий и некурящий капитан. Вежливый прям до тошноты, — и чего ж ты думаешь? Накрыли его, так его так, как он молоденького солдатика в ленкомнате жал!

— Ах, содомит!

— Какой содомит? Гомик!

— Ну да, ну да...

## 10

Дьякон Диомид, едва продрав глаза после вчерашнего, долго чистил зубы «Поморином»: скоро идти служить обедню, а Серега, как он мысленно называл о. Сергия, все строже косится на него, когда чует запах перегара. Зубная паста — это, конечно, для поверхностной свежести, потом он еще лаврушечки пожует.

И вдруг увидел в окно самого о. Сергия — с Петром.

Удивился.

О. Сергий приступил к делу не мешкая:

— Веришь ли, Диомид, в воскресение Сына Божьего?

— Ну, верю.

— Вот он, — кратко сказал о. Сергий и отступил в сторонку.

Петр смотрел на Диомида просто и прямо.

Диомид соображал.

Так, думал он, ясно. Петруша Салабонов — псих естественный, уже весь Полынск об этом говорит, такие способности нормальным людям не даются. А теперь, значит, и Серега, склонный к экзальтированному служению, съехал с ума. Что ж. Сейчас жгучая нехватка кадров в церквах по всему региону, и очень даже просто его, Диомида, могут рукоположить в священники — пусть у него и нет специального образования. Такие случаи уже бывали. В наследство от умалишенного отца Сергия (а о его сумасшествии епархиальному управлению будет известно сегодня же: долго ль по телефону позвонить?) Диомиду достается уютный дом батюшки о трех комнатах с садиком, да и жалованье побольше, и обещают прислать старенький легковой автомобиль, в общем, куда ни глянь — выгода.

— Не просчитайся, дьякон! — сказал вдруг Петр.

— Не бойся, не в бухгалтерии, — успокоил его Диомид. Он, положим, несколько оторопел от проницательности Петра, но вида не подал. Ну, пусть этот Салабонов вдобавок к тому, что лечит болезни одними касаниями, еще и мысли умеет читать. Ничего особенного. Телепатия. Бывает.

О. Сергий напряженно глядел то на одного, то на другого — словно пытался постичь суть их безмолвного диалога.

— Пойдем отсюда, Сергий, — сказал Петр. — Тут толку не будет. Он, так его так, непробиваемый. Окостеневший он.

И пожалел Диомида мягким взглядом.

Диомида задел этот взгляд. Его задело и слово Петра об окостенелости. Он-то как раз считает себя весьма широким человеком как в нравственном, так и в интеллектуальном измерениях. Ему досадно стало, что его смеет жалеть этот дебиловатый парень, не читавший и десятой доли книг, которые читал Диомид, бывши Алексеем, не смотревший (а видел бы — не понял бы ни хрена, орясина, деревенщина!) ни одного фильма из тех, что так любил эстетствующий в свободное от эстрады время Алексей, не познавший ни одной из тех женщин, любовь к которым, по известному выражению, равна гуманитарному образованию, а Алексей был образован неоднократно, гурмански и даже до усталости.

Но не успел — и это все в какое-то мгновенье — он подосадовать на взгляд Петра, как тут же ему стало почему-то жаль, так жаль себя — как жаль было маленьким мальчиком, жестоко обиженным родителями, брошенным, — сиротой он вдруг почувствовал себя, и захотелось ни к отцу, ни к матери, ни к бывшей жене, ни к какой-нибудь из гуманитарных женщин, а хотелось подставить Петру, как старшему брату, голову, чтобы он ее погладил.

Но слишком упрям был внутренний характер Диомида-Алексея.

— Стой! — сказал он Петру, повернувшемуся было, чтобы уйти. — Ладно. Допустим, ты — он. А доказательства?

— По вере твоей и доказательства, — вмешался о. Сергий.

— Старые штучки! — парировал Диомид. — А если я, допустим, такой вот простой? Знамения хочу! Чуда хочу — настоящего!

— А что ты считаешь настоящим чудом? — спросил Петр.

Диомид выглянул в окно, увидел скучный мартовский пейзаж.

— Пусть гром грянет. Среди ясного неба.

— Нет, — сказал Петр. — Не грянет.

— Но ты же все можешь! — сказал Диомид.

— Я не знаю, что я могу, — ответил Петр. — Я знаю, что гром небесный ради тебя одного греметь не будет. Зачем? На твое место другой найдется, который без знамений всяких поверит и пойдет со мной.

— Ну и ищи дураков! — отрезал Диомид.

О. Сергий не вмешивался. Странно, но строптивость Диомида его даже утешала. Вот оно, начинается, думал он. То самое: нет пророка в своем отечестве, требование знамений и тому подобное. Все как и было.

— Тратим время, — позвал его Петр от порога. — Пойдем.

— Да, — сказал о. Сергий. — Иду.

И если бы он, уходя, посмотрел на Диомида с укоризной, или с начальственным гневом, или с презрением — ну, в общем хоть как-нибудь, Диомид укрепился бы в своих планах. Но о. Сергий даже не глянул на него, он обратил к Петру светлое лицо и пошел к Петру, который ждал его у двери со спокойной улыбкой.

«А вдруг все-таки — он?» — подумалось дьякону.

«Ну и что? — возразил он сам себе. — Даже если он. Что изменится? Ясно же, как Божий день, что все его сочтут психом, и Сергия вместе с ним — и меня заодно. История повторится, все кончится впустую.

С чего это? — озадачился он. — С чего это я думаю о себе словно уже пошел за ним?»

Но ведь он судить явился? Как же я не боюсь? — вдогонку летела мысль. А из-за нее и опережая ее — другая, как озарение: а может, не судить пока, а еще раз проверить, испытать? — и третья мысль, опережая вторую, забежала, обогнав ее, спереди, остановила ее и сказала: так и есть!

— Ну? Идешь, что ли? — спросил Петр уверенно.

— Иду! — сказал Диомид.


По дороге в храм Диомид, обладающий авантюрным складом ума, стал уговаривать Петра, не откладывая, попробовать явить себя людям.

— Мы им вместо обедни утреню устроим, — убеждал он Петра и о. Сергия, который лицом был внимателен и согласен, но в душе его как-то коробило: непривычно, страшно. — Сразу открываем Царские Врата, врубаем, значит, свет, старушки, конечно, удивятся, а тут ты (о. Сергию) с кадилом пошел, пошел, я хору подкидываю: «Хвалите Имя Господне», — они сдуру заалилуют, знаю я их, потом рванем «Благословен еси Господи», ну, в общем, как обычно: жены-мироносицы, ангел с вестью — и тут являешься ты (Петру). Ты (о. Сергию) падаешь на пол, кричишь: «Миром Господу помолимся!» — я тоже в истерику впадаю...

— Зачем? — перебил его Петр.

— Чего?

— Зачем людей смущать?

— Ты их испытывать пришел или нет?

Петр задумался.

И светло (и все светлее) было у него на душе, и тяжело (и все тяжелее). Не понимал он себя, нестерпимо хотелось лишь одного: чтобы ушло из этого мира то, что уйти должно, и осталось лишь то, что остаться должно.

Петр сел в сугроб, опустил голову.

Диомид и о. Сергий стояли смущенно над ним.

Взглянули друг на друга.

Поняли.

— Ах, Господи, как жить-то тяжко! — воскликнул Диомид с тихой печалью.

— А надо, — сказал Петр. — И встал, утерев слезы. Улыбнулся.— Пойдем попробуем, в самом деле.

Петр не знал молитв. Он стоял в дрожи, в какой-то лихорадке и говорил мысленно лишь одно: «Боже, помоги мне! Боже, помоги!»

Служба шла, слов он не разбирал, смысла не понимал — ждал.

И вот оказался среди людей — как-то сразу, неожиданно, увидел о. Сергия, распростертого перед ним на полу, увидел диакона, воздевшего руки в священном ужасе, увидел морщинистые лица старух в платочках — и женщин, и вдовиц, и редких мужчин, и отрока какого-то с льняными волосами.

Он улыбнулся, подошел к отроку, возложил ладонь на голову его — и увидели все, как торчком встали легкие волосы на голове.

Отрок вдруг завизжал и выбежал, за ним побежали и все.

## 11

К вечеру в Полынске только и разговоров было о том, как поп с дьяконом упились до чертиков, вместо обедни начали утреню служить, а потом вылетел, как ошпаренный, из-за Царских Врат небезызвестный Петрушка Салабонов, тоже пьяный в дым, схватил какого-то пацана и стал трепать его за волосья, а дьякон тем временем молодуху прижал под иконой Варвары Великомученицы (молодуха сама на дьякона налетела и долго в него тыкалась, не имея с перепугу ума обойти его справа или слева, а все норовя повалить препятствие). В общем, набезобразничали батюшки, посмеивались полынские обыватели.

Тем же днем о безобразиях в полынской церкви стало известно епархиальному управлению. Архиерей послал срочно представителей, те наутро явились, увидели храм запертым, на паперти сидел полуголый и босой дурачок Кислейка, приходящий раз в неделю из пригородного села Кузбаши полюбоваться на внутреннюю красоту храма. Кислейка не чувствовал холода, а рассказать об этом не мог, потому что был немой. Вчера он был на службе и испугался и убежал вместе со всеми, и пошел домой, припрыгивая на снегу и любуясь отпечатками своих ступней. Озоровал: шел задом наперед, представляя, как он всех обманул, смеялся, очень был этим доволен. По этой же дороге ехал председатель сельсовета Кузбашей Торопырьев, всегда не любивший Кислейку за то, что Кислейке-идиоту ничего не надо и он тем не менее счастлив; Торопырьев же был постоянно обременен надобностями общественными и личными. Вот и теперь он вез дюжину электролампочек, выпрошенных в районном отделе снабжения для освещения инкубатора, и мучался, как эту дюжину поделить. Сволочь снабженец, хоть он и привез ему три килограмма парного мяса, не согласился написать в накладной восемь лампочек, так дюжину и написал. Четыре — себе, две — главному инженеру, считал в уме Торопырьев, две в школу, хоть умри, одну в сам сельсовет, одну Тоне-библиотекарше, нет ей две — одну в библиотеку, другую домой, хотя Торопырьев и без света обошелся бы, общаясь с нею, но Тоня на ночь любит книжку почитать. Сколько получается? Тринадцать ламп получается, где еще одну взять? Себе — три? Но жена проверит по накладной, она велела четыре, не меньше. Главному инженеру одну, а не две? Обидится, уйдет, давно грозится уйти в город, а у него золотые руки, он и за слесаря, и за токаря — за всех... Или посоветовать Тоне: уходя из библиотеки, брать лампочку с собой? Тоже обидится... Так он размышлял, «газик» подбрасывало на ухабах, шофер, искоса поглядывая на начальника, дышал аккуратно, потому что забегал к шурину, пока начальник хлопотал по делам, и погрелся у шурина, как это принято по-родственному. И вот машину тряхнуло на незамеченной шофером выбоине, и он, как бы заглаживая вину и заодно наказывая машину, что разогналась, когда не просили, резко затормозил. Торопырьева бросило вперед, он ударился головой о стекло, но это пустяки, сквозь шапку не больно, не в том беда — коробку с лампочками он не удержал в руках, она упала и там треснуло.

С проклятьями Торопырьев открыл коробку и увидел, что две лампочки разбиты.

Досталось шоферу, досталось дороге и ухабам, досталось и черту, досталось и всему общественному строю, существующему вокруг, досталось и главному инженеру, и жене-привереде, и даже Тонечке-библиотекарше досталось — так неуемно злился и матерился Торопырьев, а шофер изнемогал от желания засмеяться и невозможности это сделать.

Тут они и увидели Кислейку.

— Задавить бы дурака, — сказал Торопырьев. — Зря только землю топчет.

— Давить подождем. А — напугаем, — сказал шофер.

Дорога была под горку. Шофер сбросил газ, и машина бесшумно покатилась самокатом. Подъехала чуть не вплотную к Кислейке — и тут шофер дал мотору холостых оборотов, двигатель взвыл, шофер нажал на тормоз, но не учел скользкости дороги — сбитый Кислейка упал.

Не успели Торопырьев и шофер испугаться, он вскочил и замахал руками крича:

— Куда ж ты едешь, так твою так?! На людей едешь? Сукин ты сын! И ты сукин сын! — назвал он отдельно, разобрав, что в машине двое.

— Заговорил! — удивился шофер.

— Это мы еще разберемся! — сказал Торопырьев. — Кто заговорил, а кто нарочно молчал и под дурачка прикидывался! Садись! — открыл он дверь, приглашая Кислейку.

Но Кислейка стоял с таким видом, будто желал заглянуть сам себе в рот и увидеть, что там произошло. В ответ на предложение Торопырьева он сказал:

— С активностью, соответствующей текущему моменту и требованию времени! — свистнул, гикнул и помчался обратно в Полынск.

Происшедшее он связал не с машиной, а с тем, что произошло в церкви.

Вот и явился и сидел на паперти, неизвестно чего ожидая.

Приезжие расспросили его, он отвечал охотно, но бестолково.

Несколько раз заставили его повторить и насилу наконец поняли, что случилось.

Дома ни о. Сергия, ни Диомида не застали. Что ж, с пустыми руками возвращаться? Позвонили в епархию, доложили, что выяснение обстоятельств и розыск священников займет несколько дней. Им велено было разобраться во всем дотла — чего они и сами желали.

Звали их Иван и Яков, были они братья.


Оказался в Полынске и шофер Торопырьева Василий Ельдигеев. Дело в том, что Торопырьев, окончательно разозлившись, выгнал его из-за руля и приказал идти пешком в наказание за пьянство (учуял-таки), за вредительство (лампочки разбил) и за хулиганство (человека чуть не задавил). Обиженный Василий решил жаловаться, а в Кузбашах ведь на Торопырьева

282

управы не найдешь, надо в Полынск возвращаться, тем паче — ближе. И он пришел к шурину, рассказал ему про свою обиду. Шурин сочувствовал и кричал, что сейчас же пойдут не к властям, на которых нечего надеяться, а прямо в суд подавать на Торопырьева заявление за оскорбление личности. Кричать кричал, а в суд не вел, все подливал родственнику, жене его это надоело, она выгнала обоих. Они пошли тогда в столовую при гостинице: место теплое, знакомое, там всегда своих много.

В эту же столовую зашел погреться и Кислейка, потому что все-таки не мог терпеть холода до бесконечности, особенно стал мерзнуть после того, как заговорил.

Там же оказались Петр, о. Сергий и Диомид.

Туда же зашли, устроившись в гостинице, братья Иван и Яков.

Был там и Павел Ильин, тот самый, по кличке Илья, который не способен был пить (считая по-прежнему виновным в этом колдовстве Петра), но обойтись без атмосферы веселья не мог и ежедневно заходил сюда, завидуя, как пьют другие.

Заглянул сюда и учитель полынской школы Андрей Янтарев, тоскующий от провинциального своего одиночества, обычно он брал у буфетчицы Клавы бутылку, завернутую в газету, имеющую форму кулька (студенческая еще уловка), но на тот раз увидел, что никого из родителей его учеников нет, захотел выпить здесь, среди людей, а не дома, среди пустых стен.

С утра сидел здесь неизвестный человек в меховом пальто, о чем-то думал, выпивая шампанское, чему Клава очень удивлялась, никто в Полынске не станет пить зимой шампанское, разве только на свадьбе для порядка. Человека звали Анатолий и был он вор. Проезжая через Полынск в поезде Москва — Туруханск, он очень удачно попятил чемодан, в котором, кроме небольшого количества денег, оказались несколько десятков коробочек с наручными электронными часами — на коммивояжера какого-то напал, очевидно. Выкинув чемодан, Анатолий спрятал часы в свою сумку и пошел в вагон-ресторан отметить удачу. За сумку не беспокоился: в купе с ним ехали старуха да молодая мама с грудным младенцем. Однако вернувшись, не обнаружил ни мамы, ни младенца, ни своей сумки.

— Только что сошли, — сказала старуха. — Я дремала, а они, чую, собрались и пошли.

Часы — черт с ними, но в сумке он, дурачина, оставил документы, деньги, обратный билет Туруханск — Москва. Значит, пока не заехал слишком далеко, следует сойти — и подумать, как быть дальше. Денег у него осталось как раз на шампанское, вот он его и пил, со скукой разглядывая присутствующих, понимая, что клиентов средь них он не найдет.

Был здесь еще со вчерашнего вечера Никита Кузовлев, рыбак. Как и Анатолий, он оказался в Полынске случайно и вынужденно. Он ехал в поезде «Владивосток — Москва». Он был рыбак, за путину заработал много денег и хотел было уже ехать на родину, в Вологду, но ему предложили выгодную судоремонтную работу. Зима длинная, успею нагуляться, подумал Никита, а вот еще подмолочу — и куплю себе наконец машину! Подмолотил, сел в поезд — и оказался в одном купе тоже с рыбаками. Если бы это были летчики, космонавты и даже хоть сам футболист Олег Блохин, которого Никита боготворил единственного из людей, он утерпел бы. Но оказаться вместе с товарищами-рыбаками и не выпить... Стали выпивать. На перегоне Файсарга — Дрочи один из рыбаков обиделся на собутыльников, что они кто по три, кто по пять путин отходили, а он пятнадцать отломал! — и начал их за это бить. Милиция его сняла. Второй пошел в Новосибирске за сигаретами, потому что в вагоне-ресторане не оказалось сигарет с «фильтрацией», как он выражался, а ему хотелось именно с фильтрацией. В буфете вокзала он увидел сигареты, их продавали в общем порядке с едой и напитками, рыбак был хоть и промысловик, а совесть знал, встал в очередь и, пока двигался в очереди, увидел сельдь, ту самую тихоокеанскую сельдь, тонны которой переворошил он разъеденными морской солью руками. Он умилился. Ему даже показалось, что он в лицо знает эту селедку, особенно вот ту — жирную, толстобокую, гадину такую, отсвечивающую синевой. Ему гордо стало, что вот его труд попал к сухопутным людям, и они его едят. Он взял селедку, чтоб показать ее людям и рассказать о тяжелом труде рыбаков, чтобы увидеть признательность людей. Но, подняв селедку, принюхался и обнаружил, что она насквозь протухла. «Ах вы, гады! — зарычал рыбак. — Там люди тонут и стонут, гибнут и задыхаются от пота, ловят ее для вас, а вы что делаете? Там люди исчерпали уже запасы океана во вред экологической обстановке, они дарят вам уникальную рыбу на ваш стол вместо Красной книги, где ее место, чтобы вам, сукам, животы набить — а вы что делаете?» И он стал швырять селедку с подноса на пол, стал бить витрины и сердиться все больше и больше. Излишне говорить, что в поезд он не вернулся. Третий попутчик Никиты на какой-то большой станции увидел в окне стоящего по соседству поезда красавицу, собрал вещи и пошел к ней. Добился ли он успеха — неизвестно, поезд тот был обратного направления.

А Никита, начав пить, уж не мог успокоиться. Деньги свои он предусмотрительно вручил проводнику, рассудив, что тот лицо ответственное и от вагона никуда не денется, — с условием, что проводник в любое время дня и ночи достанет ему выпивку. И тот доставал — вплоть до самого Полынска. Поздним же вечером, когда поезд остановился в Полынске на полторы минуты, Никита проснулся и бросился к проводнику. Проводник сказал: извини, брат, все кончилось, и у других проводников нет, и в вагоне-ресторане нет. Умру! — взмолился Никита, действительно умирая с запойного похмелья. А вот там, кивнул проводник на вокзал, — достать можно, только я от вагона отойти не могу, сбегай сам, поезд полчаса стоять будет, пути не дают.

Никита, схватив сколько-то денег, побежал, не одеваясь, мыкался по вокзалу, его направили в столовую, там он купил водки, выбежал на перрон — перрон был пуст.

Тогда Никита вернулся в столовую, напился водки и уснул в углу, на полу, никем не замеченный. Когда же проснулся, в столовой уже был народ, и опять его никто не заметил, и опять он напился, и опять заснул.

Сидел здесь еще юноша Аркадий. Он был киномеханик. Он любил стоять в дверях перед сеансом и смотреть, кто приходит в кино. Так он влюбился в девушку Алену, которая была еще школьница. Понимая, что он не имеет права любить ее, несовершеннолетнюю, он решил молча ждать. Он узнал, что она больше всего любит индийское кино. Но достать в областном кинопрокате индийское кино не так-то просто, все районы Сарайской области тоже просят индийское кино. Аркадий пытался даже взятку дать ответственным распределяющим лицам, но, видно, они имели от других больше, чем мог предложить Аркадий, — и отказывали ему. Он узнал, что распределение фильмов зависит почти на сто процентов от секретарши начальника облпроката сорокалетней Эммы, рыжей бабы в мини-юбке с толстыми волосатыми ногами. Аркадий договорился с одним своим сарайским приятелем о квартире, купил вина и фруктов и пригласил Эмму в гости. Та, видя молодость, обаяние и симпатичность Аркаши, конечно, не отказала. Возвращался Аркадий с индийским фильмом — и никогда уже теперь не уезжал из Сарайска без индийского фильма, хотя и доставались они ему с отвращением, — зато постоянно он теперь видел Алену и любовался ею. И вот скоро должна она была войти в брачный возраст, Аркадий готовил себя, составлял мысленно речи, с которыми обратится к Алене, и тут он узнал, что сосед Алены, тридцатилетний разведенец машинист дальнего следования Евгений Кузьмин влюбил в себя Алену — и она ждет ребенка, а Евгений женится на ней. И женился. И вот Алена уже с колясочкой гуляет. Она гуляет всегда мимо столовой в это время, поэтому Аркадий и сидит здесь — чтобы посмотреть на нее сквозь окно.

И, наконец, оказался в столовой в этот час приехавший из Сарайска руководитель среднего звена. Он приехал хоронить отца. Он уехал из Полынска десять лет назад и с тех пор появлялся здесь всего два или три раза. Он знал, что все родственники будут косо смотреть на него на похоронах и поминках за то, что он не любил отца, а ведь он любил отца, но как теперь это объяснишь? Поэтому он зашел в столовую — выпить и собраться с мыслями, с настроениями. Выпив, он думал удивительные вещи: что он обязательно оставит завещание, чтобы его сожгли. И никаких похорон, никаких поминок. Жаль вообще, что человек не исчезает бесследно. Пусть бы он исчезал — и все, а всякий, кто ему близок, мог бы без суеты, без гробов и венков, наедине со своей душой выпить — и со спокойной грустью проводить тень ушедшего... Звали его Сергей.

Теперь нужно сказать о столовой. По содержанию это действительно была заурядная столовая, хотя на вывеске значилось: «Ресторан». Но полынцам слово «ресторан» никогда не нравилось. Не по чину, казалось им, в ресторанах нам рассиживать. Неприличным, разгульным виделось им это слово. И они не ходили в этот ресторан, предпочитая выпивать, где бог пошлет, очень часто — за рестораном, на досочках меж двумя мусорными баками. От этого, конечно, был убыток, ведь не на проезжающих же рассчитывать: поезда в Полынске больше десяти минут не стоят, а что за десять минут успеешь? Поэтому на двери крупно написали: «ДО 18.00 — СТОЛОВАЯ».

Полынцы стали ходить.

Но рассиживались недолго, их смущала обстановка: разноцветные лампы под потолком, полированные гладкие столы светлого дерева — ни пролей вина на стол, ни рыгни ненароком, влага не впитывается, как в простое дерево, а стоит лужами. Тогда заказали в Сарайске столы попроще — металлические с пластиковыми крышками, а эти продали по умеренным ценам сотрудникам заведения. Но металлические столы исчезли где-то в районе станции Светозарной, Грабиловка тож, причем пломбы на вагоне сохранились нетронутыми. А люди в столовую идут, не на полу же им сидеть. Заказали новую партию столов, а пока сколотили один длинный стол из неоструганных досок — навроде строительных козел, закрыли его клеенкой, поставили посреди зала.

И тут народ повалил в столовую-ресторан. Уютно и хорошо показалось полынцам сидеть за общим столом в тесноте, но не в обиде, когда никто тебе из-за дыма и многолюдства не заглядывает в стакан и в рот, когда ты и на виду у всех, и сокрыт, укромен.

Вот за этим столом и собрались — перечислим еще раз: Петр Салабонов-Кудерьянов, назвавший себя Христом, Сергий, бывший священник, Диомид, бывший дьякон, Яков и Иван, братья-инспекторы, заговоривший Кислейка (по имени Егор), Василий Ельдигеев, шофер, шурин его, тоже Василий, кочегар Илья, он же Павел Ильин, одноклассник Петра, мучающийся от невозможности выпить, Андрей Янтарев, учитель, Анатолий, вор, Никита, рыбак, Аркадий, киномеханик, Сергей, руководитель среднего звена, приехавший на похороны отца.

Яков и Иван, увидев Диомида и Сергия, хотели тут же принять меры, но поразились молчанию и строгости, царящим в зале. Рыбак Никита, кстати, был уже поднят из угла и сидел совершенно трезв, да и другие все протрезвели. Что-то уже произошло.

— Садитесь, — пригласил Петр братьев. Они сели. — Как вас зовут?

— Яков и Иван, — покорно ответил старший брат за двоих.

— Прямо по Евангелию! — с удовольствием воскликнул Диомид, но тут же наложил на губы себе ладонь.

Тем временем Клава по указанию Петра (у них любовь была когда-то) разносила граненые стаканы, а потом пошла с кувшином воды, наливая каждому воду. Петр взял булку (по прейскуранту называемую «сайка городская»), разломил ее по числу присутствующих на четырнадцать частей.

Четырнадцать кусочков хлеба лежало перед каждым.

— Выпейте вино, съешьте хлеб, — сказал Петр. — Будете пьяны и сыты. Сыты досыта, а пьяны не допьяна, а хорошо.

Илья тут же схватился за стакан, нюхнул. «Водка! Сблевану!» — подумал он.

— Пей спокойно, — сказал ему Петр.

Все выпили и отщипнули по крошке — и стали хорошо сыты и пьяны. Егор-Кислейка даже тяжесть в желудке почувствовал, словно объелся.

И всем вдруг стало так просто, всем стало ясно, все понимали, что произошло.

Лишь одно сомнение обуревало каждого. Это сомнение решился высказать Диомид.

— Нас тринадцать, — сказал он. — Один лишний.

Встал Сергей-руководитель.

— Я пойду, пожалуй. Мне отца похоронить надо, уважительная причина.

— Пусть мертвые хоронят своих мертвецов, — сказал Петр.

Сергей сел.

— Вот вам и испытание, — сказал Петр. — Никого не держу, кто себя лишним чувствует — может уйти. Учтите, я вас не на славу зову. Ну, кто боится лишний геморрой нажить? А? Кому неприятностей не надо?

Все молчали.

— Кислейка лишний, — сказал Диомид. — Ему нельзя, сумасшедший он. И немой, я же знаю.

286

— Сам ты немой и сумасшедший! — крикнул обиженный Кислейка-Егор. И жарко, и холодно сделалось присутствующим. Остаться — страшно, уйти — еще страшнее. Иной, незнакомый путь увидели они перед собой, иную жизнь — и жаль было от этой жизни отказаться, не попробовав ее. Не сводили они глаз с очарованного лица Петра. Готовы были.

— Что ж, — сказал Петр. — Пусть будет тринадцать. Все равно потом одного заменить придется. Вместо того, кто предаст меня.

— Кто, Господи? — жадно спросил Сергий.

— Он знает, — сказал Петр, и каждый почему-то опустил голову, каждому показалось, что остальные смотрят именно на него.

— Вот что, — сказал Петр. — Там у вокзала автобус стоит. Идите и скажите шоферу, что автобус мне нужен. Поедем в Сарайск.

Василий Ельдигеев, как шофер, и Егор-Кислейка, как самый исполнительный, тут же побежали.

Автобус принадлежал городскому отделу культуры, на боку его было написано: «АВТОКЛУБ». Заведующая, не имея другого транспорта, приехала на базарчик у вокзала, где всегда была самая свежая и густая сметана, а у нее именины, вечером гости соберутся, она задумала пельмени со сметаной исполнить.

— Вылазь! — скомандовал шоферу автобуса шофер Василий.

— Щас! — ответил шофер, цвиркнув слюной в приоткрытое окошко.

Василий рванул дверь, выволок шофера.

— Знал бы ты, кому машина нужна!

Втолкнул в автобус Кислейку, впрыгнул сам — и укатили. Шофер рванулся было вслед, но закричал от боли — у него оказалась сломанной нога.

Запасшись у Клавы едой, взяв уже не воды, а настоящей водки, погрузились в автобус.

До выезда из Полынска сидели молча, а потом Кислейка не удержался, увидев перед глазами простор пути, и запел песню из мультфильма про голубой вагон. Все подхватили.

Добродушно запел и Петр, обладавший мягким басом.

И никто не знал, что им предстоит, и Петр не говорил ничего, но был уверен, и эта уверенность вселилась во всех, пели все бодрей, громче, слаженней, передавая из рук в руки бутылку, а потом и другую, и третью «Столичной» — и как никогда казалась она приятной на вкус.


12


Уже недалеко было до Сарайска, но возле железнодорожного переезда у станции Светозарной, Грабиловки то есть, мотор стал чихать, фыркать — и заглох. Кончился бензин. Тем более обидно, что за переездом дорога шла под уклон и виднелась невдалеке заправочная станция.

— Ах, так твою так! — обругал автобус Василий-шофер и стал напрягать механизм, выжимая остатки горючего. Машина кое-как, подергавшись, тронулась, но тут опустился автоматический шлагбаум, а мотор окончательно поперхнулся, автобус встал на рельсах.

— Придется воду в бензин превращать, — сказал кто-то весьма едким голосом. Все заоглядывались друг на друга, но так и не поняли, кто это сказал.

— Да воды-то тоже нет! Прыгай все отсюда! — закричал Василий, завидев поезд. — Щас тут такое будет!..

Поезд дал гудок, другой, третий... Еще немного — и он сметет автобус, и не жаль автобуса, но как бы сам поезд от такого столкновения не сошел с рельсов, — люди могут пострадать: состав — пассажирский.

Все как один, выйдя из автобуса, смотрели на Петра.

Петр пожал плечами. Зашел сзади автобуса, приложился плечом. Кислейка бросился было помогать, но кто-то остановил его.

Петр понатужился — и автобус двинулся, переваливаясь через рельсы, еще, еще — и покатился под уклон.

С веселыми криками компания на ходу впрыгнула в автобус, Василий занял свое место и рулил к заправке. Но там их встретил большой плакат, сооруженный не на один день: «Бензина нет!»

Василий пошел к заправщицам, надеясь договориться, но не договорился. Дело в том, что наличные средства у всех были очень ограничены.

Надеясь на шоферскую взаимовыручку, Василий стал просить бензинчику у проезжающих, но пропала в наши грустные времена шоферская взаимовыручка, никто не дал ему.

— Собственно, — сказал Андрей Янтарев, учитель, — зачем нам автобус? От Светозарной на электричке доехать можно.

Пока шли к станции, у Петра возник другой план. Он подумал, что в городе для них понадобится место жилья — и желательно такое, чтобы все поместились. Найти такое жилье трудно. А вот в ППО, передвижном поезде-отряде — можно.

И они пошли в ППО. Лидия очень рада была Петру, и тут же все решилось: старики Воблевы недавно померли в один день и один час, половина вагона пустовала, соорудили там нары, — это будет «дислокация», выразился Аркадий, киномеханик.

Вечером держали совет, послав Кислейку за водкой. Конечно, Петр мог сколько угодно сотворить подобного водке напитка, но это подобие не во всем удовлетворительное: хмель, дойдя до определенного накала, дальше не усиливался, утром не было похмелья, поэтому с непривычки чего-то как бы не хватало.

— Итак, пора бы нам решить кое-какие организационные вопросы, — сказал Сергей Обратнев, руководитель среднего звена.

— А тебе слова никто не давал! — сказал ему прямодушный рыбак Никита Кузовлев. — Тут и без тебя есть кому сказать.

Петр его понял.

— Что говорить, — устало произнес он. — Все уже сказано... Каждый вправе сказать свое. (Он думал о другом и к другому готовился.)

Сергей Обратнев обрадовался поддержке и продолжал:

— Итак, наша цель — чтобы о явлении Христа узнало как можно больше людей. Поэтому, проведя ряд мероприятий в Сарайске, завербовав сторонников, организовав поддержку средств массовой информации, то есть газет, радио и телевидения...

— Фильм документальный можно снять! — сказал киномеханик Аркадий.

— Можно и фильм. После этих мероприятий местного значения необходимо скорейшим образом выходить на центр... Товарищи! — постучал он карандашом по нарам, на которых сидел. — Нельзя ли потише? — обратился он конкретно к Анатолию и Илье — те в уголке выпили и шепотом рассказывали друг другу срамные анекдоты.

— Товарищи? Гусь свинье не товарищ! — съехидничал Анатолий.

— Тогда я полетел! — нашелся Сергей, всегда славившийся умением остро вести дискуссии.

— Чего такое? Чего ты сказал? — встал и пошел на Сергея Анатолий.

— Братья! Не совестно вам? — воззвал Сергей.

— Прости, брат! — с чувством сказал ему Анатолий. — Вот так пусть и называет: брат, братья! а то — товарищи! Вот у меня где сидят товарищи! — черканул он ребром ладони по горлу. — А граждане — тем более!

Успокоился, отошел.

— Итак, к чему я веду? — настаивал Обратнев. — К тому, что для всей этой намеченной кампании нужны, во-первых, средства, во-вторых, четкие организационные структуры. Не можем же мы просто толпой шляться и милостыню просить. Не дадут. Милиция заинтересуется. И так далее. Кстати, надо бы внешность изменить тем, кто опасается преследования родственников и так далее.

— И клички взять! — поддержал Анатолий.

— Это ни к чему. Обойдемся своими личными именами. Итак, мои предложения. — Обратнев зачитал список, который неизвестно когда успел составить.

Список гласил:

1. Петр. Иисус Христос.
2. Сергий — зам по идеологии.
3. Сергей Обратнев — координатор.
4. Яков — пропагандист.
5. Иван — пропагандист.
6. Диомид — председатель молодежного Совета.
7. Андрей Янтарев — председатель детской секции.
8. Егор — отдел снабжения.
9. Василий — отдел снабжения.
10. Илья — отдел снабжения.
11. Анатолий — отдел снабжения.
12. Никита — отдел снабжения.
13. Аркадий — отдел снабжения и наглядная агитация.
14. Василий-2, шурин Ельдигеева — отдел снабжения.

Наступила тишина. Нехорошая тишина.

— Вот это, я понимаю, демократия! — вкрадчиво сказал Анатолий. — Вы, значит, начальство, а мы, значит, рабочая скотина? Отдел снабжения — это чего?

— Это того, — не смутившись, ответил Обратнев, — что нам, извините, нужно существовать. Питаться. А деньги на питание придется зарабатывать. И, естественно, честным путем, — подчеркнул он, обращаясь именно к Анатолию.

— Ты кого имеешь в виду? — опять пошел Анатолий на Сергея.

— Братья! — укорил Сергий. И сказал Обратневу: — Не худо бы дать пояснения по этому, так сказать, списку.

— Пожалуйста! Сергий — зам по идеологии как человек, сведущий в богословии. Тут, я думаю, вопросов быть не может. Точно поэтому же Яков и Иван — пропагандисты, как профессиональные церковники. Диомид, как бывший эстрадный певец, понимает молодежь, ему и заниматься молодежью, Андрею Янтареву, как учителю, — детьми.

— А интеллигенцией кто будет заниматься? — подал голос Аркадий, киномеханик, считающий себя интеллигенцией. И, чтобы не подумали, что он только о себе заботится, добавил: — А сельским населением? А рабочими?

— А рыбаками? — сказал Никита, считая рыбаков особой категорией людей.

— А преступным миром? — не скрываясь, поставил вопрос Анатолий. Загомонили, заспорили. В результате решили, что, заботясь о снабжении, каждый должен будет выполнять дополнительные, то есть, по сути, основные функции: Кислейка — председатель сельского отдела, Василийшурин, кочегар, — рабочего, Аркадий — отдела интеллигенции, Анатолий — отдела преступного мира, Никита — связь с рыбаками, Илья берет на себя алкоголиков и наркоманов.

Вроде бы все уладилось.

Но опять затеял свару неугомонный Анатолий.

— А ты-то! — сказал он Сергею. — Ты-то кто? Координатор? А что такое координатор?

— Это... Ну, координация действий.

— Конкретнее!

— Ну, это начальник штаба, скажем так. Организационные дела, скажем так. Завхоз, скажем так, — намеренно умалил себя Сергей, чтобы утихомирить Анатолия.

— Не надо пудрить мозги! — заявил Анатолий, знающий жизнь. — Газеты читаем, телевизор смотрим, понимаем, что к чему. Получается что? Петр — Президент. Сергий при нем вроде советника без власти, а ты — премьер-министр? Вот что получается! А мы — кто? Народ?

— А вы — Совет министров, — совершенно спокойно ответил Обратнев.

— Нет, а тебя-то кто выбрал в премьер-министры?

— Вот именно! — сказал Василий Ельдигеев дрожащим от обиды голосом.

Он обиделся на то, что единственный остался просто в отделе снабжения, как бы чернорабочим, его даже не сделали председателем транспортного отдела, как шофера, меж тем все стали председателями чего-то. Все кроме него!

— Вот именно! Раз уж демократия, то демократия! — Он сорвал шапку. — Рвем бумажки, пишем должностя, ложим сюда и вытаскиваем! Кому что выпадет, тому то и будет!

— Будет бардак! — сказал Сергий. — Премьер-министр должен решать, кому какую функцию выполнять. А премьер-министра утверждает Президент, — сказал он, глянув на Петра.

— Выбрать, а не утвердить! — поправил Анатолий. — И на Петю не зырься!

— Функционер! — обругал Сергея и Диомид. Ему досадно было, что его, человека широкого ума, даже и не подумали применить в качестве зама по идеологии, хотя бы второго, а всучили ему паскудную молодежную секцию. Оскорбительно даже.

И он сказал:

— В таком случае начинать надо сверху!

???????????????

— Тогда уж выбирать сначала Президента, то есть, тьфу, Иисуса, конечно.

— Окстись! — вскричал Сергий. — О чем ты? Иисус один — и другого быть не может!

— Отзынь, отче! — ответил Диомид. — Сам понимаешь, важна идея Христа, а не сам Христос. — В сущности, Христом может быть кто угодно, поскольку другим — все равно. Им идея Христа важна, идея, понимаешь меня? Идея мессии, как тебе известно, появилась раньше Христа. Точно так же, как идея фашизма появилась раньше Гитлера, идея коммунизма — раньше Сталина. Из чего можно сделать вывод, что всякая идея вредна! — попутно осенило Диомида.

— Ты с кем... с кем сравниваешь? Богохульник! — даже посинел Сергий. — Господи, уничтожь его! — обратился он к Петру.

Петр молчал.

А Диомид уже быстренько нарвал 14 кусочков бумаги, отщипывая их от случившейся под рукой газеты «Гудок».

— Смотрите все! Бумажки пустые, а на одной — ставлю крестик. Все видели? Теперь отвернитесь, я скатаю и будем тянуть.

Все отвернулись. Диомид скатал бумажки, бросил в шапку, потряс, положил шапку и отошел.

— Прошу!

Бросились к шапке, разобрали бумажки, хлопая друг друга по рукам, если кто хватал сразу две. Пряча друг от друга, разворачивали. Пусто, пусто, пусто...

— Что ж... — произнес вдруг в тишине Диомид скромным голосом. — Судьба есть судьба... — В его руке была бумажка с крестиком.

— Врет! — весело сказал Анатолий. — Подделка! — И предъявил свою бумажку, на которой тоже был крестик.

— А в шапке еще осталась, кто-то не брал! — крикнул Кислейка. Схватил бумажку, развернул. На ней тоже был крестик.

— Ах ты, сука... Шулер ты рваный... — в который уже раз пошел Анатолий на человека...

— Погоди! — остановил его Сергий. — Всякий жребий — это не дело. Надо выбирать нормальным способом. Тайным голосованием. Каждый пишет свою кандидатуру, бросает, подсчитывает голоса — вот вам и будет Христос.

— Только без него! — сказал Илья, указывая на Петра. — Он на меня действует. Пусть он выйдет.

Петр вышел, усмехнувшись.

После утомительной, хоть и недолгой процедуры, все формальности были соблюдены, Кислейку посадили перед шапкой, он вынул оттуда тринадцать бумажных катышков. Стал разворачивать...

— Петр... Петр... Петр... Опять Петр...

Во всех тринадцати записках было имя Петра.

Диомид вышел из вагона, чтобы позвать Петра.

Но у вагона его не было.

Диомид зашел в соседнюю половину к Лидии.

— Заходил. Ушел, — сказала женщина с грустью.

Диомид вернулся.

— Ушел Петр, — сказал он. — Нет Иисуса с нами. Сволочи мы.

— Это уж как водится, — согласился Анатолий.

## 13

Петр шел один, пешком, к городу Сарайску.

Ему было легко и весело, хоть и грустно.

Грустно — от грусти за апостолов.

А легко и весело — от радости.

У него даже сердце дрожало от нетерпения.

Сегодня, вот сейчас, он понял, почему не испугался, когда понял, что он — Иисус Христос. Ведь должен был испугаться, а не испугался. Он раньше боялся почувствовать себя Иисусом Христом, потому что боялся, что испугается. Ему и так жилось хорошо, зачем ему еще быть Иисусом Христом? Он жил не хуже других людей — не в смысле внешнем, а в смысле внутреннего состояния, он был в ладах со своей душой, он был приятен себе, то есть он жил даже лучше других людей: радостно.

Но вот он почувствовал себя Иисусом Христом и почувствовал, что его прежняя радость по сравнению с теперешней — все равно что комариный писк по сравнению с пением серебряной трубы в поднебесных небесах.

Он чувствовал себя в этом мире совсем иначе; не просто — дорога, по которой иду, а вон дом, а вот кусты, — он видел за домом и кустами пространства и города, и за этими пространствами и городами еще пространства и города, словно земля перестала быть шаром и развернулась вся — как на ладони, издали все мелко, неразличимо, поднесешь к лицу: вон, вон вышагивает мимо кустов, отбрасывая длинную тень, Петрушка Салабонов, Иисус.

Удивительные мысли обуревали Петра.

Кто из людей, думал он, не знает, где правая, а где левая рука? Кто не различает, когда приходит утро, а когда наступает ночь? Так же проста и мудрость моя, мудрость Христа, и знанием своим каждый человек равен Христу.

Значит, каждый из нас может стать Христом, ибо каждый — свеча в руке Божьей. Мне просто повезло, что родился от этой матери.

А не Христом — так Магометом, Мессией, да кем угодно!

Нет, не безнадежна жизнь, если в ней появился я, думал Петр без всякой гордости, думая как о факте.

Петр думал о завтрашнем дне.

Две тысячи лет боялись люди, ждали конца света, хоть и не верили в него, и вот я приду и скажу: живите пока! Конец света откладывается! Я и мой Бог — прощаем вас! Но учтите, так вашу так, это последнее, тысяча первое китайское предупреждение!

Петр представлял восторг людей при этом известии.

Ведь почему люди так печальны и скучны? — да он и сам был печален и скучен, хотя не знал этого. От бытовой убогости жизни?

Но есть, знает Петр, богатые народы и страны, а люди и там тоскуют и скучают. Они тоскуют, понял сегодня Петр, оттого, что знают: нет им спасения и прощения, не расплатиться им за грехи человечества и собственные грехи, не вылезти из городов, которые понастроили на погибель себе.

И вот: шанс.

Общее ликование.

Вы многое еще успеете сделать.

Если захотите.

И ваши дети будут жить, и дети детей.

Нельзя же устраивать конец света, пока не родились все, кто может родиться.

У вас есть способы передавать память. Книги и кинопленки. Фотографии. Понимаете ли вы, что человек десятитысячного года, знающий — в лицо! — четыреста колен (прикинул в уме Петруша) своих родственников, это будет совсем другой человек, чем сейчас?! Мечтайте об этом человеке, дайте и ему шанс!

Только ради этого и прощаю вас, говорил Петр речь, волнуясь, горячась, смеясь и все ускоряя шаги.

Но как ни быстро он шел, сзади двигались еще быстрее: Петр слышал топот множества бегущих ног.

Это были его товарищи.

Догнали, задыхаясь, встали перед ним.

— Прости! — за всех сказал Сергий.

Петр осмотрел их.

— А где Сергей Обратнев?

— Оставили, сволоча такого, воду только мутит!

— Пусть будет.

Легконогий Кислейка в полчаса обернулся и привел Сергея.

— Ну вот, опять мы вместе, — сказал Петр. — Пойдем обратно. Ночевать надо. Хорошо поспать. Завтра — большой день.


14


Утром Петр попросил своих друзей выглядеть хорошо, празднично.

Анатолий же и Илья накануне перебрали-таки и страдали с похмелья.

— Ты это... — сказал Петру Илья, переглянувшись с Анатолием. — Поправиться бы маленько. — Он поставил два стаканчика с водой, чтобы Петр превратил ее в водку.

— Зачем? — сказал Петр. — Вам и без этого станет сейчас хорошо. — И вознес над ними руки.

— Мне не надо хорошо! — возразил Илья, убирая свою голову из-под рук. — Мне опохмелиться надо!

Но уже было поздно, уже не требовалось его организму опохмелки, он был свеж и бодр.

— Ну, бляха-муха! — восхитился Анатолий, тоже чувствовавший сильное облегчение.

Да и других коснулись невидимые волны, расходящиеся кругами от рук Петра, — всем сделалось как-то празднично, как-то ПРЕДОЩУЩАЮЩЕ, как-то... наверное, так, как бывало в детстве и никогда уж не было потом.

— Ты бы, брат, не ругался матом, — попросил Анатолия Сергий.

— Да я не ругаюсь, брат! — сердито отозвался Анатолий. — Но если ты считаешь, что «бляха-муха» — это мат, беру свои слова обратно! Я ведь за тебя, брат... За него!.. За вас!.. Нате мои руки, рубите, все стерплю! — воскликнул Анатолий, мотнув головой, слеза оторвалась от его лица и капнула на щеку Кислейки. Кислейка посмотрел вверх, хотя они были под крышей.

— Ах, какие же мы хорошие, правда? — сказал Петр. — Как мы любим друг друга и людей, правда?

Правда! Правда! — потупились мужчины. Если бы не значительность момента, они бы бросились обниматься. Но терпели, ждали слов Петра.

Слова были: сегодня выйдем и оповестим. Дело серьезное, поэтому приведите себя в порядок. Побриться, почистить зубы, взять у Лидии утюг и выгладить одежду.

На это ушло некоторое время.

Петр поинтересовался, есть ли у кого лекарства.

— Боюсь, как бы у кого обмороков не было, — объяснил он. — От радости, от счастья.

У Лидии нашелся пузырек с корвалолом. Она не понимала этих приготовлений, но не задумывалась, думала лишь о том, что Петр обещал к вечеру вернуться.

— Ну? — сказал Петр, любуясь своими братьями, любя их любовь к себе, друг другу, любя свою любовь к ним. — Готовы?

— Всегда готовы! — хотел браво воскликнуть Кислейка, но от волнения у него перехватило горло.

Поехали в Сарайск.

Вышли на самый многолюдный в Сарайске проспект Пятидесятилетия. Прошли по нему, смущаясь от взглядов, которых, впрочем, и не было. Оказались у памятника, не посмотрев, кому этот памятник, потому что не вверх смотрели, а на людей. На постаменте же не было указано имя поставленного, — значит, оно и так каждому известно.

Здесь Петру показалось удобным: перед памятником была площадь.

Апостолы встали сзади и по бокам.

Петр откинул голову, прокашлялся, вытянул руку и громко сказал:

— Люди! Радуйтесь! Я пришел!

Кто-то засмеялся.

Дело в том, что Петр, не ведая того, вытянул руку совершенно так же, как и человек-памятник.

Петр не обратил внимания на смех. Он заговорил.

Вокруг стала собираться публика.

Петр старался говорить коротко и ясно: я пришел сказать, что прощаю вас, живите, радуйтесь, но опасайтесь, ибо если первое второе пришествие вам обошлось мягким боком, то в случае вашего невразумения второе второе пришествие будет уже окончательным.

Но люди не радовались, а смеялись — да и то не все. Большинство смотрело хмуро, даже озлобленно.

Толпа была жидковата — человек двадцать, и непостоянная. Подойдут, послушают и уйдут. Но была, заметил Петр, группа из семи-восьми человек, стоящих уже не менее получаса. Ради них стоит продолжать, подумал он. Ради их надежд.

— Вот ты, — обратился он к человеку среднего вида. — Чего ты ждешь?

— Я-то? — не спеша, не тушуясь, с уважением к себе ответил человек. — Жду, чего нового скажешь. Чую: не дождусь.

Отвернулся — и пошел прочь.

Как бы вдруг застеснявшись, стали расходиться и остальные.

Задержался лишь корреспондент областной газеты Джиаев. Он был человек горячий и не любящий пустопорожних действий, и вот, слушая очередного психа, кипел, но уговаривал себя не беситься по пустякам. Но все же не выдержал.

— Христос, значит? — спросил он Петра.

— Да.

— Чем докажешь?

— Тебе документы предъявить? — улыбнулся Петр.

— Ты не скалься! — сердито закричал Джиаев. — Почему?! Ну скажи, почему я должен верить, что ты Христос! Докажи!

— Ты не волнуйся.

— Докажи, говорю тебе, докажи!

(Апостолы с интересом слушали.)

— А ты? — спросил Петр.

— Что?

— Ты не веришь, что я Иисус? — тоном утверждения спросил Петр.

— Нет, конечно!

— Докажи!

Апостолы засмеялись.

Джиаев плюнул и побежал в редакцию, чтобы написать статью. О проявлениях массового идиотизма, когда на каждом углу упираешься в маньяка: тот мнит себя спасителем Отечества, тот метит в президенты, а этот, видите ли, вообще Христом себя объявил! Он писал и по привычке зачитывал вслух удачные места. Все смеялись — и отсоветовали ему трудиться над материалом: мелковата тема для их газеты.

Действительно, подумал Джиаев, скомкал листки. Но на душе у него полегчало.

Он пошел на обед, а, обедая, подумал: что, если — вдруг? Нет, в самом деле, — вдруг?

Кое-как доев, он отправился к памятнику и продолжил диспут.

Там уже опять собралась небольшая толпа.

— Допустим, я хочу поверить, — сказал он. — Но где гарантия, что ты не самозванец?

— Я же говорю тебе! — удивился Петр.

— Так и другой скажет!

— Но я-то не другой!

— Тьфу, лыко-мочало! — снова начал заводиться горячий газетчик. — Да откуда я знаю, что ты не другой?

— Да я же тебе говорю!

Апостолы слушали с вежливыми улыбками.

— Так и другой будет говорить! — кричал Джиаев.

— Но это же будет другой!

Петр глядел ясными глазами в глаза Джиаева и не понимал его недоумения.

Джиаев, почувствовав боль в сердце, пошел в редакцию и взял командировку в отдаленный район Сарайской области. Такие командировки его всегда успокаивали.

«А вернусь, и не будет уже никакого Христа», — думал он.

И, сразу скажем, оказался прав.

Петр все говорил и говорил и не мог понять, что происходит, то есть, наоборот, почему ничего не происходит, почему не озаряются нежданной радостью лица людей, почему не видно слез раскаяния и облегчения. Они что, никак не поймут, так их так? Не видят Богова подаренья? Не знают того, что жизнь их личная и общая могла прекратиться в любую секунду — застав их, быть может, в гуще самых неприглядных дел?

Стоят тупо.

Проходят мимо.

Вот прошла мимо бабушка с внуком, внук спросил, о чем говорит дядя, бабушка сказала, что если внук будет плохо себя вести, то он вырастет таким же бездельником, будет шляться с безумными речами всем на посмешище.

Шли мимо американцы, туристы из Америки, переводчица-гид с гордостью сказала им, что человека, называющего себя Христом, еще пару лет назад схватили бы и отправили в КГБ, а теперь он свободен и, может, называет себя так лишь ради эксперимента, испытывая степени свободы и самовыражения. А в Америке есть такое? О, йес! — отвечали американцы, нет в мире такого, чего не было бы в Америке. И, как правило, в еще большем количестве!

Шел мимо беллетрист Алексей Слаповский, шныряя умом и взглядом в поисках сюжетов и нелепостей. Остановился, не подходя близко. Посмотрел, послушал. И, вдохновившись, побежал домой — сочинять роман под названием «Первое второе пришествие». Это будет роман о человеке, вообразившем себя Христом. Занятная штукенция может получиться. Или такое название: «Конец света откладывается!» Второе эффектней, первое загадочней. Какое выбрать?..

Дело шло к вечеру.

Апостолы не роптали, но уже переглядывались.

Первым не выдержал Диомид. Ему надоело прятать лицо в воротник и отворачиваться, потому что он видел сегодня не менее десятка знакомых, знающих его как Алексея Гулькина, нормального человека.

— Ну, ладно, — сказал он. — Приятно было познакомиться.

Потоптался.

— Я пошел, говорю. Могу я уйти? У меня тут...

— Иди, — молча сказал Петр.

— Иуда, — сказал Сергий.

Вернувшись в ППО, апостолы с устатку набросились на щи, которых предусмотрительная Лидия наварила огромную кастрюлю, а Петра она повела к себе для любви.

Но Петр не мог любви.

Он думал о причинах провала.

Он искал их в себе.

Не с той верой говорил?

С той — и другой не может быть.

Не те слова?

Те.

Не так?

Вроде так...

Значит, как ни крутись, без чуда не обойтись. Что бы придумать такое?

Он ворочался полночи — и придумал.

На другой день все началось так же: громкие радостные слова Петра, вялая горстка слушателей.

— Вы не верите? — спросил Петр.

Не ответили.

— Они не верят, бляха-муха! — возмутился Анатолий. (Вчера от огорчения за Петра все апостолы, как один, вдрызг напились с помощью спирта, добытого у жителей Грабиловки, ворующих его помаленьку из цистерны, вот уже три месяца стоящей в тупике.)

— Даруется вам знамение! — сказал Петр. — Через час рухнет этот идол, созданный вами, и в тот же миг все, кто тут, станут здоровы! Скажите это всем, зовите всех!

Час времени он дал специально, чтобы собралось побольше народу.

И действительно, вскоре не менее пяти тысяч людей стояло на площади, и новые прибывали. Ведь только возле десяти — двадцати людей, стоящих кучкой, медленно растет толпа, сотня же — за минуту прибывает вдвое, тысяча удваивается еще быстрее. Если бы Петр дал не час, а два или три, наверняка здесь собралось бы все миллионное население Сарайска, исключая грудных детей и нехожалых стариков.

— Радуйтесь! — сказал Петр. И повторил в который уже раз весть о прощении. — А теперь для неверующих в меня! Расступитесь все, отойдите на сто шагов!

Толпа с трудом потеснилась.

Петр указал рукой на памятник, который тоже бесполезно указывал куда-то, и повелительно крикнул:

— Именем Божиим...

Он сделал паузу, чтобы закончить: «Рассыпься!»

И тут вклинился молодой энергичный голос:

— Минуточку!

Петр обернулся.

Протолкавшись сквозь толпу, к нему подошел юный лейтенант милиции:

— Предъявите документы!

— Да что же это такое, так вашу так! Уберите его! — рассердился Петр на апостолов.

Но их, однако, след простыл.

Не осудим.

У каждого были веские причины.

Яков и Иван, церковники, служители епархиального управления, руководствовались указанием своего руководителя ни при каких обстоятельствах не вступать в конфликт, а желательно и в соприкосновение с представителями правоохранительных органов, дабы не было с их стороны антицерковных провокаций.

Кислейка-Егор с детства от милицейской формы впадал в конвульсии и лишался речи, он даже лишился ее совсем, как мы знаем, — после того случая, когда его занесло в Сарайск и он столкнулся с марширующим по улице батальоном милиции, — вот он и испугался, что у него опять отнимется язык.

Василий Ельдигеев, шофер, боялся ответственности за угон автобуса.

Илья не хотел попасть в вытрезвитель, так как после вчерашнего успел как следует опохмелиться.

Василий, шурин Ельдигеева, Никита Кузовлев, Андрей и Аркадий вспомнили, что они — без документов.

Анатолий, вор, — тут и объяснять ничего не надо.

Сергей Обратнев, как представитель новых органов демократической власти, просто не имел права в своем лице дискредитировать идею демократии, известно ведь, как милиция любит ущипнуть демократов за мягкое — со злорадством. Это первое. Второе: находясь на воле, он сможет помочь Петру, попав же с ним в кутузку — ничего не сможет сделать.

Сходная причина была у о. Сергия. Он без всякой гордости, а по чувству долга видел себя в будущем новым евангелистом. Значит, ему нужно беречь себя, чтобы донести миру благую весть новоявленного Христа, его задача: до конца проследить второй земной путь Иисуса.

Итак, Петр остался один.

С горечью посмотрев на лейтенанта, он показал паспорт, предусмотрительно захваченный с собой.

— Так, — сказал лейтенант. — Пройдемте!

— Вот те и Христос! — раздалось в толпе.

Петр хотел-таки, уходя, одним взглядом повалить истукана, но забывшая об осторожности толпа слишком близко подошла к памятнику.

— Прощайте! — сказал Петр людям. — Я еще вернусь.

Ему почудились чьи-то всхлипывания.

Боль сострадания переполнила его душу.


15


Лейтенант Хайфин, еще учась в школе милиции, много размышлял над психологией преступника. И пришел к выводу: каждый преступник, гордясь совершенными преступлениями, испытывает комплекс неудовлетворенности. Ему мало авторитета среди таких же, как он, ему мало хвастать перед женщинами на хазах и подростками, новобранцами преступного мира, на пересылках, ему втайне хочется говорить об этом открыто всем и каждому, в газете, по телевизору, — красуясь собой. Не имея такой возможности или боясь, преступник все равно стремится быть на виду: покупает заметный роскошный автомобиль, становится якобы коммерсантом и благотворителем и участвует в виде члена-учредителя какого-нибудь культурного конкурса скрипачей, сидя в президиуме, — или еще каким-то способом показывает себя, лишь бы о нем говорили и смотрели на него.

По этому признаку человек, вот уже второй день публично называющий себя Христом, вполне подходит под логику поведения скрытого преступника.

Хайфин стал проверять и тут же напал на след. Во-первых, в областном управлении милиции обнаружилась копия заявления гражданки Кудерьяновой об изнасиловании. (Маша в свое время забыла забрать это заявление из полынского горотдела, а горотдел в свою очередь забыл проинформировать областное управление о закрытии дела.) И хотя Петр Салабонов покрыл преступление, женившись на Марии Кудерьяновой (и подозрительно взяв ее фамилию), но заявление-то осталось — и неизвестно еще, чем пригрозил он ей! И Хайфин вызвал в Сарайск Машу, а заодно и мать Петра. Попутно он расследовал возможное участие Петра в убийстве главврача полынской больницы Кондомитинова. Убил, допустим, признанный невменяемым Петр Петрович Завалуев (близкий родственник подследственного!), но почему убийцу обнаружили в доме Салабонова-Кудерьянова?! Местная милиция этим вопросом халатно не заинтересовалась. Попутно Хайфин рассматривал возможность возбуждения уголовного дела по заявлению Фомина И. В. о нанесении ему ущерба здоровья доморощенным лекарем Ивановым (он же Салабонов, он же Кудерьянов). Фомин ведь тоже забыл забрать свое заявление, и оно пылилось, пока не раскопал его в архивах дотошный Хайфин. Таким образом, по совокупности получалось весьма приличное дело — и это Хайфину как нельзя кстати, он ведь занимается первым самостоятельным расследованием после окончания школы милиции.

Но ему было мало одних фактов.

У него и вторая теория имелась. Его всегда не устраивало, что преступника, пойманного на каком-то преступлении, за это преступление и судят. Ведь он, если не совсем маленький мальчик, наверняка имеет за собой груз преступлений более тяжких. То есть: поймали на воровстве — подозревай в ограблении, поймали на ограблении — подозревай в убийстве, поймали на убийстве — подозревай измену Родине, поймали на измене — подозревай в нем главаря международной мафии с сотней трупов на личном счету.

С такими выкладками, соображениями, документами и т. п. он, гордый, но строго-четкий, явился на доклад к начальнику майору Филатову.

Майор Филатов собирался на пенсию, и это дело могло стать для него последним. Поэтому он был настроен особенным образом: он заранее хотел отпустить Петра. Он надеялся, что ничего серьезного тут нет и быть не может.

К тому же он хотел снять давний грех с души: давно, лет пятнадцать назад, ему приходилось уже иметь дело с одним Христом. Судебно-медицинская экспертиза признала его вменяемым, поэтому, по законам того времени (Филатов уже не помнит — писаным или неписаным), виновному грозило уголовное преследование за антиобщественное, социально-опасное поведение, критику государственного строя, подразумевающую собой призывы к его свержению.

Тот Христос с того и начал на допросах, что попер на государственный строй, называл тогдашнего правителя Иродом, а милиционеров — наемниками. Оно по сути, может, так и есть, но уж очень оскорбительно. И Филатов засадил его: крепко и надолго, а потом узнал, что этого долгого срока Христос не отсидел, был убит в первую же неделю товарищами по неволе.

И вот, просмотрев бумаги и выслушав Хайфина, он вызвал на допрос Петра.

— Тут написано, — сказал он, тыча в документы и показывая этим свое отношение к ним, — что ты несовершеннолетнюю девушку изнасиловал.

— Правда, — сказал Петр.

— Какая ж правда, если она тебе жена? Это я так каждого за изнасилование посажу!

— Она не была женой!

— Но стала же! Идем дальше. Обвиняют, что ты, возможно, главарь группировки.

— Правда.

— Это как?

— Прельстил людей, назвав себя Христом, повел за собой.

— Ага. То есть на самом деле ты не считаешь, что ты Христос?

— Считаю.

— Ну, твое дело, — согласился майор Филатов. — Дальше. Соучастником в убийстве тебя представляют. Главврача вашей больницы будто бы убить помогал.

— Всякий, кто не препятствует, помогает. Все мы соучастники всего.

— Не сепети! Лично — убивал?

— Нет.

— Помогал?

— Да.

— Чем?!

— Кровосмесительной связью с его сестрой.

— Ничего не понимаю! Ладно, — не любя двусмысленностей, порешил Филатов. — И тут, значит, туфта. Дальше. Заявление некоего Фомина, что ты ему здоровье испортил.

— Испортил.

— Это как?

— Спровоцировал у него язву. А потом вылечил, — не удержал Петр неуместной последовательности мыслей и слов.

— Чем? — заинтересовался майор.

— Руками.

— Умеешь?

— Умею, — признался Петр.

— А от простатита? — с надеждой спросил Филатов.

— Попробую.

Петр стал лечить и не вылечил. Он сделал это нарочно. Дело в том, что ему хотелось в тюрьму. Ему не нравилось, что его держат отдельно в следственном изоляторе. Нет, среди людей, среди «овец заблудших» его место, там он найдет и апостолов себе, и учеников, там ждут его — а не в обыденности жизни, где человек еще не осознал своей преступности против людей, Бога и самого себя — поэтому и не радуется, когда его прощают.

Филатов огорчился, но тем не менее сказал:

— Вранье, оказывается. Значит, и остальное вранье. Шуруй-ка ты по месту жительства.

— Я преступник, — сказал Петр.

— Шуруй, шуруй!

В дверь постучали, Филатов разрешил.

Вошел с лицом надежды лейтенант Хайфин, ему не терпелось.

Петр догадался, что сделать: он схватил со стола графин и, обладая хорошей природной меткостью, развитой в десантных войсках, кинул его так, чтобы попасть не в голову Хайфина, а рядом, в стенку.

В камеру он вошел со светлой улыбкой.

— О! Какой Исусик явился! — воскликнул кто-то.

Узнали, подумал Петр.

— Статья? — требовательно спросили его.

Петр пожал плечами.

— Сто семнадцатая, — сказал некто предвкушающим голосом.

Наступила тишина.

Петр понял, что ждут его слов.

— Братья! — сказал он. — Я пришел, я пришел к вам, потому что больше, чем другим, нужен вам! Радуйтесь, братья, вы прощены Богом и мною!

— Тпппру! — остановил Петра коренастый мужчина, подымаясь с пола, где он лежал на чьих-то угодливых одеждах. И спросил присутствующих: — Псих?

— Косит! — уверенно ответили ему.

— Опускать будем?

— Будем!

— Сымай штаны, парень, — сказал коренастый. — Опускать тебя будем. Козлить. Лучше не брыкайся, хуже будет.

Петр не понимал.

И тут свора людей бросилась на него со всех сторон. Схватили, рвали одежду, чего-то хотели от него.

Петр не понимал.

И лишь когда его поставили в определенную позу — понял.

Терпи, приказал он себе. Это испытание. Терпи!

И уже почуял некое прикосновение, и тут не ум, не душа — другое что-то взбунтовалось и возмутилось, Петр встал и разбросал всех по углам легкими движениями, и если кто поувечился, то от тяжести собственных тел, упавших на твердое или острое.

— Стоять! — крикнул Петр им, собиравшимся опять броситься. А коренастому мужику, вынувшему что-то, похожее на шило, но без рукоятки, приказал: — Отдай!

Мужик, словно его толкали, приблизился и отдал заточку. Петр изломал ее на мелкие куски.

— Эх, братья! — сказал им всем Петр и заплакал.

И они тоже заплакали все.

— Начальник! — заорал вдруг коренастый мужик, колотя в дверь. — Убери его отсюда, не могу я с ним! Тяжко, начальник! Убери!

Петра перевели в другую камеру, где обитатели, получившие тюремным телеграфом сведения о нем, сторонились его, никто не разговаривал с ним и не желал его слушать.

Вдруг явился служитель.

— Там к тебе, — сказал он Петру. — Свиданку разрешили. Мать и жена.

— Вот моя мать, и жена, и братья! — указал Петр на сокамерников.

Послышалось короткое хихиканье.

— Твое дело, — сказал служитель.

В тот же день, вечером, Петра отвели к Филатову.

— Говори спасибо, — сказал он. — Еле упросил этого... — он не стал называть, — не подымать пыли. Значит, Христос?

— Христос.

— Чего ж чуда не сотворишь? Хоть маленькое какое-нибудь.

Петр посмотрел на графин — другой, но такой же.

— Э, не надо! Это чудо мы уже видели!

Майор хотел убрать графин, но тот не дался, отъехал от него по полированной поверхности стола. Майор потянулся за ним — графин скользнул в другую сторону.

— Ладно! — сказал раскрасневшийся и вспотевший майор Филатов, думая о том, что вот выйдет на пенсию — и обязательно займется физкультурой для здоровья и от простатита, очень уж стали сказываться годы сидячего административного труда. — Ладно, иди. Свободен!

— Я тут нужен, — сказал Петр.

— Проваливай!

Возвращаясь домой теплым вечером, майор Филатов радовался природе и что сделал доброе дело.

Мир огромен и загадочен, впервые подумалось ему. Вдруг этот дуболом и впрямь Христос? Тогда мне, глядишь, и зачтется на том свете. Каков он только, тот свет?

Он стал представлять, но вместо воображения в голову лезли по привычке одни слова и вопросы. Такой, например: если сказано «не убий», то прощается ли милиционерам, которым приходится убивать по долгу службы? И будет ли в раю милиция? С одной стороны: общая дружба. Но до какой поры? Бесы-то, прочел он недавно с изумлением, из ангелов получились! Вот и думай тут!

Майор Филатов засмеялся своим мыслям и, придя домой, долго с любовью и нежностью глядел на свою жену, а она не поняла и крикнула:

— Потерпеть не можешь? Привык — чтобы в одну секунду ему жрать подавали! Вовремя надо приходить!

16

Петр не мог смириться, он заболел мыслью, что его место в тюрьме, среди обездоленных. Но как попасть в тюрьму? Совершить преступление. Но в трезвом уме и здравой памяти он не мог совершить преступления.

Тогда он устроился грузчиком на один из рынков Сарайска, стал напиваться, чтобы по пьянке что-нибудь совершить.

Картинки, как пьет человек, скучны и однообразны, суть не в них, а в том, что Петр ничего не смог сделать: ни украсть, ни ограбить, ни избить кого-нибудь, должностные же бескровные преступления были ему недоступны за неимением должности.

Вдруг обнаружилось, что питье ему все интереснее: забираясь ночевать в кладовку с разрешения начальника, он пил, мечтал и представлял ту радость людей, которую не удалось ему вызвать наяву.

Одна печаль: пропала способность превращать воду в вино и пришлось тратить на вино заработанные грузчицким трудом деньги, пить при этом всякую некачественную гадость, да еще брать в долг под зарплату, Петру ведь требовалось много выпить, чтобы опьянеть. Правда, скоро его научили пить напитки, на которые не нужно особо тратиться: дешевый одеколон, технический спирт, перегонку ацетона и многое другое.

Как-то утром, страдая с похмелья, Петр понял: он уклоняется от долга.

Он не пил три дня, чтобы собраться с мыслями.

И когда собрался с мыслями, получилось вот что:

Я не образован, поэтому в меня не поверили. Христос, по Евангелию, с детства имел сильное образование и спорил со старцами.

Я плохо говорю, этому надо учиться.

И много еще.

И Петр решил пожить год под видом обычного человека, ему ведь лишь тридцать два, до Голгофы еще год. Надо подучиться, подготовиться, может быть, завербовать новых преданных апостолов.

Но для этого нужно, как минимум, жить в обустроенном спокойном быте.

Он пришел к Люсьен.

Она обрадовалась.

Он решил устроиться на тихую работу сторожем, но требовалась местная прописка. Он попросил Люсьен прописать его у себя, уверенный, что она не откажет.

— Вот ты куда метил! — воскликнула Люсьен. — А я думала... Ясно! Сперва пропишешься, а потом меня на все четыре стороны? Знал бы ты, чего мне стоила эта квартира! Нет уж, хрен тебе! Знаем мы таких Иисусов! Прочь, самозванец!

Петр пошел к Нине. Дома ее не оказалось, а в ресторане на ее месте была другая женщина. Выяснив, насколько можно доверять Петру, она сказала, что Нина лечится от вторичного алкоголизма, где — неизвестно.

Петр поехал к Лидии в ППО и увидел, что с Лидией живет Фарсиев, вдруг ушедший ради красоты Лидии от семьи.

Петр не стал претендовать, хотя Лидия смотрела на него.


Оставалось — в Полынск.

Он не хотел туда.

Не хотел оказаться вблизи от Екатерины, которую любил, но не мог себе позволить.

К тому же стыдно было перед матерью и Машей, которых он не принял в тюрьме.

Но ведь и Иисус, когда к нему пришли мать и братья...

Стоп!

А с чего я взял-то, что я Иисус! — ошарашила Петра страшная мысль.

Никто не поверил мне — не Иисус.

В тюрьме не вытерпел, не подставил себя — не Иисус.

Апостолов не удержал подле себя — не Иисус.

Кто же тогда?

Не просто же Петр Салабонов, потому что тогда... Потому что тогда вообще уж!

Кто он?

Антихрист, вот кто!

Вот откуда желание звать за собой!

Вот откуда гордыня!

И слава Богу, что никто не прельстился, люди оказались умнее, чем он думал, не поддались, не пошли за Лже-Христом!

Но значит, минутно обрадовался Петр, где-то появился настоящий Христос! Надо найти его, чтобы полюбоваться на него!

Ага! — поймал он себя тут же. Ты обманываешь не только других, но и сам себя, ты хочешь найти его — чтобы убить!


Так он шел, лихорадочно размышляя, и шел по темной улице Грабиловки.

И встретил грабиловских парней.

Они остановили его.

— Покажи паспорт, — сказал один из них, которого не раз задерживали и требовали предъявить паспорт, а он еще никого не задерживал и не требовал паспорта, и ему это было всегда обидно.

Петр дал паспорт.

— Подложный! — сказал парень и стал рвать его говоря: — А теперь признавайся, кто ты на самом деле!

Петр молчал.

Он уже не знал, кто он.

Он очень устал.

Но он понял, кем и за что посланы на него парни, и ему хотелось, чтобы все быстрей кончилось.

— Придется тебя допрашивать и пытать, чтобы ты сознался, — сказали парни.

Они были очень рады.

Недавно, взломав вагон, они обнаружили его набитым причудливыми предметами: какими-то фонарями, треногами, раскрашенными полотнищами, деревянными автоматами и пулеметами, военной формой времен войны, нашей и фашистской, эсэсовской. Вагон принадлежал съемочной группе, снимавшей кино про войну, но они об этом не догадались. Они взяли форму и оружие, наряжались, однако все это было без удовольствия, не по-настоящему, а вот теперь есть возможность использовать по-настоящему.

Они переоделись и повели Петра туда, где стоял остов обгоревшего вагона. Там они привязали его к металлическим железкам за руки и за ноги.

— Приступайт! — приказал один.

— Яволь! — ответили ему.

— Кто ви есть такой? — совали Петру в ребра палки и электроды для электросварки, которых в свое время накрали несколько ящиков, но не знали, куда применить.

Петр молчал, зная, что молчанием злит их.

— Отвечайт!

— Фрюштук абгебен!

— Нихт щиссен!

— Форвертс!

— Шпациренгеен ганген, гинг, геганген!

— Хайль Гитлер! — кричали подростки фразы из фильмов и из уроков немецкого языка в школе.

Петр молчал.

— Штандартенфюрер! — приказал главный из них.

— Яволь, герр оберст!

— Убивайт махен!

— Щас я его как ухерачу! — с готовностью поднял штандартенфюрер доску с большим гвоздем, собираясь ухерачить этим гвоздем прям в лоб пидарасу.

«Боже, Боже, на кого ты меня оставил!» — мысленно взмолился Петр, не смея произнести это вслух. Он уже не думал, Христос он, Антихрист или Петр Салабонов, он знал и тайно гордился: это искупление, это — за людей. Пусть даже за кого-то одного, кто мог попасться вместо него этим парням. Значит, не зря все, Господи, не зря!

— Штандартенфюрер! — остановил оберст.

— Яволь?

— Пришьем его, а че завтра делать?

Парни согласились. Они заткнули Петру рот кляпом, накрыли брезентом и оставили висеть до завтрашнего вечера.

Они приходили вечером другого дня и вечером третьего. Петр все не умирал.

Они не торопились.

Но на четвертый день решили уж не оставлять. Вперед вышел сам оберст, поднялся по приставленной лесенке, отрезал острым ножом Петру уши, выколол глаза, наблюдая, как вытекает жидкость. Потом стал вырезать и выламывать ребра, чтобы обнажить сердце и увидеть, как оно работает, он никогда этого не видел. Увидел и, не жадный, показал другим, каждый поднялся и увидел, любознательно удивляясь. Оберст опять поднялся и стал вводить нож в сердце, глядя, как оно затрепыхалось, заколотилось, задергалось. Он надавил — остановилось, повисло, съежилось.

— Атас! — вдруг закричал один из парней.

Это была облава: давно уж готовили ее, чтобы с поличным схватить молодежную грабиловскую воровскую группу.

Но никого не нашли, а вместо воровства обнаружили другое.

Ужаснулись.

Тело Петра увезли в городской морг, а в областной газете появилась заметка с подробностями о зверском убийстве неизвестного человека (сообщались приметы), распятого и растерзанного на остове сожженного вагона.

В тот же день в Сарайске появилась Екатерина и проникла в морг, ища тело Петра. И не обнаружила его.

Никто не смог сказать ей, куда делся Петр.

Вознесся, подумала она и уехала домой, и стала ждать возвращения Петра.


Узнав об этом, и другие ждут Петра: и мать его, Мария, и жена Маша, и Нина-буфетчица, опять вылечившаяся от алкоголизма и опять заболевшая им, и Лидия из ППО, расставшаяся с Фарсиевым, который начал бить ее, и Люсьен-модельерша, ушедшая в женский монастырь, и атлет интеллекта Вадим Никодимов, который копит деньги на пистолет, чтобы застрелиться, потому что не признает других способов самоубийства, и отец Сергий, и дьякон Диомид, вернувшиеся к служению, прощенные епархиальным управлением с помощью Якова и Ивана, и Кислейка-Егор, и Василий Ельдигеев, шофер, и шурин его, тоже Василий, который тоже решил выучиться на шофера, и Анатолий, вор, и Илья, пьяница, и Никита, рыбак, и Аркадий, киномеханик, и Сергей Обратнев, руководитель среднего звена, и Андрей, учитель, жалеющий, что его не осенила мысль стать Христом, и директор школы Фомин с сестрой, и майор Филатов, занявшийся оздоровительным бегом, и тот коренастый мужик с заточкой, бросавшийся на Петра, который вышел из тюрьмы, чтобы стать честным токарем на заводе электровакуумных аккумуляторов, но кореша не позволили ему этого сделать и убили его.

А оставшиеся в живых плохо спят по ночам, плачут.

Выходят на улицу, глядят в ночь.

И такая тоска, такая тоска на сердце!

Ждут.

1993

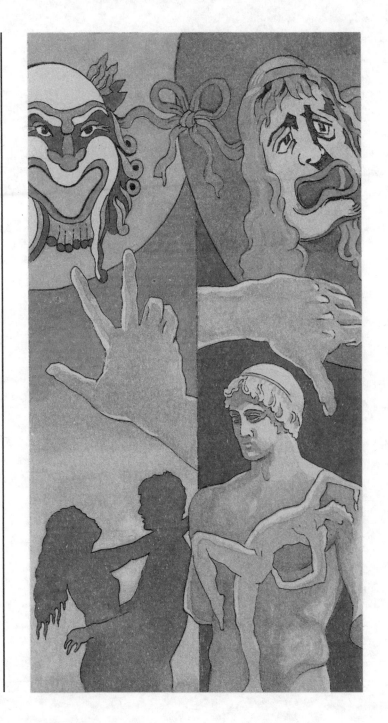

Пьеса № 27

Действующие лица:

ОН          МУЖ
ОНА         ЖЕНА
ДРУГ        ЖЕНА-2

# ОТ АВТОРА

*1. Пьеса написана с таким расчетом, что текст ее должен прозвучать дважды — сначала в беглом чтении актерами с листа, затем — обычным театральным порядком.*

*2. Это не формальный трюк, а попытка показать, как стереотипный сюжет (цепочка адюльтеров) может превратиться на глазах зрителей в драму, комедию, мелодраму, фарс и т.п.*

*3. В пьесе свободно существуют смысловые знаки препинания, герои по ходу пытаются то так, то этак переставить их в поисках свободы, любви, иногда просто ради перемены знака. Поэтому рабочее название пьесы «КАЗНИТЬ НЕЛЬЗЯ ПОМИЛОВАТЬ».*

## 1

О н а.  Как ты ко мне относишься?

О н.  Хорошо.

О н а.  Не любишь, я знаю. Но — как относишься?

О н.  Очень хорошо.

О н а.  Уже месяц... А я ничего о тебе не знаю.

О н.  Мои бутерброды падают всегда маслом вниз. Даже если они без масла.

О н а.  Ты к чему?

О н.  Рассказываю о себе. Ты же интересуешься.

О н а.  Что еще?

О н.  Меня воспитывала бабушка. Ей нельзя было сладкого: сахарный диабет. А я ло́жил ей сахар в чай. А она не замечала. Восемь ложек на стакан — а она не замечает. Ну, пила, пила сладкий чай — и померла. И некому стало запрещать мне вешать кошек на деревьях.

О н а.  Ты не хочешь говорить со мной серьезно?

О н.  Это как?

*Пауза.*

О н а.  Я тебе нужна?

О н.  Да.

О н а.  Надолго?

*Пауза.*

309

Ты умен?

О н. Да.

О н а. Талантлив?

О н. Да.

О н а. Любишь искусство?

О н. Нет.

О н а. Любишь женщин?

О н. Да.

О н а. Любишь жизнь?

О н. Да.

О н а. Любишь жизнь?

О н. Нет.

О н а. Женщины — тоже жизнь.

*Пауза.*

У тебя есть друзья?

О н. Нет.

О н а. У тебя же много друзей.

О н. Да.

О н а. Значит, у тебя есть друзья.

О н. Нет.

О н а. Они тебе — друзья?

О н. Да.

О н а. И ты им — друг?

О н. Нет.

О н а. Ты любишь опасность?

О н. Да.

О н а. Поэтому ты ввязываешься во всякие истории?

О н. Нет.

О н а. Но ты же ввязываешься! Почему?

*Пауза.*

Ты мечтаешь о славе?

О н. Нет. Да.

О н а. Да?

О н. Да.

О н а. Ты любил кого-нибудь?

О н. Да.

*Пауза.*

Нет.

*Пауза.*

Да.

*Пауза.*

О н а. Это было давно?

О н. Да.
О н а. Она стала твоей женой?
О н. Нет.
О н а. А жену ты любишь?
О н. Нет.
О н а. Почему же не уйдешь от нее?

*Пауза.*

Ты любишь музыку?
О н. Да.
О н а. Ты много пьешь?
О н. Да.
О н а. От тоски?

*Пауза.*

За этот месяц у тебя кто-то еще был?
О н. Да.
О н а. Ты маньяк?
О н. Нет.
О н а. Темперамент?
О н. Нет.
О н а. Самоутверждение?
О н. Нет.
О н а. Я лучше их?
О н. Нет.
О н а. Но чем-то лучше?
О н. Да.
О н а. А кто была лучше всех? Та, первая?

*Пауза.*

О н. Мне понравилось. Да или нет. Да или нет. Интересно. Ты любишь мужа? Да или нет?
О н а. Ненавижу.
О н. Да или нет!
О н а. Да.
О н. А меня?
О н а. Нет.
О н. Нет?
О н а. Нет.
О н. Нет?
О н а. Ну — да.
О н. Ты любишь жизнь?
О н а. Нет.
О н. Любишь музыку?
О н а. Нет.
О н. Я умен?
О н а. Нет.

О н. Талантлив?
О н а. Нет.
О н. Красив?
О н а. Нет.
О н. На улице лето?
О н а. Нет.
О н. Зима?
О н а. Нет.
О н. Весна?
О н а. Нет!
О н. Осень?
О н а. Нет!!
О н. Ты хочешь уйти?
О н а. Да.
О н. Ты — хочешь уйти?
О н а. Нет.
О н. Ты хочешь уйти от мужа?
О н а. Да.
О н. Хочешь уйти ко мне?
О н а. Нет.
О н. Хочешь уйти из жизни?
О н а. Да. Нет. Нет. Я ненавижу тебя.
О н. Да или нет! Хочешь — поженимся?
О н а. Нет!
О н. Я серьезно.
О н а. Нет.
О н. Мы нужны друг другу.
О н а. Нет.
О н. Я тебе не нужен?
О н а. Нет.
О н. Не нужен?
О н а. Нет.
О н. Не нужен?
О н а. Нет.
О н. Да.
О н а. Нет.
О н. Да!
О н а. Нет!

*Пауза. Появляется Д р у г.*

О н. Это мой друг. Познакомить?
О н а. Нет.
О н. Ты заигралась. Познакомить?
О н а. Да, конечно.
О н. Это мой друг. Знакомьтесь.
О н а. Я знакомлюсь с вами.
Д р у г. Очень приятно.

О н а. Вы женаты?
Д р у г. Да.
О н а. Любите свою жену?
Д р у г. Да.
О н. Врет.
Д р у г. Нет.
О н а. Любите?
Д р у г. Люблю.
О н. Врет.
Д р у г. Не вру.
О н. Да врешь!
Д р у г. Не вру, сказал же.
О н а. Любите своих детей?
Д р у г. Да. Сына.
О н а. Любите свою работу?
Д р у г. Да.
О н. Врет.
Д р у г. Люблю свою работу. Очень. Она мне нравится. Я люблю свою
работу.
О н а. Любите жизнь?
Д р у г. Скорее да, чем нет.
О н а. Приятно встретить жизнелюба.
Д р у г. Я не жизнелюб.
О н а. Но ведь любите жизнь?
Д р у г. Да.
О н а. Это разные вещи?
Д р у г. Да, конечно.
О н а. Вы тоже умный?
Д р у г. А кто еще?
О н а. И тоже талантливый?
Д р у г. А кто еще-то?
О н а. Мечтаете о славе?
Д р у г. Нет.
О н. Врет.
Д р у г. Не вру.
О н а. Вы изменяли жене?
Д р у г. Нет.
О н а. Ни разу?
Д р у г. Ни разу.
О н. Врет.
Д р у г. Не вру.
О н а. А почему?

*Друг смеется.*

Вы любите своего друга?
Д р у г. Да.
О н а. А он вас?

Д р у г. Нет.

О н а. Но он ваш друг?

Д р у г. Да.

О н а. А вы — его друг?

Д р у г. Да.

О н а. Вы — друзья?

Д р у г. Нет.

О н. Он прав. Мы не друзья. Но мы дружим.

О н а. Вы оба психи.

О н. Это вопрос?

О н а. Это ответ.

О н. А кто спрашивает?

О н а. Мне надоело. Пусть спрашивает он.

Д р у г. А зачем?

О н а. Это интересно. Я отвечу на любой вопрос. Понимаете? На любой!

Д р у г. Вы любите кино?

О н а. На любой вопрос!

Д р у г. Я и спрашиваю.

О н а. Не понимаю. В кино, что ли, хотите пригласить?

Д р у г. Да. Вас обоих. Очень интересное кино.

О н а. Нет. Одна — пойду. Или с вами. ( *Идет к выходу.*) Или мы уже на «ты»?

Д р у г. Не знаю.

О н. На «ты», на «ты»! Вперед!

Д р у г. Неудобно...

О н. Что неудобно?

О н а. Я жду!

Д р у г. Ты идешь?

О н. Нет.

Д р у г. Интересное кино.

О н. Я вижу. Не опоздай к началу. Это самое главное. Иначе потом ничего не поймешь.

Д р у г. Я тут ни при чем.

О н а. Я долго буду ждать?

Д р у г. Я иду. Ты идешь?

О н. Нет.

Д р у г. Зря.

*Пауза.*

О н а. Ну?

*Затемнение*

2

О н а. Интересное кино я видела...

М у ж. Ребенка уложила?

О н а. Да. Интересное кино.

М у ж. Хочу тоже пораньше лечь. Завтра рано надо.

О н а. Такое интересное кино.

М у ж. По телевизору? Во сколько?

О н а. В кино я видела интересное кино. В кинотеатре.

М у ж. Сто лет не был в кино. И не пойду. Такое дерьмо показывают.

О н а. Я была сегодня в кино.

М у ж. Дерьмо какое-нибудь?

О н а. Я на дерьмо не хожу.

М у ж. Но пошла же.

О н а. Это было хорошее кино. И я не одна пошла.

М у ж. Я на шесть будильник ставлю.

О н а. Я с мужчиной была в кино.

М у ж. Сослуживец?

О н а. Нет.

М у ж. Бывший одноклассник?

О н а. Нет. Ты любишь свою работу?

М у ж. Ты с ума сошла?

О н а. Ты любишь родину?

М у ж. Ясно. Чокнулась. Давай ложиться.

О н а. Ты меня любишь?

М у ж. Нет.

О н а. Хочешь спать?

М у ж. До смерти.

О н а. Ты другую любишь?

М у ж. Да.

О н а. Она моложе меня?

М у ж. Да. На тридцать четыре с половиной года.

О н а. У меня кто-то есть, как ты думаешь?

М у ж. В каком смысле?

О н а. В обычном.

М у ж. А что, есть?

О н а. Есть.

*Пауза.*

М у ж. Спала с ним?

О н а. Мог бы спросить грубее.

М у ж. Спала с ним?

О н а. Да.

М у ж. Один раз?

О н а. Нет.

М у ж. Больше? Два?

О н а. Нет.

М у ж. Три?

О н а. Нет.

М у ж. Пять?

О н а. Нет.
М у ж. Четыре?
О н а. Нет.
М у ж. Шесть?
О н а. Нет.
М у ж. Семь?
О н а. Нет.
М у ж. Сколько?

*Пауза.*

Восемь?
О н а. Нет.
М у ж. Девять?
О н а. Нет.
М у ж. Десять?
О н а. Нет.
М у ж. Одиннадцать?
О н а. Нет.
М у ж. Больше? Меньше? Сколько?
О н а. Я не считала.

*Пауза.*

М у ж. Давно?
О н а. Да.
М у ж. Год?
О н а. Нет.
М у ж. Больше?
О н а. Нет.
М у ж. Полгода?
О н а. Нет.
М у ж. Месяц?
О н а. Да.
М у ж. Хочешь уйти к нему?
О н а. Нет.
М у ж. Он женат?
О н а. Да.
М у ж. Поэтому не можешь уйти?
О н а. Нет.
М у ж. А почему?

*Пауза.*

Хочешь уйти от меня?
О н а. Да.
М у ж. Уйдешь от меня?
О н а. Да. Нет.
М у ж. Да или нет?
О н а. Не сейчас.
М у ж. Сейчас.

О н а. Нет.
М у ж. Сейчас, ясно тебе?
О н а. Ладно.

*Пауза.*

М у ж. Ударить тебя?
О н а. Как хочешь.
М у ж. Он моложе меня?
О н а. Нет.
М у ж. Старше?
О н а. Неважно. Нет.
М у ж. Больше зарабатывает?
О н а. Нет.
М у ж. Умнее?
О н а. Нет.
М у ж. Лучше как мужчина?
О н а. Нет.

*Пауза.*

М у ж. Что еще спросить?
О н а. Не знаю.
М у ж. Я лучше убью тебя.

*Пауза.*

Или его.

*Пауза.*

Или обоих вместе.

*Пауза.*

Стели постель.
О н а. Я одна во всем виновата.
М у ж. Стели постель, милая моя. Я хочу спать.

*Затемнение*

3

О н а. Что дальше?
Д р у г. А что?
О н а. Я нужна тебе?
Д р у г. Конечно.
О н а. А жена?

*Пауза.*

Ты мог бы ради меня бросить жену?

Ты мог бы ради меня бросить жену?
Д р у г. Не знаю.

*Пауза.*

Мог бы.
О н а. Бросишь?
Д р у г. Нет.
О н а. А если я скажу: брось ее?

*Пауза.*

Ты мне не веришь?
Д р у г. Нет.
О н а. Почему?
Д р у г. Ты знаешь.
О н а. Я не знаю. Почему?

*Пауза.*

Ты думаешь, я хочу поссорить тебя с твоим другом?

*Пауза.*

Он чудовище, а не человек. Мне не с кем было сравнить. Теперь есть с кем. Мне ты нужен. Мне с тобой хорошо. Спасибо ему за то, что он нас познакомил.
Д р у г. Надо поблагодарить его лично.
О н а. Хоть сегодня. Хоть сейчас. Пошли к нему?
Д р у г. Прямо сейчас?
О н а. Почему бы и нет?
Д р у г. В самом деле. Он бывал здесь?
О н а. Редко. Кажется, всего один раз.

*Появляется М у ж.*

М у ж. Добрый вечер.
О н а. Сейчас утро.
М у ж. Доброе утро.
О н а. Вернее, уже день.
М у ж. Добрый день. Это — он?
О н а. В каком смысле?
М у ж. Только не надо про смыслы. Смысл всегда один.
О н а. Какой? Ну какой?
М у ж. Помолчи.
О н а. Я молчу. Я слушаю. Говори. Ну, говори.

*Пауза.*

Д р у г. Извините, конечно... Я люблю вашу жену.
О н а. Тебя не просят говорить.

318

М у ж. Человеку хочется сказать.

Д р у г. Да вы не беспокойтесь. Она меня не любит.

М у ж. Да? Что ж она, просто так?

О н а. Я его люблю. Он просто все хочет взять на себя. Надо все прямо.

*Пауза.*

М у ж. Терпеть не могу всякие сцены.

Д р у г. Я тоже.

М у ж. Зачем тогда? Зачем мучать друг друга?

О н а. Кто кого мучает?

М у ж. Ты — меня. И он — меня. И жену. Жена знает?

Д р у г. Нет.

М у ж. Ясно.

Д р у г. Я скажу ей. Я как раз собирался сказать.

О н а. Вовсе необязательно.

М у ж. Я собрался уехать.

О н а. Куда?

М у ж. На полгода. Предложили выгодную работу. Временно. На полгода.

О н а. Где? Что за работа?

М у ж. Можете пока пожить здесь. А там видно будет.

О н а. Куда ты собрался, ты можешь объяснить?

М у ж. Зачем?

О н а. Я просто спрашиваю.

М у ж. Да ерунда все...

О н а. Ты из-за меня?

М у ж. Предложили работу, я же сказал. Выгодную.

О н а. Я не хочу никаких жертв. Я сама могу уехать. Зачем, если я все равно уезжаю.

Д р у г. Она этого не хочет.

О н а. Почему же? Не надо за меня говорить. Мой муж — благородный человек. Спасибо. Даже не ожидала. Огромное спасибо.

М у ж. Не за что, бог мой. Устраивайтесь.

*Уходит. Пауза.*

О н а. Я давно так не была счастлива. Свободна. И с тобой. Боже, как я счастлива.

Д р у г. Я — еще больше, чем ты.

О н а. Больше невозможно. Как я люблю тебя, с ума сойти.

*Затемнение*


4


Д р у г. Настроение какое-то...

*Пауза.*

Настроение какое-то...

*Пауза.*


319

Настроение какое-то...

*Пауза.*

Ни о чем не хочешь спросить?
Ж е н а. Да.
Д р у г. Ну?

*Пауза.*

Ну, что же ты?
Ж е н а. Ты что-то спросил?
Д р у г. Это ты хочешь что-то спросить.
Ж е н а. Да. Кажется. Забыла.
Д р у г. Я отвечу на любой твой вопрос. Понимаешь? Любой твой вопрос — и я отвечу...
Ж е н а. Это хорошо. Это — взаимопонимание.
Д р у г. Ты не поняла?
Ж е н а. Я поняла. Ты можешь ответить на любой вопрос.
Д р у г. Ну? Спрашивай.
Ж е н а. Зачем? Ты же все равно ответишь. Какой интерес? Вот если бы ты отвечал, отвечал, а потом бы не ответил. А так — какой интерес?
Д р у г. Ты не поняла. Я отвечу на любой твой вопрос. Отвечу честно. Самый страшный вопрос.
Ж е н а. Что такое страшный вопрос? Ты убил кого-нибудь?
Д р у г. Нет. Спрашивай еще.
Ж е н а. Остальные вопросы не страшные.

*Пауза.*

Д р у г. Я полюбил другую женщину.

*Пауза.*

Я ухожу к ней.
Ж е н а. Нет.
Д р у г. Что — нет?
Ж е н а. Ты не уходишь. Ты стоишь здесь и говоришь.
Д р у г. Я должен же сказать, что ухожу.
Ж е н а. Ты сказал. Уходи.
Д р у г. Я должен объяснить.
Ж е н а. Ты объяснил. Ты ее любишь. Что еще?
Д р у г. Ты несерьезно к этому относишься. Тебе все равно?
Ж е н а. Не все ли равно, все равно мне или не все равно?
Д р у г. Мы столько прожили вместе.
Ж е н а. Теперь это не считается. Три года, пять лет, сорок пять, сто — теперь это не в счет.
Д р у г. Разве? Мы не должны расставаться с обидой. Мы все-таки культурные люди. Надо по-человечески.
Ж е н а. Так оно и есть. Ты предупредил, все честно. Ты объяснил. Что еще?

Д р у г. Как ты к этому относишься, я не пойму?

Ж е н а. Ну, плохо.

Д р у г. Иначе я не могу, ты пойми.

Ж е н а. Я понимаю.

Д р у г. У меня просто нет выбора.

Ж е н а. Я понимаю.

Д р у г. На моем месте ты поступила бы так же.

Ж е н а. Конечно.

Д р у г. Я не ожидал этого. Это было неожиданно.

Ж е н а. Я понимаю.

Д р у г. Я продолжаю к тебе относиться... Слушай, мне кажется, ты меня даже не слушаешь.

Ж е н а. Мне больно, обидно и так далее. Что еще?

Д р у г. Я не хотел сделать тебе больно, ты пойми.

Ж е н а. Я понимаю.

Д р у г. Тебе наплевать на это?

Ж е н а. Что ты хочешь услышать?

Д р у г. Что скажешь.

Ж е н а. А если ничего не скажу?

*Пауза.*

Д р у г. Почему?

*Пауза.*

Я подумал... Только сейчас мне стало ясно....

Ж е н а. Что тебе стало ясно?

Д р у г. Пожалуй, ни к чему этот разговор.

Ж е н а. Что тебе стало ясно?

Д р у г. Может, мне еще раньше стало ясно. Поэтому я и искал... То есть не искал...

Ж е н а. А как?

Д р у г. Я уже сказал: все получилось неожиданно. Ты меня не слушаешь. Не слышишь. Это часто у тебя: ты не слышишь просто.

Ж е н а ( *загибает палец* ). Раз!

Д р у г. Что?

Ж е н а. Первый мой грех: я тебя не слышу. Что еще?

Д р у г. При чем тут грех? Я просто...

*Пауза.*

Ж е н а. Что я должна сказать или сделать. Подскажи.

Д р у г. Ничего не нужно. Но пойми... Мне необходимо проверить себя. Я же не могу это сделать теоретически.

Ж е н а. Конечно, нет. Нужно практически. Лицом к лицу. Телом к телу. Конечно, а как же еще?

Д р у г. Ты напрасно. Это выше.

Ж е н а. На небесах. Высоко. Но учти — ты не вернешься. Даже если захочешь.

Д р у г. Что я, в командировку, что ли? Хотя всякое может быть. Возможно, я ошибаюсь.

Ж е н а. И что?

*Пауза.*

Д р у г. Ты не умеешь прощать, я знаю.

Ж е н а. Ты просишь прощения?

Д р у г. За что?

Ж е н а. При чем тогда — не умеешь прощать?

Д р у г. Я вообще.

Ж е н а. Что вообще?

Д р у г. Ты меня не понимаешь.

Ж е н а (*загибает второй палец*). Два!

Д р у г. Зачем ты так?

Ж е н а. Я тебя не слышу, я тебя не понимаю. Раз и два. Три — будет?

Д р у г. Ты издеваешься надо мной. Ты привыкла видеть меня ручным. Ты не веришь, что со мной такое может быть?

Ж е н а. Привыкла видеть тебя ручным — три! Не верю, что с тобой такое может быть — четыре! Издеваюсь над тобой — пять! Дальше некуда. Можешь уходить со спокойной совестью. Как ты вообще жил с такой гадиной?

Д р у г. Я вовсе не подсчитываю твои недостатки. Если хочешь знать, у тебя их нет. Если хочешь знать, ты вообще лучшая женщина на свете. Я серьезно говорю. Она — хуже. Но таков парадокс. Тайна души. Ничего нельзя поделать.

Ж е н а. Ты уйдешь или нет?

Д р у г. Я тебе противен. Я давно это стал замечать.

Ж е н а. Вот именно. Я не могу тебя видеть.

Д р у г. Почему?

Ж е н а. Этого не объяснишь. Тайна души.

Д р у г. А раньше?

Ж е н а. Терпела.

Д р у г. Терпеть нельзя. От этого с ума сходят.

Ж е н а. Что делать. Женщины вообще терпеливы.

Д р у г. Тогда прости за все. Я раньше должен был понять. Извини.

Ж е н а. «Ты найдешь лучшего, чем я».

Д р у г. Кто? Кого?

Ж е н а. Я найду. Это я за тебя говорю. Ты должен сказать мне: «Ты найдешь лучшего, чем я». Но ты не говоришь. Я сама за тебя сказала. Спасибо, я уверена, что найду.

Д р у г. Или уже нашла?

Ж е н а. Возможно.

Д р у г. Кто он?

Ж е н а. Тебе не все равно?

Д р у г. Мне просто интересно. Мы все-таки не чужие люди пока.

Ж е н а. Теперь чужие.

Д р у г. Разве нельзя сохранить человеческие отношения?

Ж е н а. Можно. На расстоянии.

Д р у г. Разве я на что-то претендую?

Ж е н а. Вот и слава богу.

Д р у г. Ты, конечно, шутишь, что кто-то у тебя... Твое дело.

Ж е н а. Проваливай. Козел безрогий. Сучок засохший. Уродище. Башмак плешивый.

Д р у г. Пока не плешивый. Между прочим, у моего отца тоже стали рано выпадать волосы. Но он — замечательный человек. Как легко ты умеешь оскорбить человека ни за что ни про что.

Ж е н а. Шесть! Ну, это уж слишком. Ты про запас, что ли, набираешь? Все. Уматывай отсюда.

Д р у г. Не кричи, пожалуйста. У тебя некрасивое лицо, когда ты кричишь. Сейчас я тебе могу сказать об этом, а когда меня не будет, кто тебе скажет? Ты должна научиться сама контролировать себя.

Ж е н а. Черт бы тебя побрал, ты исчезнешь или нет?

*Пауза. Он выходит. Возвращается.*

Что еще? Что?! Ну?!

*Он выходит.*

*Она ждет: сейчас опять вернется.*

*Не вернулся...*

*Затемнение*

## 5

О н а. Боже мой... Даже не верится, правда?

*Пауза.*

Как бывало трудно, когда на людях... Иногда хотелось обнять тебя при всех, поцеловать. А нельзя. А сейчас — в любой момент. Пусть ты в пяти шагах, но ты — рядом. В любой момент.

Д р у г. Пять твоих шагов? Или моих?

О н а. Твоих. Моих шесть.

Д р у г. Моих четыре.

О н а. Пять, никак не меньше.

Д р у г. Можно проверить.

*Шагает.*

Раз. Два. Три. Четыре!

О н а. Не считается, не считается! Слишком широкие шаги! Сядь на место, теперь я буду считать. Раз. Два. Три. Четыре. Пять. Шесть!

Д р у г. Слишком мелкие шаги, не считается! Заново!

*Она отходит.*

О н а. Нет. Давай приближаться друг к другу не считая шагов. Медленно. Очень медленно.

*Сближаются.*

Очень медленно...

**Д р у г.** Очень медленно. Я умру от счастья.

**О н а.** Очень медленно... Очень...

*Почти соприкасаются.*

Очень медленно... Не спеши... Не закрывай глаза!

**Д р у г.** Я непроизвольно.

**О н а.** Мне нравится смотреть, как у тебя меняются глаза. Не спеши...

*Появляется Он.*

**О н.** Играете во что-то?

**Д р у г.** Вроде того. Детство вспомнили. В больницу играем.

*Пауза.*

**О н.** Я тоже хочу вспомнить детство. Или юность. Но в больницу играть не хочу. Давайте в бутылочку. (*Другу.*) Или ты не разрешишь?

**Д р у г.** Глупый вопрос.

**О н.** Ты человек широких взглядов, я знаю. Играем?

**О н а.** Бутылочки нет.

**О н.** Я принес.

**Д р у г.** Надо сперва выпить. Иначе она будет плохо крутиться.

**О н.** Выпьем!

*Открывает, наливает. Выпивают быстро, стакан за стаканом. Он садится на пол, приглашая жестом Ее и Друга. Игра в бутылочку. Поцелуи. Смех.*

**Д р у г.** Сейчас вот как возьму! Как взревную! Уголовная хроника: пьяный муж...

**О н а.** Любовник.

**О н.** Хорошее слово — «любовник». Но в уголовных хрониках это называется — «сожитель».

**Д р у г.** Пусть так. Сожитель? Пусть так! Пьяный сожитель убил друга из-за ревности. Бутылкой. Сейчас я тебя убью бутылкой.

**О н.** Кишка тонка.

**Д р у г.** А если?

**О н.** Кишка тонка. У тебя всегда была кишка — тонка.

**Д р у г.** Ты знаешь меня не всю жизнь.

**О н.** Я знаю тебя наизусть вдоль и поперек. Тебя можно узнать за один час.

**Д р у г.** Ты заблуждаешься. Впрочем, о чем можно говорить с алкашом? Ты же алкаш. Ты пьян уже.

**О н а.** Он трезвый.

**О н.** Я трезв, как стекло. Как стекло этой бутылки, которую ты так робко держишь в своих тонких робких руках.

**Д р у г.** Если ты трезв, то должен отвечать за свои слова.

**О н.** А я готов.

**Д р у г.** Ты получишь в морду.

О н. Ну нет! Ты тоже должен отвечать за свои слова. Ты обещал ударить меня бутылкой. Не в морду дать, не по щеке ладошкой, а бутылкой — по башке!

Д р у г. Ты меня совсем не знаешь. Я ведь ударю. Иди ко мне.

О н. Пожалуйста. (*Подставляет голову.*)

Д р у г. Я ударю не шутя, ты понял?

О н. Только не в висок. И ударь так, чтобы бутылка разбилась. Если, конечно, сил хватит.

Д р у г. Хватит. Но боюсь, у тебя слишком мягкая голова. Как подушка. О подушку ведь бутылку не разобьешь.

О н а. Вам еще не надоело?

О н. Нерешительность твоего тона свидетельствует о твоем нетерпеливом желании увидеть развязку данной драматической ситуации. Действуй, друг. Голова у меня крепкая. Сплошная кость. Монолит.

Д р у г. Глаза-то закрой.

О н. А я не боюсь.

Д р у г. Не поэтому. Чтобы осколки в глаза не попали.

О н. Это — логично.

*Закрывает глаза.*
*Затемнение*
*Звук удара, вскрик.*

6

*Он и его жена ( Ж е н а - 2 ). Он собирает вещи.*

Ж е н а - 2. Ты ничего не хочешь сказать?

О н. Я не играю в эти игры.

Ж е н а - 2. Самое смешное, что через неделю тебе надоест. Я тебя знаю. Ты ни с кем не сможешь жить. Только со мной.

О н. Ну и не волнуйся тогда.

Ж е н а - 2. А кто волнуется?

О н. А разве нет?

Ж е н а - 2. Я даже в это не верю. Ты, наверно, хочешь куда-нибудь съездить. Развеяться. Может, с какой-нибудь девчонкой. Но для тебя это слишком... Ну, просто, что ли. Тебе надо все красиво обставить. А то вдруг к тебе отнесутся не всерьез!

О н. Мне все равно, как ты к этому отнесешься.

Ж е н а - 2. Но ты ведь представляешь на моем месте другую. Или даже самого себя. Ты играешь сам для себя. Ты все делаешь для кого-то воображаемого.

О н. Тебе умной быть не идет, дура.

*Пауза.*

Ж е н а - 2. Я отравлюсь.

О н. На здоровье.

325

**Жена - 2.** Ты не веришь?

**Он.** Верю.

**Жена - 2.** Я не смогу без тебя жить.

**Он.** Сможешь.

**Жена - 2.** Я знала, что ты жестокий человек... Но чтобы так...

*Пауза.*

Я не смогу без тебя.

**Он.** Я уже слышал.

**Жена - 2.** И ты без меня не сможешь.

*Пауза.*

Тебе туда не хочется. Я вижу.

**Он.** Дура.

**Жена - 2.** Ты не умеешь любить. Ты никого не любишь.

**Он.** Я ее люблю. Страстно и пламенно.

**Жена - 2.** Она блядь.

**Он.** Меня это восхищает. Я буду угощать ею своих друзей. Я не жаден. Чем больше у нее будет мужчин, тем больше я буду ее любить.

**Жена - 2.** Врешь. Все ты врешь. Зачем?

**Он.** Я не могу без нее жить.

**Жена - 2.** Врешь... Какой ты человек... Страшный человек.

**Он.** Слышал уже.

**Жена - 2.** Я еще тысячу раз скажу.

**Он.** А я не пойму. Я же страшный человек. Непонятливый. Мне сто раз говорят — а я не понимаю. Вот какой страшный.

**Жена - 2.** Из-за малейшей прихоти ты можешь убить человека. Даже меня. Да, да. Я поняла.

**Он.** Это не прихоть. А убить, точно, могу.

**Жена - 2.** Ну, убей. Ты же бил меня, теперь убей.

**Он.** Тебе нравилось.

**Жена - 2.** Я не такая психопатка, как ты.

**Он.** Тебе нравилось.

**Жена - 2.** Ты знаешь только себя. И все люди тебе кажутся такими, как ты. Я — не такая. Ты уходишь не от меня, а от той, кого ты придумал. И уходишь не к ней, а к той, кого ты придумал.

**Он.** Красиво говоришь. Просто заслушаться можно.

**Жена - 2.** Я не смогу жить без тебя.

**Он.** Не живи без меня. Живи с другим. Мало ли.

**Жена - 2.** Таких, как ты, нет. Я тебе этого никогда не говорила, ты ведь подлец, а после этих слов стал бы совсем подлец. Но теперь мне нечего терять, ты уходишь. Уходи, ладно. Но эти слова я скажу. Знаю, что незачем, а скажу. Я не хочу их говорить по ночам самой себе.

**Он.** Я пошел.

**Жена - 2.** Нет, стой. Слушай. Таких, как ты, нет. Я люблю тебя. Я обожаю тебя. Я люблю тебя, как Бога. Со всем тем дерьмом, которое в тебе есть. Я обожаю тебя, господин мой и повелитель, я никого не буду так любить, и...

О н. Все. Поток иссяк, и унылые евреи не успели омыть в нем свои усталые члены после сорока лет скитаний. Чао, крошка!

*Затемнение*

7

Ж е н а. Ты мог убить его.

Д р у г. Вполне.

Ж е н а. Тебе повезло.

Д р у г. Ему повезло.

Ж е н а. Вам обоим повезло.

Д р у г. Я не мог видеть, как они на моих глазах... Не знал, что она такая... Впрочем, знал...

*Пауза.*

Ты не думай, я не каяться пришел.

Ж е н а. Я и не думаю. Он не собирается тебе мстить или в суд подать?

Д р у г. Слишком гордый.

Ж е н а. Снаружи они все гордые, а внутри — мелочь, дешевка. Точно не подаст в суд?

Д р у г. Нет.

Ж е н а. Значит, все обошлось?

Д р у г. Да.

Ж е н а. Ну и слава Богу.

*Пауза.*

Ты, конечно, думал, что я буду просить тебя остаться?

Д р у г. Нет. Ты вправе не прощать.

Ж е н а. Что значит — вправе? Вправе или не вправе — это без разницы. Прошу или не прошу, вот вопрос. А вправе или не вправе — это без разницы.

Д р у г. Я просто так зашел. Что, нельзя?

Ж е н а. Можно.

Д р у г. У меня просто больше никого нет. Я зашел к тебе как к другу.

Ж е н а. Друзей угощают. Хочешь есть?

Д р у г. Вообще-то да.

Ж е н а. А у меня сегодня... Тогда проходи. Не на порог же тебе еду выносить?

*Затемнение*

8

О н а. Боже мой... Даже не верится, правда?

*Пауза.*

Как было трудно, когда на людях... Иногда хотелось обнять тебя, расцеловать при всех. А нельзя. А сейчас — в любой момент. Пусть ты — в пяти шагах, но ты рядом. В любой момент.

*Пауза.*

Ты все время молчишь.

О н. Это моя особенность.

О н а. Так нельзя. Ты все время молчишь.

О н. Я молчаливый.

О н а. Но нельзя же совсем ничего не говорить.

О н. Я говорю, когда хочется.

О н а. Сейчас тебе не хочется говорить?

О н. Нет.

О н а. Почему?

*Пауза.*

Я до сих пор не знаю, как ты ко мне относишься. Любишь — знаю. Но — как относишься?

О н. Очень хорошо.

О н а. Я ничего о тебе не знаю.

О н. Мои бутерброды падают всегда маслом вниз. Даже если они без масла.

О н а. Ты это уже говорил. Скажи что-нибудь новенькое.

О н. Новенького не припас.

О н а. Вообще не припас? Или для меня?

О н. Я не припас для тебя вообще.

О н а. Ты издеваешься надо мной. Тебе это нравится?

О н. Тебе кажется.

О н а. Люблю только я. Во всем мире, на всем свете — я одна. Вас это страшно раздражает. Вы завидуете.

О н. Лично я счастлив до смерти.

О н а. Тогда почему ты молчишь?

О н. Сейчас я без умолку говорю. Разве нет?

О н а. Все бессмысленно. Все — зря.

О н. На этом и остановимся.

О н а. Ты согласен? Что все зря?

О н. Вполне.

О н а. Тогда зачем?... Я тебе нужна?

О н. Да.

О н а. Ты научился врать.

*Пауза.*

Ты научился врать.

О н. Всегда умел.

О н а. Что произошло? Ты хочешь уйти?

*Пауза.*

Не молчи, пожалуйста.

328

О н. Я говорю.

О н а. Ты отвечаешь на вопросы.

О н. А вопросов-то и нет. Задай вопрос.

О н а. Уже задала.

О н. Какой?

О н а. Ты помнишь.

О н. Вопросов было много.

О н а. Самый важный.

О н. Откуда я знаю, какой для тебя самый важный?

О н а. Ты знаешь. Ответь на него.

О н. Какой?

*Пауза.*

О н а. Ты хочешь уйти?

О н. Да.

*Пауза.*

О н а. Что произошло?

О н. Ничего.

О н а. Тогда зачем все было?

О н. А что? Успокойся. Я тебя люблю. Я никуда не собираюсь.

О н а. Ты научился врать.

О н. Что я соврал?

О н а. Только что ты говорил одно, а теперь другое. Чему верить?

О н. На выбор.

О н а. Я так не хочу. Что произошло, ответь мне.

О н. Я не понимаю вопроса. Задай четкий вопрос.

О н а. Я уже задала.

О н. Какой?

*Пауза.*

*Затемнение*

9

Ж е н а. Я так соскучилась.

Д р у г. Я тоже.

Ж е н а. Я знала, что ты вернешься.

Д р у г. Я и не уходил.

Ж е н а. Да, ты прав. Ничего не было.

10

О н а. Я так соскучилась...

М у ж. Я тоже.

**О н а.** Я знала, что ты вернешься.

**М у ж.** Я и не уходил.

**О н а.** Да, ты прав. Ничего не было.

## 11

**Ж е н а - 2.** Я так соскучилась...

**О н.** Я тоже.

**Ж е н а - 2.** Я знала, что ты вернешься.

**О н.** Я и не уходил.

**Ж е н а - 2.** Да, ты прав. Ничего не было.

*Повести*

# ТАЛИЙ

## 1

Наступила осень.

Стало холодно.

Воскресным утром жена сказала мужу:

— Давай разведемся.

Он фыркнул в чашку с чаем и ответил:

— Давай!

И продолжал пить чай — не спеша, ожидая, что она еще что-нибудь скажет. Но она ничего больше не сказала. Он даже начал прихлебывать, прихлюпывая, — чего она не любила, делала ему замечания, и он давно уж привык не вытягивать губы, с шумом всасывая горячую жидкость (а чай любил именно горячий, почти кипяток), как делали и отец его, и мать, и все другие родственники, которых он знал и помнил. Он давно уже привык отпивать бесшумными крохотными глоточками, хотя это и не стало привычкой безотчетной, естественной. Нет, это была привычка осознаваемая и контролируемая, и, приступая к чаепитию, он всегда вспоминал, что нужно пить, а не прихлебывать. И даже когда он находился не дома, с женой, а в другом месте среди других людей и пил там чай, даже когда случалось пить его вообще в одиночестве, он неизменно, поднимая чашку, вспоминал, что нужно пить, а не прихлебывать — и если не соблюдать эту привычку постоянно, пусть и не дома, пусть даже в одиночестве, то она не закрепится и, того и гляди, забудешься, ошибешься. Впрочем, время от времени, увлеченный какими-либо размышлениями, он все-таки забывался. Но, надо отдать должное жене, не всегда она тут же одергивала его. Как правило, он спохватывался сам, улыбался жене с ироническим самоосуждением: вот, дескать, как волка ни корми, а он всё... И она тоже улыбалась, успокаивая его своей улыбкой: да пустяки! Только если он совсем уж задумается («остекленеет», по выражению жены) и начнет вдруг хлебать торопливо — чтоб скорей допить и без помех додумывать свои мысли, — тогда она могла не выдержать и сказать с укоризной: «Талий!»

Итак, он начал прихлебывать — и дохлебал до самого дна, но замечания не дождался. Тогда он пошел на балкон курить, а жена осталась на кухне со своими обыденными делами.

Едва выйдя на балкон, он вернулся на кухню — мысленно. Он вдруг стал вспоминать, что звучало по радио в то время, когда она произнесла эти слова. И звучало ли вообще радио? Ему почему-то казалось это принципиально важным. Если радио не звучало — это значит... Это — ничего не значит. А если звучало, то нужно вспомнить: что именно. Информация ли, музыка ли, песня ли.

Но почему это так важно вспомнить? А потому, что слова жены могли быть вызваны, спровоцированы тем, что она услышала. Строка из песни. Мелодия. Сообщение какое-нибудь. Ведь так бывает, он знает это по себе: что-то неожиданно произносится именно под влиянием какого-то внешнего толчка, стимула, повода. Может, вовсе даже и не то, что ты собирался сказать. Может, иногда даже и то, чего ты без этого повода и толчка никогда бы не сказал! Или то, что подсознательно давно сказать хотел, но — поскольку подсознательное оно и есть подсознательное — сам не знал об этом. И не только сказать, а и — подумать вдруг о чем-то неожиданном, решиться на что-то, прийти к необычайной мысли... Вот пример из характернейших, связанный, кстати, с музыкой, с песней. Три года назад он спешил, он встречал жену, возвращавшуюся из другого города, он поймал машину, сел — а в машине звучало радио, звучала старая-престарая песня, которую он и не любил-то никогда. «Под крышей дома моего» называлась эта старинная песня. Но сошлось: скорость машины, бесшумное, стремительное и легкое ее скольжение по пустынной летней рассветной улице, его радость, что сейчас он увидит жену, предвкушение ее радости, когда она увидит его, приятный задушевный голос певца, сама дорога, продолжение которой представляется где-то за городом, где — вот хорошо бы! — ждал бы их именно дом, под именно крышей которого они через некоторое время оказались бы, а потом вышли бы в сад, это совсем не то, что взбираться на седьмой этаж (лифт в их доме с одиннадцати вечера до семи утра не работает), входить в типовую квартиру. И ему подумалось с ощущением *всеисполнимости*: хорошо бы купить в какой-нибудь пригородной деревушке дом! И он преподнес это встреченной жене — как обдуманную идею, как трезвый и реальный жизненный план — и счастлив был, что она отнеслась к этому серьезно, хотя выразилось это в ее любимых, неопределенных вроде бы словах: «А что... Может быть...» Но он видел по ее лицу, что — *очень* может быть и *надо*, чтобы было, и с тех пор они стали целепредназначенно откладывать деньги и говорить о будущем доме — не слишком часто, чтобы не замусолить тему, чтобы не приелось. И — чтобы это не стало слишком горячим желанием, ибо исполнение слишком горячих желаний всегда почему-то вместо полного счастья приносит ощущение какой-то потерянности и растерянности, пугающей пустоты, тупиковой завершенности...

Вот и сейчас. Может, по радио была какая-нибудь песенка со словами... — ну, например: «Прощай, под белым небом января никто нам чего-то там не вернет...», счастья, кажется, — тоже песня из старых, их часто сейчас гоняют по радио и телевизору. «Никто нам счастья не вернет», — вроде так. И вот она — немного печальная, с ней это бывает по утрам, — она слышит эту песню, и вдруг ей кажется, что... И она неожиданно говорит...

Но он так и не вспомнил, звучало ли радио. Зато вспомнил, что, выходя из кухни, посмотрел на часы. Настенные часы с маятником, сроду он на них не смотрел — а уж в воскресный-то день тем более: зачем ему знать время в воскресный день? И часы, надо сказать, гадкие, чей-то подарок, кустарно-промышленная работа: домик, похожий формой на скворечник, склеенный из желтых фанерных дощечек, покрытый грубым мебельным лаком, часы с фальшивой кукушкой: на жестянке нарисована дверца и птичья голова (настолько мало похожая на кукушечью и вообще птичью, что хочется, как на детских рисунках, внизу подписать: «Птица кукушка»). Если б не подарок, выбросить бы их. Они спешат в сутки на десять минут, и ему приходится то и дело переставлять стрелки. Раньше он пытался добиться точности специальным рычажком. Двигал его в сторону «минус» — часы начинали на десять минут отставать. Тогда он — совсем чуть-чуть — двигал рычажок в сторону «плюс». Они немедленно — в течение суток — начинали на десять минут спешить. Как ни бился, не сумел он найти такого положения рычажка, чтобы разница с точным временем была хотя бы в одну-две минуты. Десять сзади или десять впереди и шабаш! — меньшего зазора часы признавать не желали. Пусть уж лучше спешат, в этом даже некоторое удобство: собираешься на работу, поторапливаешься, поглядывая на них, и, лишь выходя из дома, посмотришь на часы наручные — и с приятностью убедишься, что времени меньше, чем казалось. Это всегда приятно: будто кто-то подарил тебе несколько лишних минут (которые, конечно, лишними не бывают).

Он посмотрел на часы — значит, хотел зафиксировать время? Половина десятого утра. А если он зафиксировал время, следовательно, отнесся к словам жены вполне серьезно?! Он запомнил их для будущего одиночества? — уже смирившись и представляя, как будет вспоминать, что она — месяц назад, два месяца, полгода, год, два года назад — именно в девять тридцать утра, в половине десятого, сказала эти последние решающие слова.

Но этого же не может быть! Он не отнесся к этим словам серьезно, иначе он не стоял бы тут, попыхивая сигареткой, а ... — что? Лежал бы там, внизу, — разбившийся? Остался бы в кухне — взъерошенный, спрашивающий, вызывающий на продолжение разговора и т.п.?

Ничего этого он не сделал, он стоит и попыхивает сигареткой, значит, еще все впереди, вся жизнь впереди, прежняя счастливая жизнь.

Но он другой, ведь он уже другой! Ведь всегда, каждое утро, выходя на балкон покурить, он любил внимательно посмотреть на длинный цилиндрик сигаретки, повертеть его в пальцах, а потом четко щелкнуть зажигалкой, внимательно осмотрев и ее — с благодарностью за цвет и изящество (он покупает только красивые зажигалки; одна из немногих его прихотей) — итак, он любил посмотреть на сигарету и зажигалку, поднести ровный огонек, вдохнуть первый утренний сытный дым, — а сегодня не сделал этого.

Потому что думал уже о другом. То есть не то чтобы думал ясно и определенно, а тяжесть какая-то ощущалась — ну, скажем, в душе. Сам порог двери на балкон стал порогом от ДО к ПОСЛЕ. Он курил здесь каждое утро ДО. А сейчас вышел покурить уже ПОСЛЕ. А сможет дымить вообще где угодно — в комнате (и даже лежа в постели!), в ванной, на кухне... Впрочем, он и сам, будучи курящим, не любит находиться в прокуренном помещении.

С ума я, что ли, схожу, удивился он. Еще и не вынесен приговор, а ты его уже сам себе подписал. Еще и заголовка нет. Мало ли что сказано. Это так... Это — недоразумение.

Так — примерно — он уговаривал себя.

Но сама напористость, сама энергия этого сопротивления нехорошим мыслям, испугала его: раз он так энергично сопротивляется, значит — вольно или невольно — уже принял все всерьез!

И тогда он перестал петлять и хитрить, а взялся мыслить сосредоточенно: словно перед ним математическая задача, которую следует решить.

Тут бы самое время представить героя нашей житейской истории, потому что гораздо интересней (если уместно здесь это слово) следить за ходом мыслей конкретного человека, имеющего имя, отчество и фамилию, социальное происхождение и положение, профессию, возраст, внешний вид и т.п., чем кого-то безымянного и безликого. Но это требует места и времени, а вихрь потока сознания героя в это время пронесется, унесется — и останемся мы на пустыре в полном ведении относительно профессии и внешнего вида, но в полном неведении относительно содержания вихря, который в данном случае важнее. Ограничимся поэтому пока только тем, что назовем имя героя и его возраст. Имя: Талий, домашнее от Виталий. Виталий Петрович Белов. (А жена — Таша или Талия, домашнее от Наташа, Наталия). Возраст — сорок один год. (А Наташе — двадцать девять, скоро — 11 декабря — тридцать будет). Ну, ладно, еще — о профессии. Он — старший научный сотрудник краеведческого музея. (Она — актриса театра юного зрителя.) Сыну шесть лет. И Талий, и Наталия состоят в первом браке.

«И в последнем!» — врывается вдруг (вырывается) из вихря голос Талия. И еще быстрее взвинчивается этот вихрь, и, кажется, различить в нем ничего невозможно, — но Талий каким-то образом различает, и если попробовать расшифровать его мысли, то будет это подобно переводу на язык слов такой тайнописи, где закорючкой, мыслительным — условно говоря — иероглифом обозначается не слово и даже не предложение или абзац, а цельное исследование — и придется поэтому в расшифровке даже кое-что сократить для ясности.

2

Она сказала : «Давай разведемся», думал Талий. При этом не назвала меня по имени. Что это может означать? Отчужденность? Обезличенность? Хорошо это или плохо? Имелся ли в виду он, муж, Талий, Виталий, или в обезличенной этой форме скрыто разочарование браком как таковым и слова обращены к Мужу вообще — некоему, общему? Первый вариант безнадежен для него, но есть надежда, что она видит иное будущее с кем-то иным. Второй же безнадежен и для него, и для нее — и тут возникает щемящее чувство жалости к ней.

Но почему он считает, что она сказала это вполне осознанно? Он вот — ответил ей шутливо. Может — и она?

Но ей такие шутки не свойственны.

Что же это тогда?

Надо глубже проникнуть в слова. И не только в сказанные, но и в те, что не сказаны.

Она не сказала: «я хочу развестись с тобой» или «я развожусь (разведусь) с тобой», «я ухожу от тебя», «нам нужно развестись», «мы не можем жить вместе», «мы должны развестись», — и еще сотни, а то и тысячи вариантов возможны! — она отказалась от них.

Она выбрала: «Давай разведемся». То есть это — предложение? Но любое предложение предполагает два возможных ответа: положительный и отрицательный. Оно предполагает обоюдное и взаимное участие, соучастие сторон. «Я разведусь с тобой» — при подобной формуле участие второго человека отрицается. Что хочешь делай, что хочешь говори, все решено безвозвратно — разведусь! А здесь подразумевается обсуждение, здесь видна нерешенность и нерешительность, — все более бодрился Талий. Может, это вообще скрытая просьба? — укрепить, помочь преодолеть внезапно возникшие сомнения!

Талий ободрился еще больше, когда стал обдумывать отдельно второе слово этой фразы. «Разведемся». Не «разойдемся» (как могут разойтись враги или соперники, чтобы не довести дело до смертельной схватки), не «расстанемся» (слово красивое, но в красоте своей безнадежно-беспощадное, — это, кстати, одно из свойств любой красоты), не «разбежимся» (что означало бы отношение ко всему пустяковое, почти юмористическое, сугубо бытовое; это словцо — коммунальное, кухонное, с публично демонстрируемой удалью: дескать, не в первый и не в последний раз!), нет, «разведемся» при всей его официальной сухости — наиболее милосердное и обнадеживающее слово. Разведемся — то есть исполним официальный обряд, в паспортах поставят новые штампы или как-то зачеркнут старые — Талий не знает этих тонкостей. Разведемся — может, для того, чтобы почувствовать освобожденность от неких гражданских уз (то есть это Наташа, возможно, затосковала об этом чувстве освобожденности, мне-то оно ни к чему, думал Талий, то есть и мне не помешает, но я и без того свободен внутренне!). Человеку, знал Талий, часто ведь нужна возможность выбора больше, чем действительная реализация права выбора. В общем, как в старой побасенке о коренном москвиче, который хвалит свой город за театры и музеи, а когда его уличают в том, что он двадцать лет ни в одном театре и музее не был, с полным основанием отвечает: «А захочу — и хоть сейчас пойду!» Наверное, Таше понадобилось просто-напросто вот это: «А захочу и — !» В любой момент, ибо никакие препоны в виде штампованных бумажек не удерживают. Но захочет ли? — это вопрос совершенно другой, а то и сразу третий!

Талий чуть даже не улыбнулся: настолько складно все получалось. Он физически чувствовал, как легче становится на сердце — а вихрь, поднявшийся было, уже и не вихрь, какой же это вихрь, нет, это широкое и плавное течение потока реки мысли, которая сама выносит на видное место белые паруса озарений, без всякого уже усилия со стороны Талия.

Итак, слова Наташи — обнадеживают. Но важно ведь и то, как сказано! Нельзя ведь забывать и то, что она актриса. А в театре, как известно, то есть на сцене, говорится одно, думается второе, а делается третье. Талий некстати вспомнил (или, наоборот, кстати) рассказы Таши о театре — давние, в первые дни их знакомства. Она знала, как и все, конечно, актеры, множество театральных анекдотов и баек — и тех реальных историй, которые похожи на анекдоты и байки. С абсолютной серьезностью она уверяла его, что всякий раз, когда актеры изображают массовку в каком-нибудь масштабном спектакле, то они вполголоса бубнят: «Что говорить, когда нечего говорить? Что говорить, когда нечего говорить! Что говорить, когда нечего говорить...»  В зависимости от содержания пьесы, этот ропот должен иметь оттенок приветственный, одобрительный, гневный, возмущенный — и т.п. Талий очень смеялся, Таше это приятно было, и, чтобы окончательно его развеселить, она рассказала — уж наверняка анекдот — о статисте, которого наняли на один вечер изображать толпу. Статист, естественно, спрашивает, молчать ли ему или говорить что-то. Ему, естественно, отвечают, что говорить он ничего не должен, кроме фразы *что говорить, когда нечего говорить*. И он, старательный бедняга, вылетает на сцену и начинает громко орать: «Что! Говорить! Когда нечего! Говорить!»

Итак, нельзя забывать, что она актриса, но важно помнить и то, что никакого актерства в ней нет, когда она не на сцене (да и на сцене нет — если понимать актерство как лицедейство). Она всегда была достаточно уверена в себе (и достаточно талантлива, и достаточно умна), чтобы не намекать каждому встречному и поперечному в каждом удобном и неудобном случае: смотрите, какие у меня жесты, слушайте, как я говорю, спросите же, наконец, откуда это, уж не актриса ли я, и я скромно отвечу: да, актриса. Нет, она всегда была обычной (насколько это возможно при ее красоте и оригинальности — уточнил мысленно Талий), простой, — так сказать, без явных профессиональных признаков, — как, впрочем, и все те актеры, ее коллеги и друзья, которых Талий узнал — не мог не узнать за восемь без малого лет совместной жизни с Ташей. Люди как люди. Поэтому то, *как* она сказала, следует оценивать без всяких поправок на актерство. А сказала она это удивительно ровным голосом и удивительно как-то мимоходно.

И что это означает?

Будем плясать опять-таки не от того, как сказано, а от того, как не сказано, решил Талий.

Да, не забыть и про время! Считается, что утреннее время — для обдуманных решений и взвешенных слов. Вечером человек не такой, как утром. А уж актер, актриса — тем более. Многолетняя привычка помимо воли актеров (настоящих) вырабатывает у них к вечеру какой-то активный гормон творчества — не просто адреналин примитивный или какой-то там тестостерон, а что-то, был убежден Талий, науке еще не известное. Он не мог без восторга (именно так!), смотреть на Талию перед спектаклем: глаза сверкают, дыхание горячее, милая рассеянность, раздраженность, устремленность тела и души... Вечером же поздним, после спектакля, — вялость, усталость, разбитость. Утром, когда он уходит на работу, она спит, в выходные же свои дни он видит долгое пробуждение, некоторую хмурость, легкую ворчливость... Да, утро вечера мудренее, но эта поговорка старинными людьми была сочинена, свежими, соблюдающими природный режим. Для Таши самое «мудреное» время — ближе к полудню и после него. Время репетиций или домашних занятий с текстом роли, или просто домашнее время — отдых. Если бы она сказала свои слова вечером, можно было бы заподозрить порыв, усиленный обычным взвихрением души и нервов.

Решимость, помноженная на решимость. Это было бы очень серьезно, опасно. Но самое серьезное и опасное, обнадеживал себя Талий, было бы, если б она сказала это днем, в период самого своего трезвого и разумного существования. Утром же — и это объективно, а не потому, что я так хочу, убеждал он себя, — у нее может вырваться что угодно. Может закапризничать, может устроить небольшой уютный скандальчик, она может просто быть не в настроении — и Талий в эти часы мучается, стараясь держаться от нее подальше, зная, что никаких утешительных разговоров она в эти моменты не терпит.

Тем самым, итожил Талий (и это не первый уже был обнадеживающий итог!) — и само время произнесения слов говорит в пользу того, что...

Впрочем, дальше, дальше!

Он знает ее характер. Она бесстрашна. Она смело говорит то, что думает — из-за этого ее не все в театре любят. Обычное дело. Талий до сих пор помнит, как на банкете по поводу сдачи спектакля, устроенном в театральном закулисье, в репетиционной комнате с роялем, на разномастных стульях, в том числе бутафорских, на каких-то столах, накрытых афишами, с водкой и нехитрой закуской в виде колбасы, хлеба и огурцов, Ташу поздравляли все, у нее это была первая главная роль, поздравляли коллеги, поздравляла художница — из приглашенных, москвичка, курящая тетка, опьяневшая через пять минут после начала банкета (или до этого бывшая уже под хмелем), поздравлял главный режиссер театра, милейший старичок, имевший театральную домашнюю кличку Карасик, удивительнейшим образом умудрившийся в свои семьдесят шесть лет не иметь ни малейшего признака маразма (свойства, по мнению Талия, режиссерам просто еще и профессионально присущего), поздравлял и лез целоваться седогривый заслуженный артист, до шестидесяти лет игравший героев-любовников и обаятельных злодеев, поздравлял и творец спектакля, режиссер-москвич, тоже, как и художница, приглашенный на постановку, не из знаменитых, но уже с именем, да к тому же относительно молодой, то есть, конечно, фанаберистый во всем, он и в поздравлении обнаружил эту фанаберистость, сказав (Талий помнит дословно): «Мне повезло, Наташечка, встретить такое сокровище. Но, скажу без ложной скромности, повезло и вам. Почему? (Все это — с паузами, с похмыкиванием, с обведением присутствующих лукавым и беспредельно обаятельным взором.) Потому что для нормального режиссера молодая красивая талантливая актриса — это благодать. Но если она еще и умная — это уже ураган, это ужас и кошмар, это страшнее атомной войны, ни один нормальный режиссер не любит работать с умными актерами и актрисами! Все-то они знают, все-то понимают, пьесу лучше режиссера видят! Вы, может, и книжки читаете? Будьте поглупее, Наташечка, другой режиссер — не я, а нормальный, вам вашего ума не простит!» Актерская братия сомнительные эти комплименты встретила ржанием — может, не совсем в них разобравшись, поскольку уже выпито было достаточно, а может, именно разобравшись и по естественной невинной подлости актерской натуры порадовавшись, что товарища маленько потоптали: а не заносись, не заносись! Талий, едва сел режиссер, твердо решил, что дождется окончания банкета и поговорит с ним в темном месте, он спросит его, что тот имел в виду. Правда, Талий не был уверен, что даст ему возможность ответить — до того нестерпимо хотелось без экивоков въехать кулаком по режиссерскому самодовольному рылу. Но этого не потребовалось. Наташа улыбнулась ему, Талию, мгновенно, как всегда, угадав его настроение — и мгновенно погасив улыбкой его пыл, выждала паузу и сказала режиссеру: «Вам повезло больше, чем мне. Да, я девушка умная. Прямо-таки страшно умная. И всегда вижу, насколько умен режиссер, и стараюсь ему соответствовать, чтобы не уязвить его самолюбие. Чтобы соответствовать вам, я работала в половину ума. Или даже в четверть. Но все равно — спасибо!» Ржанье актеров на этот раз было громовым: как ни рады они потоптать друг друга, но объединиться для совместного топтания режиссера — дело святое, клановое!

Смеяться-то смеялись, а потом припомнили с ехидством: надо же, какой гонор у девочки! Припомнили — и помнили, и всем режиссерам из своих регулярно напоминали, а из пришлых — рассказывали заново. И так получилось, что та роль осталась у Таши пока единственной главной — за все годы в этом театре. Да и спектакль тот давно сошел, потому что, несмотря на банкетные радости, несмотря на авангардное оригинальничанье столичных режиссера и художницы, публика к спектаклю отнеслась прохладно. Что самое обидное — не только публика случайная, но и театральная, прикормленная, своя... Впрочем, сошел он, скорее всего, из-за отсутствия Наташи: она сына ждала, рожала, кормила. И никто заменить ее достойно не смог...

Итак, она бесстрашна. Для нее было бы естественней сесть перед Талием за стол, сказать ему твердо (заставив первыми звуками своего голоса глядеть ей в глаза — и не отводя своих глаз):

— Виталий. Нам нужно развестись.

И это было бы — все.

Она же сказала — стоя у мойки, чистя сковородку или еще что-то, сказала, не обернувшись (Талий и сам в это время не смотрел на нее, но ему ли не суметь определить по голосу, даже не видя, смотрит она на него или нет!), сказала в какой-то своей паузе. Терла сковородку, оттерла, подставила под струю воды, убрала прядь волос, подняв для этого руку необыкновенным высоким движением (потому что кисть руки — во влаге воды), вздохнула неслышно — и сказала...

Господи! — осветило Талия. — Господи, да не дурак ли я! Ведь это всего лишь... Это всего лишь — ничего! Это лишь начало, продолжение которого само подразумевается, поэтому она и не стала продолжать. Вся фраза должна была выглядеть так: «Давай разведемся. Мне осточертели эти сковородки и кастрюли по утрам, я хочу в лес, хочу в поле, на море, за границу, наконец, мне надоело быть бедной! Найду себе богатого мужика, в конце-то концов!» Как же он забыл, что подобные вещи ею уже произносились (правда, без предложения развестись). Обычные разговоры в семье, в которой не предвидится особого материального благополучия. Где-то такие разговоры доходят до склок, до взаимной даже неприязни и ненависти, но у нее — слишком умна и горда! — это всегда с иронией.

А может быть, осенило его еще ярче, она вообще учит роль! Просто-напросто учит роль — или повторяет. Она человек очень добросовестный, перед каждым спектаклем, как бы мало реплик ни было у нее, как бы ни надеялась на память, обязательно повторит текст, проговаривая вполголоса за себя и за партнера. Какая-нибудь псевдопсихологическая комедия из зарубежной жизни, сейчас такие в ходу, они дают кассу.

«Давай разведемся, Ричард!»

«Прекрасно, Джулия! Это отвечает моим сокровенным мечтам!»

«Ты согласен?»

«Конечно! Я сам хотел предложить тебе это!»

«Ах так? Значит, ты не любишь меня?»

«Конечно нет — если хочу развестись!»

«Подлец! Ты обманывал меня!»

«Погоди, милая! Но ведь и ты не любишь меня, если хочешь развестись!»

«Развод — это одно, а любовь — совсем другое!»

«Гм...»

Публика в восторге.

Дурак я, дурак, с яростным наслаждением, почти вслух, думал Талий, вкручивая окурок в пустую консервную банку, служащую пепельницей. Дурак — и...

И тут он испугался.

Он вспомнил свой ответ.

«Давай», — сказал он.

Само собой, в шутку сказал. И ему это ясно, и ей ясно. Но Талий на то и историк по образованию, по профессии, по сути, чтобы понимать, какую страшную роль играют иногда слова, сказанные мимоходом.

Предположим, она собиралась начать шутливо-сердитую речь о постылой бедности. Но он прервал ее. Он вдруг ответил согласием. Шутливым, это ясно, это понятно, это несомненно, но ум женский, во-первых, недоверчив, во-вторых, — изощренно-вариативен.

А если он всерьез ответил? — могла подумать Наташа, которой до этого даже и мысль об этой мысли не пришла бы в голову.

И тут же — со скоростью цепной реакции — у нее начал выстраиваться воображаемый ряд последствий. Они в самом деле разводятся. Он остается в этой двухкомнатной квартирке, доставшейся ему от родителей, упокой Бог их души, в этом окраинном районе, от которого до театра добираться почти час. Она же возвращается к своим живым-здоровым, вполне обеспеченным родителям (поэтому и жалобы-то на лихую бедность не вполне обоснованны: папа и мама помогают), в просторную квартиру в центре, отпадет необходимость отвозить к ним сына на выходные, а часто — на неделю, на две: мама не работает, и возиться с внуком ей по хлопотливости характера одно удовольствие. Она может его оставить даже и на год, бросить этот чертов театр и этот чертов город — и уехать в Москву, где она не может не устроиться! — и знакомые есть, и одна из бывших сокурсниц, лучшая подруга в годы учебы, — там, и вообще — пока еще молодость и красота, пока еще...

Пока еще театральный сезон только в начале, думал Талий уже вполне практически — за Наташу. И пока еще сын не ходит в школу. Школа начнется в следующем году, начнутся новые хлопоты — и всё, и навсегда останется она здесь! Именно сейчас — последний шанс. Привезти видеозапись того спектакля, где она играла главную роль. Показаться — с чем? Необыкновенно ясно увидел мысленно Талий, как Таша стоит в огромной пустой комнате, она стоит как на экзамене, но не молоденькой девушкой, у которой от результата экзамена не вся еще жизнь зависит, а взрослой женщиной — с характером, умом и гордостью, она стоит как на экзамене, а скучающий главный режиссер театра, пресыщенный актерскими дарованьями, смотрит не без одобрения на красивую фигуру и красивое лицо провинциалки, оценивая это в смыслах совсем не театральных, и говорит: «Что покажем?» Она показывает, она читает монолог из спектакля, она читает стихи, она читает басню, она волнуется все больше и ждет, когда же он, наконец, остановит ее — ведь ясно же все, видно же все! А он, скотина, не останавливает, он наслаждается ее муками и только бормочет полусонно: «Неплохо. Еще что-нибудь.» «Я думаю, достаточно!» — говорит она — и вдруг все волнение пропадает, она чувствует себя уставшей, отупевшей, ей все равно. Она хочет одного: вернуться к подруге, у которой остановилась, собрать вещи — и домой, домой! Главреж, человек чуткий, вернее, *чующий*, просыпается. «С одной стороны, — говорит он, — мне такая актриса нужна. Даже очень. Но, во-первых, штаты. Ни одной свободной вакансии. У нас эти вопросы директор решает. Положим, я докажу ему, что лучше выгоню двух бездарных дур (он повышает голос, показывая, как гневят его бездарность и глупость, как мешают они его искусству!), но суть в том, что одна из них племянница самого этого директора, а вторая — жена нашего ведущего народного и прочая, не буду называть имени. И это — ваш возраст, ваше амплуа. Директор спросит: куда нам третью? Экономически, сволочь, он прав, но творчески... Но что-то можно придумать. Надо придумать. Вы где живете?» «У подруги», — говорит Таша. «Это неудобно! Страшно неудобно! Знаете, у нас пристройку сделали при театре, актеры живут, гостевые комнаты есть, устраивайтесь. Мы вот что попробуем: мы вечером с вами поговорим об одной пьесе. А потом я попробую убедить этого идиота, что вы идеально подходите — на роль, пока на роль, о долгосрочном контракте не будем говорить, чтобы его не пугать. Главное — зацепиться, понимаете?» «Понимаю»,— говорит Таша — и чувствует, что будь у нее гарантия остаться в этом театре, то, хрен с ним, дала б она этому плешивому гаду (думает Талий совсем ее словами, — она иногда резковато выражается), согрешила бы, черт с ним, — даже и греха не чувствуя, поскольку с иными и грех не грех, а как манной кашки в рот положить немощному... Тут же она сама ужасается (надеется Талий) своим мыслям и, чтобы разом покончить дело, говорит: «Вы хотите, чтобы я переспала с вами? Я согласна, но при вашем твердом слове — желательно даже письменном (чтобы я могла вас шантажировать), что вы возьмете меня в театр. Ведь это вы решаете, а никакой не директор, думаете, я такая дура, что все о вашем театре не разведала: кто что и что почем?» Главреж, наученный профессией не терять лица ни при каких обстоятельствах, добродушно смеется: «Милочка, я ценю вашу самоотверженность, но я имел в виду то, что имел в виду. Не больше». И все посмеивается, но она видит вдруг в глазах его сумеречную больную тоску. Что ж я делаю? — возможно, думает он. Или я не понимаю, кто передо мной? Или я на кого-то так смотрел последние пятнадцать лет, любовался так же кем-то — как этой женщиной? Ради нее стоит и жену свою вторую — к черту, и, если понадобится, театр этот паршивый — к черту, в ней, может, вся моя оставшаяся жизнь и все мое оставшееся творчество! В ней возвращение молодости, в ней... Но — жизнь менять, привычки менять... Было уже, было... «Ну-с, есть еще вопросы?» — спрашивает главреж. «Ни одного»,— говорит Таша и уходит.

Но, как знать, почему обязательно режиссер старый, почему обязательно вакансий нет? И режиссер молод, и вакансии есть, и в первом же спектакле ей дают не главную, но большую роль, и вот премьера, и вся театральная Москва гудит, и вот уже главреж на банкете после спектакля тискает ее в совсем не подходящем для главрежа месте — на лестнице возле пожарного шланга и пожарного же ящика с песком, тискает и пылает словами: «Наташа, Наталия, Талия, все брошу, дом, семью, одно твое слово!»... А может, и еще лучше окажется: главреж, слава Богу, гомосексуалист, зато найдется жених из правительственных кругов, свежий вдовец, — очарован, цветы ежедневно, в гости зазвал — в Дом на Набережной, и ничего себе лишнего не позволил, только один лишь вопрос-мольбу на прощанье: «Мы еще увидимся?» Почему б и не выйти за него? За театральных — ни в коем случае, еще студенткой решила: из своих никто мужем не будет. А тут пусть и без большой любви, но зато возможность заниматься главным, ради чего она живет. Голодная актриса — плохая актриса, что бы там ни говорили. Нет, она может быть хорошей — но лишь тогда, когда и другие равномерно и равноправно голодны — как при социализме было, которого давно нет и теперь уже не будет...

И, пока Талий курит тут, она заходит в своих планах все дальше, все разнообразнее и все реальней они ей кажутся, и то, что сказано было в шутку, вдруг обретает иной смысл — щемяще-заманчивый, как все, что обещает нам перемены в Судьбе.

Вернуть, повернуть, пока не поздно еще! — и через минуту они будут оба смеяться, через минуту...

И Талий уже шаг сделал, но вместо того, чтобы оказаться в комнате, вдруг застыл в двери, неловко как-то повернулся, опираясь рукой и склонив к косяку голову — похожий со стороны на пьяного, пытающегося утвердить равновесие и прийти в себя.

Он вспомнил, что звучало по радио.

## 3

Звучало интервью. Интервью с государственным эстрадным певцом К., дающим по стране серию помпезных прощальных концертов. Надо вовремя уйти, сказал певец К. обычную в таких случаях пошлую фразу. А Талий, ум которого всегда настороже, уцепившись за это, уже размышлял, разветвляясь от этого частного случая, — вскоре забыв о том, что дало толчок к размышлениям.

Что-то они все прощаются, думал он. Оно понятно: конец века, календарный стимул. Круглые даты возбуждают воспоминанья. По телевизору огромное количество ностальгических передач. Что и почему кушали в 48-м году, что танцевали в 53-м, кого расстреляли в 37-м, какое кино смотрели в 74-м... Иногда Талию уже кажется, что начало семидесятых, время его юности, ближе и памятней, чем начало девяностых, которое — только что (но никогда еще недавно прошедшее прошлое не уходило с такой поспешностью в историю, заслоняясь необыкновенно пестрой чехардой по-следующих событий, фактов, лиц...).

Нет, это не просто обычная грусть по былому, размышлял Талий даль-ше, свойственная не только людям пожилым, но и тем, кого на свете не было в том же, например, 53-м или 48-м, но они, подобно Талию, отсчиты-вают начало бытия не со дня своего рождения и даже не с Рождества Хри-стова, чувствуют *не только за себя, но и за предков*, понимают, что все, происшедшее на Земле, касается лично их.

(Нельзя не заметить, что мысли Талия бывают несколько патетичны и даже откровенно банальны, но он ограничивать себя в мыслительном про-цессе не любит и совершенно свободно сочетает, например, стелющуюся по пыльным тротуарам жизни иронию с высоким полетом надмирного, почти библейского объективизма — в чем приходится неизбежно ему сле-довать.)

Талий припомнил и другие сообщенья из телевизора и газет — брезгливое отношение к мелочевке новостей считая высокомерным интеллектуаль-ным плебейством. Разнозначимые факты легко составляются в общую карти-ну. Например: прощаются с народом последними гастролями — одновремен-но с государственным певцом К. — рок-певец Б., поп-певец М., оперный пе-вец Л. Как сговорились! Сходят со сцены, имея голос, но не имея что петь и — главное — чувства необходимости петь. Умирают великие актеры. Им нет экрана и сцены — зачем тогда жить? Великие спортсмены и комментаторы века, научные деятели, физики и лирики — умирают. Приятели и друзья Та-лия, ровесники! — не стерпев до скончания века, — уходят...

Одновременно, думал он дальше, устраиваются грандиозные фестива-ли, шоу и презентации с реками шампанского и взрывами салютов. Исте-ричность, скоропалительность и скандальезность этих мероприятий насто-раживают. На самом деле они имеют прощальный характер. Толпы любо-пытствующих — как на похоронах.

Витя Луценко умер.

Рано, рано! — а как много его было в жизни и Талия, и несметного числа других. Он ведь и познакомил Талия с Наташей (и, кстати, он и дал ему это ласковое прозвище — Талий). Занимаясь десятками дел одновременно, имея в запасе несколько образований, профессий и специальностей, от журналисти-ки и шоферства до кинооператорства и режиссуры, Витя подрабатывал в теат-ральном институте, ассистировал известному профессору Дынникову, помо-гал ему ставить и ставил самостоятельно курсовые и дипломные спектакли. На один из таких спектаклей он и позвал его. Талий хорошо помнит этот день. Витя зашел к нему в музей, как частенько заходил, если оказывался поблизос-ти, — заходил, любя рабочую полуподвальную комнатку Талия, заполненную книгами, архивными папками и даже экспонатами, не поместившимися ни в залах, ни в хранилищах. Витя, непременно приговаривая, что его ждут через час или полчаса, быстро, но аккуратно стелил газетку на письменный стол, нарезал толстыми ломтями черный хлеб, тонкими прозрачными ломтиками — изрядный шмат копченого сала, купленного на недалеком рынке по имени «Пешка» («А чем еще закусывать хохлу горилку, если не салом?!»), доставал бутылку водки, обязательно хваля ее, говоря, что лучшей водки он еще не пил, угощал Талия и угощался сам, посматривал на часы, толковал увлеченно и о бытовом, и о вечном, кушая сало и выпивая водку с заразительным аппетитом, оглядывал сводчатый потолок, книги, экспонаты, утверждал, что здесь он пропитывается историей, что нигде ему не пьется так многозначительно, так исторически! Талий всегда завидовал его умению пить не пьянея, сам же он с юности был очень слаб, поэтому, как правило, участвовал в бутылке лишь одной-двумя рюмками. И вот Витя зашел, скушал буханку хлеба с салом, выпил бутылку водки и заторопился: сдача дипломного спектакля, то есть для комиссии, уже была, но теперь и для публики прокатываем, пятый спектакль, а волнуюсь, как на первом, ну, ты-то уже видел.

Не видел, сказал Талий.

Как не видел?! — поразился Витя. Весь город видел, а он не видел! Это моя вина, Талик, я уверен был, что ты был на первом, тебя и приглашать не надо, ты друг мой или кто? Ты просто, извини, свинья, что не пришел.

И Талий попал на спектакль и увидел в этом спектакле Наташу.

Солгал бы он, если б сказал, что за тридцать лет и три года никто ему не нравился. Нравились — и очень. И были истории. И была почти женитьба. И после почти женитьбы было разное. Талий, живя один, никогда убежденным холостяком не был — и все присматривался. И не раз, видя кого-то, думал: вот ее, пожалуй, не прочь бы я видеть своею женою, мне такие нравятся. Какие такие — объяснить сложно, тут не в цвете волос или глаз дело, не в телосложении (впрочем, стройность подразумевалась сама собой). И в тот вечер, избрав среди девушек, игравших в спектакле, Наташу предметом особого внимания, Талий подумал привычно: вот такую хотел бы видеть я своей женой. Витя, сидевший рядом, видим был — казалось — даже в темноте, поскольку то и дело хмыкал, кряхтел, подбоченивался, коротко смеялся, кашлял, ерзал своим большим телом, так что весь ряд сколоченных стульев ходил ходуном, Витя в антракте ткнул его локтем и сказал: «Знаю, знаю, вижу! Хороша?» Сказал так, будто он сам эту девушку породил, воспитал, обучил — и теперь имеет исключительное право ею гордиться. «Хороша...» — обронил Талий. «Не облизывайся, она замуж собралась — первый красавец курса и не дурак, и, главное, молодой, в отличие от нас, старых козлов!» — сказал Витя с грубой дружественностью.

И вспоминал о ней Талий не больше, чем о других.

А через несколько месяцев, осенью, встретил ее в книжном магазине, неожиданно осмелел, поздоровался. Она глянула на него.

— Зритель. Поклонник, — расшаркался Талий. — А вы учебу закончили уже?

— Закончила. В театре уже работаю. В тюзе.

Талий страшно обрадовался. Ведь не просто сухо ответила, а весьма распространенно ответила. И он с дотошностью почти неприличной (как сам бы оценил ее, если б мог в этот момент оценивать свои действия) стал расспрашивать ее о театре, а потом рассказал о своем музее, о своей работе, зазвал к себе, обещая для нее экскурсию провести и много интересного поведать, о чем обычно экскурсоводы не распространяются. Приходите, приходите обязательно, говорил Талий — и вдруг ляпнул:

— С мужем приходите.

— С каким?

— Разве вы не замужем?

— Кто вам сказал?

— Доходили слухи...

Наташа удивилась:

— Откуда — *к вам* — *обо мне* — могут слухи доходить?

Талий замялся, глянул на нее, и ему показалось в этот момент, что эта девочка видит все: и то, что есть, и то, что может быть — и то, что будет, если она того захочет.

Ранней весной следующего года они поженились.

Воспоминание это — о Вите, умершем (а хочется сказать: погибшем — прошлым летом от инфаркта), и знакомстве с Наташей, промелькнуло в уме Талия за долю секунды, словно налетевшим ветром пролистнуло сотню страниц книги, при этом невероятным (и обычным для любого, в сущности, человека) образом все эти страницы были прочитаны дословно, — к тому же Талий знает их наизусть.

Поэтому оно ничуть не показалось ему отступлением от темы прощаний. Вот дом, где я живу, размышлял он дальше на эту тему. Большой девятиэтажный дом, восемь подъездов, двести с лишним квартир. Уже довольно старый дом, почти тридцать лет ему, и живут здесь преимущественно выходцы из района Глебучева оврага, где снесли когда-то десятки деревянных хибар; Глебучев этот овраг всегда славился — нет, не преступностью, уважаемых и действительных воров и грабителей тут было не так уж много, он славился обыденным и постоянным пьяным бандитизмом: недели не проходило, чтоб не ограбили полуночного прохожего, а то и из своих кого-нибудь обидят, иногда и до смерти. Так вот, в этом доме на данный момент благоденствуют 12 алкоголиков и 7 алкоголичек. Они нигде не работают, деньги на выпивку достают бог весть где. Из них большинство — возраста Талия. Они начали прощаться в массовом порядке лет десять назад (так показалось Талию) — и всё прощаются: с каждым днем этой жизни, с утра — заново. Они прощаются мудро — в забытьи и веселье. Временами то один, то другой исчезает: устав и заболев от беспробудного прощанья. Через месяц-другой, желтый и немощный, выползает, трезво стоит у подъезда, покуривая, а через несколько дней — опять хоть и растрепан, грязен, но бодр и румян, забыв о хвори — прощается опять. А пятидесятилетний Вовка из шестого подъезда (о котором только и знал Талий, что он Вовка — и был когда-то авиадиспетчером), так и не выполз. Умер. Умер незаметно, хоронили тоже незаметно — словно тайком, Талий проглядел.

Так размышлял он — на протяжении двух-трех глотков чая, вот тут-то Наташа и сказала свои слова, и мгновенно мысли Талия прекратились, он сразу же о них забыл, а теперь вот вспомнил — и вспомнил со страхом, потому что вспомнил и то, что вроде бы забыл начисто, то ли не придав этому значения, то ли боясь придавать какое-либо значение.

4

Они не были еще женаты с Наташей, но уже решили пожениться. И Талий не раз задавал ей вопрос, который ученые психологи, специалисты по семейной жизни, мужчинам задавать категорически не советуют. «Слушай, — спрашивал Талий, — что ты во мне нашла?» Подобными вопросами, утверждают специалисты, мужчина (да и женщина тоже) возбуждает в партнерше (партнере) спервоначалу приятное чувство владения душой и телом другого человека, чувство собственной благотворительности, но очень скоро, как правило, это сменяется чувством досады, а потом и прямым вопросом, но уже не со стороны, а внутренним, своим: «А что я, в самом-то деле, в нем (в ней) нашла (нашел)?!» Сумейте внушить партнеру, советуют специалисты, козлы естественные, что не он вас, а вы его облагодетельствовали, но при этом действуя умеренно, чтобы не вызвать у него чувство неполноценности. Козлами естественными не Талий назвал этих специалистов, он человек слишком деликатный, так обозвал их я, рассказчик этой житейской истории, поскольку хоть они и правы теоретически, но практически не все так просто. Если любят люди друг друга, то могут задавать друг другу какие угодно вопросы — и сколько угодно. Если ж не любят — никакие ухищрения не помогут. Специалисты заведомо рассматривают партнеров (так они предпочитают называть влюбленных) как двух тайно враждебных особей, долженствующих одержать взаимную победу, при этом, следует признать, опираются они и на свой аналитический опыт, и на ученые труды, и на мощную поддержку мировой художественной литературы. С мировой художественной литературой я не спорю, я без всякого спора утверждаю, что правота ее о вечной вражде полов мне давно уж неинтересна, мне гораздо интересней любовь без вражды — как явление необыкновенное, но вполне реальное, — поэтому я и взялся рассказывать о Талии, а не о каком-то другом человеке, — ну, и потому еще, что Талий во многом рассуждает так же, как и я, хотя ведем мы себя в жизни часто совершенно по-разному.

— Что ты во мне нашла? — спрашивал Талий.

И Наташа отвечала:

— Я нашла в тебе ум. Я нашла в тебе доброту. Я нашла в тебе оригинальность внешности. Я нашла в тебе то, что ты мне просто-напросто нравишься, мы подходим друг другу, вот и все.

Ну и другие слова, о которых Талий хоть и любит вспоминать, но стесняется.

А однажды вдруг она сказала, закинув руки за голову и глядя, прищурясь, куда-то вверх, словно — сквозь потолок:

— Когда мне было восемнадцать лет, — совсем недавно вроде, а какая дура была! — я решила, что если за десять лет не стану великой... ну, пусть не великой, но замечательной — актрисой или... нет, именно актрисой, только актрисой, если я не буду знаменитой (тут она коротко рассмеялась), — тогда я перестану жить. Глупо, правда?

Талий согласился.

— А может, и не глупо, а?

Талий не согласился. Глупо. Очень глупо. Можно быть великим человеком, сидя в подвале и перебирая бумажки. Я вот великий человек — без титулов, званий и всемирной известности. Я велик — как большинство людей, которые делают то, что хотят, и чувствуют при этом, что их дело нужно.

И это было совершенно точное выражение убеждений Талия по этому вопросу, но Таша не приняла всерьез, смеялась.

И вот теперь, закуривая вторую подряд сигарету (хотя обычно он курил с интервалом в час — многолетняя привычка), Талий вспомнил эти ее давние слова. Он вспомнил и о вчерашнем сообщении о самоубийстве довольно известной актрисы. Молодая еще, сорока не было, имела роли в приличном московском театре, снималась на телевидении и в кино. Причин никто не назвал. Кто-то из близких знает, конечно, но не хочет говорить. Ведь не бывает же так, чтобы не было причин! Талий, услышав это известие, подумал привычную свою простодушную мысль, всегда приходящую ему на ум, когда он слышит о самоубийцах. Мысль следующая: жаль, что меня не было рядом, я бы — отговорил! И это не от самоуверенности Талия, не от убежденности его в своем обаянии, он, как истинно обаятельный человек, своего обаяния не замечал, просто он человек логики и считал, что сумел бы именно уговорить заблудившегося человека, уговорить, отговорить от бессмысленного и жестокого по отношению к себе и близким шага.

А вдруг, подумал Талий, его жена не забыла о том своем данном себе обещании? Восемнадцать плюс десять — двадцать восемь, а ей уже двадцать девять, а скоро — тридцать. Значит, срок пропущен. Но почему она почти все лето была не всегда в веселом настроении? Правда, они не сумели отдохнуть, решили слегка отремонтировать квартиру — но вместе же решили. Почему она иногда задумывается так глубоко и отрешенно? Она и раньше задумывалась, но Талию теперь кажется, что в это лето — по-особенному, по-другому?

И почему он сам ни разу ей о том обещании, о тех ее словах не напомнил?

С одной стороны ясно почему: не окончательный же он идиот, чтобы о таких вещах напоминать. Но в приличиях ли элементарных тут дело, в тактичности — или в чем-то более глубоком?

В страхе. Да, в страхе дать повод ее гордости — возмутиться. Ты смеешься надо мной? Ты считаешь, что я не способна? Так вот же тебе!

Но она и без его напоминания может сама разбередить свою гордость: для таких людей слово, данное себе, важней, чем обещание кому-то другому. Двадцать восемь лет миновало, она не стала знаменитой актрисой, — не пора ли счеты сводить?

Талию стало нестерпимо об этом думать — но он уже не мог ничего с собой поделать.

Гордость — да. Но она его, Талия, любит, сына любит, родителей любит. Значит, надо облегчить уход — (Господи, о чем я?!) — облегчить уход. Развестись с Талием. Чтобы не так жалел. Оставить сына родителям — пока они еще не стары и здоровы. Уехать. И сделать так, чтобы это выглядело несчастным случаем. Больно будет, да, но не так обидно близким, как было бы, если б они знали, что она добровольно от них ушла, не пожалела их...

И тут странным образом мысль о том, что Наташа решила... — дальше даже в уме не произносится! — в Талии на мгновенье укрепилась, но тут же он отбросил версию о том, что причиной будет какое-то, в самом деле, давнее глупое обещание самой себе. Что-то другое должно быть, серьезней.

Странным образом — а может, вовсе и не странным, он уже увидел себя — в страшной тоске, в окаменелом недоумении — ПОСЛЕ.

## 5

Он бродит по комнатам целыми днями — и ничего не понимает.

Он уходит из дома — потому что не может видеть вещей, с которыми она соприкасалась, — бродит по улицам, — и ничего не понимает.

Он знал ее хорошо. И, оказывается, совсем не знал. Потому что знать все, но не знать того, из-за чего она... это все равно что ничего не знать!

Он приходит к друзьям ее, к коллегам. К кому?

Первым делом, конечно, к Веронике Герц. Вероника Герц — единственная из школьных подруг, с кем Наташа поддерживала отношения. Именно с нею она чаще всего делилась новостями житейскими, театрально-закулисными, и это не было секретничанье задушевных подружек, Талий мог находиться здесь же, рядом, Вероника игнорировала его, не считая ни мужчиной, ни человеком. Мужчина, в ее понимании, это особь с мужскими половыми признаками, которая в присутствии Вероники мечтает лишь о том, чтобы грубо уволочь ее в укромное место, запустить толстые пальцы в ее пышные и чистые каштановые волосы, измять и исцарапать, урча, белую гладкую ее кожу, надругаться над ней, покорить, подавить, завоевать — чтобы не чувствовать, насколько она, Вероника, выше его, зверя, умом и душой. Человек, в ее понимании, это сгусток маниакальных идей, сомнений, гибельных депрессий и сумасшедших радостей, находящийся на вечном перепутье ста дорог. Талий же грубо уволочь ее не мечтал, одномерно и пошло любя свою Талию, и из ста дорог выбрал себе одну тропочку музейного архивариуса, по которой бредет и будет брести всю свою унылую жизнь... Естественно, Вероника была незамужем, потому что за мужчину-зверя она никогда не выйдет, а остальные мужчины — вообще не мужчины. Человека же с гибельными депрессиями и сумасшедшими радостями она не потерпит рядом с собой, — зачем ей собственная копия?

Рассказывая о своих делах, Наташа вроде бы советовалась с ней, но никогда не получала определенного совета. Да его и не могло быть в принципе, ибо, по убеждению Вероники, всякий шаг, который сделает всякий человек — по своей воле или по совету другого — заведомо ошибочен. Правилен лишь тот шаг, который сделан в отсутствии выбора. А так как выбор почти всегда есть, то... — и т.п.

Скорее всего, Наташе просто хотелось — при ее замкнутости — излиться, выговориться. Она могла это сделать — и делала — с Талием, но Талий свой, он все поймет, со всем согласится, будет кивать головой и сочувствовать, а Вероника хоть и близкая подруга, но человек все-таки посторонний, она может и поспорить, и поиронизировать, а главное, после бесед с ней часто кажется, что всё на свете — абсолютные пустяки. Талий однажды подумал, что Веронике надо бы стать психоаналитиком, принимать посетителей в каком-нибудь изысканно обставленном кабинете, но, в отличие от обычных психотерапевтов, с профессиональным участием выслушивающих пациентов — и этим заставляющих их думать, что проблемы у них действительно серьезные, — она бы слушала с небрежением, покуривая сигаретку и попивая кофе. Женщина, например, жалуется, что потеряла контакт с мужем, что ее мучает ревность. Профессионал-аналитик пошел бы копаться в прошлом, начал бы выискивать комплексы, советовать, как обратить мягко, но эффективно внимание мужа на себя — удивив его чем-нибудь и т.д. А Вероника скажет: «Да ерунда это все, милая! Или ты его брось — или доведи свою ревность до конца. Выследи, накрой его с бабой, его не тронь, а бабу пырни ножом — но не до смерти, тебе ничего не будет, состояние аффекта и так далее, — да бабе еще пригрози, что, если в суд подаст, ей вообще не жить. Я тебя уверяю, он после этого будет стелиться перед тобой и заглядывать в глаза, но ты вдруг поймешь, что тебе этот слизняк вовсе не нужен, — и вздохнешь с облегчением!» Возможно, это было б действеннее. Психоаналитики борются со страданием — и напрасно, оно, как правило, неискоренимо, его можно лишь загнать внутрь — или переплавить в радость, что может лишь сам человек, без посторонней помощи. Вероника же разменяет всякую драму и трагедию на дробную мелочь фарса, иронии, вместо прояснения ситуации — запутает еще больше, — а кто сказал, что человек всегда жаждет ясности? То есть Талий, например, жаждет, но он же не мужчина же!

Так будет думать она, когда Талий придет к ней с вопросами.

Господи, скажет она, зачем тебе это, Талий? Ее нет, зачем тебе это, что ты хочешь знать?

Хочу знать — почему, скажет Талий.

Ты идиот, скажет Вероника. Неужели ты не понимаешь, что у самоубийства (она совершенно спокойно — и даже с особенной отчетливостью произнесет это слово) никогда не бывает одной причины. Даже та, которую самоубийца сам укажет, — недействительна. Ну, допустим, я скажу тебе, что она узнала, что заболела СПИДом. И — из-за этого. Тебе станет легче?

Она не могла заболеть СПИДом, скажет Талий.

Хорошо, пусть другая причина, скажет Вероника. Она безнадежно полюбила. И, будучи девушкой гордой и страстной, не вынесла тягости неразделенной любви. Но это все ерунда, Талий. Есть только одна настоящая причина покончить с собой у того, кто решил покончить с собой. Эта причина: он решил покончить с собой.

Это следствие, возразит Талий.

Ничего подобного, усмехнется Вероника. Это желание в ней, быть может, с трехлетнего возраста. Тебе никогда в голопузом детстве не приходилось играть с острыми предметами, испытывая странные ощущения?

И Талий послушно вспомнит — как вспомнил вот сейчас.

Он сидел, болтая ногами, за кухонным столом, глядя в окно, утром, в одних трусах. Года четыре ему было. Лето было. Жарко было, он помнит. Взял нож — не острый, с закругленным концом. И почему-то стал вдавливать в кожу живота, проминая ее так, что кончик был не виден, словно нож уже вошел в тело; у Талия защекотало страшно и сладко ниже живота, он стал надавливать еще сильнее, глубже — до боли. Оглянулся — будто что-то запретное делает, и схватил нож другой, с концом острым. Этот нож был больнее и почти сразу же проколол кожу. Талий испугался, отдернул руку с ножом, но непреодолимая сила заставила его попробовать еще и еще раз, но тут послышались шаги мамы — и он бросил нож, сердце колотилось, он ушел из кухни — и никогда больше не возвращался к этим странным экспериментам...

Неужели было? — удивится Вероника, обнаружив, что Талий хоть и не вполне человек, но что-то человеческое в зачатке имеет. Тогда, скажет она, ты способен понять меня. Не ищи, не допытывайся. Причина самоубийства — вся жизнь, следовательно, чтобы сказать себе, что ты более или менее знаешь причину, нужно всю жизнь человека изучить досконально, но и это будет знание приблизительное, в идеале нужно стать самим самоубийцей, хотя и это не идеал, так как и сам самоубийца никогда точно не знает, из-за чего он кончает с собой.

Кто ж знает? — потерянно спросит Талий.

Бог знает, если он есть, ответит Вероника, которая, как истинный человек вечного перепутья, находится в постоянном богоискательстве, ища пути к Господу исключительно с помощью богохульства, особенно в присутствии людей, которые в Бога верят, поэтому среди ее знакомцев есть молодой брадатый широкоплечий дьякон, она ведет с ним диспуты, чуя в нем Мужчину, зверя, и провоцируя в нем этого зверя — и зверь, возможно, выжрал бы все святое в дьяконе ради греховной любви этой женщины, но он не уверен, что она не посмеется над ним, когда он отринет свои убеждения ради нее...

И после Вероники вроде бы не будет уже необходимости ни к кому идти, но Талий пойдет, он знает, что пойдет. Пусть она права, пусть причина — вся жизнь, то есть — множество причин, но он, ладно, попроще Вероники, он удовлетворится и одной — какой-нибудь, лишь бы она обозначена была, проявилась как-то.

Он пойдет к старому актеру Волобееву, полубезумному восьмидесятилетнему старику, который играл не где-нибудь, а во МХАТе. МХАТ был эвакуирован сюда во время войны. Те, кто помоложе, гастролировали по фронтовым и тыловым подразделениям. Волобеев был средь них, просился воевать, но не брали по здоровью: врожденный порок сердца. После войны он остался здесь, женившись по молодой глупости на торговке, горластой бабе старше его, которая грозила всеми карами социалистической законности, если он бросит ее с сыном, рожденным от него, и с двумя дочерьми, рожденными от других неизвестных подлецов. По мягкости характера он решил поставить на ноги детей, а потом уж... А потом были сердечные приступы, радикальная операция, полуинвалидность, но нежелание расстаться с театром — пусть хоть всего два выхода в месяц в эпизодах, торговка его бросила, верней выгнала, театр выхлопотал ему комнатку в коммуналке, где он и живет до сих пор, хворая и мужественно одиночествуя, говоря с некоторой даже гордостью, что примерно с пятнадцати лет и по сию пору не помнит *ни одного дня*, чтобы у него не болело сердце. (Ни одного! — с ужасом думал иногда Талий.)

Лишь Наташа из всех людей навещала его (иногда с Талием), приносила кое-чего поесть, прибиралась (дома у себя это занятие очень не любя), — и

351

они пили чай и говорили о театре, только о театре, ни о чем другом. Я великий актер, говорил Волобеев. Я беру роль — и молча ее читаю про себя. Я слышу свой внутренний голос — он звучит гениально! Я начинаю произносить вслух, получается — дерьмо! Понимаешь, Наташечка? (Наташа кивала головой, понимая.) Всю жизнь я прожил, зная, как играть, и не умея играть! У меня был друг в Москве, давно, страшно давно...

У меня был друг в Москве, давно, страшно давно, повторит он и Талию. Он был музыкант. Он имел абсолютный музыкальный слух. Не просто даже абсолютный, а абсолютно абсолютный. Он играл на флейте в симфоническом оркестре, и из ста инструментов — или сколько их там? — он слышал каждый, он слышал малейшую фальшь в каждом! От этого с ума можно сойти — и он пил, конечно. Он и один играть не мог: тон не тот, темп не тот, сила звука не та — он ни одной уже ноты взять не мог, все казалось: фальшь, фальшь! Ломал флейту, пил до того, что в больницу попадал. А потом мы с ним потерялись. Говорят, до белой горячки допился и повесился. Но не в белой горячке дело, в гордости! Это ведь страшно: талант есть — а выразить не можешь! Немота! Сверхгениальность! Что такое сверхгениальность? — это когда твой ум выше твоего гения! Вечное недовольство собой! Я бы тоже давно повесился, но меня болезнь спасла. Большое счастье иметь такую болезнь, когда то ли живешь, то ли подыхаешь — каждый день. Чуть легче — уже счастлив. Уверяю вас, молодой человек, с собой кончают или очень здоровые люди — или окончательно больные. Наташечка, красавичка... (тут он всхлипнет и хлебнет портвейнчику)... она здоровая была. Но — гордость! Уверяю вас — от гордости! Она имела абсолютно абсолютный слух! Во всем! Но эта жизнь — сплошная музыка фальшивых инструментов! И она этого не вынесла. Я вынес, но я подлец. Больной человек всегда подлец и эгоист, заметьте это себе! А она задохнулась в фальшивых звуках, она захотела, чтобы прозвучала хотя бы одна абсолютно чистая и точная мелодия — мелодия гибели. Эта мелодия всегда точна, поверьте мне, я знаю, я — гибну всю жизнь. И это меня спасает. А вот был у меня в Москве друг музыкант, давно, страшно давно...

Только в этом и проявляется безумие — или просто старческая слабость ума — Волобеева: говорит абсолютно ясно и складно, но способен через пару минут начисто забывать все, о чем говорил только что, — и начать заново.

И, к кому ни придет Талий, каждый изложит свою версию.

Затравил, не уберег, заел своей нудностью, скажут отец и мать ее — не словами, слезами и взглядами скажут.

Такая, значит, карма у нее и чакра, вздохнет актрисулька Горячкина, которая в театре служит только для проформы, практикуя частным образом колдовство, гадание, ведовство и проч., основанное на сочетании методов древнерусского знахарства, буддийской мудрости и самой забубенной цыганщины.

Связалась с Шестиконечным Орденом, довели ее, гады, зомбировали, заставили, убили то есть! — как лучших людей убивают, чтобы опустела Россия! Я — следующий, попомнишь мои слова! — скажет артист Шкарлак, свихнувшийся на дешевом антисемитизме, исследующий деятельность какого-то сионистского Шестиконечного Ордена, повинного во всех бедах России, активный деятель местного отделения компартии (недавно на площади в кучке старух красный стяг высоко держал), артист при этом весьма приличный, особенно любящий играть молодых отцов рано выросших детей. Один из таких детей, юноша с пушистыми щеками, только что принятый в театр, прилюдно бил его ладонями по лицу — справа-налево, слева-направо, при этом плача, всхлипывая, плакал и Шкарлак, крича про какую-то ошибку, какое-то недоразумение...

Режиссер Миша Иванов, единственный, кого она признавала за режиссера, но — безработный ныне, отъездив лет пятнадцать по провинциальным театрам (и даже в Питер заносило), осев здесь, с отвращением занимаясь народным театром при Доме учителя, Миша Иванов скажет: никому мы не нужны. Это хуже всего — ощущение твоей ненужности. Кто-то переносит, она не смогла. Вот и все.

Друг Талия, Алексей Сославский, газетчик и непризнанный поэт, пьяница и бабник, скажет (тут фантазия Талия окончательно разыгралась, ее, говоря по-народному, по-современному, зашкалило): «Это я виноват, Таля! Хотел молчать, но не могу! Три года люблю твою жену! Смертельно! Домогался, преследовал, шантажировал, — жить без нее не мог! Интервью пришел брать — вот сюда, сюда вот! — (переходя на крик) — ты на работе был, а я влез в твой дом, как гнида, я жене твоей в душу без мыла лез, шампанским поил, на жалость бил, провоцировал, раздел насильно, сам разделся, она боролась, я ударил, да, ударил, сознания лишил и... ты понимаешь? Но мне, гниде, этого мало, я камеру включил, видеокамера портативная была у меня с собой — и снял, снял, убей меня, снял все это в автоматическом режиме, а потом шантажировал Наташу пленкой: или моей будешь, или все Талию скажу, а Талий от горя умрет, вот она и... Письмо послала перед этим мне, одно только слово: «Сволочь!»

И достанет помятый конверт...

Охолони, приказал себе Талий. Совсем уже чокнулся.

Кто еще что скажет?

Бывший сокурсник Талия Евгений Грузляев, не забывавший навестить их дом хотя бы раз в неделю, влюбленный в Наташу (а она его терпеть не могла за грязные ногти), большой социолог — не по профессии, а по роду душевных занятий, скажет: это эпидемия самоубийств, Виташа. Ты не веришь в эти вещи — и напрасно. Доказано определенно, что даже инфаркты передаются вирусным путем. Не сомневаюсь, что докажут и вирусное распространение суицидальности. Только вирусы какие-нибудь другие. Парапсихологические, телепатические какие-нибудь... Я вот тоже заражен, я чувствую. И ты тоже, Виташа, несмотря на свое замечательно жизненное имя...

Двоюродная сестра Наташи по матери Евдокия Афанасьевна, занимающая высокий пост в департаменте культуры, держащая в ежовых рукавицах и свою семью, и местных культурных деятелей, и любовничка из балетных, бисексуала с тяжелым профилем врубелевского «Демона» и совершенно глупенькими при этом огромными глазками, скажет: от хорошего мужика, прости, Виталий, за прямоту, женщина в петлю не полезет...

А почему — в петлю?

И Талий стал думать, какой способ выберет Наташа, если... От петли он перешел к поезду, к ванне с горячей водой — и бритве, к... — но тут понял, что надо собрать всю свою волю и приказать мыслям прекратиться.

Ведь до предела дошел уже!

Уже похоронил мысленно жену, оплакивает уже, — это не сумасшествие? Кто ему сказал, с чего он взял, что она...

С чего я вообще к этим мыслям-то пришел?

И Талий с напряжением, не сразу, уподобившись непамятливому Волобееву, вспомнил слова Наташи: «Давай разведемся».

Испытав облегчение от того, что встала на место хотя бы первоначальная точка отсчета, Талий подумал: это наследственность. Еще ничего не случилось, а я хочу уже все по полочкам разложить, все причины выяснить. Наследственность, что же еще.

6

Отец Виталия, Петр Витальевич очень раздражался, когда терял что-то, не находил на том месте, где ЭТО должно быть. Очки, газета, книга, стакан... «В этом чертовом доме вечно все пропадает!» — кричал он на жену и на сына.

Может быть, представление о семье как о неизбежном беспорядке и удерживало его долгие годы от женитьбы. Пусть дураки семью считают оплотом уюта и комфорта — если повезет на хозяйственную жену. Они главное забывают: в семье НЕ ОТ ТЕБЯ ВСЕ ЗАВИСИТ! Сам ты где что положил, там и взял. Как свое время рассчитал — так его и провел. И никаких неожиданностей.

Но, когда ему было уже далеко за тридцать, открыл он для себя женщину Галину Юрьевну. У нее когда-то была семья, были муж и дочь. Муж-автослесарь купил мотоцикл — не баловства ради, а как транспорт для семьи: с коляской, солидный мотоцикл, «Иж-Юпитер». В первое же воскресенье поехали за город в лес по грибы, дочке захотелось на самом мотоцикле, держась за плечи отца, а Галина Юрьевна сидела в коляске. Обгоняли аккуратно и спокойно грузовик, и тут навстречу со страшной скоростью — другой грузовик... Мотоцикл от коляски оторвало, Галина Юрьевна летела в ней и приземлилась без сознания, и была без сознания больше суток, а очнувшись, узнала, что нет у нее мужа и дочери. С тех пор — и навсегда — чувствовала она перед погибшими необъяснимую вину, а заодно и перед всеми людьми, и выражение лица у нее часто было — виноватое. Вдобавок — периодические жестокие головные боли, иногда даже сознание теряла. Работала она в отделе Петра Витальевича. Однажды взяла на дом рабочие документы, не успевая что-то там сделать — и разболелась. Поехать и взять их мог бы кто-нибудь и чином поменьше, но такого свободного не нашлось, а Петру Витальевичу эти бумаги все дело стопорили, он раздражался, не вынес проволочки — и поехал сам. Квартира Галины Юрьевны поразила его чистотой, сама женщина — отчетливо видимыми в домашней обстановке, вне производственной обезличивающей ка-

354

нители, разумом и скромностью. Не прошло и двух месяцев, как все меж ними решилось...

Сколько помнил Талий отца, он просыпался в одно и то же время, завтракал двумя яйцами всмятку и стаканом кефира, выходил на работу в половине девятого, чтобы оказаться на работе без десяти девять. Возвращался в половине седьмого, ужинал котлетами с вермишелью, пил чай и садился с газетой к телевизору. Выходные дни проводил в чтении толстых исторических отечественных романов, которые вслед за ним с детства стал почитывать и Талий, что, возможно, и предопределило его последующее поступление на исторический факультет университета.

О своей работе отец не говорил, судя по всему, служба руководителем среднего звена в организации «Гипропромгазстрой» была для него не более чем службой. Но нет никаких сомнений, что службу эту он исполнял безукоризненно, об этом Талий знал и со слов матери, на пенсию же вышел ровнехонько на следующий день после того, как ему исполнилось шестьдесят лет, заранее оформив все документы. Он в этот день даже выпил немного, он даже произнес несколько слов в совершенно несвойственном ему эмоциональном ключе — обращаясь к домашним, ибо надо же было к кому-то обратиться: «Слава Богу, ни одного лишнего дня я в этом бардаке не участвую! Разграбили, сволочи, страну!»

И отдался полностью историческим романам, неизвестно как сочетая нелюбовь к отечественному беспорядку с любовью к отечественной беллетризованной истории: ведь это была история как раз сплошных беспорядков; впрочем, может, он наслаждался особым чувством, которое многим из нас знакомо и которое рождается из удовлетворения от подтверждения наших мыслей, пусть даже и горьких.

Помимо чтения Петр Витальевич регулярно гулял для здоровья. Возвращаясь, частенько рассказывал о том или ином увиденном уличном безобразии, потом читал опять книги, а газеты по привычке откладывал на вечер, и на вечер же — просмотр телевизора. Когда и эти все занятия наскучивали, он просто прохаживался по всем двум комнатам квартиры, наведывался и на кухню, заложив руки за спину и вертя пальцами при этом. Он ходил не бездельно: он осматривал.

Ни пылинки, ни бумажки, ни клочка, ни соринки не терпел Петр Витальевич в квартире, которую он за многие годы привел в идеальный порядок...

Однажды увидел на полу вмятинки от каблуков-шпилек: знакомая Талия прошлась. Он не разговаривал с домашними месяц, вмятинки заделывал смесью столярного клея и опилок, выравнивал, зачищал, полировал, искал колер точно такой же, как краска полов — и не нашел, пришлось перекрасить полы.

Талий, заканчивавший в ту пору университет, не очень обращал на это внимание. Но однажды, когда отец был на прогулке, мать поделилась своими опасениями. Чудит наш папа, сказала она. Все руки моет. Талий удивился: что тут такого? Он и раньше знал за отцом эту привычку: руки он мыл и перед едой, естественно, и после еды, и после прогулки, и на сон грядущий. Да нет, сказала мать, он теперь чаще. Не раз десять, как раньше, а раз сто. Вчера вышел из дома, с соседом поздоровался за руку, вернулся свои руки мыть. Опять вышел — другой сосед. Опять поздоровался, опять вернулся. Вышел — и, как нарочно, еще один! Он хотел стороной, а сосед прямо на него — и руку протягивает. Он вернулся и уже не выходил. А сейчас, ты посмотри на часы, ночь на дворе, а он гуляет! Зато никого не встретит, ни с кем за руку здороваться не надо.

Да ерунда это, сказал растерянно Талий.

Не ерунда, тихо плача, ответила мать. Я нарочно на телевизоре листок бумажки положила. Раньше бы он меня убил морально, а тут — не заметил даже! Пыль под его носом — видеть перестал! Между прочим, когда телевизор включит, тоже идет руки мыть. Выключит — опять моет. Говорю тебе, по куску мыла смыливает в день!

Талий утешил ее и сказал, что это хоть и болезнь, но не из ряда вон выходящая, он читал где-то о точно такой же безобидной мании. Все это преспокойно лечится, лишь бы он согласился лечиться.

И решил поговорить с отцом.

Петр Витальевич слушал его изумленно: впервые сын так с ним говорил. Впрочем, он мягко говорил, но тем не менее он... Он — учил! Он отцу своему замечания делать вздумал! Вон из дома моего, выродок!

Талий из дома не ушел — некуда. Он ушел в свою комнату.

Теперь ни мать, ни Талий не видели, как Петр Витальевич моет руки. Но когда Талий был в университете, а мать ходила по магазинам, отец оставался один — и наверстывал. Мать, войдя однажды ненарочно тихо, услышала в ванной шум воды и пение. Заглянула. Отец распевал народную песню «Из-за острова на стрежень» и драил ладони пемзой, потом намыливал, долго полоскал под струей воды — и опять пемзой, и опять мылом... Увидел в зеркале мать, вздрогнул, оборвал песню, бросил мыло...

Стал мрачным и тихим.

Через месяц сказал Талию, что чувствует полное нервное истощение и готов полечиться.

И начал лечиться амбулаторно, навещая невропатолога. Никаких тогда психотерапевтов не было, а уж тем более так называемых народных целителей, снимающих порчу и сглаз, врачующих биоэнергетикой, шептаниями и травами, собранными в полнолуние в год Петуха и месяц Льва на юго-западном склоне горы Екчелдык в Таджикистане. Тем не менее дело явно шло на поправку — в том смысле, что руки отец стал мыть уже не более двадцати раз в день. Но одновременно с этим он как-то сникал, съеживался, иссыхал — и умер, как сказали старушки-соседки, святой смертью — во сне, без признаков какой-либо явной болезни.

Мама Талия ненадолго пережила отца...

Сиротство, которое Талий всю жизнь странным образом ощущал при положительном и заботливом отце, при доброй и любящей матери, стало завершенным и полным.

Впрочем — почему странным образом? Ничего странного. Оно, сиротство, было и у матери его — вместе с ощущением второй жизни, тогда как первая не прожита была до конца, а фатально оборвана. Оно было и у отца, который сиротлив был своей особостью среди людей, своим стремлением к порядку в мире бардака и хаоса. Как же не быть этому чувству у Талия?

Оно, можно сказать, на роду написано, предопределено.

А раз предопределено... — и тут Талий, понимая, что опять сбивается, может уйти в сторону, на некоем мысленном запасном экране — или листе — записал крупно: ПОДУМАТЬ О ТОМ, НАДО ЛИ БЫЛО МНЕ ЖЕНИТЬСЯ, ЕСЛИ Я ЗНАЛ, ЧТО ОСТАНУСЬ ОДИН, ИБО Я ЧУВСТВОВАЛ, ЧТО РАНО ИЛИ ПОЗДНО БУДУ ОДИН, ЗАЧЕМ ЖЕ ПОШЕЛ ПОПЕРЕК СУДЬБЫ, И НЕ НАТАША ВИНОВАТА, А Я ВИНОВАТ!..

Но сначала — додумать о наследственности, потому что эти мысли должны принести облегчение.

Именно в силу наследственной склонности к порядку он сегодня, только что, когда еще ничего не было, кроме каких-то случайных слов, сразу же начал неизвестно что придумывать, раскладывать по полочкам — как делал отец его.

А ведь Талий с этой наследственной чертой боролся. Он опасался, что придет к такому же невеселому жизненному итогу, как Петр Витальевич. Он и сам с малых лет отличался аккуратностью и пунктуальностью. Но все было в пределах нормы — до одного случая, нелепого, глупого и...

В последнем, десятом классе он ходил в школу с портфелем. Такова была мода тех лет: большие портфели из кожзаменителя, желательно с двумя замками, желательно оттенков от красно-коричневого до лимонно-желтого, на худой уж конец — черного. В портфеле у него было три отделения, а в отделениях был полный порядок: в одном учебники, в другом тетради, в третьем — ручки, карандаши, готовальня и всякие мелочи. И вот однажды у него пропала ручка с зеленым стержнем. Она была очень нужна. Для той же любимой истории, потому что когда он писал что-то в тетради по истории, то, исполняя весь текст синим или фиолетовым цветом, места наиболее существенные подчеркивал именно зеленым, а совсем уж важные, требующие заучивания наизусть, — красным. И вот пропала ручка с зеленым стержнем. Только что была, на прошлом уроке была, Талий помнил это абсолютно точно, и вот нет ее, потому что портфель он оставил открытым, отлучившись на минуту. Сначала он не очень-то встревожился. Дождался звонка на урок и, когда все собрались в классе, спросил громко: «Эй, кто мою ручку зеленую взял?» Ему не ответили. «Я спрашиваю, кто ручку взял?!» — громче спросил Талий, почувствовав неприятное дрожание в руках. Он обводил глазами всех. Кто плечами пожимал, кто смеялся, кто и вовсе вопроса не заметил. Талий в третий раз спросил — безрезультатно. Неведомое до сих пор раздражение появилось в нем, злость — хоть плачь, хоть губы кусай, хоть дерись! И впрямь — ударить бы кого, только — кого? Кто взял? Усмешка одного из одноклассников, юмориста Сычева (Сыча, конечно же, по прозвищу) показалась подозрительной. «Сыч, ты взял?» — напрямик спросил Талий. «Может, и я», — нахально ответил Сыч. «Отдай, скотина», — сказал Талий, изо всех сил сдерживая себя, даже улыбаясь. «А я уже ее съел!» — выкрикнул Сыч и похлопал себя по животу. Ничего смешного не было ни в его словах, ни в его дурацких жестах, но все засмеялись, потому что привыкли, что все, делаемое Сычом, — смешно. «Отдай, Сыч, не то морду набью!» — полез к нему Талий через парты. «Щас прям! — кричал Сыч, подбодренный смехом. — Подожди, вот в сортир схожу, тогда!» Талий, уже себя не контролируя, подскочил к Сычу, схватил за ворот его, низкорослого и щуплого, и стал трясти, в бешенстве выкрикивая (брызжа слюной — и ненавидя себя втайне, но еще больше все-таки ненавидя Сыча): «Отдай, а то убью! Отдай, отдай, отдай!» Ему дико и непостижимо было: как же это так, сейчас начнется урок, его любимая история, надо будет подчеркивать зеленым, а у него нет зеленого! Спрашивать у соседей — у них еще не окажется или не дадут, да и если дадут, то каждый раз не наспрашиваешься! Он дергал Сыча — и это похоже было на какой-то психоз, припадок, кто-то сунулся уже разнимать, уговаривать, дивясь необычному поведению тихого Виталика Белова, который ведь — все знают — и впрямь тих, как снежный солнечный день в школьном дворе за окном — и так же бел, недаром — Белов. («Талий Белов был бел и мил, мыло любил — и сплыл», — из странных, полубессмысленных эпиграмм-каламбуров, которыми любил одаривать друзей-приятелей Витя Луценко: просто так, чтоб друзьям приятное сделать). «Да не брал я!» — завопил перепуганный Сыч — и Талий ударил его кулаком по лицу, и еще, и еще, и в это же время все отхлынули: учительница истории пришла. А Талий все бил и бил, учительница кричала, а он все бил и бил, не видя уже, куда бьет, в глазах потемнело, а потом и совсем уже ничего не помнил, очнулся лишь в коридоре, у окна, где учительница теребила его за рукав и говорила что-то, а он весь дрожал — и учительница вдруг замолчала и повела его в кабинет школьного врача. Врач, молоденькая блондинка, усадила, что-то спрашивала мягко, а он глядел на ее волосы и думал, что она их, наверное, красит, она красит их в белый цвет, а если бы в зеленый? — как у его ручки, которая исчезла, пропала, не будет ее никогда, все пропало, все пропало!..

Подобных случаев у Талия не было ни раньше, ни потом. Но это не значит, что он избавился от болезни (именно болезнью это считая — находя мужество так считать). Просто он испугался, что становится точной копией отца — и сдерживался. У того ведь тоже был припадок (иначе не назовешь) в аналогичной ситуации. Однажды он, как обычно, сел в семь часов вечера к телевизору и хотел взять с журнального столика газету с программой передач — а там ее не оказалось. Отец спросил. Никто не брал и не видел. Отец стал искать. Обшарив всю комнату — с движениями все более резкими, он перешел в другую, потом на кухню, вывалил на средину кухни мусорное ведро, подозревая, что газету туда пихнули, и, хотя видно было сразу, что нет ее там, весь мусор пересмотрел, пальцами перещупал, переворошил. Называя сына и жену различными словами, он пошел обыскивать квартиру по второму разу — и гнев его был все страшнее. С совершенно уже безумным видом он подбегал к журнальному столику, бил по нему ладонью и кричал: «Если ее *вы* не брали, то *кто* взял? Я взял? Я не брал! Кто ж тогда брал?» И опять метался по комнатам, и опять подбегал к столику, бил кулаком (все сильнее), кричал: «Три дня тут газета лежала, никому не мешала, испарилась она, что ли? А? Я кого спрашиваю? А?» И опять метался, и опять подбегал, стучал по столику все сильней и сильней, заходясь криком (а Талию вдруг показалось, что отец в этот момент понимает, что приступ его похож на сумасшествие, но остановиться он не хочет и не может). После очередного удара, столик рухнул. Отец схватил доску его и грохнул об пол, не причинив ей вреда. Он подбежал к платяному шкафу, где газеты в помине быть не могло, и стал оттуда выкидывать белье и одежду. Потом выбросил все книги из книжного шкафа. Потом выкинул вообще всё из всех мест, где что-то было закрыто и могло быть не видно его глазу. Потом он стал доставать из серванта посуду и бить ее об пол и стены. Потом схватил все ту же злосчастную доску журнального столика и запустил ее в телевизор. Взрыв стекла, телевизор с грохотом падает. А под телевизор была приспособлена тумбочка, он стоял на ней плотно, но щель небольшая была, вот в этой щели и оказалась газета. Увидев ее, отец окончательно взбеленился, схватил, стал рвать ее руками, грызть зубами, а потом вдруг кликушески закатил глаза, странно стал вскрикивать-взлаивать, повалился на диван, мать бросилась отпаивать его валерианкой, водой, насильно водки влила полстакана...

Подобного никогда больше не было у него — как и у Талия. Талий только почему-то не может вспомнить сейчас, чей приступ был раньше — его или отца? Наверное, все-таки его: если б он видел отцовский, то сдержался бы. А может, раньше был отцовский, не ставший, однако, примером, *ибо все, делаемое нами точно так же, как делали другие, кажется нам не таким — ведь мы-то не такие!*

Талий рано понял, насколько неприятно действуют на него отклонения от заведенного им самим распорядка. Он рано понял, что выхода два: или устроить распорядок жизни таким, чтобы никто его не мог нарушить — или пересилить себя и сделать свою жизнь нормально-беспорядочной, как у всех. Но первое почти невозможно. Остается — второе.

Исполнить план он не мог при родителях, при отце то есть.

Отец умер.

Но он и при матери не мог.

Матери не стало.

И Талий вместе с окончательным сиротством узнал, что такое кощунственная радость этого сиротства.

Он работал уже в то время в музее — как и по сей день. Но друзья поры студенчества остались — изнывающие от ограниченных возможностей для молодежного веселья в тесных условиях социалистического общежития. То поколение в то время вообще расставаться с беззаботностью юности не желало лет до тридцати, а кто и дольше. Талий стал усердно зазывать друзей в гости, они приходили с вином и подругами, и скоро стало в квартире то, что вызванный по жалобам соседей участковый милиционер в протоколе назвал: «притон». Он имел в виду юридический термин, он хотел выслужиться, ему мечталось из бытового хулиганства состряпать настоящее уголовное дело, главой угла которого было бы как раз «притоносодержательство». Никакой злобы он не имел против Талия, равно как и не имел никаких к Талию симпатий молодой адвокат, которому тоже хотелось выслужиться и блеснуть, и он в два счета доказал, что в возбуждении уголовного дела должно быть отказано: для статьи о притоносодержательстве нет таких квалификационных фактов как хранение в квартире значительных запасов спиртного и продажа оного по спекулятивным ценам в неурочное время, не было и карточной игры на деньги, сводничества — и т.п., поэтому все укладывается в рамки аморального поведения отдельной растленной части нашей молодежи, подвергшейся влиянию Запада, каковое (поведение) тоже может быть осуждено, но по статьям не страшного уголовного, а — гражданского кодекса.

Нет, были в советское время бескорыстные люди, были.

И Талий отделался лишь письмом из милиции на работу с рекомендацией принять меры административно-воспитательного характера: тогда очень в ходу были подобные письма.

Директор музея Ирина Аркадьевна даже очки сняла, перечитывая это письмо, — словно с помощью близорукости своей могла прочесть не то, что увидела ясным зрением сквозь очки.

— Поверить не могу! — сказала она. — Вы?!

— Ничего особенного, — сказал Талий. — Просто соседи склочные нажаловались в милицию, у одной старушки племянник милиционер, вот он и постарался.

— Да, да... Но мы должны реагировать как-то. Тут написано: о принятых мерах общественного воздействия сообщить — и адрес.

— Напишите, что объявили мне выговор. Проверять никто не будет.

— А вдруг? Нет, выговор дело серьезное, я тогда должна его на самом деле объявить. Лучше — ну, какое-нибудь общественное порицание на собрании коллектива, хорошо? Но как бы это им мало не показалось?

— Тогда уж лучше выговор, — сказал Талий.

— Вам легко говорить! — рассердилась и расстроилась бедная Ирина Аркадьевна. — А мне — решать!

Страдая, она пошла-таки на подлог: отписала в милицию, что работнику музея мл. научному сотруднику Белову В. П. объявлен выговор и он лишен премиальных. На самом деле выговора не было, а о каких-то премиальных в музее и говорить смешно. Но в милиции бумажку съели, не подавившись. Об одном просила сердечно Ирина Аркадьевна: чтоб больше таких недоразумений не было.

И их не стало. Отшумели шумные компании, а если кто заходил на огонек, Виталий просил иметь в виду склочных соседей.

И чуть было не воцарился в жизни его опасный порядок: на работе все гладко, пишет научные статьи, учится заочно в аспирантуре, диссертацию кандидатскую готовит на историко-этнографическую тему, но тут возникла Ленуся.

Возникла она вместе с Сославским. Сославский двух привел: эта, которая брюнетка, сказал, Ленуся, а которая блондинка — Леночка. Я с Леночкой, а тебе — Ленуся. Если ты ей понравишься.

— Уже понравился, — сказала пьяненькая Ленуся. — Мне сегодня все нравятся.

И была ночь невинно-бессовестная (так обозначена она в памяти Талия), когда Ленуся куражилась над ним, радуясь безмерно его застенчивости, и кричала Леночке, чтобы та пришла посмотреть, как большой и взрослый мальчик краснеет, когда с ним ничего особенного не делают. Леночка через некоторое время и впрямь пришла, сказала, что Сославский, сволочь, заснул и ей скучно. Присоединилась к Ленусе — чтобы с ней на пару скуку избывать.

Наутро девушки исчезли, и Талий, не жалея о них, благодарен даже был Сославскому, что тот дал ему возможность прикоснуться к разврату (ах, хорошо, хрустко, бодряще звучит!) — настоящему, который позволил ему пробить брешь в собственной надоевшей добропорядочности — и любви к порядку.

Ленуся через неделю вдруг явилась среди ночи, переполошив всех соседей, обзвонив их поочередно.

— Подъезд помню, а квартиру нет, — простодушно сказала она. — Жрать хочу и спать.

Оказалась она из другого города, училась кое-как в политехникуме, была девушка совсем простенькая — какой-то непостижимой для Талия простотой.

— Ты совсем один, что ли, живешь? — спросила она наутро.

— Совсем один.

— А мама-папа где?

— Умерли.

— Повезло! Я не в смысле, что умерли, а в смысле, что один. А почему не женишься?

— Куда спешить?

— Это правильно. А то женись на мне.

— Спасибо, — улыбнулся Талий. — Но, говорят, чтобы жениться — надо вроде бы любить — и так далее.

— Нет, но я же тебя тоже не люблю! — возразила Ленуся. — Так что мы будем на равных. Ведь интересно же, наверно, жениться — для пробы хотя бы. И я бы замуж вышла, чтобы знать, как это — когда замужем. А если боишься, что я хочу у тебя прописаться и квартиру отнять — и правильно делаешь, между прочим, — мы можем не регистрироваться, а просто пожить. Как будто муж и жена. А то мне в общежитии до смерти надоело. Нет, я общительная вообще-то, но так тоже нельзя. Там сто рыл — и у каждого день рождения каждый день. И все зовут — потому что я общительная и веселая. Ну и красивая вообще-то, не без этого, а?

— Не без этого, — согласился Талий.

— Ну вот. Ты подумай: если день рождения каждый день, это и спиться можно и что хочешь. Гонорею даже подцепила один раз уже, но давно, теперь я уже осторожно. Хочешь, справку принесу из венддиспансера? Поживу хоть как нормальная. И ты тоже — чтобы постоянная девушка была, это и для здоровья и чтобы тоже какую-нибудь заразу не подцепить. То есть — взаимовыгодно! — заключила Ленуся и засмеялась.

Талий подумал.

С одной стороны — очень непривычно будет. Чужое тело рядом вечером ложится и утром рядом его обнаруживаешь. В ванной плещется. В туалете, — господи, глупости в голову какие лезут, — сидит... Разговоры разговаривать начнет, когда он читает. В кино звать... С другой стороны, он слишком уж закоренел в одиночестве, слишком уже стал привыкать к нему. Это плохо.

— Ладно, — сказал он Ленусе. — Живи. Зарабатываю только я немного, это учти.

— А у меня даже и стипендии нет. Ничего, как-нибудь.

Это как-нибудь далось Талию трудно.

В квартире воцарился хаос: всюду валялись вещи Ленуси, дверцы шкафа нараспашку, стул поперек встал, пройти мешает, Ленуся вместо того, чтобы убрать на место, довольно гибко и изящно, надо признать, всякий раз огибает его... Готовить она не умела и не собиралась учиться. Уходила когда хотела, приходила — тоже. Вдруг в полночь приведет какую-то подругу, запрутся в кухне, пьют портвейн, горячо что-то обсуждают. Или примчалась — тоже в полночь, сорвала с себя куртку, бросила на пол, стала ходить по комнате и кричать: «Сволочь! Сволочь!» — а потом потребовала, чтобы Талий тут же пошел и набил морду — ну, одному там. Если он мужчина, он тут же пойдет и набьет ему морду. Талий собрался — и с неохотой, и странно довольный возможности погрешить против распорядка: куда-то зачем-то бежать среди ночи, бессмысленно, но с тем глупым азартом, которому он иногда у некоторых людей завидовал... И они быстро пошли ночными улицами, зашли в темный подъезд какого-то дома, стучали в дверь первого этажа, потом стучали в окна, Ленуся кричала, вызывая какого-то Пашку, обзывая его всячески, соседи кричали, обещая вызвать милицию, Пашка не вышел — да и был ли он там? — Ленуся на прощанье разбила темное окно обломком кирпича... а позже гладила грудь Талия и говорила: «Ты храбрый, а я дура. Дура я, из-за пустяков волнуюсь. Ты меня прости».

Талий прощал.

И думал, что может все простить, ибо девочка эта так и осталась для него чужой, посторонней.

Однажды она явилась с юным молодым человеком, совсем мальчиком, моложе ее самой и, поддерживая его, пьяненького, в прихожей, заходясь смехом, приложила палец к губам, громко прошептала Талию: «Скажи, что ты — мой брат».

Талий, смутно помня, что это из какого-то анекдота (там — про сестру), брезгливо отцепил от нее паренька и стал втолковывать ему, что пора домой. Паренек кивнул, соглашаясь, и сполз по стенке, и лег на полу — и сладко заснул.

Ленусе вдруг показалось, что унизили ее друга — и ее.

— Я люблю его, поэл? — орала она. — Я его встретила, поэл? Это моя судьба, поэл?

— Дурочка, — сказал Талий. — Я спать хочу.

— Что?! — закричала Ленуся в страшном гневе. — Как ты меня назвал? Повтори!

— Я спать хочу, — повторил Талий.

— Ты как меня назвал? Ты с кем говоришь вообще? Ты получить хочешь? На!

И она ткнула его кулаком в лицо, в нос. Талию сделалось больно и неприятно, и он чихнул.

— Тебе мало? — кричала Ленуся. — Ничего, ты получишь сейчас! Ты думаешь, за меня нет никого? Ты сейчас увидишь! Ты увидишь!

С этим обещанием она выскочила, хлопнув дверью.

Талий сел в комнате в кресло и застыл, недоуменный.

В прихожей валялся чужой пьяный мальчик. Пьяная маленькая женщина-подросток бежит по ночной улице к каким-то своим друзьям, чтобы направить на Талия, чтобы они избили или даже — мало ли что спьяну бывает — убили его сдуру. Глупость. Беспорядок. Смешно. Нелепо. Простота и впрямь иногда хуже воровства, подумал он, со стыдом чувствуя, что ему, пожалуй, страшновато. Именно вот так, глупо, абсурдно и совершаются бытовые убийства: в газетах вон пишут... Стыдясь, он тем не менее взял с кухни нож, но в руках его держать как-то неловко было, он сунул его в карман.

Через полчаса Ленуся пришла — одна.

— Пойми, — втолковывала она Талию виновато, но с сознанием своей правоты. — Пойми, это с первого взгляда. А ты его как собаку у порога уложил.

— Он сам улегся.

Юноша в этот момент замычал, зашевелился. Сел на полу и стал моргать бессмысленными очами, зевая.

— Владик! Владик! — обрадовалась Ленуся, стала обтирать с лица юноши пьяные слюни, а потом целовать его в зевающий рот. Тот вертел головой, уклоняясь, отпихнул Ленусю и с трудом молвил:

— Пошла ты!.. Ты кто? Я где?

И еще несколько слов — вяло-ругательных.

— Ах ты гад! — озлилась Ленуся, вскочила — и стала пинать ногой юношу. И сильно: он завыл, застонал, стал карабкаться вверх — и к двери, к двери, а она все била его, уже и руками, и пихала, и толкала — и вытолкала...

... Утром проснулась свежая, ясноглазая.

— Что ж, Ленуся, — сказал Талий. — Вот я и был женат, а ты — замужем побывала. Спасибо тебе. До свидания.

— Умыться хоть дай, — сказала Ленуся.

Умылась, попила чаю, собрала вещи — и ушла.

Вечером того же дня — звонок в дверь.

Пришла с друзьями мстить, почему-то подумал Талий. Но ножа не взял. Распахнул дверь, отступил. Перед ним стояла хмурая черноволосая девушка, деловито кусая ногти. Она спросила:

— Виталий?

— Да.

— Там эта. Ленка. Пошли.

— Куда? Зачем?

— Ну, это. Вены резала. Тебя зовет. Вас.

Талий пошел, почти побежал в общежитие техникума, которое находилось неподалеку. Черноволосая девушка, будучи полноватой, еле поспевала за ним, умудряясь и на бегу быть хмурой и кусать ногти.

Ленуся лежала в полутемной комнате. Одна. Остальные четыре кровати были пусты почему-то. Она лежала под одеялом. Руки поверху, запястья перевязаны бинтами. Черноволосая ее подруга, проводив Талия до двери, в комнату не вошла.

— Я очень бледная? — спросила Ленуся.

— Это свет такой. Абажур у лампы синий.

— Это от потери крови. Литра три потеряла. «Скорую» вызывали. Предлагали в больницу, я отказалась. Ты не думай, мне ничего не надо. Просто подумала: вдруг помру. Чтобы повидаться. Извини, что позвала.

— Да ничего. Ты зря это...

— Само собой. Псих накатил.

Талий смотрел на нее и думал, что вовсе она не чужая и не посторонняя.

Он вспомнил, с каким ревнивым нетерпением ожидал ее вечерами, принимая это нетерпение за досаду относительно беспорядка. И как был рад, если она приходила рано — тихая, ясная, — и ластилась к нему, дурачилась, на коленки взбиралась, целовала в губы, в шею, в плечо возле шеи, где у него было щекотное место, но он — любил. Он понял вдруг совершенно отчетливо, что девушка эта, абсолютно другая — умом, образованием, характером, понятиями о жизни и опытом жизни, эта девушка нужна ему — и суждена ему. Никаким провидцем не будучи, он словно заглянул в будущее и увидел там, что может у них быть, несмотря на разность, семейная общность, в которой главное не ум, не характер, не — уж конечно — образование, не жизненный опыт и так далее и тому подобное, а что-то более важное, для чего не нашли точнее выражения, чем — родственность душ. А может, и не нужно точнее, просто не обязательно думать, что оно, видите ли, затаскано. Не тобой затаскано, не ты и виноват. В чем родственность? Бог ее знает! Не в словах и не в поступках, а вот — бывало — в том, как они неожиданно посмотрят друг на друга, улыбнутся одновременно и одинаково-бессмысленно, безотчетно — словно души их поцеловались и обнялись, чувствуя необычайное родство, теплую близость...

Уверенность эта, это просветление были настолько велики, что Талий готов был уже сказать: «Пойдем со мной, живи со мной, ты нужна мне — навсегда».

И он нагнулся к ней, чтобы поправить одеяло и поцеловать ее, и учуял знакомый ненавистный запах портвейна. И подумал: самообман это все. Жалко девушку. Остальное — выдумки. Не может быть она судьбой, потому что не такая назначена ему судьбой.

Конечно, сейчас, в состоянии спокойном, ему смешна эта нелепая самозащитная логика (словно человек, упавший в яму, сетует и резонерствует, что, дескать, быть может, он и должен был упасть, но никак не в эту яму!), а тогда ему собственные доводы показались бесспорными. И он поправил одеяло, но не поцеловал ее. Сказал: «Приходи, когда поправишься. Ты обязательно очень скоро поправишься. Приходи, ладно?» — и удалился.

Ленуся, простенькая девушка, все поняла. И не пришла.

## 7

Итак, итак, итак, напряженно думал Талий, уместив воспоминание о Ленусе в половину, а то и четверть сигаретной затяжки, итак — наследственное стремление к порядку, почему я начал думать об этом, — ведь неспроста? И Ленуся — неспроста. После Ленуси были еще две кратковременные женщины, но в доме он уже никогда никого не оставлял.

Главное-то — что?

Главное вот что.

Говорят, будто все предыдущие женщины не имеют значения, когда встречаешь ту, которая... — ясно. Равнозначно и все предыдущие мужчины не имеют значения для женщины, когда она... — понятно.

Это не так. Это вовсе не так. После встречи связь с другой женщиной —

измена, а до встречи — не измена. Но для Талия невероятным образом и то, что было ДО Наташи и то, что могло бы произойти (никогда!) ПОСЛЕ, — слилось в какой-то единый временной поток, и если бы в этом потоке он увидел себя влюбленным в другую, он считал бы, что изменил Наташе. Неважно — когда именно. Вот он ревизовал в одно мгновенье прошлое — и ясно теперь, для чего ревизовал: чтобы еще раз проверить и с полной уверенностью сказать: нет, я ей не изменял, я только ее люблю и любил, и нет моей любви к другой какой-нибудь женщине — ни в прошлом, ни в будущем.

Но зачем понадобилась эта ревизия?

А затем, сказал себе Талий, что ты, обелив себя, подготовил, тихий подлец, почву для размышлений на тему: а она?

Нет, не так.

Наверно, вот как: если бы в прошлом своем или будущем Талий в размышлениях, воспоминаниях и предвидениях своих увидел бы себя влюбленным в другую, то ему стало бы легче, он бы тогда решение Наташи посчитал справедливым наказанием, предопределенной местью за эту любовь — и не имеет значения, знает она или не знает.

Точно так же ее влюбленность в кого-то — когда-то в прошлом или в будущем, или сейчас — дает ей право...

Я ищу Его, вот и все, обрезал себя Талий. Хватит крутить. Я ищу Его. Он есть. Никакого самоубийства не грезится Наташе. Она сильна, здорова и жизнелюбива. Просто есть Другой. И ты эту вероятность всегда допускал — что ж тебя трясет и колотит всего, отчего предощущение ужаса в душе?

Он должен был появиться у нее уже потому, что ты слишком был уверен, что никто у нее не может появиться, потому что ты уверен, что для нее достаточно хорош! — зло сказал себе Талий. Вот — правда.

Но представить — не мог. Не может быть для нее в мире человека лучше меня! — так прозвучала бы мысль Талия, если бы он перестал кружить вокруг и около, а попытался сформулировать ее с действительной и настоящей правдивостью.

На что списывают чаще всего причину измен? Околдовал, обольстил, умением и пылом любовника с ума свел! Но кто, кроме меня, может с ума ее свести? — без гордости, а с прямолинейным осознанием непреложности этого факта думал Талий.

Вот уже сколько лет — и нам все лучше, думал он. Мы набираемся науки и опыта друг от друга. Мы ищем и никогда не устанем искать. Мы не стремимся принадлежать другу другу ежедневно, у обоих есть талант и умение немного потерпеть, помучаться. И настает день, когда они чувствуют: СЕГОДНЯ. Они говорят друг с другом иначе, смотрят друг на друга иначе. И оба опасаются, что это кажется только, что совпадения на этот раз не будет, один думает об этом, а у другого сегодня другое на уме, и оба радуются: опять совпало!

Конечно, в основе — ритуал. Они знают, как губам удобнее и приятнее соприкасаться, она обязательно после этого целует его долго в шею и в то место возле шеи, где щекотно, но он — любит, а есть места и другие, и она эти места вниманием не минует, она первой начинает все это, слегка посмеиваясь, слушая, как он что-то бессловесно шепчет, и это всегда довольно долго, а потом наступает его черед, теперь она закрывает глаза и раскидывает руки — не зная, с чего он начнет и где окажется сейчас — и после, он кружит, касаясь, приближаясь и удаляясь, чтобы ожидание ее было все мучительней, потом, достигнув, приникает жадно, надолго, она вздыхает — будто не веря, что это — невероятное — происходит, и это тоже долго, со временем он научился этому, впрочем, у него, пожалуй, есть и природный дар — сдерживаться, как сдерживается он и после того момента, для кого-то начального и почти сразу же и конечного, момента единения, когда она издает легкий вздох-вскрик и тихо говорит слова, которые никогда не покажутся привычными и которые счастлив слышать любой мужчина: «Не может быть!» — и он понимает ее, потому что и сам испытывает такое же изумление: что это бывает, что ТАК бывает, и все сдерживается, вернее, уже не сдерживается, нет необходимости, он уже не чувствует себя, а только ее — и живет ее ощущениями, угадывает их, знает, как усилить, как на время дать отдохнуть, немного успокоиться — и как опять довести до неведомого края, когда она плачет и смеется, в сотый раз произнося: «Не может быть!» — и лишь у порога, за которым предел, он вспоминает о себе — и она тут же об этом догадывается, почти всегда это совпадает с ее тихими словами о том, что он лучший мужчина на свете, и теперь она властвует, зная, что после гладкой гибкости и ласковой ярости любовного бешенства ему нужно плавное течение, плавное, легкое — и точно угадывает, когда течению следует оборваться водопадом, — и Талий падает, Талий смеется, почти хохочет — приглушенно, Талий говорит с оттенком грубоватой любовной фамильярности: «Ты гениальная женщина!» — как не говорят мужья женам, но он — говорит (но ведь и она говорит ему то, что жены не говорят мужьям, обычные жены обычным мужьям).

Она ведь, конечно, не может предположить, что у Талия может быть с другой хоть что-то отдаленно похожее, значит, вправе и он предположить это. Талий не может даже представить, что он у нее может быть один из двух (первым номером или вторым — неважно!).

Но ведь уже — не первый!

Ведь то, о чем когда-то говорил Витя Луценко, было: она собиралась замуж. Что было и как было, Талий никогда не выяснял, но он знал основное.

8

Человек тот, по имени Георгий, с которым она училась, юный мужчина из несомненно одаренных в сугубо мужском смысле, был очень рано свободен и самоуверен. Мать Георгия, воспитавшая его одна, давшая ему и общее, и музыкальное образование, уверенная в его блистательном артистическом будущем, не перечила ему, когда он заявил, что ему необходимо творческое одиночество — и перебралась жить к своим стар351еньким родителям. Готовить сыну еду она приходила среди дня: было условлено, что с двенадцати до двух — можно. За эти два часа она стряпала обед, ужин и завтрашний завтрак. Брала белье в стирку — и уходила. Для родственных свиданий отведена была пятница. Почему-то именно пятница, Талий знал эту деталь. В пятницу мать наслаждалась общением с сыном весь вечер, допоздна, пила чай, жадно расспрашивала, с жадностью слушала, потом он под руку провожал ее, она была счастлива.

Творческое же одиночество Георгий использовал для беспорядочных амуров и амурчиков, но очень быстро этим утомился, и оказалось у него сразу две невесты, которые друг о друге знали — и были даже слегка подруги. Вы мне обе нравитесь, сказал он им (не поодиночке, а — сидели вино втроем пили), а я вам нравлюсь — один. По морали бытовой и косной надо мучаться и не знать, что делать. По морали свободной, раскрепощенной, почему бы не пожить втроем — и как-нибудь само все прояснится? А?

И они жили втроем. Как это было — Талий не хотел знать. Через полгода соперница Наташи, как выразился любимый сын любящей матери, сошла с дистанции. Наташа должна была торжествовать, но вместо этого она ушла от Георгия и сказала, что больше не хочет его видеть. Тут же вернулась вторая, на которой он и женился. Все. Конец истории.

Конец — да не окончательный.

Георгий через год бросил вторую и уехал в город Ленинград. Наверное, славы добывать. Славы не добыл, вернулся, устроился работать в тот же тюз, где уже Наташа была. Но и тут лавров не досталось ему, он перекинулся на какую-то коммерческую деятельность, и успешно, сейчас у него своя контора по купле-продаже и обмену квартир, он стал богат.

Осенью прошлого года он явился к ним в дом. Он явился вечером в театральный выходной, в понедельник.

Шел дождь. На разбитом повороте возле дома то и дело тряслись и громыхали в колдобинах грузовики — рядом домостроительный комбинат, от этого каждую минуту скандальным голосом взывала слабонервно-чуткая сигнализация машины Георгия, он не обращал внимания.

Ни чая, ни кофе не предложила ему Наташа, поэтому вид у него был не гостя, а — как и следовало ему — сугубо делового человека. В кресле сидит, вертит в пальцах ключи от машины, лицо скучное: *решает вопрос*. Наташа слушает, но так, будто вопрос этот не ее касается, она просто случайно оказалась при разговоре. Но точно так же сидит и Талий, внимательно читая газету и понимая, что надо бы выйти, однако — не в силах. Да и не требовалось Георгию, чтобы он вышел.

Он говорил:

— Сама понимаешь, мне не женщина для представительства нужна. Не для хозяйства. Не для постели. И так далее. Мне ты нужна. Сын у тебя от другого — это неправильно. Я к твоим родителям заехал сегодня, мне сын понравился. Будто мой. Я его полюбил почти. Мне ты нужна, вот что я понял. Мне тридцать три года уже, я все попробовал, хотя — не в этом дело. Ты мне нужна.

Талий не вытерпел.

— Прошу прощения, что вмешиваюсь, — сказал он. — Насколько я понял, вы просите мою жену выйти за вас замуж?

— Да, — сказал он и посмотрел на Талия сухо, просто. Словно не понимал, насколько нелепа ситуация, насколько комична, несусветна и... Да нет, конечно, понимал, — но ведь актер, хоть и бывший, да еще и по натуре актер — вот и играл. Непонятно только — зачем? На что рассчитывал?

— А со мной как быть? — спросил Талий.

— Разведетесь, — пожал плечами Георгий.

— Плохо вы как-то ее заманиваете, — сказал Талий. — Вы бы напомнили старую любовь. Пообещали бы златые горы. Что в шампанском будете купать ее — и так далее.

Георгий будто и не слышал этого ничего.

— Ну так как? — спросил он Наташу.

— До свидания, — сказала Наташа.

— Ладно, — сказал Георгий.

Поднялся — и вышел.

— Похоже, он был в стельку пьян, — сказала Наташа.

— Не заметил. Запаха не было, — сказал Талий.

— Тогда он сидит на наркотиках. Или сошел с ума. Нормальные люди так себя не ведут.

— Значит, он ненормальный.

И все, и больше о Георгии — ни слова. Он исчез, пропал.

А может — не пропал.

Вернемся к той странной истории, когда Наташа, победив соперницу, тут же ушла от него. Возможно, ей только этого и надо было — победить соперницу? И не только ее. Победить всех, стать для любвеобильного Георгия — единственной. Она ведь не только в театре честолюбива.

Хорошо, пусть так. Победила его, а потом сразу же себя, потому что при таких победах победитель очень скоро становится побежденным — тем, над кем одержана победа. Она этого дожидаться не стала. Пусть так. Почему же после этого она его, Талия, выбрала?

Нет, это не вопрос! Влюбилась — вот и выбрала. Просто влюбилась, вот и все.

Пусть так.

Но, похоже, побежденный Георгий не очень-то чувствовал, что побежден. Жил себе. Уезжал. Вернулся. О старом не вспоминал и заново все начать не предлагал. Ушел из театра. Стал жить совсем другой жизнью. И вдруг из этой другой жизни: здравствуйте, я за вами. Эффектно.

Но почему выбрал самый худший, самый безнадежный способ возвращения? Мог бы подкараулить в театре. Прийти на спектакль — и после встретить. Или дождаться после репетиции, узнав, когда и где — свой ведь человек в театре. Пригласить в кафе куда-нибудь. Говорить голосом глуховатым и грустным. Ну и так далее.

Так нет — домой приехал. В присутствии мужа говорил. Сам себе такие препятствия создал, после которых... — а может, ему того и нужно было? Встретить, в кафе позвать, грустный голос и т. п., это все схема известная. Это он сто раз пробовал с другими, — обрыдло. Ему, гурману, подавай ситуацию сложную, именно почти непреодолимую, иначе интереса нет!

Прошел месяц, другой — они встречаются. Специально или случайно. Допустим, случайно. Или как бы случайно.

— Так и не поняла, зачем ты приходил? — спрашивает Наташа. — Ты пьяный был? Ты с ума сошел?

— Что, муж скандал устроил?

— Да нет. Он — умный.

Может, так говорили, может, не так, но цель, если вдуматься, Георгием достигнута! — они вдвоем и обсуждают ситуацию, касающуюся их двоих, а муж при этом уже — *третье* лицо! Когда — дождаться у театра и в кафе позвать, — он из своей жизни, она из своей. А тут он вторгся, он говорил — с ней, а муж — присутствовал. Третьим был. Гениально! Гениально! — Талий чуть не поперхнулся дымом, сделав слишком глубокую затяжку.

Какой расчет! Вот они уже и — заговорщики!

И ему не надо уже говорить с ней в кафе грустным глухим голосом, он будет говорить нормально, все допытываясь, не буянил ли муж, не попрекал ли, не поднял ли, упаси бог, руку. А она смеется, немножко, слегка предав этим Талия, — но какая женщина слегка и немножко не предаст мужа, когда говорит с ней другой — и не просто другой, а с которым было что-то?

— Ты изменилась, — говорит он. — В сто раз стала лучше. Я приехал сдуру, это понятно. Я к той приехал — ну, понимаешь. Понял, что нужна. А увидел — совсем незнакомая женщина.

— Которая — не нужна?

— Нет. Без которой вообще жить не могу. Совсем другая, совсем. С ума сойти.

И она знает — это так. Она другая. Она — радость и счастье другого человека. Мужа. И извечное любопытство пробуждается — не обязательно женское, а вообще — и даже благородное как бы, не захватническое, а самоотверженное: не чужое взять, своим поделиться, но и проверить заодно, а есть ли чем делиться, впрямь ли она так богата?

Как ни горды мы, как ни самодостаточны, но чужое мнение о нас — манит, дразнит. Наташа сама еще не сознает, как ей хочется проверить, узнать — только раз, даже без особого влечения к этому человеку (и это даже лучше, что без влечения), — узнать, проверить. Чтобы он не просто сказал, как сейчас: ты изменилась, а — от счастья задохнулся бы и от горечи — поняв, *что* потерял, и сказал бы то же самое, но иначе!..

И Георгий это чует, он уже чует, уже ум его лихорадочно обмозговывает: как все *прокрутить*, обделать...

— Я понимаю, — говорит он. — Я зря приезжал. Ты этого своего как кошка любишь.

Умница, сволочь, правильно говорит! Уязвляет, с кошкой сравнивает — одновременно называя мужа — *этот* свой! дескать, тут вечное житейское: любовь зла, полюбишь, извини, и такого. *Этого!* Что ж, понимаю.... Сочувствую.

— Разве вынесет это женщина? — такое сочувствие, такое понимание? Но Наташа не так проста, чтобы тут же сдаться. Она говорит с тихой усмешкой (от которой у него мурашки), говорит как о судьбе и о том дарении судьбы, которому и завидовать бессмысленно, потому что — тебе не дано и не может быть дано: «Да, люблю».

— Я рад за тебя, — кисло говорит он.

Он проиграл. Не нарочно проиграл, она бы почувствовала, он — всерьез проиграл, потерял лицо, скукожился. И ее великодушие берет верх:

— Ладно, нашел о чем жалеть. Я загнанная бытом баба. Бытом, рутиной в театре. Не горюй.

— Буду горевать. Со мной, знаешь, много чего было.

— Расскажи.

— Неохота. Не здесь.

Она настораживается — хоть и с улыбкой, конечно, с усмешкой. Глазами.

— Не бойся, — говорит он. — Заманивать тебя не собираюсь. И — чем? Я скучный стал.

И она понимает, что они сейчас минут пять поговорят — и расстанутся навсегда. И это — хорошо. Она ему не нужна. Он соврал. Глаза — потухшие. Голос тусклый. Ему никто уже не нужен. Он просто очень усталый человек. Сейчас он окончательно ее потеряет — и даже не очень пожалеет об этом, потому что усталый человек не боится терять.

И это ее не устраивает. Все-таки она актриса. Это — плохой уход. Уход без аплодисментов. Рядовой уход в рядовом эпизоде. Ей и в театре этого предостаточно.

— А куда бы ты меня, интересно, заманил? — спрашивает она.

Он смотрит с недоумением.

— Да нет, я шучу.

Оба чувствуют себя как-то глупо, неловко.

Обоим хочется — разойтись.

И не могут этого сделать.

— Подвез бы до дома, что ли, — говорит Наташа.

Он подвозит ее до дома, громко включив в машине музыку — чтобы не говорить.

Приезжают.

Он провожает ее до двери. Входит вместе с ней.

— Ну все, все, — говорит она. — Хватить шутить. До свидания.

Он обнимает ее. Ей неприятно. Чужой человек. Чужая одежда. Чужой запах. Глупо. Господи, как глупо!

Он хватает ее на руки, несет — совсем уж глупо, кидает на постель — страшно глупо, руки его возятся в ее одежде, глупо, смешно, но вдруг жаль, так жаль, так жаль... И близко уже, и кажется уже сдалась — и тут она понимает, что претензии его элементарно несостоятельны.

— Кошмар, — шепчет он ей в ухо. — Я тебя боюсь. Я никого не боялся.

— Успокойся, — говорит она. — Нам двадцать лет опять. Ты разве забыл? Куда ты спешишь? Вся жизнь впереди.

И он успокаивается. И она дает ему возможность доказать, что все у него в порядке, все у него нормально.

Его дело сделано, но ее не сделано.

Поэтому они договариваются встретиться не наспех, не наскоро, и оба втайне этого не хотят. Он опять боится несостоятельности, она же... — она просто знает, что этот второй раз будет последним.

Но во второй раз все вдруг получается хорошо. Он успокоился, она — обворожительна, победительна, все как надо, вот это уход, вот это аплодисменты, вот это крики — на бис! — а почему бы и нет? Он просто потрясен, он в себя прийти не может, — и надо уходить, но ей еще хочется его потрясением полюбоваться, закрепить успех — и уж вот тогда совсем уйти.

Поэтому — еще одна встреча.

И она понимает вдруг, что хочет узнать, можно ли зайти дальше, чем с Талием — именно потому, что с Талием она далеко заходит, дальше, кажется, некуда — а вдруг есть куда? И он это ее желание угадывает и очень старается. И...

И Талий тушит вторую сигарету.

Хватит.

Все ясно.

Что ясно?

То ясно, что — было ли что-то у Наташи с Георгием или не было, — и пусть не с ним, пусть с десятерыми, пусть вообще ни с кем, пусть только быть могло, — для Талия все равно теперь. Все равно — потому что он, Талий, никогда ее не подозревавший, — подозревает теперь. Был бы он ревнив, как обычно бывают ревнивыми мужья, он стал бы допытываться, доискиваться, он, может, слежку бы устроил, — чтобы успокоиться, независимо от результата доискиваний и слежки. Талий же не ревнив от природы (таким всегда считал себя, по крайней мере) — и, следовательно, единожды приревновав, успокоиться уже не сможет.

Он вспомнил актера Волобеева, у которого каждый день болит сердце. Наверное, он привык (насколько можно к этому привыкнуть) — и когда кольнет или стрельнет в сердце, не пугается. Человека же, считавшего себя здоровым, первый сердечный приступ пугает очень сильно, этот испуг остается в нем, записывается на какую-то, черт бы побрал ее, мозговую извилину, он начинает ждать нового приступа — и, как правило, дожидается... Есть даже болезнь такая, знает Талий, — кардиофобия.

Но чего он хотел, если он — и тут Талий, доставая третью сигарету, припомнил то, что он оставил на потом, пообещав себе додумать, — если он ВСЕ ЗНАЛ?!

Он знал, он предвидел, что, рано или поздно, этим кончится. Чем — этим? Неважно. Этим. Ничем. Кончится — это главное.

Суть не в их разнице, которая есть и с которой начиналось: она красавица, она молода, она актриса, а он — человек средний во всем (хотя и человек глубоких мыслей). И не в том причина, что она вышла за него из-за каких-то практических соображений. Так бывает — и часто, но это не их случай. Она Талия полюбила — как может полюбить любая красавица любого среднего человека, в этом Талий убежден.

Надолго ли — вот вопрос, который ему следовало задать себе сразу же, тогда еще. Впрочем, не задавая этого вопроса, он и так понимал: ненадолго (то есть сейчас понимает, что — понимал).

Нет, не ошибся он, увидев в той, в той еще простушке Ленусе родственность души. Она, как и Талий, вечно хотела в чем-то разобраться, вечно у нее какие-то были проблемы, вечно она наводила порядок в своих запутанных личных отношениях. Жажда определенности, вот что у них было общее. Ну и еще, если выше взять, — жажда справедливости. У Талия — тихая, молчаливая, у Ленуси открытая, агрессивная, особенно в мелочах. Как-то они пошли — совсем семейно — в магазин за продуктами, в овощной магазин, ей хозяйственности вдруг захотелось, запасы сделать: картошки побольше, капусты (с горячим желанием засолить ее в трехлитровых банках), лука, моркови и т. п. Продавщица то ли обвесила ее, то ли обсчитала (Талий выполнял лишь роль носильщика), и Ленуся закатила гран-диозный скандал, стала требовать начальство, и вышло начальство в виде краснолицей женщины в ватнике, которая вместо того, чтобы уладить кон-фликт, сама стала кричать на Ленусю, — что, дескать, ошибиться всякий может, а орать необязательно! Мало на вас орать, орала Ленуся, вас пере-стрелять всех надо, сволочей! Вас в землю живьем закопать!.. Ну и так да-лее... Обзывалась, конечно.

Талию было неприятно, он морщился, он стеснялся людей, которые посмеивались, глядя на аппетитную сцену, но, в сущности, он очень хоро-шо Ленусю понимал и был на ее стороне.

Бог весть, что было бы, если б они стали жить вместе. Но очень вероят-но: в вечных мелких и крупных распрях, с выяснениями отношений, с увлечениями, покаянными слезами, признаниями в любви, а потом — по-чему-то уверен Талий — родила бы она ребеночка, а за ним еще одного, и ушла бы вся в детей и семейный очаг, и уж не валялись бы вещи где попало, а утром она Талия будила бы на работу и провожала бы завтраком его, а встречала бы его ужином и : «Соскучилась...»

Наташа же, надо прямо сказать, ни заботой домашней о Талии, ни вос-питанием сына излишне не увлечена. Для нее театр все-таки главное. Она не хотела связывать свою жизнь с человеком театра, она слишком серьезно относилась к будущей работе, ей нужен был рядом человек серьезный, нор-мальный, который — не мешал бы. Это не значит опять-таки, что она целе-направленно такого искала, нет, она, уверен Талий, влюбилась, но — при этом — в того, в кого хотела. Какого хотела. И он — в ту, какую хотел. А в этом что-то уже не то, хотя что не то — понять трудно, вообще не понять, не понять, — мучается Талий, сплевывая с балкона от досады, хотя сроду этого не делал.

Я не должен был на ней жениться, сказал себе Талий. Да, я тот, который ей нужен был: спокойный, нормальный, уютный, — не мешающий рабо-тать. Но ведь работа у нее особенная, и, может быть, она поняла, что тихие, в общем-то уравновешенные семейные годы на пользу творчеству не по-шли. Может, ей для стимула требовались как раз постоянные разлады, не-урядицы, нелепые несчастливые романы, сумасшедший переезд в другой город, там ее бросают на произвол судьбы, она карабкается, выживает — и так выковывается характер, и так выкристаллизовывается талант, так...

Я испортил ей жизнь, вот и все, таков был вывод Талия.

Есть ли у нее другой — неважно.

Разлюбила ли она Талия — неважно. То есть важно, но — не об этом речь.

Главное, что он открыл: она думает о другой жизни. О другой возмож-ной жизни. И, если быть честным, он не сейчас это открыл.

Вот ездили они смотреть домик, который ему присоветовали: на рабо-те дала одна женщина адрес. Село Клычи, полчаса автобусом от города, рощица есть, ручеек есть, старик и старуха уезжают в город к детям и про-дают домишко за недорого. Они поехали с Наташей и с сыном — пусть заодно подышит воздухом. Он веселился, Наташа была оживлена — как не часто в последнее время, он радовался. Со вкусом и азартом осматри-вал он деревянное строение о двух комнатах, хозяйственно и делово оглядел огородишко и садик, и хлев для овец и курятник для кур, постоял за домом, оценивая вид на луг, спускающийся к ручейку, а за ручейком и впрямь — рощица.

— Хорошо! — сказал он Наташе.

— Замечательно! — весело откликнулась она.

Он взглянул на нее, отвел глаза — и опять взглянул.

И лицо ее было веселым, и голос был веселым, и глаза были веселыми, но что-то было — не то.

А не то было, как теперь он понимает, — в незавершенности ее возгласа, в тончайшем призвуке, в котором слышалось: «Да, тут хорошо и замечательно — но не с тобой. Если б не только ЭТО поменять, то есть жилье поменять, хоть и не совсем, а на летние, допустим, месяцы, если бы — все поменять!»

И характерно, заторопился доказывать себе уже доказанное Талий, характерно, что они оба, оба ведь — и он, и она, одобрив домик и пообещав старику и старухе, что к осени соберут деньги (те намеревались съехать, собрав урожай с огорода и прикончив всю живность, — с наступлением холодов), к теме этой не возвращались. Предполагалось, что этим будет заниматься он. Но он занимался вяло, и вот уже осень, уже холода, а необходимой суммы еще нет...

Получается, получается, торопился Талий, что не в сегодняшних ее словах вообще дело! Не она решила развестись с ним, а он почувствовал, что все кончилось — и, возможно, ей эти его тайные мысли передались и она решила первая начать разговор!

Или он сам начал разговор! — думая о прощаниях, а на самом деле подводным течением мысли думая в это же время совсем о другом («мысль изреченная есть ложь», подразумевается, что истина, не ложь, существует хотя бы на уровне мысли, а если она — НЕМЫСЛИМА? — то есть отчету неподвластна, то есть — сам не только не слышишь, но и не ощущаешь ее?), он начал разговор, слова вырвались, как во сне, бредово, то есть мысли о прощаниях на самом деле были мыслями о ПРОЩАНИИ, на самом деле он — где-то там в себе — понял, что предел в их отношениях наступил и дальше — *лучше* не может быть, *так же* — не может быть, только — *ничего* не может быть, только так, и надо иметь мужество взять на себя, самому сказать, и он говорит: «Давай разведемся», а она, тоже готовая и все понимающая, просто отвечает: «Давай» — и это потому так легко получилось, что — окончание их мысленного диалога, который они давно уже ведут...

Бред! Не то!

Сказано было — не Талием. И не ею. Кем? Очень просто. Очень просто. Он углубился в свои мысли, вызванные интервью с государственным певцом К., а Наташа тем временем переключила радио на другую программу, а там — радиоспектакль. И Талий выловил из спектакля одну лишь фразу, сказанную голосом радиоактрисы, похожим на Наташин: «Давай разведемся», — а ответил ли он сам — «Давай» — это вопрос, за Талием водится такая особенность: нечто отчетливо подуманное ему кажется уже сказанным. Было не раз: «Так я не поняла, что ты думаешь по этому поводу?» — спрашивает Наташа, а Талий морщит лоб в напряженном недоумении: «То есть? Я же сказал!» Ей нравятся такие моменты, она хохочет.

А он смущенно пожимает плечами: «Разве не говорил? Я думал, сказал. Ну, извини».

Итак, пусть и она ничего не говорила, и он не отвечал.

Но все — произошло. Не там, на кухне, а сейчас, на балконе, когда он все осознал, взвесил, понял.

И все то, что он мысленно приписал ей — ему принадлежит.

То есть — и даже мысли о самоубийстве, что ли?

И Талий посмотрел с балкона вниз.

И тоска жуткая нахлынула, но в этой тоске — странное освобождение и почти радость: ну, слава богу, догадался — о чем не догадывался, нашел — где не искал. Понял.

## 9

Торопливо стал думать об этом Талий, словно боялся, что эти мысли кто-то отнимет у него. Да он сам и отнимет, испугавшись.

А ведь бояться — нечего.

Это лучший выход.

Для всех.

Для него в первую очередь.

Ведь как ни боялся он отцовского наследства, оно настигло его, оно — в том самом деле, которое он считает любимым своим делом, в его работе.

Лет пятнадцать назад наткнулся он на книгу конца прошлого века какого-то профессора Ф. Н. Эргонта «Национальные типы поволжского народонаселения». Книжка среднего объема, но густо написанная — и с иллюстрациями. Ф. Н. Эргонт был человек математический. Приведя статистические данные, сколько в Поволжье проживает русских, татар, чувашей, черемисов, переселенных немцев, марийцев и т.д., он в каждой главке дал краткие подразделы: тип внешности, род занятий, преимущественный характер, обычаи, жилье, — и прилагались фотографии типичного русского, типичного татарина, типичного чуваша... В конце он оговорился, что в результате смешанных браков издавна образовался незначительный разряд людей, которых трудно отнести к какому-либо национальному типу.

Книжка занятная, но Талия заинтересовало то, о чем автор сказал лишь вскользь: бывает такое, добросовестно констатировал Ф. Н. Эргонт, что люди совершенно разных национальных типов больше похожи друг на друга, чем люди внутри одного национального типа, и дело не столько в этнически характерных признаках, а в тех чертах лица, которые являются выражением внутреннего склада личности, его ума, характера и склонностей.

В самом деле, подумал тогда Талий, много — вне национальности — весьма похожих людей. Просто ли это случайное сходство или свидетельство какой-то общности, похожести внутренней?

Для начала лучше все-таки не распыляться и ограничиться если не рамками одной нации, то хотя бы тем, что называют европеоидным типом.

Разыскивая и читая книги, Талий узнал, что не только всем известный Ломброзо занимался исследованиями контуров черепа и зависимостью от них интеллекта, пытались это сделать — и не обязательно с точки зрения криминалистики — многие серьезные ученые, в том числе отечественные: Г. С. Страхов, П. С. Чежевский, Л. Л. Кройдо, М. К. Карев и другие.

Но и криминалистика пригодилась, всемогущий и всюдупроникающий Витя Луценко достал ему на два дня уникальную книгу для служебного милицейского пользования «Составление словесного портрета». Из этой книги следовало, что описать лицо любого человека — пусть даже и не совсем точно — довольно просто. Нос — прямой, короткий, длинный, с горбинкой, широкий... Овал лица... Подбородок... скулы... контур бровей... разрез глаз... наклон и величина лба... волосы...

Но тем не менее именно этой простоты, в сущности, захотел добиться Талий, он захотел создать свою классификацию или, можно сказать, таблицу типов внешности — вроде таблицы Менделеева, только не с точными названиями, а, конечно, описательными. Найти эти названия предстояло в конце работы, а пока было самое трудоемкое: определить типы внешности, их количество (основных, естественно). И вот все эти пятнадцать лет, исполняя свои служебные обязанности и занимаясь плановой научной работой, Талий свободное рабочее время, а его всегда оставалось довольно много, посвятил этим занятиям. Тем более что они близки были его научной теме, и никто бы не заподозрил, что он увлечен чем-то посторонним.

Он пролистал и просмотрел огромное количество книг, старых и новых журналов и газет — с гравюрами, рисунками, портретами, фотографиями. Он копировал эти изображения с помощью сначала той примитивной копировальной техники, какая была в музее раньше, а в последнее время на хорошем ксероксе: дар музею от городских властей. Изображения собирались в папки, папок этих за первые пять лет накопилось с полтысячи, в каждой — свой тип. Затем, сортируя, сравнивая и анализируя, Талий все более и более унифицировал эти типы, папок осталось триста, двести и, наконец, — ровно тридцать. Не больше и не меньше. В газете ли, в книге ли, в телевизоре ли — любое лицо Талий безошибочно мысленно помещал в одну из тридцати папок и давно уж не встречает такого лица, какое не подпадало ни под одну из этих тридцати безымянных пока категорий.

Пора было как-то назвать их. Талий попытался, но первые же шаги оказались безумно сложными. Он никак не мог остановиться на принципе. Брать ли только внешние признаки — или сразу же в описании намекать и на характер (ну, вроде: «волевое лицо с...»)? К тому же Талий начинал задумываться: а что будет, когда он выполнит эту работу? Зачем, собственно, она вообще проделана была? — столько лет, месяцев, дней и даже ночей — потому что иногда, увлеченный, он брал папки домой и просиживал над ними допоздна, рассматривая незнакомые лица с чувствами странными, сложными — особенно ту папку, которую он мысленно назвал «Родственники», то есть изображения людей, похожих на него самого. Оттягивая завершение работы, он начал было классификацию внутри классификации: то есть уже каждую папку (в которой было минимум тысяча изображений) раскладывать на — примерно — двенадцать групп.

Но понял, что этому не будет конца — потому что каждую из двенадцати групп захочется поделить еще на десять, а каждую из десяти еще на пять — и конечным результатом станет то, что опять все рассыплется на единичные изображения...

И, не спеша, он начал-таки составлять названия типов. Причем называть не сразу, нет, определить сперва обязательные компоненты, которые в название должны войти. После года работы он имел результат. Например, папка № 6: «Повелеваемый тип с мягкокрапчатыми светлыми глазами, удовогнутым носом J-K, среднекостношироким лбом высоты Y и наклона Z, губы рисунка N-M, подбородок...» — и так на полстраницы. Что такое эти всякие *повелеваемый, удовогнутый, J-K и N-M* — долго объяснять. Как ни старался Талий, ему не удавалось сжать определения. И, когда работа была закончена, он остался ею недоволен — и доволен, что недоволен. Он решил попробовать другой метод классификации. Как бы художественный. Вроде баловство — но очень его затянуло. Например: «Кучеряво-охальный тип, склонен к прохиндейству, сентиментален, груб, труслив, способен на предательство и на безумный героизм — из-за непомерного тщеславия». Или: «Тип грубошерстный, бычьи-упрямый, честный, если даже убьет или украдет — то согласно гармонии своего внутреннего мира, обусловленного миром внешним, так как при всей своей кажущейся независимости полностью адаптирован в среду». Само собой, все это ненаучно, но Талию доставило большое удовольствие.

Удовольствие он получает и когда мгновенно, наметанным взглядом, оценивает лицо любого встречного на улице, в троллейбусе, — и тут же его классифицирует — причем несколькими способами.

Глядя всяческие видеофильмы (любимое его занятие, когда Наташа в театре, когда у нее спектакль), Талий сделал еще одно открытие: существуют специальные актерские типы, режиссеры и прочие, кто этим занимается, бессознательно — и совершенно независимо друг от друга! — отбирают для кино почти абсолютных двойников! Американские актеры такой-то, такой-то и такой-то как две капли воды похожи на российских актеров такого-то, такого-то и такого-то. У актрис случаев сходства еще больше.

Ну и что? — подумал сейчас Талий. Ну и зачем мне все это? Зачем была вся эта работа длиною в пятнадцать лет?

А впрочем, неважно, теперь уже неважно. Она закончена — с целью ли была проделана, без цели — неважно. Работа закончена, с Наташей он разводится, сына будет видеть раз в неделю. Останется один.

И вот тут-то, предвидел Талий, тут-то нездоровая наследственность отца разовьется в полную силу; и это будет уже не безобидная увлеченность классификацией типов.

А — что?

Мало ли.

Что-нибудь, например, в духе того, что произошло с бывшим сокурсником его Валерием Литкиным. Литкин был юноша очень практичный и к разнообразным подлостям жизни стал готовиться заблаговременно. Исторический факультет ему был нужен, конечно, не для того, чтобы стать учителем истории в школе, научным деятелем, археологом и т.п. Историческое образование в ту пору ценилось за то, что давало общественно-политическую подкованность и готовность квалифицированно работать в партийно-государственных органах. Лучше — в партийных. Литкин на третьем курсе вступил в партию, на четвертом стал секретарем университетского комитета комсомола (на правах райкома), после окончания его сразу же взяли в городской комсомольский комитет, потом бросили для рабочего стажа на завод — освобожденным комсомольским вожаком, и вот он уже в обкоме комсомола, и вот уже... — и все! Кончилось. Не стало ни райкомов, ни горкомов, ни самого комсомола (как впоследствии оказалось — временно).

Литкин не пропал, как не пропал ни один из его бывших товарищей. Все они с удовольствием и очень скоро поняли, что накопленные ими навыки пустопорожней деятельности втуне не останутся. Да, деятельность по содержанию была пуста, но по форме она развивала таланты, пригодившиеся в новых условиях: *договориться, оперативно организовать, задействовать, обойти, подсидеть, отреагировать, сориентироваться* — все это они успешно применили в сферах политических и коммерческих и процветают. Процветал и Литкин, но очень уж поспешил, уповая на модный демократический лозунг той поры: РАЗРЕШЕНО ВСЕ, ЧТО НЕ ЗАПРЕЩЕНО. Ему вдруг показалось, что не запрещено, в сущности, все, поскольку прежняя власть настолько была в себе уверена, что некоторые вещи запрещать ей и в ум не пришло по принципу: да какой же, дескать, псих этим займется? А Литкин занялся — и преступил предел. Правда, даже не государственный, а межличностный, он у своих же товарищей стал куски из-под носа выхватывать, и они решили проучить его — и Литкин, недоумевая и обижаясь, попал под следствие, под суд — и заполучил судимость. В тюрьме он, правда, сидел всего три месяца, так как попал под амнистию. И уехал в свой город в Заволжье, откуда был родом и где отец его был в свою пору большим деятелем. Уехал, решил отсидеться — и напрасно, он проморгал тот период, когда люди с суровым жизненным опытом, особенно тюремным, поднялись в цене, когда для директора фирмы, кооператива и даже банка какого-нибудь тюремный срок стал чем-то вроде диплома о благонадежности, весьма ценимого теми, с кем этой фирме, этому кооперативу, этому банку приходилось иметь дело частным образом, *на сходняках и разборках.*

Пожалуй, Литкин наверстал бы, но тут он открыл такую золотую жилу, что просто ахнул.

Год назад он заезжал к Талию и хвастался. Другому бы не стал раскрываться, но в Талии он был уверен: Талий идею не украдет, бестолков слишком. Идея же была такова: работая в городском краеведческом музее, куда его пристроили, он получал время от времени письма от потомков тех немцев, которые когда-то проживали здесь, на территории так называемой Немреспублики Поволжья. Нельзя ли, дескать, найти следы наших исторических фатеров и муттеров, писали немцы из Казахстана, из Сибири (Омск преимущественно), из самой Германии, куда репатриировались. Литкин скуки ради ворошил архивы, но обнаруживал что-либо редко. О чем и сообщал. Но вот однажды явился пожилой человек, Юрий Адольфович Кремер, бывший гражданин СССР, омский зоотехник, а с недавнего времени житель исторической немецкой родины и преуспевающий коммерсант, сказал, что он специально вернулся в Россию, чтобы увидеть дом, в котором, как написал ему Литкин, предположительно жил его прапрадед, мукомол.

Литкин показал, рассказал, потом познакомил со своим музеем, среди прочего похвастался прялкой, на которой пряли двести лет назад немецкие колонистки, может, даже и гроссмуттер — или как там? — самого Юрия Адольфовича. Грустно побыв здесь два дня, Юрий Адольфович на прощанье вручил Литкину двести марок. Тот от неожиданности даже стал отказываться. «Вы работали для меня», — сказал Юрий Адольфович. «Вообще-то конечно», — спохватился Литкин — и тут же предложил Кремеру увезти на память прялку — всего за тысячу марок. Кремер отказался: прялка есть предмет исторической ценности и ее могут отобрать на таможне. А вот если бы вы будете иметь готовность составить что-то вроде родословного древа рода Кремеров на основе архивных материалов, ваш труд будет оплачен в не меньшей мере, чем прялка. «Яволь!» — сфамильярничал Литкин, крепко пожимая руку Юрия Адольфовича, крепко и радостно — потому что в этот-то момент его и осенило, какие перспективы раскрываются перед ним.

Работа закипела. Через полгода он получал уже десятки, сотни писем, на него работали четыре симпатичные девушки, взятые в штат музея — причем не на казенный городской кошт, а за счет немецкого гранта, который Литкин выбил, доказав перспективность и бескорыстность своего проекта. Насчет бескорыстности он, конечно, приврал: за роскошно оформленные и подробные (с некоторыми лишь пробелами для достоверности) родословные, уходящие корнями в век матушки Екатерины, на имя Литкина в одном из банков Франкфурта-на-Майне поступали регулярно хорошие деньги (счет он открыл лично, съездив в ФРГ для налаживания контактов с немецкими землячествами). Он научился оформлять документы на вывоз фамильно принадлежащего имущества, и благодарные немцы, приезжавшие регулярно, увозили и прялки, и подлинные предметы быта: старинные стулья, занавесочки из знаменитой сарпинки, детские люльки, умилительные олеографии, часы, табакерки — и т. д. и т. п. — все это Литкин частью отыскивал и покупал по дешевке, частью производил в бывшей часовой мастерской, куда заманил умельцев, по образцам делавших любую вещь и профессионально старивших ее.

Но это все присказка, кончившаяся, правда, ссорой: Литкин еще не кончил рассказывать о своих успехах, а Талий, которого он угостил крепким виски «Джей-Скотч», охмелевший, взял вдруг Литкина за грудки и стал кричать: зачем ты, гад, мне рассказываешь это с таким видом, будто уверен в моем одобрении? А я не только не одобряю, но и презираю тебя, сволочь, скотина!.. Ну и многое другое.

Литкин ничуть не обиделся, задушевно попрощался и просил оказать честь приехать в гости. То есть он, Литкин, просто заедет в следующую субботу да и увезет его к себе: всего-то час езды. На его машине, конечно, которую он из Германии привез. На любой другой — два.

И заехал. У Наташи день был весь загружен, она не смогла, а Талия просто выпроводила: нельзя же целыми днями дома сидеть!

Талий ожидал, что Литкин будет хвастаться какими-нибудь трехэтажными хоромами, богатым убранством дома, красавицей женой и гениальными детьми-наследниками: всем, что положено такому человеку, как он. Но ничего этого не оказалось. Хоромы, правда, были, но недостроенные. Жилой, в сущности, была только одна комната.

И это была странная комната.

В ней были только кровать, шкаф, круглый стол посредине, кресло и стул. Кровать при этом наискосок, изголовьем в угол. Шкаф — боком. Стол — нелепо впритык к кровати. Стул загораживал кресло.

— У меня полно мебели, — сказал Литкин. — У меня еще квартира есть, три комнаты забиты, жить нельзя. В чем проблема? Для каждой вещи должно быть свое место. Ты знаешь, отчего мы болеем, отчего наши депрессии и так далее? Во-первых, оттого, что сами живем не там, где надо. Во-вторых, вещи вокруг нас — не на месте. Они высасывают из нас энергию! Я для дома место искал — год. А теперь буду его заселять — по одной комнате, по одной вещи. Морока! Пока только для кровати место точно нашел. Гляди!

Он взял с подоконника какую-то рамку, согнутую из медной проволоки и укрепленную на штыре, стал ходить с рамкой по углам. Она оставалась неподвижной. У двери тихонько колыхнулась.

— Сквозняк, — сказал Талий.

— Погоди, погоди! — пообещал Литкин.

Он провел рамкой над кроватью — и она вдруг тихо, медленно заверте- лась вокруг своей оси.

— Видишь? — торжествующе спросил Литкин. — Только здесь место для кровати! Именно так, головой на север. Я сплю — как ангел!— Но тут же загрустил. — А эти уроды, — пнул он ногой шкаф, — никак не хотят встать на свое место. Уже месяц тут живу, все переставляю, переставляю, — никак! Но я добьюсь, потому что результат того стоит! Выпьем?

Талий отказался, Литкин угостился один.

— Закончу с домом, приведу сюда жену. Согласится-то любая, но я выби- раю строго! Я через Интернет выбираю. К четырем невестам уже ездил — к двум в России, к одной в Испанию и к одной в Голландию. Все четыре почти то, что надо, — но не то. Сейчас я тебе кое-что покажу.

Он полез в шкаф — за фотографиями невест, подумал Талий.

Но Литкин развернул перед ним длинную, не меньше метра, полосу бу- маги, склеенную из нескольких стандартных листов.

— Моя родословная до двенадцатого века! — гордо сказал он. — Ока- залось, мои предки тоже немцы. А я-то думал: Литкин — что за странная фамилия? Нерусская какая-то. Отца спрашивал, но он по партийной при- вычке молчит, как партизан на допросе. Я все сам разыскал. Литке! — вот как наша фамилия звучала. Вот, смотри, смотри, это ветвь по отцу. В во- семнадцатом веке — приехавший из Германии сапожник, но зато отец его — внебрачный сын барона фон Литке, владельца земли Нидер-Бойме, а тот в свою очередь восходит к рыцарям Ордена Тамплиеров.

— Где ж ты такие сведения достал? — вежливо спросил Талий.

— Надо знать места! Ты думаешь, я останусь жить у вас тут? Во мне проснулась кровь отцов и дедов! Еще полгодика — и в Германию. Мне сразу же обещают гражданство.

Он выпил махом полстакана, занюхал корочкой хлеба, уставился на шкаф, и в глазах его стал разгораться пламень открытия.

— Я дурак, — сказал он. — Зачем я мучаюсь? Я ищу место для этого одра — между прочим, настоящий антиквариат, середина девятнадцатого века, подделка, конечно, но хорошая. Зачем я ищу ему место? Он просто не подходит к этой комнате! Ну-ка, помоги!

Литкин мигом выбросил все из шкафа и стал двигать его к большому окну.

— Тяжелый, зараза! Помоги, ну!

Талий помог.

Вдвоем они перевалили шкаф через окно и под торжествующий смех Литкина, спихнули его наружу.

— И стол туда же! — закричал Литкин.

Выкинули и стол.

Потом он выбросил стул и кресло, при этом на ходу все прихлебывая и прихлебывая прямо из бутылки, крякая: крепок был напиток.

Осталась лишь кровать — да Талий, сидевший на ней, поскольку больше поместиться было уже негде. Литкин внимательно посмотрел. Кровать была на месте. Лишним был — Талий.

— Выматывайся, — сказал он ему. — Ты тоже не подходишь этой комнате. От тебя вся ее аура протухла, прогнулась и выгнулась. Добром уйдешь — или?.. — и, резко откинув доску у стены, он выудил из тайника большой черный пистолет.

Талий поднял руку и хотел что-то сказать. Но тут Литкин выстрелил в потолок. У Талия заложило уши. Он повернулся и вышел, чувствуя, как немеет и горбится его спина.

Домой он приехал на автобусе.

А через полгода услышал о Литкине: тот облил бензином и поджег недостроенный дом свой. Видимо, отчаялся привести в соответствие предметы жилья и само жилье, не помогла ему его чудодейственная рамка. Ну и напитки способствовали. После пожара он стал лечиться — от алкоголизма, от нервов, от всего сразу. Пока лечился, квартиру его ограбили, и теперь он живет там в голых стенах, утративший интерес и к прежнему своему бизнесу — и ко всему вообще, кроме только рамочки своей: с нею он бродит по квартире, каждый раз выбирая новое место для ночлега, с нею он ходит по знакомым, предлагая им все переоборудовать, переставить, а половину мебели вообще выкинуть. И, между прочим, он не одинок, с ним живет какая-то женщина, у него и еще кто-то регулярно квартирует, и он озабочен со своей женою и кучкой единомышленников проблемой очистки города от энергетического захламления...

10

Вот это меня и ждет, подумал Талий, затушивая третью сигарету, не докурив ее: во рту появился неприятный привкус. Сначала одиночество. Без жены, без сына, которого он так любит, что боится даже лишний раз об этом подумать. Потом вместо своей многолетней работы по классификации типов он найдет что-нибудь другое, обязательно найдет — не менее бесцельное и идиотское занятие, на котором и свихнется. А может, свихнется как раз на классификации, ибо дело это неисчерпаемое. Была б охота классифицировать, а что именно классифицировать — неважно.

Талий представил с самоиздевкой — отчасти почему-то даже приятной — как, он, например, озаботится систематизацией и упорядочением в своем

380

сознании — взглядов. Человеческих взглядов — не в смысле умственных воззрений, а — выражений глаз. Он возьмет фотоаппарат свой — или купит новый, профессиональный, хороший, — и будет ходить по улицам, подкарауливая. Он будет снимать только глаза, печатать, увеличивая и убирая все лишнее, — только глаза. Задумчивые, печальные, смеющиеся, улыбающиеся, хитроватые, наглые, откровенные, откровенно-притаенные, откровенно лгущие, откровенно откровенные, откровенно старающиеся казаться откровенными, на самом деле не будучи такими, откровенно старающиеся казаться откровенными, потому что владельцу кажется, что они неоткровенны, а они-то как раз и были откровенны, но вот владелец придал им, откровенным, откровенный вид, и они стали лживее откровенно лживых...

Неожиданно — фантазировал Талий — к его занятию проявят интерес: ибо нет того безумия, вокруг которого не соберется как минимум тысяча людей, готовых этому безумию потакать и принять его за гениальность. И вот из необычных его фотографий доброхоты устраивают персональную выставку. С этой выставкой он едет в Москву, а из Москвы — в Париж, Лондон, Стокгольм, Ниццу, Нью-Йорк, Мельбурн... Следующая его выставка: руки. Только руки, ничего, кроме рук. Потом — только ноги. Он становится родоначальником нового эстетического учения, в основе которого постулат о невозможности отражения чего-либо в целости и совокупности, важней — и художественней! — из целого вычленить самую выразительную деталь в самом выразительном ракурсе! Это будет называться «дет-арт», куражился вовсю Талий над своими мыслями, «дет» — от слова «деталь», «арт» — понятно. И вот уже тьма-тьмущая последователей, — и тут сам родоначальник публично и торжественно отрекается от своего учения, возвращаясь к классическому фотопортрету, снимая, однако, только в сумасшедших домах. Выставка будет называться: «Наш портрет». Это будет иметь успех, он знает: люди любят пряное, остренькое, — и в себе тоже, и в себе!..

...А скорее всего, он просто будет каждый день умирать от одиночества и от тоски — и настанет самый худший день, когда вроде один выход — с балкона вниз головой, но — сил нет, уже и на это сил нет.

Я лишний человек, подумал Талий. Не тот литературный лишний человек, которого мы в школе проходили, который якобы — Талий в этом всегда сомневался — родился не вовремя: слишком рано или слишком поздно. Печорин этакий. Нет, просто — лишний, чуть ли не физически лишний, никчемный, ненужный. Мешающий. Сын — надо смотреть правде в глаза — через года два уже не вспомнит о нем. Такой у него возраст. Наташа забудет чуть позже, но отболит у нее тоже довольно скоро — если вообще будет болеть. Я — тот самый человек на сцене жизни, красиво подумал Талий, не преминув этой красивости усмехнуться, который, словно в театральной массовке, изображает в толпе жизнь и движение, и осмысленные действия, и осмысленные слова, на самом деле тупо бормоча: «Что говорить, когда нечего говорить? Что говорить, когда нечего говорить?» Я ни для кого не являюсь главным героем. А это нужно: хоть для кого-то. Хоть для собаки или кошки. Да я и сам никого не люблю. Сына и Наташу — это само собой, это — как жить. Это незамечаемо. Было незамечаемо — до некоторых пор. Со всеми остальными — просто дружественен. И на похороны мои дружественно придет человек от силы двадцать. Нет, все-таки больше: человек сорок, но эта вторая половина будет стимулирована любопытством послушать, что на похоронах говорят о причинах самоубийства такого тихого и приятного во всех отношениях, такого ровного и мягкого человека.

Действительно, каковы причины?

Наташа тоже будет думать об этом. Записки он не оставит, это все игрушки: записки писать. Она будет думать, она будет опрашивать всех его друзей и знакомых. И все будут только пожимать плечами.

Бог мой! — подумает Наташа с печалью, я совсем не знала его, я совсем не представляла, что творится в душе его! Казался таким простым, таким ручным, незамысловатым — и вдруг...

Неожиданное, странное злорадство, появившееся в это время в Талии, — смутило его, и он извлек из банки-пепельницы окурок, распрямил, стряхнул угольную черноту с кончика — и закурил, простыми этими движениями словно приземляя себя, — а то уж очень, гляди-кась, демоничен стал в своих помыслах: смертью своею нелюбящей жене отомстить возжелал...

11

Талий оперся локтями о перила балкона, спокойно глядя вниз — понимая уже, что прыгать не будет. Он как-то сразу и неожиданно устал, отупел. Ничего уже более или менее отчетливого не было в голове его, хоть и прежде было многое обрывочно, неясно, поспешно — и стало внятным лишь благодаря мне, пересказчику этой житейской истории (некоторым может странным показаться, почему я назвал это историей: ведь, в сущности, ничего не произошло — и это правда, это так, но, когда Талий в нескольких словах рассказал мне об этом, хмыкнув в заключение: такая-то вот, брат, житейская история, мне слишком запомнилось, в меня вошло — и жаль отказаться, независимо от того, точно ли, нет ли, правда ли, нет ли...).

12

Усталость, казавшаяся непреодолимой, схлынула так же внезапно, как и накатила.

И нет объяснения, нет причины тому, что сделал Талий после этого, докурив окурок и старательно втоптав его пальцами в банку.

Если б солнце вдруг проглянуло сквозь сплошное серое небо хмурого утра. Если б детский радостный звонкий клич во дворе тронул какие-то душевные струны Талия. Если б голубь иль воробушек на перила сел и посмотрел на Талия глуповато и доверчиво. Если б порыв ветра налетел и овеял чем-то новым. Если б лист желтый высоко поднявшегося тополя шелестнул и этим крохотным движением осенил Талия и сподвигнул на переворот в мыслях... Ничего не произошло, ничего не случилось во внешнем мире, но Талий вдруг оглядел его, особенно небо, так, как глядят прощаясь — но не навсегда, а уходя или уезжая от этих краев в иные края (при этом, возможно, и с места даже не трогаясь), Талий оглядел это все, включая двор, где и было-то всего живого — старушка с сумкой да жучка шустрая, хвост крючком. Талий оглядел это, совершенно ясно понимая, что необыкновенно, небывало счастлив и полон жизнью и любовью — и готов ко всему, — не зная, что его ждет. Что это было, откуда взялось, может, это Бог называется — но за что и почему в этот момент? — спрашивал меня потом Талий, не ожидая ответа... И он решительно шагнул в комнату, прошел на кухню и, прежде чем сесть и начать разговор, посмотрел на настенные часы и задумчиво усмехнулся. Было без десяти десять.

*Осень 97*

## ЖАР-ПТИЦА

Авизо бешено бежал по большим улицам большого города, бежал сквозь шум ночной листвы, бежал против ночного ветра, с радостью упрямца ощущая его сопротивление, ветер был ровным и упругим, как само время; оно, по давнишнему убеждению Авизо, тоже ровно и упруго, как ветер, дует навстречу человеку, еще бег по времени можно сравнить с бегом вверх по движущемуся вниз эскалатору, только эскалатор этот не закольцован, а есть где-то там конец, обрыв, вот ты и бежишь к нему, даже оставаясь неподвижным, чтобы когда-то упасть — то ли вниз, то ли вверх.

Он бежал, понимая, что от его поспешности ничего, в сущности, не изменится: среди ночи никто не сможет помочь ему. Но дотерпеть до утра он не мог. Мечта, жившая в нем столько лет, вдруг — именно сегодня, только что — еще слова не остыли в телефонной трубке — вплотную приблизилась к воплощению. Остаются пустяки, мелочи, нужна только помощь — совсем крохотная, Авизо и помыслить не хочет, что ему откажут. Он убедит, нет, он даже не будет убеждать, по лицу его любой поймет, насколько важно происходящее, поймет сразу же и безоговорочно, что нельзя ему отказать, *невозможно* отказать! Люди, конечно, не настолько хороши, как он о них думает (в силу врожденного желания думать так), но и не настолько плохи, как они с усмешливой ленью думают сами о себе (в силу врожденной привычки не уважать себя).

Вот дом, где живет его давний друг, он живет здесь недавно с молодой женой, оставив старую, хоть и не старую, жену и — двоих детей; Авизо со своей супругой — первой и последней — не раз успел побывать в этой новой семье, умиляясь взаимной нежности, завидуя без зависти счастью друга, начавшего новую жизнь, перескочившего на другой эскалатор, конец которого, возможно, дальше, чем у первого — счастливые люди ведь должны жить дольше. Так ли оно на самом деле, Авизо не проверял, не знал — и знать не желал.

Вот подъезд, пахнущий гниющим мусором и кошками, темный — приходится идти почти на ощупь. На площадке пятого или шестого этажа Авизо остановился — не для того, чтобы перевести дыхание, он способен был бежать без остановки еще сто километров, подняться на сто этажей, он не устал, он просто сказал себе мысленно: постой здесь, послушай тишину — и запомни этот момент, момент преддверия исполнения мечты. Это только кажется, что ничего нет, кроме темноты и тишины — и нечего запоминать. Вон крона высокого тополя в окне, темно-темная на светло-темном небе, раскачивается, а вон — тусклая угрюмая плоскость чьей-то металлической двери: бедные богатые люди боятся воров, лязгая замками на ночь, как в тюремных камерах, а вот из-за стен чей-то тихий говор послышался: то ли за день муж и жена не успели обговорить что-то насущное в своей жизни, то ли кто-то во сне забормотал, подчиняясь сну или борясь с его выдумками, — и все это имеет свое счастье: и тополь, и бедные богатые люди, и тот, кто бормочет во сне, они счастливы уже тем, что в непосредственной близости от них стоит счастливый человек, присутствие счастья ведь обязательно действует, как действуют на нас всякие магнитные, солнечные и прочие явления, включая и звездные, и мы сами не понимаем, отчего нам вдруг хорошо или вдруг плохо, естество человека огрубело, оно не чутко, оно различает в своем организме лишь результат в виде болезни или радости, но совершенно не замечает процессов, приводящих к болезни или радости...

Запомнив и тополь, и дверь, и чей-то голос, Авизо стал подниматься дальше — до восьмого этажа. Вежливо — коротко — нажал на кнопку звонка. Подождал. Еще раз — так же коротко. Я бы, мол, и вовсе не стал звонить, извините, бога ради, не стал бы нарушать ваш сон, но — крайняя необходимость!

Пришлось и в третий раз позвонить, и только после этого открыл сонный давний друг Владимир. Он открыл безбоязненно, не спросив, кто там, он слишком был наполнен спокойной сытной своей любовью — и не верил, что с ним что-то может произойти, и ничего не боялся.

— Привет, — сказал он. — Случилось что-нибудь? — спросил тут же равнодушно — будучи на самом деле человеком добрым и отзывчивым. Просто считал, что внешнее проявление эмоций есть показуха и бескультурье, надо дело делать, а не словами и мимикой хлопотать.

Как ни старался Авизо сдерживаться, но — не сумел. Он шагнул к давнему другу, обнял его — чего никогда не делал — и, обнимая, прошептал ему в плечо:

— Володя! Друг ты мой дорогой!..

— Ну, ну, — сказал Владимир, легонько отстраняя от себя расчувствовавшегося Авизо, хлопнув при этом его по плечу в знак того, что вполне все понимает.

— Ты извини, что среди ночи. Но у вас телефон...

— Повреждение кабеля. Третий день. Сволочи, — беззлобно говорил Владимир, проводя Авизо на кухню. Говорил шепотом. Зашептал и Авизо, рассказывая, какая на него свалилась удача. Еще чуть-чуть — и *жар-птица* в руках. Нужно лишь небольшое усилие. К сожалению, не все в наших силах, нужна помощь.

— Я бы рад, — сказал Владимир. — Но не очень понимаю.

— Все просто! — воскликнул Авизо, изумленно тараща глаза — то есть как бы даже удивляясь, насколько все просто. Не должно быть просто, а вот нате ж вам — все очень просто, прямо-таки не верится!

Все просто! Ты ведь, рассказывал, вхож к Криногенову. Ну, охотились, что ли, вместе или рыбу ловили...

— У нас дачи рядом, — уточнил Владимир.

— Неважно, — сказал Авизо, для которого такие детали были, действительно, всегда неважны. — Важно, что ты с ним знаком. А мне нужно к нему попасть. И желательно не просто так, а по чьей-то рекомендации. Что делать, подлое время. Впрочем, всегда было так. Мне самому противно, но... Я ни о чем тебя никогда не просил, — сказал Авизо — и тут же застыдился.

Это была правда, он в самом деле никогда ни о чем не просил Владимира, но очень уж формула избита, очень уж подловата, ею пользуются люди практические, беспардонные, без мыла в душу влезающие — при этом частенько прося тех, к кому уже не раз и не два обращались с просьбами, но этой формулой они как бы перечеркивают все прежнее, предлагая и просимому сделать то же по принципу *кто старое помянет — тому глаз вон*, изображая волнение, при котором простительна забывчивость, выставляя просьбу свою в таком свете, что она будто бы важнее прежних просьб, которые в сравнении с нею вообще не просьбы, а чепуха.

— Нет проблем, — пожал плечами Владимир. — Но почему утром нельзя было?

Авизо посмотрел на него прозрачными глазами и тихо засмеялся.

Засмеялся и Владимир.

Открылась дверь кухни, вошла сонная, но свежая, прекрасная и молодая Алина, жена Владимира.

Авизо с извинением в голосе поздоровался с ней.

Она не ответила, посмотрела на пустой кухонный стол, зажгла газ под чайником, достала из кухонного шкафчика вазу с печеньем, поставила сахарницу, достала из холодильника розеточку с вареньем — и только после этого спросила у Владимира, отойдя к окну и обхватив себя руками, словно замерзла:

— Чего это ты тут обещаешь?

— Да ерунда, — легко сказал Владимир.

— Ты чай поставила? Я не хочу, — сказал Авизо (они были на «ты» с Алиной). — Я на минуточку. Я пойду сейчас.

— Вам нужен Криногенов? — холодно парировала Алина «ты» Авизо. — И сами вы к нему ну никак не можете пойти? Обязательно подставлять моего мужа?

Форма вопроса настораживала. ПОДСТАВЛЯТЬ вместо ПРОСИТЬ и МОЕГО МУЖА вместо ВОЛОДЮ, как обычно называла она его и наедине, и при посторонних, — означало многое. Но — что?

— Пустяковое дело, — сказал Владимир. — Просто скажу Криногенову, что к нему хочет обратиться мой друг.

— Так! — тихо воскликнула Алина — словно получила подтверждение худших своих опасений. — Значит, называя Павла Федоровича (вона куда ее понесло! — подивился Авизо. — По имени-отчеству меня кличет, отчужденным голосом!), своим другом, ты обяжешь отнестись Криногенова к этому делу особо, так, будто он *для тебя* его делает, меж тем никто не знает, чем все кончится и в компетенции ли это вообще Криногенова — и если окажется, что не в компетенции, и он не сможет помочь, ему будет неприятно, у него испортится к тебе отношение.

— Да плевал я на его отношение!

— Я вам сейчас объясню, вы не знаете же!

Так воскликнули в один голос Владимир и Авизо — и оба умолкли под взглядом Алины. А она, коротко обдумав, кому первому отвечать, начала все-таки с мужа — как с предмета ее более в настоящий момент волнующего.

— Проплюешься, дорогой мой, — язвительно сказала она и не сочла нужным добавлять что-то, закрыла тему. И перешла к Авизо:

— А объяснять мне — ничего не нужно. И знать — ничего не хочу. Суть ведь не в этом. Суть в том, что я давно поняла вас, Павел Федорович. Вы, извините, привыкли жар чужими руками загребать.

Авизо оторопел. Она же ничего не знает о его жизни, а если ей что-то рассказывал Владимир, то где, в чем она усмотрела стремление загребать жар чужими руками?! Невероятная несправедливость! Авизо, конечно, человек не без недостатков, но чего-чего, а нужд своих на чужие плечи не взваливал, жил всегда самостоятельно. Его поразили не столько слова Алины, сколько вид ее: сама проницательность, юная, но неподкупная, стояла перед ним и в глазах читалось: *ты долго и успешно прикидывался не тем, что ты есть на самом деле, но вот явилась я и сразу же дала тебе единственно верную оценку, я раскусила тебя!* Самое странное, что Авизо засомневался: а не хочет ли он, действительно, приведенный в ажиотаж близостью победы, торопливо использовать другого человека, именно загрести жар чужими руками (недаром же это слово совпало с тем, как он мысленно называл свою мечту: ЖАР-ПТИЦА!)? Значит, стоило забрезжить надежде на иную жизнь, БОЛЕЕ НОРМАЛЬНУЮ, по нелепому улично-домашнему бытовому выражению, — и он сразу изменился, стал нахрапист, нагл, бессовестен? — как многие, кем издали пренебрегал — не презирая, впрочем, потому что никого нельзя презирать — да и не умел он этого... Боже мой, как совестно!

— Ты права, — сказал он Алине, подчеркивая этим возвращением к «ты» желание примирения, готовность признать себя виновным. — Это и правда такая мелочь, что я сам.

— Нет, ты не подумай чего. Ты просто слишком возбужден, — простила его Алина и заодно все ему объяснила.

— Да. Да, — согласился Авизо.

— Минуточку, — вступил Владимир. — Алинушка, ты слишком как-то серьезно. Для Криногенова это не стоит выеденного яйца. И это именно в его компетенции. Один звонок — и все.

— Это точно, — подтвердил Авизо.

Алина еще крепче сжала руками свои плечи и даже зажмурилась от боли. Как страшно жить, думала она. Ее разум, красота и нежность вдруг стали миражом, пришел чужой мужчина, и ее муж тоже стал чужим — и вот уже заговор. Один — ее муж — стал заговорщиком только лишь для того, чтобы показать чужому мужчине свое главенство в доме — какая мелочность! — а второй — чужой мужчина — только что согласившийся с ее доводами, тут же подло вернулся в прежнюю позицию. Следовательно, не разум силен, не красота сильна. Лишь заговор силен — основанный на самолюбии, на выгоде, на амбиции. Любовь — к черту, все к черту: старая карга Амбиция, свекровь всечеловеческая, явилась и указывает, кому как жить, наводит свои порядки в доме.

Она открыла глаза — и глядя прямо в лицо мужа, спросила, будто о чем-то *окончательно* важном, *последнем* важном, о чем спрашивают пред тем, как навсегда расстаться:

— Я слишком серьезно отношусь к жизни? Это ты считаешь недостатком? Почему ты не сказал об этом раньше? Я бы многое поняла в тебе. Сразу. Какие еще сюрпризы ты мне преподнесешь? К чему мне готовиться? Скажи сразу, прошу тебя!

— Ради бога! — сказал Авизо. — Ради бога, перестаньте — и забудьте, что я приходил. Я все сам. Пустяковое ведь дело! Я сдуру! Просто одурел от радости. Бывает. Извините. Я пошел...

И, чуть-чуть потоптавшись, вышел из кухни.

Закрывая дверь квартиры, услышал голос Владимира: «Постой!» — но побежал вниз, быстро, хоть и на ощупь, быстро, но на носках ботинок — чтобы стуком каблуков не побудить жителей дома.

Не надо было приходить, думал он.


А ветер теперь дул ему в спину, подгонял, прогонял — и опять хотелось сопротивляться, идти медленнее назло ветру.

Он остановился.

Подумалось: а вдруг?..

Вдруг на пути встанет какой-нибудь пустяк?

Да, *жар-птица* уже в руках, она уже, в сущности, в просторной золотой клетке, остается лишь золотой крючочек накинуть на золотую петельку — и нужно лишь пальцем шевельнуть, но вдруг тот, кому надо это сделать, не захочет?

Почему? Ведь усилие-то чутошное, на пять минут, на два слова!

А вот не захочет — и все! И тут же Авизо рассмеялся.

Не может этого быть, сказал он сам себе мысленно. И повторил вслух, громко, убежденно:

— Не может этого быть! Не может этого быть!

Он не ожидал ни эха, ни ответа, но неожиданно, будто он произнес некое заклинание, послышался странный звук. Впрочем, в ночной тишине и пустоте все кажется странным, на самом деле ничего странного не произошло: послышался звук едущей машины. Машина ехала быстро и скоро стала видна. Резко затормозила. Открылась дверь, женщина выскочила, быстро пошла. Открылась другая дверь, мужчина пошел за женщиной, сердито говоря: «Что за фокусы? Погоди! Я кому говорю!» Догнал женщину, схватил за руку, она вырвалась, шарахнулась в сторону — в сторону Авизо и вдруг вцепилась в него и сказала: «Мужчина, проводите меня до дома», — и потащила за собой.

Авизо поплелся за ней, оглядываясь через плечо. Друг женщины — или кто он ей? — остановился, постоял и пошел за ними, не приближаясь и не отдаляясь. Женщина не оглядывалась.

— Идете от любовницы? — спрашивала она со смехом Авизо, заглядывая ему в лицо. — Ох и попадет вам от жены! Или просто гуляете по ночным улицам? Пишете стихи? Прочтите что-нибудь!

— А? Нет, не сочиняю, — сказал Авизо.

— Тогда что-нибудь чужое, но хорошее! — почти выкрикнула она. — Понимаете вы это или нет? Мне никогда никто не читал стихов! Читайте! — И еще яростнее повлекла его за собой.

Про стихи была явная неправда. Наверняка ей читали стихи — и не раз, но женщине хотелось быть несчастной и вдруг придумалось, что ей никогда не читали стихов — и она сама тут же в это поверила.

— Что бы такое... — бормотал Авизо, которому словно память отшибло — ничего не вспоминается, даже из накрепко вызубренной когда-то школьной программы. Нет, вспомнилось: «Однажды в студеную зимнюю пору я из лесу вышел, был сильный мороз...»

Ну и так далее. Кажется, «Мужичок с ноготок» называется. Некрасов. Тяжелая доля крестьянских детей прошлого века.

— Ну? Ну? — торопила женщина.

— Не помню лирического ничего...

— Любое!

— «Однажды в студеную зимнюю пору...» — начал Авизо.

Женщина расхохоталась и воскликнула:

— Отлично! Замечательный маршевый ритм! Давайте хором! И — в ногу! Начали!

И они стали декламировать, широко шагая в такт стихам:

Однажды!

в студеную!

зимнюю!

пору!

я из лесу!

вышел!

был сильный!

мороз!

гляжу!

поднимается!

медленно!

в гору!

лошадка!

везущая!

хвороста!

воз!

Авизо настолько увлекся, что забыл о преследователе, выкрикивал все громче, маршировал, с силой топая ногами, — и вдруг был остановлен тяжелой рукой, опустившейся сзади на его плечо.

— Иди-ка ты домой, мужик, — сказал друг женщины.

— Это что еще такое! — возмутилась женщина. — Кто ты такой, скажи на милость! Какое ты имеешь право указывать этому человеку, что ему делать?

— Иди, иди, мужик. По-хорошему говорят!

— Какие слова! — засмеялась женщина. — Не беспокойтесь, — сказала она Авизо. — Он трепач. Он знаете кто? Он муж своей жены. Ни больше ни меньше. Но ему хочется еще быть и любовником, и героем, и вообще бравым парнем. Но он всего-навсего муж своей жены. Всего-навсего!

— Ну вот что, — сказал муж своей жены. — Мне надоели твои истерики. Мне надоело тебя уговаривать. Ты, кажется, кроме грубой силы ничего не понимаешь.

И тут же применил грубую силу: заломил руку женщины за спину милицейским приемом (она вскрикнула) и повел прочь.

— Дурак! Дурак! Дурак! — кричала женщина.

Авизо поглядел им вслед, повернулся и медленно побрел.

Нет, я не испугался, говорил он мысленно сам себе.

Остановился, прислушался к душе своей.

Нет, испуга нет.

Он просто понимает: нельзя вмешиваться в чужие дела.

Лучше не будет.

От вмешательства в чужие дела бывает только хуже. Это закон жизни.

Нет, действительно.

Возьми любой случай и поймешь: от вмешательства в чужие дела бывает только хуже. Ты хочешь как лучше, а получается хуже. Это известно всем. Вроде с самыми благими намерениями захочешь помочь, но почему-то тебя потом и обвиняют. Не путайся под ногами, когда не просят...

И опять остановился.

Что же это? Женщина кричит от боли — а я рассуждаю? Это плохо. Это нехорошо. Значит, все-таки боюсь? Не этого мужа своей жены, не схватки с ним, не боли и не случайной смерти — боюсь вляпаться в историю с продолжением, а этого никак не хочется, ничего не хочется, потому что — *жар-птица* в руках.

Но если у меня жар-птица, у других-то все по-прежнему. Женщина кричит от боли, ее обижают, и нужно выручать ее — а уж потом рассуждать.

И он побежал — и догнал их, и забежал вперед, нелепо двигаясь боком и говоря мужу своей жены:

— Вы знаете что? Вы перестаньте. Я, конечно, не имею права вмешиваться, но так нельзя. Вы ведь ее, наверно, любите, зачем же...

— Что? — вскрикнула женщина таким голосом, что муж своей жены выпустил ее, а она тут же подскочила к Авизо и влепила ему с маху пощечину. — Это чтобы ты навсегда запомнил! — закричала она. — Чтобы никогда больше этого слова не произносил! Ясно тебе? Ясно тебе? Тебе ясно?

Авизо с недоумением посмотрел в красивое лицо женщины, вытер щеку, будто стирая удар, и произнес раздумчиво:

— Вот вы какая...

— Какая? Какая? — потребовала женщина.

— Вы странная.

— Нет, ты не то хотел сказать! Говори, что хотел! Боишься? И ты боишься?

Авизо подумал, чтобы точно сказать именно то, что хотел сказать, — и сказал:

— Мне кажется, вы... вы неправильная женщина.

— Слышал? — обратилась неправильная женщина к мужу своей жены. — Не знает меня, а в точку попал! Я дрянь, все верно!

— Он сейчас встанет на колени и извинится перед тобой, — успокоил ее муж своей жены.

— Было бы неплохо, — согласилась женщина, и в ее усталых глазах появился крохотный огонек интереса к текущей жизни.

— Встань на колени, мужик, — сказал муж свой жены таким тоном, будто буднично одалживал сигаретку закурить. — Встань и проси прощения.

И так же спокойно достал пистолет.

Соврала моя душа, подумал Авизо. Я боюсь. Очень боюсь. Ночь. Никого вокруг. Настоящий пистолет, настоящая смерть. И это тогда, когда *жар-птица* почти в руках. Я не смогу сопротивляться. Сподличаю. Никто ведь не узнает. Еще вчера я сумел бы, а сегодня — нет. Или — сумею?

— Попросить прощения я попрошу, — сказал он негромко. — Но на колени не встану.

Муж своей жены выстрелил в воздух над головой Авизо. Женщина засмеялась.

Оглушенный выстрелом Авизо закрыл глаза.

Какое-то гудение наполнило весь его организм — словно он стал трансформаторной будкой.

Он стоял так долго, ничего не чувствуя и не слыша.

Открыл глаза.

Мужа своей жены не было.

Неправильная женщина сидела на металлической ограде газона. Ей было наверняка неудобно.

— Стоячий обморок? — спросила женщина. — Первый раз вижу. Ну? Все-таки придется тебе проводить меня. Тут недалеко.

Шли молча.

Дошли до дома, до подъезда.

Авизо остановился.

— Если хочешь, зайди. Я одна живу. Чаю хочешь? Кофе? Вина? Водки? Меня?

Женщина перечислила свой ассортимент без улыбки, каким-то *буквальным* голосом, ничего не выделив.

Первый раз в жизни Авизо оказался в такой ситуации. При этом женщина была молода, красива, стройна, правда, лицо осунувшееся, бледное, глаза усталые.

— Вам-то зачем? — спросил Авизо.

— Мне — низачем. Но вдруг тебе приятно будет. Хоть кому-то будет приятно.

— Мне и так хорошо, — сказал Авизо. — И вдруг рассказал незнакомой женщине про свою жизнь и про *жар-птицу*, о которой мечтал и которая у него уже, можно сказать, в руках.

Женщина молча выслушала и тотчас же по окончании рассказа, сказала:

— Ну, ладно. Захочешь — заходи. Восемнадцатая квартира. Извини, если что не так.

— Спокойной ночи, — благожелательно сказал Авизо.

— Дурак ты, — со скукой сказала женщина. — Или, наоборот, слишком умный. Будь здоров.

И скрылась в темноте подъезда.

Авизо же заспешил домой.

Он открыл дверь, стараясь не шуметь, прошел на кухню, поставил чайник и сел у окна, он знал, что не уснет.

Жаль — спит жена Лидия. Сейчас бы сидеть с нею и говорить — необязательно о жар-птице, просто о чем-нибудь говорить. О жизни вообще. С сыном Виктором не поговоришь: во-первых, он тоже спит, во-вторых, у него свои жар-птицы в его шестнадцать трудных лет, все остальное ему кажется пустяками. А ведь Авизо очень ждал, когда он вырастет, чтобы иметь собеседника. С маленькими детьми он говорить совсем не умеет, он не понимает их интересов, и если даже пытается подладиться, они чувствуют натужность — и чуждаются. И вот Виктору стало пятнадцать лет, вот уж стали нащупываться нити общения и взаимопонимания — и неожиданно оборвались, сын вдруг вырос сразу так, что стал казаться Авизо чуть ли не старше его самого — просто чушь какая-то! Нет, конечно, не старше — но ушел куда-то, удалился, обогнал отца на каком-то повороте. Получается, этот поворот, этот короткий отрезок пути они всего-то и были вместе, перемолвились парой дружественных слов с милостивого согласия Виктора — и все на этом. Надолго ли? Неужели — навсегда? И Виктор ведь сын хороший, он потолковать с отцом вовсе не прочь, но Авизо не этого хочется, ему большего хочется — а чего? Трудно выразить.

Он налил себе чаю, стал прихлебывать.

В эту ночь он пил чай, подумал Авизо о себе в третьем лице и улыбнулся.

Смешно, в самом деле, у человека такое событие, а он сидит и преспокойно пьет чай. Но почему бы и нет? Не водку же пить: он до нее не большой охотник.

— У тебя крыша не едет случаем?

Авизо вздрогнул и поднял голову.

До чего мягка и бесшумна его жена Лидия, только она умеет так вот являться — словно из воздуха.

А голос — добрый. Уж она-то знает, сколько Авизо ждал этого дня — или ночи, все равно, она много раз выслушивала его горячие мечтательные речи и поддакивала, и кивала русой головой, и понимала его серыми глазами.

— Ложился бы спать, — сказала Лидия, тоже налив себе чаю. — Помчался среди ночи, разбудил людей — зачем? Наверняка ведь ничего не добился, наверняка все с утра придется решать.

— Моча в голову ударила, — фамильярно сказал о себе Авизо. Впрочем, он никогда с собой особенно не церемонился.

— Это уж точно, — сказала Лидия.

Авизо коротко глянул на нее. В ее голосе ему послышалось не обычное добродушие, а что-то иное. Конечно, не зависть к его счастью, ведь оно — и ее счастье. Но, может, она думает: вот мой муж достиг своего.

391

И теперь свободен. Именно так: пока не пришло, пока не свершилось, он был накрепко привязан к своей мечте, а через нее и к семье, и к службе своей в департаменте — поскольку лелеять мечту лучше находясь в положении устойчивом и однообразном, теперь же ему может захотеться перемен. *Беда одна не приходит*, утверждает поговорка, но и счастье, возможно, тоже, а ежели все-таки оно приходит одно, то тут же хочется и другого. Недаром же это цыганское, надрывное: «Эх, раз, да еще раз, да еще много, много раз!» — и недаром, кстати, он обожает цыганские песни и романсы.

Так думал Авизо о себе за жену — и думал еще о себе от ее лица.

Не захочется ли ему теперь, удивительно верному, любящему и обходительному мужу, посмотреть вокруг и вспомнить, что есть и другие женщины? Не захочется ли и этим женщинам в свою очередь погреться у чужого счастья? Русский мужчина не любит счастливых женщин, он не знает, как с ними общаться, говорить и действовать, ему привычней и удобней женщины несчастные, обделенные, одинокие, вот тут он король и кум, тут он на коне, тут он утешитель, готовый подставить плечо для опоры, взять на руки — чтоб уложить, естественно. Русская же женщина совсем наоборот: враки, что она любит убогих и сирых — это лишь по-матерински, а вот горячо, до собачьей преданности, любит она мужчин счастливых, вольных, с широко глядящими очами, небрежных в ласке — но зато эта ласка ни с чем не сравнима!..

Нет, продолжал думать Авизо о себе за свою жену Лидию, нет ничего хорошего в том, что он заполучил свою *жар-птицу*. Почти заполучил. Пожалуй, стоило бы помешать ему, — слегка, чуть-чуть, хотя бы оттянуть этот момент. Очень уж страшно, непривычно, очень уж резко ломается привычный уклад.

— Что тетка пишет? — спросил Авизо.

— Какая тетка?

— Здрасти. Твоя тетка из Подмосковья. Вилена Ивановна.

— Опомнился. Она уж неделю как письмо прислала.

— Я помню. Ну — и что пишет?

— Разное.

— Не болеет?

— Прихварывает.

— Ты бы съездила к ней, — сказал Авизо очень естественным голосом.

— Чего это ты вдруг о ней забеспокоился?

«Угадал, угадал! — печально думал Авизо, поглядывая искоса на удивленное лицо жены. — Вот и насторожилась — чует, что я мысли ее прочел».

И тут же понял, что сейчас думал о ней — нет, не как о враге, нет, конечно, нет, но — как о, скажем, сопернике в шахматах (каждодневный его отдых на службе в обеденный перерыв). Что же это такое? — настолько быстро все меняется, что не успеваешь следить за переменами в себе самом — и в других!

— Да нет, я просто, — сказал Авизо.

Все сегодня получалось как-то странно: без пауз, будто по-писанному. Закричал он на улице — возникла машина. Собиралась в разговоре с женой повиснуть неловкая для обоих пауза — звонок телефона. Аппарат тут же, на кухне. Авизо снял трубку. Жена смотрела на него, ему было неприятно. И опять-таки — поймал он себя — раньше такого чувства у него не было. Кто бы ни звонил, жена находилась чаще всего рядом, слышала разговор — не обязательно слушая. Но раньше он не обращал на это внимания, а теперь его вдруг тихо, тайно возмутило: это же невежливо! Пусть она родной человек, но все равно неприлично — слушать чужие разговоры. Может, кто-то из друзей Авизо хочет поговорить о чем-то секретном? Может, он и сам хочет сказать кому-то что-то секретное? Или он совсем уж не имеет права на секреты — даже крохотные, совсем безобидные?

— Паша! — послышалось в трубке. — Это Владимир. Привет.

— Привет, — сказал Авизо. — Пятый час ночи, ты знаешь?

— Когда он сам ко мне вваливается в три часа...

— Ну ладно, ладно...Что случилось?

— Ничего. Иду к тебе пить водку.

— Послушай... Погоди...

Авизо закрыл трубку ладонью и сказал Лидии:

— Володька звонит. Наверно, с женой поссорился. Из-за меня. Дурак я. Хочет прийти и водки выпить. Ты не против?

Он посоветовался с женой по многолетней привычке. Они всегда полюбовно решали, принять ли какого-то гостя или с простительным лицемерием сослаться на занятость или болезнь: они слишком уважали свое личное время.

Но теперь, спросив, он подумал: Володька ведь мой друг, а не ее, с какой стати я спрашиваю разрешения? И, не дождавшись ответа Лидии, сказал в трубку:

— Валяй.

— Иду, — сказал Владимир.

— Ты не собираешься идти на службу? — спросила Лидия.

— Собираюсь.

— Но он ведь будет пить водку.

— Это не значит, что я тоже собираюсь пить водку.

— Я терпеть не могу его пьяного.

— Тебя никто не заставляет его терпеть. Иди и спи.

— Я не засну. Он ужасно громко говорит.

— Я попрошу его говорить тихо.

— Что с тобой?

— Со мной ровным счетом ничего. А вот с тобой что-то происходит.

— Со мной? — удивилась Лидия. — Ты извини, но ты, кажется, немного ошалел.

— Я знаю, тебя не радует то, что случилось. Но уж потерпи.

— С чего ты взял, что не радует? Нет, с чего ты взял?

— Я прошу тебя, иди спать. Ты терпеть не можешь моего друга, иди спать, тебя никто не обязывает быть гостеприимной в пятом часу утра.

— Да что это такое! — возмутилась Лидия. — С чего ты взял, что я терпеть его не могу? Я давала повод? Нет, ты скажи! Если я его пьяного не терплю, то я ведь никого пьяного не терплю. Разве не так?

Авизо промолчал.

В окне был тополь — такой же, как возле дома Владимира, темный на фоне все более светлеющего неба.

— Извини, — сказал он. — Если хочешь, посиди с нами.

— Спасибо, — сказала Лидия. — Ты очень странно приглашаешь. Спокойной ночи. Верней, утро уже. В холодильнике колбаса, сыр. Веселитесь.

И, едва она скрылась в комнате, — звонок в дверь.

— Это я вас рассорил, — сказал Авизо Владимиру, наливая ему и себе по третьей рюмке (и удивляясь тому редкостному удовольствию, с каким пьется водка — напиток, никогда им не любимый), — пришел, как говорится, увидел, наследил.

— Ты тут ни при чем. Знаешь, на ком я хотел бы жениться?

— Третий раз?

— Нет. В принципе. Я хотел бы жениться именно в таком возрасте, как сейчас, на своей бывшей жене, но такой, какой она была тогда, когда я на ней женился. Алина ведь очень похожа на мою жену в молодости.

— Понимаю...

— Когда я уходил, не от Алины, а от той... Когда я уходил, я сказал себе: жизнь одна. Неужели я должен до самого конца жить с нелюбимым человеком? И я ушел. Она, что говорить, она... Ей плохо. Мне хорошо — ей плохо. Мне плохо — ей хорошо. Ты, умник, помоги мне найти софизм — ты знаешь, что такое софизм? — софизм найти мне, чтобы доказать, что все ерунда, что на самом деле и мне хорошо, и ей хорошо! И не пытайся, не найдешь! И я сам слишком зауряден, заурядным людям вредно иметь совесть, она их загрызет.

— Понимаю...

— Есть один пошлый вечный закон: человек никогда не бывает доволен. Я люблю пошлые мысли. Пошлые вечные мысли. Они — как закон притяжения. Но человек не любит закон притяжения. Он выдумывает парадоксы и самолеты. Парадоксы ускоряют мыслительный процесс, самолеты ускоряют возможности передвижения. Парадоксы разрушительны, самолеты падают. Нет самолета, который когда-нибудь не упадет. Все самолеты рано или поздно падают.

— Понимаю...

— Так и здесь. Мы с Алиной ошиблись — и не хотим признаться в этом. Ну, я — понятно. Возвращаться к жене, к детям после всего... Тяжело... Но ей-то ничего не стоит уйти. Нет, я люблю ее. Но, повторяю, человек никогда не бывает доволен.

— Ты не прав. Вот я, извини конечно, доволен, — сказал Авизо.

— Тебе кажется, — сказал Владимир — и Авизо тотчас же показалось, что ему, действительно, только кажется, что он доволен — и он поспешил выпить очередную рюмочку. Выпил и понял — нет, не кажется, он вполне доволен.

— Я доволен, — твердо сказал он.

— Тебе кажется, — сказал Владимир. — Тебе так хочется.

— Я не просто доволен, я счастлив. Ты же знаешь.

— Ну и дурак. Только дураки счастливы. Хочешь правду? Я бы на твоем месте повесился.

Авизо привык к таким речам Владимира, он давно знал эту его манеру: выпить и прийти к другу, к знакомому, к полузнакомому — или вовсе с незнакомым завязать пьяное знакомство в забегаловке — и начать говорить правду. Смысл этой правды всегда был обличительный. Другу, знакомому и полузнакомому Владимир исчислял все известные ему грехи и недостатки, безбожно их преувеличивая, незнакомому же просто говорил, что он мурло безобразное, с которым и пить-то противно. Неприятностей у Владимира из-за этого было много.

— Я бы на твоем месте повесился, — сказал Владимир. — Жена у тебя постервела — это факт, никуда не денешься. У нее морщинистая шея. Сын у тебя глуп и похотлив, по глазам видно, что похотлив, смотри, он еще сядет в тюрьму за изнасилование. Да и сам ты — кто? Кто ты?

— Павел Федорович Авизо, — спокойно ответил Авизо.

— Вот именно! С таким именем, отчеством и, тем более, фамилией, я бы давно повесился! Как ты живешь?

— Живу, — спокойно ответил Авизо.

Владимир выпил подряд две рюмки, откупорил другую бутылку, выпил еще рюмку и сказал:

— Значит — так? Значит, с высоты своего довольства ты даже не желаешь говорить со мной по-человечески? Презираешь меня?

— Не выдумывай.

— Только что ты своими погаными руками разбил мою жизнь. Неужели тебя даже совесть не мучает?

— Не надо было мне приходить. Извини.

— Но я! — продолжил Владимир. — Но я, несмотря на это, помогу тебе, я поговорю с Криногеновым. А вот ты не желаешь даже говорить со мной! Ты только отбалтываешься! Сволочь ты и больше ничего. Последний ты был у меня друг — теперь нет никого. Я не хочу жить, ты понимаешь? Если ты засмеешься, я тебя убью.

Он подумал — и спросил с недоумением:

— А почему ты меня не убил? Я ведь оскорбил твою жену, сына! Или ты, как все самодовольные люди, толстокож и не чувствуешь оскорблений? Что тебе сделать, чтобы тебя проняло? Плюнуть тебе в лицо?

И Владимир, не дожидаясь согласия, тут же плюнул в лицо Авизо — попав плевком в лоб.

Авизо вытерся.

Неужели, подумал он, я дорожу дружбой с ним настолько, что готов все снести? Да, он пьян, но это не оправдывает! В конце-то концов!

Чувствуя в себе необычайный прилив гордости и силы, Авизо поднялся, взял Владимира за грудки и, грохоча столом и стульями, выволок, поволок в прихожую, вытолкнул в дверь. Владимир было — обратно, но Авизо ударил его кулаком по шее — и испугался, и отпрянул.

— Ладно, — сказал Владимир. — Бутылку дай. Буду на улице пить. Может, под машину попаду.

— Ночуй у меня, — сказал Авизо.

— Нет, домой. К Алине. Знал бы ты, как она ........ ...... ........! Сто баб у меня было, ну, двадцать, — и ни одна так не умела. Мне прямо жаль, что ты не можешь попробовать. А почему не можешь? Пошли! Я скажу — и она сделает! Она обожает меня! Она готова ради меня на все. Это, брат, очень тяжело, когда тебя любят. Самому любить куда легче...

Авизо хотел предупредить Лидию, что уходит, но вздыбившаяся гордость не позволила ему это сделать. Он мужчина, он не должен ни у кого спрашивать разрешения, прежде чем совершить поступок, который считает нужным совершить!


Владимир на улице окончательно опьянел. Порывался упасть и замерзнуть, невзирая на плюсовую температуру — хоть и прохладным было утро.

Авизо прислонил его к стене возле двери, позвонил.

Алина открыла так быстро, словно стояла за дверью.

— Я пришел! — увидев ее, радостно замычал Владимир, раскрывая объятья и падая на Авизо.

— Пошел прочь, — кротко сказала Алина и не спеша, аккуратно закрыла дверь.

Авизо вывел Владимира на улицу, посадил на лавку.

Что делать? Вести его к себе домой? Нельзя. То есть, в общем-то, можно, но...

Совсем уже рассвело. Редкие люди появились, не интересуясь двумя пьяницами. А вот милиция может заинтересоваться.

Пространства, казавшиеся в ночи больше, вдруг сократились, и совсем неподалеку Авизо увидел большой дом — его легко узнать, — куда он проводил неправильную женщину. Взять и заявиться к ней. Да. Вот так взять и заявиться.

Поддерживая неимоверно потяжелевшего Владимира, он потащился с ним к дому, заволок его в подъезд, пинками и толчками заставил подняться на пятый этаж — и вот она, квартира восемнадцать.

Не медля — пока не пропала решимость, Авизо нажал на кнопку звонка. Раздалась переливчатая трель.

Послышалось шарканье, старушечий голос спросил:

— Кто там?

— Мне... — начал Авизо — и осекся: имени неправильной женщины он не знал. Но ведь она сказала, что живет одна, при чем тут старуха? Наверное, он ошибся, квартира не восемнадцать, а двадцать восемь. Оставив Владимира сидеть на лестнице, он поднялся до двадцать восьмой квартиры, позвонил.

Через некоторое время в дверной глазок кто-то посмотрел, мужской густой голос спросил:

— Кого надо?

— Сидоровы здесь живут? — спросил Авизо.

— Я те щас дам Сидоровых, — пообещал голос, но Сидоровых давать не стал, затаился, смотрел в глазок.

Авизо потоптался, спустился на этаж. Странное нетерпение его охватило — во что бы то ни стало отыскать неправильную женщину. Ты меня обманула, назвала не тот номер квартиры, — так погоди ж! И он стал названивать во все двери подряд. Спрашивали спросонья испуганно или сердито, посылали к черту, один раз залаяла собака и безбоязненно вышел парень с мощным торсом, погрозился спустить с лестницы. В общем, шум и гам поднялся изрядный.

— Эй! — вдруг услышал Авизо знакомый голос. — Хватит безумствовать, идите сюда!

Он спустился и увидел на пороге восемнадцатой квартиры неправильную женщину.

— А старуха? — спросил он.

— А я и есть старуха, — ответила она смешным неправдоподобным старушечьим голосом, и Авизо подивился, как легко он позволил себя обмануть.

— Это ваше? — спросила неправильная женщина, указывая на скукожившегося Владимира.

— Мое.

— Романтический вы человек, а по виду не скажешь. То шляется среди ночи, то пьяного человека в дом принесет. Ну, заволакивайте его. Только дальше прихожей не пущу, не люблю мусора.

Прихожая меж тем оказалась просторной, с диванчиком даже, на этот диванчик Авизо и сгрузил бесчувственного Владимира, сам же прошел в квартиру.

— Разбудил вас?

— Нет, я не спала.

— Я тоже сегодня не спал. И не хочу.

— И я не хочу. Вы пили?

— Немного. Вообще-то не люблю пить.

— А я люблю. Но не умею. С одной рюмки коньяка — почти вдрызг. Зато шампанского могу выпить море. Почему так?

Говоря это, она достала шампанское.

— Сколько вам лет? Кто вы? Как зовут? Хочу знать, — сказал Авизо, чувствуя себя грубоватым и неотразимым — почему-то.

— Мне двадцать восемь лет, гражданин начальник, я занимаюсь мелкой коммерцией, гражданин начальник, меня зовут Тамара, гражданин начальник, я больше не буду, гражданин начальник! — с превеликим испугом зачастила неправильная женщина. — Бутылку-то открой, что ли.

Авизо откупорил шампанское, Тамара выпила, он не стал.

— Не хочешь обмыть свою жар-птицу? — спросила она.

— Это не мебель, не автомобиль, не куча денег, — сказал Авизо. — Это не обмывают.

— Чушь! Что обмывать, что не обмывать — какие могут быть правила? Главное — желание. Объясни, почему ты мне нравишься? Мне никогда такие не нравились.

— От пресыщения, — объяснил Авизо.

— Может быть, — согласилась Тамара. — Но не настолько я пресытилась, брат ты мой. Просто я — неправильная. Ты точно подметил. Меня любил мальчик, он был похож на тебя. Я его обидела. Я хочу отплатить ему любовью — через тебя.

— Вы пьяны немножко, — оробел Авизо.

— Ничуть. Ты невысок, лысоват, некрасив, тощ — меня к тебе тянет. Как тебя зовут?

— Павел.

— Паша, давай я буду Тома, и мы будем совсем-совсем простецкие. Паш, а Паш, поцелуй меня, а? Ты мне прям так нравишься, я прям не могу!

Авизо потянулся было через стол, но не достал.

Тогда поднялся, подошел к ней, сидящей, нагнулся, приловчился и стал целовать.

— Ой, Паш, ну ты вобще! — прошептала Тамара. — Я так возбудилась, все на мне петельки-крючочки распускаются сами. Давай, будто мы обои от всех убежали и спрятались в шалаше. Пойдем в шалаш, Паш...

Шалаш оказался большой разобранной ко сну, но нетронутой постелью.

Авизо и глазом не моргнул — Тамара разделась, легла, не стесняясь, во весь рост, нежилась и шептала:

— Дождик идет, слышишь? Шумит... А нам не страшно, мы в шалаше... А вот, чу! — ядерный взрыв пророкотал. А нам не страшно, мы в шалаше. А вот медведь огромный рыскает, человечину ищет. А нам не страшно, мы в шалаше. Нет, страшно, страшно! — вскрикнула она. — Спаси меня, сохрани, помилуй, Пашенька, любимый ты мой, да разлюбимый, да расхороший! — она поднялась, обхватила Авизо, который прыгал растерянно в одной штанине, никак не могя вторую снять, обхватила, повалила, стала тискать.

— А теперь ты меня ласкай, — разрешила. — Как хочешь. Будто меня и нет вовсе, сплю или умерла.

Она закрыла глаза и даже, показалось, перестала дышать.

И Авизо разрешил себе.

Он так себе разрешил, как никогда не разрешал — да и случая похожего у него никогда в жизни не было. О жене он и думать забыл, поскольку както сам собою в душе решился вопрос: все делаемое им — безусловно хорошо и правильно не в силу какой-то там логики, а в силу самого факта.

Мертвая Тамара против своей воли начала оживать — и извивалась, и стонала, и глаза закатывала.

А потом глубоко вздохнула, дала шаловливо щелчка в темечко Авизо и сказала:

— Ну, все. Разлакомился тут. Проваливай...

— Тома... Томочка... — сопел Авизо в персиковый ее живот.

— Томы нету дома! — сказала неправильная женщина старушечьим голосом. — Проваливай, сказано! Я спать хочу!

Авизо еще что-то бормотал, непонятное самому.

Но вдруг посмотрел на часы — словно петухи прокукарекали, прогоняя прочь бесовские чары, он все вспомнил.

ЖАР-ПТИЦА!

Золотая клетка, дверца, ключик!

К девяти надо быть в департаменте.

Позвонить Криногенову, напроситься на прием.

Он оделся и, не прощаясь с неправильной женщиной, растормошил Владимира, вывел его.

Владимир, быстро пьянея, быстро и трезвел после часа или двух обморочного сна. Он шел хмурый, всклокоченный.

— Я говорил что-нибудь?

— Говорил...

— Ничего не помню. Извини за все оптом.

— Да ладно... Домой теперь?

— К матери. На службу позвоню, скажу — заболел. А ты?

— За всю жизнь ни одного прогула.

— Железный человек.

— Ты прости меня тоже.

— Ерунда. Чему быть, того не миновать, — утешил друга и себя Владимир пошлой поговоркой, из тех, которые он так любит.


Авизо совершенно не чувствовал себя уставшим.

Он принял душ, побрился, надел парадный свой костюм, белую рубашку, единственный свой галстук, Лидия хлопотливо и добродушно помогала ему, а он, пролетая мимо нее на резвых ногах, то и дело чмокал ее в щечку, не стесняясь хмурого присутствия сына Виктора. Ему бы и Виктора хотелось чмокнуть, но — невозможно.

До департамента своего он всегда ездит на троллейбусе, но сегодня поопасился измять и запылить костюм, поэтому взял такси.

Он чувствовал себя капитаном дальнего плавания, возвратившимся в родной город, и с любопытством смотрел на бесшумно проносящиеся мимо дома и деревья — разноцветные деревья золотой осени, — и расплатился с таксистом по-капитански щедро.

Так же — будто сто лет не видал — встречал он и сослуживцев, оказавшись первым, поставив чайник, заварив свежего чая и успев даже сбегать в ближайшую кондитерскую за печеньем.

— День рождения, что ли? — спросила Кропоткина, женщина, неуклюжая телом и иронией, потому что никто не хотел понимать изящества ее ума и души.

— Именины у меня, — сказал Авизо.

— Правильно, — сказала Кропоткина. — Дни рождения отмечаем аккуратно общей пьянкой, теперь и именины будем, потом годовщины смерти любимых сотрудников начнем отмечать — сопьемся на хрен.

Говорила она это не зря: на каждом таком отмечании, которые и впрямь в последнее время участились, она плакала и пела песни, а на другой день говорила, что ее спаивают к чертовой матери, того и гляди — курить научат (при этом курить научилась уже давно — и курила помногу, взахлеб, одну за другой, как могут курить только женщины).

Авизо вдруг почему-то стало жаль ее.

— Мы пить не будем, — сказал он. — И вообще, мне некогда. Всегда-то нам некогда. А хочется иногда просто, без повода — сесть и поговорить. Да?

Он ласково посмотрел на Кропоткину, а та сказала:

— В морду получишь, гад. Не доводи до соплей слабую женщину. Что это сегодня с тобой?

— Ничего...


Он дождался прилично десяти часов. Позвонишь раньше — вдруг на месте не окажется человека? Он придет, секретарша доложит: вам тут кто-то названивает уже. И начальник осерчает: всякому ведь не объяснишь, что у него немало дел помимо кабинета и кресла, нет, теперь некто неведомый, говнюк такой, скажет: не спешит начальничек на работку, жуирует!.. Позвонишь позже — или уже не застанешь его на месте или тот подумает: видно, не спешный вопрос, если вспомнил о нем просящий к середке рабочего дня, вроде между делом. Может, значит, и потерпеть.

В десять — самое то, самое хорошо.

Он позвонил в десять — Криногенова не оказалось.

Авизо, приготовивший определенные слова, был обескуражен.

Почему нет на месте?

Должен быть, сказала секретарша.

Должен — а нет его!

Конечно, начальство не всегда обязано докладываться.

Но — тем не менее. А может, он попал под машину?

То есть он, конечно, пешком не ходит, а ездит на служебной машине, значит — попал в аварию.

И что тогда делать? У него есть, само собой, заместители, но о возможностях Криногенова он знает, а о возможностях заместителей ничего не знает...

Авизо не находил себе места, совершенно не мог работать, хотя и делал вид, что работает, на самом же деле полчаса держал перед глазами один и тот же документ, не понимая ни слов, ни букв.

Позвонил вторично: на месте ли Арнольд Евплович?

И услышал фанфарное: на месте, на месте!

Но тут же: а кто его спрашивает?

— По служебному делу из...— Авизо назвал солидным, безотлагательным голосом имя своего департамента, секретарша переключила телефон на Криногенова.

Зачем я соврал, дурак, что по служебному делу? — запоздало корил себя Авизо, но отступать было некуда.

— Слушаю, — сказал Криногенов с интонацией истинного человеколюбия и заинтересованности во всем на свете, не умея отделять свое от чужого.

— Здравствуйте, Арнольд Евплович, — с достоинством сказал Авизо. — Меня Павел Федорович Авизо зовут, хотелось бы пообщаться с вами по одному вопросу. Не больше пяти минут, но — лично.

— Хорошо, — согласился Криногенов. — Завтра примерно в это же время позвоните мне.

Холодный пот прошиб Авизо. Этого он не ожидал. Бог весть почему, но он настроился, что его пригласят тут же, сейчас же! Ждать еще целый день, целые сутки?!

— Извините, Арнольд Евплович, но дело весьма важное и срочное, и, повторяю, займет буквально несколько минут.

— Что ж... Если сумеете быть через минут пятнадцать, не позже, тогда — пожалуй. А после — весь день расписан.

— Конечно! — сказал Авизо. — Конечно!

— Пашка! — сказала Кропоткина после того, как он положил трубку. — Ты охренел? Они ж переехали, они знаешь где теперь? Туда даже на машине не меньше полчаса, а ты — пятнадцать минут! У тебя вертолет во дворе, что ли, придурок?

— Полчаса? А где это?

Кропоткина объяснила.

— Успею, — сказал Авизо. — Ничего. Успею.

И выбежал.

Пока выбежал, пока ловил машину — пять минут ухлопал, осталось десять.

Водителю объяснил, куда ехать, и сказал, что быть там надо через десять минут.

Говорил это голосом, срывающимся от волнения — словно просил ехать к вокзалу или родильному дому. Чтобы ясно было: срочность нужна чрезвычайная, судьба решается, жизнь решается! Он ожидал, что водитель изумится: никак, мол, браток, не успеть! — а он упросит, уговорит, и тот проникнется его волненьем и будет мчать по улицам с приключенческой скоростью, обгоняя, выезжая на встречную полосу, проезжая наперерез, заворачивая с визгом тормозов — и они прибудут точнехонько через десять минут, и счастливый водитель гордо скажет: «никогда так не ездил!» — и, может быть, даже денег не возьмет.

Но водитель, сухой человек среднего возраста, спокойно, не удивившись, назначил цену — такую, что Авизо захотелось исследовать содержимое бумажника. Впрочем, хватало с избытком, поскольку он взял тайком все деньги, что отложены были на новый телевизор. Ему хотелось именно сегодня купить его, — чтобы в семье была вещественная, осязаемая радость.

Сухой человек тронул и поехал не просто неспешно а, казалось Авизо, нарочито, издевательски медленно!

Он то и дело поглядывал на часы. Прошло пять минут, а они и трети пути не одолели!

— Извините, — сказал он сухому человеку, — но мы так не успеем.

— Само собой, — ответил тот. — За такое время туда тебя никто не довезет.

— Но вы же согласились!

— Довезти согласился. А когда — это как доедем. Не нравится — вылезай.

— Нет, но как же... Понимаете, если я вовремя не приеду... У меня вся жизнь насмарку. Я не могу объяснить, это долго, но уж поверьте. Прибавьте скорости, я еще доплачу.

— Лишнего не беру, — сказал сухой человек.— А ехать быстрей нельзя. Ты видишь — оба ряда битком.

Действительно, оба ряда были битком, обогнать невозможно. Авизо бы и думать об этом и мучаться этим, но его почему-то отвлекло другое.

С какой стати, подумал он, я заискиваю перед ним и называю его на «вы», в то время как он мне тыкает, хотя мы одного возраста? Неужели только потому, что я завишу своей *надобностью*, — как завишу буду и от Криногенова? Я боюсь обидеть его, этого сухого человека, — вдруг высадит среди дороги! *Стоит ли моя жар-птица таких унижений?* Конечно, стоит. А нельзя ли — чтобы *жар-птица* сама по себе, а унижения — сами по себе, то есть чтобы вовсе обойтись без них? В конце концов, *никуда она от меня не денется!* — подумал Авизо о своей *жар-птице* с уверенностью, основанной на разных соображениях, но более всего на его вере в то, что она никуда от него не денется.

И он уже хотел указать водителю его место и объяснить ему, что неприлично тыкать постороннему человеку, не будучи знакомым с ним, особенно тогда, когда посторонний человек тебя вежливо называет на «вы», но тут водитель произвел рискованный маневр, выехал на осевую линию и помчался вдоль длинного потока застывших окончательно машин — и угодил к зеленому светофору, проскочил перекресток, оказавшись во главе движения, имея перед собой свободную дорогу — и все мчался, мчался, но тут, откуда ни возьмись, милицейская машина прицепилась с хвоста, замигала, засигналила. Сухой человек глянул коротко в зеркало заднего вида и резко свернул, и еще свернул, и еще, потом мчался прямо, опять свернул, опять свернул, опять мчался... и, наконец, засмеявшись, медленно, отдыхая, поехал по тихой узкой улочке.

— Ни разу они меня еще не догнали, — сказал он.

— Куда вы меня завезли? — закричал Авизо. — Остановите машину! Идиотизм какой-то!

Водитель хмыкнул, остановился и ждал, пока Авизо выйдет, не глядя на него, взяв расплату за поездку небрежной рукой на ощупь.

Авизо был в отчаянии.

Нечувствительно прошел он сквозь какую-то подворотню — и обомлел. Перед ним стояло то самое здание, которое описала Кропоткина. Он взглянул на часы. Всего-то на полминуты опаздывает. Он почти бегом пересек улицу, вбежал в высокие тяжелые двери, ринулся к турникету.

Пожилая служительница потребовала пропуск, Авизо в отчаянии рявкнул на нее:

— Какой еще пропуск, с ума посходили, меня Криногенов ждет!

Охранница лишь пожала плечами.

Еще минута ушла на то, чтобы отыскать кабинет Криногенова.


Секретарша встретила его вопросительным взглядом.

— Меня Криногенов ждет, — ответил ее взгляду Авизо.

— Может быть, но он занят сейчас. И в любом случае я должна ему сказать: кто пришел, с каким делом.

— Дело личное, — сказал Авизо, чувствуя облегчение от того, что Криногенов на месте. Он тут. Это главное. Остальное — пустяки.

— Что значит — личное? Какого рода — личное?

Авизо с теплой грустью посмотрел на нее, вчерашнюю школьницу. Что она, юная, знает о неистовых желаниях, обуревающих взрослых людей, что ведомо ей об этом в ее мире легких поцелуев, легкой морской волны, легкого вина и легкой музыки?

И он в двух словах рассказал ей о своей *жар-птице*.

— Скажите пожалуйста! — сказала секретарша, положив подбородок на кулачок. — Да, вам повезло в жизни. Это правильно. Кому-то ведь должно везти! Ведь если никому не везет, то кому-то все-таки должно повезти? А то буквально всем не везет! Нет, бывает, повезет, но на время, а потом опять не везет. А вам здорово повезло, крепко, на всю жизнь. Поздравляю. Хотите кофе?

— Выпью, — согласился Авизо. Ему, так спешившему, теперь захотелось потянуть время. Иначе слишком получится буднично: приехал, вошел в кабинет, вышел — все готово, получите золотой ключик от золотой клетки.

Но едва он успел отхлебнуть глоток, дверь открылась, показался посетитель, а за ним Криногенов.

Авизо встал.

— Да, да, — сказал ему Криногенов, имея редкостное чутье угадывать человека, не зная его в лицо. — Это вы мне звонили. Проходите.

Авизо — взгляд на секретаршу. Она заговорщицки, подбадривающе подмигнула...

— Слушаю вас, — сказал Криногенов.

Авизо коротко и ясно изложил суть дела.

Он не подсказывал прямо Криногенову, что тому нужно всего лишь снять трубку и с бархатистой иронией (извиняясь ею, что беспокоит по пустякам), молвить несколько слов, он искусно построил свой рассказ так, чтобы Криногенову самому стало ясно, как он должен поступить.

Но тот, внимательно выслушав Авизо, медлил.

Авизо не был чересчур проницательным человеком, но увидел по каким-то неуловимым черточкам лица, по какому-то осколочку внутри общей благожелательности мозаичного криногеновского взгляда, он увидел: Криногенову не хочется звонить, не хочется помогать ему.

Странно, думал Авизо. Ведь это так приятно — делать добро человеку, когда тебе это не стоит никаких усилий. И он почти физически ощутил ту внутреннюю натугу, с которой организм Криногенова отыскивает причину для отказа, именно организм, это ведь неправда, что человек думает лишь умом, и известное выражение ЧЕГО ЛЕВАЯ ПЯТКА ЗАХОЧЕТ Авизо всегда воспринимал не метафорически, а с грустным осознанием буквальности, понимая сложность химических процессов, от которых зависят и Слово, и Дело человека.

А еще, корни, может быть, где-то во времени, в детстве, например, когда Криногенов попросил друга своего во время школьного урока дать карандаш, а тот не дал — не из жадности, не потому что они были на этот момент в ссоре, не потому, что карандаш другу самому был нужен, а вот просто взял и не дал — чтобы посмотреть на расстроенное лицо друга и испытать странное, непонятное, глубинное чувство радости от страдания близкого человека — поскольку страдания человека дальнего ничего нам не дают, радости, от которой близкий человек делается еще ближе — и хочется почему-то все больше мучать его, хоть и сам мучаешься (у Авизо у самого был такой случай, надолго запомнившийся) — и это воспоминание проснулось в Криногенове, пусть неосознанное. Но ведь Авизо ему не близок! Однако, возможно, он похож на того друга, что не дал ему карандаш. Или Криногенов из тех, кто умеет другого с ходу, сразу почувствовать близким, чтобы наслажденнее общаться с ним, доставляя ему и себе печаль или радость. Это так, так! — уверялся Авизо, видя в мозаике криногеновского взгляда осколочек любви к себе. ТЫ БРАТ МОЙ! — мерцал, как маяк, этот осколочек, мне больно делать тебе больно, но я должен, должен, потому что ты обманут самим собой, твоя жар-птица — мираж и больше ничего, от обладания ею ты станешь хлопотлив, ты станешь озабочен, уж я знаю по себе, — или, думаешь, один ты знаток в жар-птицах? — нет, гладили и мы их радужные перья, кормили с руки, но потом они превращались в жареных петухов и клевали в задницу со страшной силой, сейчас вот у меня нет никаких жар-птиц, и мыслей о них нет — и видишь, как я спокоен, рассудителен, — и счастлив по-своему, именно по-своему, а не по-чужому, ты же наверняка срисовал свое счастье с чужого образца, скажи, что не так, скажи, скажи!

Вот что прочел Авизо во взгляде Криногенова. И к последующим речам его был готов.

— Позвонить мне, конечно, не трудно, — начались последующие речи. — Но давайте обсудим...

И вздохнул от глубокого участия.

У Авизо похолодели руки. Он потер их.

— Я все обдумал, — торопливо сказал он. — Да и что тут думать? Тут и думать-то нечего!

— Это только кажется. Большое видится на расстоянии, сказал поэт. И маленькое тоже. Имеется в виду — со стороны. Вы не можете увидеть со стороны, вы, так сказать, внутри ситуации.

— Но неужели я хуже, чем вы, понимаю... — воскликнул Авизо и осекся: терпение, терпение, зачем же так фамильярничать?

Криногенов, однако, простил его — улыбкой.

Но ведь заметил и фамильярность — иначе и прощать бы не стал!

А раз заметил, то без последствий не оставит!

— Вы, само собой, понимаете все не хуже меня. Но одно дело — понимать. Другое — действовать. Вы ведь пришли ко мне, а не к кому-то, значит, теперь и я несу ответственность.

— Да тут ответственности никакой!

— Безответственных дел не бывает. Ни одно наше слово, ни одна мысль — и даже помышление, и даже дыхание наше — ничто не проходит бесследно, за все придется отвечать если не перед людьми, то перед собственной совестью. Разве не так?

— Так, но...

Авизо остановился — давая возможность Криногенову перебить себя, чтобы Криногенов, перебив, хоть слегка почувствовал себя виноватым, а чувство вины — хорошее, оно таких людей, как Криногенов, обременяет, они стремятся от него побыстрей избавиться — глядишь, и бросит рассуждать ради этого избавления — и позвонит.

Но Криногенов не воспользовался паузой, ждал, когда Авизо закончит. Тот молчал. Тогда Криногенов продолжил:

— Ценишь лишь то, что заработано собственным, извините, горбом. Если ж это — как манна небесная, то появляется опасная мысль о том, что так оно и должно быть. Поневоле начинаешь считать себя человеком исключительным. Ведь вы наверняка считаете себя человеком исключительным? Ведь так?

— Если б вы знали, сколько усилий... — и в который уж раз Авизо остановился, не договорил.

Его вдруг мысль пронзила: а ведь Криногенов завидует ему, элементарно завидует! Вот где собака зарыта! Сидел Криногенов на высоком месте, далеко глядел, широко мыслил, значительно думал о себе и своих занятиях — и тут является некто из небытия с дурацким выражением счастья на дурацкой физии и этим выражением счастья унижает и самого Криногенова, и место Криногенова, и душу его, и ум, и честь, и совесть, и мировоззрение — да и вообще всю жизнь, заставляет, сучок этакий, усомниться в ценности ценностей, в начале начал и в конце-то концов вообще! Вот откуда эти разговоры о том, что Авизо якобы считает себя исключительным человеком! Криногенов явно провоцирует: признайся, назови себя орлом — и тут же, любезный, я превращу тебя в курицу! Он ведь, если вдуматься, форменным образом хамит — не тоном своим, не смыслом слов, а ... да взглядом одним хамит, взирая на него как на помешанного, говоря с ним врачебно-тихо, будто с истеричным подростком в детской комнате милиции. И это — тоже терпеть?!

Он не будет терпеть. Он сам пойдет туда, куда должен позвонить Криногенов. Без всякого звонка пойдет. Он скажет... ну, это потом. А пока:

— Знаете что, Арнольд Евплович. Считаю я себя исключительной личностью или нет — вопрос второстепенный. Мы его обсудим на досуге, если хотите. От демагогии же вашей увольте меня. Я достаточно за свою жизнь подобных словес наслушался!

Криногенов откинулся на спинку кресла. Он был весьма удовлетворен.

— Приходится констатировать, что я не ошибся, — сказал он. — Слова других людей вам кажутся демагогией. Лишь собственные слова вам кажутся золотыми. Не так ли?

— Я не считаю себя гением. Но здравого смысла у меня достаточно!

— Я согласен! — с радостью за Авизо воскликнул Криногенов. — Даже по лицу видно, что чего-чего, а здравого смысла у вас невпроворот! Но почему ж не допустить, что и у других имеется некоторый запас здравого смысла? А? Павел Федорович?

Отчество запомнил, подумал Авизо, ощущая в себе нарастание равнодушия. Это опасно, это он знал за собой: загоришься, воспламенишься, но — препятствие, еще одно — и гаснет огонь, тает интерес, как апрельская сосулька (она-то, сосулька, переливается на солнце и каплет, торопясь с телеграфной частотой, будто спешит передать радостную весть — но ты смотришь на это словно из больничного окна...)

Но чем хорошо равнодушие? — спросил Авизо невидимого собеседника.

Тут надо пояснить, что он частенько мысленно беседовал с кем-то, спорил, вел диалоги — и в домашней обстановке, застыв, например, с пылесосом в руках, и в переполненном троллейбусе, не чуя толчков и вопросов: «Мужчина, вы сходите?», и на службе, вдруг каменея и глядя ушедшими глазами на сослуживца или начальника, при этом сослуживец или начальник, зная эту его повадку, ухмылялись, говоря: «Опять на Пашу нашло!» Он мог затеять мысленный диалог в самой неподходящей обстановке и, главное, в самое неподходящее время, когда, кажется, совершенно некогда разводить дискуссии. Правда, в такие моменты время для него сжималось, мысленные слова произносились с необыкновенной быстротой, с какой они никогда не произносятся вслух и не читаются глазами с листа.

Вот и сейчас — для Криногенова была лишь небольшая пауза, заминка, вызванная, как он полагал, его остроумными вопросами, Авизо же спрашивал сам себя: чем хорошо равнодушие? — и отвечал сам себе: тем, что оно *дает свободу*! Через минуту я опомнюсь, я пойму, что сделал глупость, но сейчас, когда устал и равнодушен, надо успеть — сказать. Что-нибудь совершенно вольное, такое, чего Криногенову никто никогда не говорил.

Авизо закинул ногу на ногу и сказал:

— А ведь ты козел, Арнольд Евплович.

Видавший виды Криногенов тем не менее слегка обалдел.

— В каком это смысле? — с простодушной обидой спросил он.

— А ни в каком. Это я просто дразнюсь, — объяснил Авизо. — Ну, как в детстве. Помните? Витька-титька-помазок откусил дерьма кусок! А вас как дразнили, Арнольд Евплович? Арноша, Арноша, где твоя галоша?

Растерянный Криногенов машинально глянул на телефон. Авизо понял этот взгляд. В самом деле, почему этот аппарат, имеющий обыкновение беспрерывно трезвонить с утра до вечера, сейчас молчит как убитый — именно тогда, когда до зарезу нужен звонок. О, был бы звонок! Взять трубку, услышать страшно важное сообщение, сказать: да, конечно, еду, немедленно, как вы могли так промахнуться! ничего, разберемся! еду! — а после этого посмотреть на посетителя с оправданной досадой: видите, какие кошмары творятся, а вы тут со своими пустяками!..

И жаль стало Авизо Криногенова. Сколько ума, фантазии, сколько энергии приходится ему потратить, чтобы скрыть свою нелюбовь к людям — ибо быть носителем власти, по мнению Авизо, и любить по-настоящему людей совершенно невозможно, поскольку хоть люди, с одной стороны, собственно и есть предмет применения и использования власти, но они же — главное препятствие на пути этого применения и использования, это драматическое противоречие не может не привести к мизантропии, и вот коловращенье средь людей становится подобным плаванию по бурной реке: она может вынести тебя в дальние прекрасные дали, но может, если не остережешься, и разбить об острые камни, и вот гребешь веслом то справа, то слева, вот вычерпываешь мутную воду со дна дырявой лодчонки-души, вот... а впрочем, все сравнения — ложь.

— Извините, — сказал он Криногенову. — Я погорячился.

Криногенов оглянулся на дверь.

Авизо это изумило — ведь дверь была не за спиной Криногенова, а перед его глазами, но Криногенов взглянул на нее не прямо, а именно ОГЛЯНУЛСЯ, но как он сумел это сделать, Авизо не мог понять!

Итак, Криногенов оглянулся на дверь и сказал шепотом:

— Пашка-промокашка! Пашка-букашка! Пашка-какашка!

О ком это он? — еще больше изумился Авизо.

Как о ком? — обо мне, ведь это мое имя — Павел, Пашка!

Ну, дела!..

Криногенов беззвучно смеялся, в глазах его лучились добрые морщинки.

Авизо молча пошел к двери.

— Погодите. Я позвоню,— сказал Криногенов.

— Не надо. Всего доброго.

Он вышел в приемную.

Нет, не из гордости он отказался от всемогущего звонка Криногенова.

Просто ночная мысль опять пришла на ум: почему-то получается, что из-за его счастья у всех сразу начинаются неприятности. Владимир поссорился с женой, ушел из дома. Неправильная женщина явно была уязвлена его самодовольством, отомстила ему — но, конечно же, после этого почувствовала себя еще хуже. У жены Лидии тайное недоумение в душе, хоть она и пытается не обнаружить это. Сын Виктор хмур — он всегда хмур, но сегодня с утра как-то уж очень хмур. Тот же Криногенов испортил себе настроение из-за него. Всем стало плохо, вот какие пироги. Или подтверждается старая истина, что количество счастья на всех — одно, то есть, так сказать, величина постоянная — и если у тебя счастья стало больше, то у других его автоматически становится меньше?

Выдумки это! Вот юная секретарша — у нее не стало меньше счастья, наоборот, видно, как она искренне сочувствует его радости, радуясь тоже.

Добрая девушка действительно смотрела на Авизо с живым интересом. Не спрашивая, она поняла итог и посоветовала:

— Вы знаете, вы сходите прямо к Спензину Виктор Ильичу. Наш-то, понимаете, он ужасно не любит текущих вопросов, ему глобальщину давай. А Спензин как раз любит пустячки. Нет, ваше дело не пустячок, но сам вопросик-то, который решить надо, — полный пустячок, вот это Спензин любит. Он какой? Он как-то раз публично заявил: во все мелочи надо вникать! И вникает, потому что человек слова, человек обязательный. Это не я сама знаю, — честно призналась девушка, — это мне рассказали.

Спензин был известен Павлу Федоровичу. И даже более, чем известен он-то и был самой необходимой для него инстанцией. Странно вообще, почему он, получив радостное известие, сразу же подумал о том, что вот теперь надо бежать к Владимиру, просить его о контакте с Криногеновым, чтобы Криногенов сделал звонок — кому? Да Спензину же, вот простота-то какая! И, подумав так, он дальше уже не думал, побежал к Владимиру, не достигнув от него результата, явился сегодня к Криногенову — как зашоренная лошадь, ничего по сторонам не видящая. А чего легче? — напрямик к Спензину: так и так, решите походя мелкий вопросик!

Глуп бывает человек в радости своей, весело подумал Авизо о себе, просто по-детски глуп! Но ведь радость — настоящая и истинная — состояние именно детское, только в детстве и умеешь так сильно, так непосредственно радоваться. Мимоходом Авизо позавидовал своему детству, но, слегка окунувшись в него памятью, тут же оттуда, из детства, позавидовал сам себе: знал ли он, *что* с ним произойдет, вернее, случится, вернее, ошарашит... Тут Авизо, верный своей привычке, застыл, размышляя о том, какое слово более подходит: *случилось, произошло или ошарашило?*

И тут — будто в рифму с ночным автомобилем — еще автомобиль. Внезапный, словно с неба спрыгнувший на все четыре колеса и присевший от этого — на самом же деле резко затормозивший перед вышедшим в задумчивости на проезжую часть Павлом Федоровичем. Из автомобиля выскочил парень лет, может, двадцати, подлетел к Авизо и, не говоря худого слова, как даст ему по морде. Да так сильно, что Авизо упал. Парню мало в горячке показалось, он пнул еще лежащего Авизо ногой. И только после этого заорал, объясняя окружающим и самому себе свои действия:

— Сволочь! Под самые колеса лез! Пьяная харя! И жалко, что не задавил дурака! Давить надо таких дураков! Дурак! Прямо под машину сиганул, дурак! Чуть не стукнулся, дурак! — и парень подбежал к капоту, осматривая место, где Авизо мог бы стукнуться.

— Вот дурак, а! — произнес он после этого, но уже с ноткой успокоения от того, что все обошлось благополучно.

— Может, и дурак, — произнес какой-то пенсионер, третейски вставший между Авизо и потерпевшим, — но бить-то зачем?

— Не бить, а убивать надо! — оправдал себя парень. — Это я еще мало его, другой бы его точно бы до смерти урыл, — рассказал он о своем преимуществе перед другими, более жестокими людьми.

— Он тебе в отцы годится, — гнул свою правду пенсионер. — А ты его... И не радуйся заранее, он, может, кончится сейчас...

Произнеся эти слова, пенсионер сам их испугался: не припрягут ли в свидетели? — и, приняв вдруг вид человека, все, что от него зависело, сделавшего, затрюхал по своим важным делам.

Авизо же, услышав такое о себе предположение, поспешил открыть глаза, приподнялся и, держась руками за живот, куда ударил ногой парень, отошел к тротуару, сел на бордюр. Ему хотелось, чтобы парень, перед которым он провинился, увидел его живым и здоровым и не огорчился бы еще больше. Неужели я выгляжу таким пожилым, что действительно похож возрастом на отца этого взрослого парня? — попутно думал он. Но, в таком случае, побои приобретают другой смысл, и парню от слов старика сейчас наверняка неловко. А почему бы и нет? Дело даже не в возрасте.

Да, я виноват — но настолько ли виноват, что обязательно нужно бить по лицу с такой яростью (скула болит, и рот приоткрыть, кажется, невозможно), а потом добавлять ногой в живот? — по-хулигански, по-бандитски, бесчеловечно, прямо скажем!

— Ну? Оклемался? — нетерпеливо спросил парень. Ему уже хотелось уехать, он уже простил дурака и считал инцидент исчерпанным.

Авизо подумал: а вдруг у него сломана челюсть или, того хуже, произошел разрыв каких-нибудь внутренних тканей? Именно сейчас — когда *жар-птица* почти в руках. Почти — да не в руках! Парень уедет, а он останется здесь и умрет от внутреннего кровоизлияния — так и не узнав плотного соприкосновения со счастьем, — когда чувствуешь себя владельцем, а не близко подошедшим, пусть даже первым в очереди. Ему стало страшно, он даже слегка застонал.

— Чего еще? — недовольно спросил парень. Он, видимо, и впрямь был добрее многих — не только не убил, как следовало бы, дурака, прыгнувшего под колеса, но и стоял вот над ним, не уезжал.

— В больницу бы мне надо, — тихо, экономя силы, сказал Авизо.

— Ничего, отдохнешь, все будет в порядке, — обнадежил его парень. — А мне некогда, мне на вокзал надо жену с детьми встречать.

Эти слова были и для Авизо и для кучки глазеющих. Я бы и рад отвезти, означали эти слова, но тороплюсь, я человек солидный, несмотря на молодость, семейный, у меня жена и дети, они стоят на вокзале и плачут, не видя папу, их любой обидеть может в наши жестокие времена.

Бросит, подумал Авизо. Бросит и уедет, оставив его среди чужих равнодушных людей. Конечно, и он ему не родня, но все же происшедшее связало их определенными узами. Ничто так не укрепляет эти узы, как небольшие предательства, ставящие людей в положения истца — ответчика, кредитора — заимодавца. Поэтому Авизо решился на небольшое предательство.

— Я на вас в милицию заявлю, — сказал он. — Я номер вашей машины запомню.

— Он заявит! — вдруг необыкновенно воодушевился парень — и засмеялся, и хлопнул себя руками по бедрам, и закрутил головой и глазами — и вообще повел себя до странности оптимистично.

— Да я тебя сам сейчас в милицию отвезу! А ну, поехали! — скомандовал он, забыв о ждущих его на вокзале плачущих жене и детях, подхватил Авизо и поволок его к машине.

Поехали.

Оба молчали.

Обескураженный Авизо не знал, что сказать, а парень боялся взаимных слов — из-за них может возникнуть что-нибудь, выходящее за рамки ситуации, а выходить за рамки ситуации, где он — оскорбленная и потерпевшая сторона, парень не хотел. Хорошо, что я человек умелый, ловкий, думал он, с отличной реакцией, другой свернул бы, не сумев вовремя увидеть дурака и затормозить, наехал бы на людей, задавил бы кого-нибудь до смерти, или врезался бы в столб — и сам насмерть, в первом случае очень вероятна тюрьма — и не будет сегодня встречи с красавицею Жанной в ее квартирке, ах, до чего свежа и девчоночьи наивна Жанна, несмотря на свои тридцать лет — зато уж и опытна в соответствии с этими годами! — во втором же случае она даже не сумеет прийти на похороны, поскольку: жена, родственники, — да и хрен бы с ней, собственно, с Жанной, на ней свет клином не сошелся, другого жалко... всего!.. не нажмет, как вот сейчас, упругая нога на податливую педаль, давая скорости голубушке-машине, не улыбнешься сам себе в зеркале, не... а в каком гробу будут хоронить? Недавно пришлось хоронить приятеля, погибшего тоже в автомобильной аварии, гроб купили ему очень хороший, хотя, правда, и не из тех гробов, на которые парень подивился в похоронном бюро: мореного ли дуба, красного ли дерева, с резными завитушками и огромными, резными же, крестами-распятиями на крышке... «Небось меня-то в таком гробу не похоронят, не выслужил еще!» — с обидой подумал парень.

От этих разнообразных мыслей он пришел в необходимое остервенение, но пока таил его, зато полностью вылил, когда приехали в милицейское учреждение, где служил лейтенантом его двоюродный брат Хвакиров. Хвакиров оказался на месте, парень поздоровался с ним официально и начал с волнением, оправданным его переживаниями и справедливым гневом, кричать:

— Вот, полюбуйтесь! Под машину бросается, пьяный, наверно, или псих, а потом на меня же и бочки катит, милицией, видите ли, пугает, хотя его самого, дурака такого, в милицию надо, сажать надо в тюрьму таких идиотов, вот, привез, разберитесь, пожалуйста!

— Разберемся, — сказал Хвакиров, служебно пожал ему руку, благодаря за гражданское мужество, и парень ушел — а вечером позвонит Хвакирову, посмеется.

— Итак, переходим улицу в неположенном месте? Сколько выпили? —

начал спрашивать лейтенант Хвакиров, сев за стол перед стоящим Авизо. Авизо было тяжело стоять — живот еще болел, хотя и меньше. Он сел без приглашения.

Он сел и стал глядеть в лицо лейтенанта. Лицо было свежо из-за молодости и неутомленности службой — до вечера далеко еще, лицо было исполнено интереса, поскольку других клиентов у Хвакирова сегодня не случилось. Когда валом прут — плохо, когда совсем нет — тоже скучно. Во всем хороша мера.

Авизо, несмотря на то, что парень ругал его дураком, дураком вовсе не являлся и сразу понял, что между парнем и этим лейтенантом есть какие-то особые отношения — дружественные или родственные. Но он думал вовсе не об унылой социальной теме неискоренимого в российских пространствах кумовства и протекционизма и т. п., его мысли занимало другое. «Боже великий, — думал он, — как беден и несчастен лейтенант по сравнению со мною! Во мне — *жар-птица*, и даже не суть важно, что пока еще нет золотой клетки и золотого ключика, она все равно во мне. А что у него — кроме унылого разбирательства по поводу неправильного перехода улицы? Но, может, и у него есть своя *жар-птица*? Спросить? Не поймет, обидится. Обидится — несмотря на то, что это единственное, о чем сейчас было бы хорошо поговорить — и ему, Авизо, хорошо, и лейтенанту тоже!»

Впрочем, нет, не нужен такой разговор. Мудра судьба: за *жар-птицу* она посылает Авизо испытания. В самом деле, так ли он заслужил владеть ею? Голодал? Мерз? Смертельно болел? Трудился бессонно? Жизнь его была достаточно ровна и беспечальна. Допустим, если старинное слово употребить, и *беспорочна*: спиртными напитками не увлекался, работал старательно, семьянином был примерным, супруге был верен — и не по личному геройству, а по характеру, естественным порядком, даже, можно сказать, по любви... кроме вот ночного случая, который не в счет. Но за беспорочность такой подарок судьбы, какой выпал ему, — многовато. Тут, в самом деле, испытания нужны — значит, и побои парня не зря, и попадание в милицию не зря. Поэтому Авизо хотелось, чтобы лейтенант застучал ногами по полу, а руками по столу, закричал бы диким голосом, схватил бы его и поволок в тюрьму, в сырое холодное помещение, и там Авизо сказал бы: СПАСИБО! — неизвестно кому...

Лейтенант Хвакиров, однако, не спешил стучать руками и ногами, кричать диким голосом и волочь его в тюрьму. Он спокойно и благожелательно ждал ответа на поставленный вопрос. И Авизо ответил:

— Пьян я или нет — вас не касается. А улицу где хочу, там и перехожу! И плевать на вас хотел! Да! Между прочим, это называется нанесение оскорбления лицу при исполнении... или как там? Статья такая-то уголовно-процессуального кодекса! Применяйте закон, лейтенант!

Псих, понял Хвакиров. Что ж, это лучше, чем ничего, психи занятные бывают. И у каждого свой пунктик: тот про третью мировую войну пророчит, тот уверяет, что бактерию открыл, которую если в водку запустить, то пьянеть пьянеешь, а похмелья — никогда. Вот если б в самом деле!

— У тебя какая специализация-то? — спросил Хвакиров.

— То есть?

— Ну, на какой почве съехал?

— Куда съехал?

Хвакиров не успел объяснить, в комнату шумно и бурно вошел его начальник. Он начал в чем-то обвинять Хвакирова, смысла Авизо не мог уловить, видел и слышал лишь игру эмоций.

— ...............................? — возмущенно спросил начальник (майор).
Хвакиров не растерялся. Скорее всего, сообщение майора было для него новостью, но сознаться в этом значило попасть в положение человека несведущего, не следящего за служебной информацией. Поэтому Хвакиров остался совершенно спокоен. Этим самым он давал понять, что вполне в курсе событий, но, в отличие от начальника, не считает данное дело настолько важным, что из-за него нужно орать и вообще поднимать пыль.

— ..............................., — сказал он.

— ...............................! — воскликнул майор с проницательным ехидством: знаем, мол, вас, все готовы повернуть так, что начальство окажется виновато. Меж тем начальство на то и начальство, чтобы стоять в начале дел, а не в конце. Я ЗА ВАС СВОЮ РАБОТУ ДЕЛАТЬ НЕ БУДУ! — вспомнил Авизо гениальную фразу из советского учрежденческого фольклора про начальников. Оттуда же: ЭТОТ ВОПРОС МЫ ОБСУДИМ В УЗКОМ КРУГУ ОГРАНИЧЕННЫХ ЛИЦ!

— ..............................., — легко оправдался лейтенант.

— ..............................., — парировал майор, начиная догадываться, что он, возможно, не прав, но, в таком случае, прав автоматически оказывается лейтенант, чего допустить совершенно нельзя. И он добавил: — ...............................! — и в его словах, как понял Авизо, содержалась ссылка на какую-то недавнюю, определенную и зафиксированную оплошность лейтенанта. То есть — была логика майора — если ты, лейтенант, оказался провинен в одном деле, почему бы мне не подумать, что и в этом, сегодняшнем деле, нет твоей вины? Да, я мог ошибиться, адресуя в данный момент к тебе свои претензии, но ведь ты же и виноват: работай ты всегда ровно и безошибочно, я бы никогда не стал кричать на тебя и требовать объяснений!
Лейтенант сделал обиженный вид и сказал с болью, упрекая майора, что тот из-за случайной промашки уже человеком его не считает:

— ...............................!

— ...............................! — сказал майор с лицом справедливым, честным.

— ...............................! — продолжал сиротствовать лейтенант, намекая, что других не трогают, а трогают все больше его, как работягу! Кто ничего не делает, с того не спрашивают!
Майор такому бахвальству подивился, кто-кто, а он знает, что Хвакиров на службе до смерти не убивается. Но одновременно во взгляде майора возникло сомнение: пусть лейтенант и не идеальный труженик, но не хуже других, и попался ему, если честно, под горячую руку, прочих на месте не оказалось.

— ..............................., — примирительно сказал он. И добавил: — ...............................! — весело рассмеявшись при этом. Служба, то есть службой, а дружба дружбой, разберись, брат, в этом вопросе, и будем считать, что никакого разговора у нас не было.

— ..............................., — с достойной покорностью ответил лейте-

411

нант. Пусть это и не мое дело, но — разберусь, я уж привык, что на меня все валят, говорило его лицо. Но тут же — потешив себя — лицо вдруг стало исполнительным, строгим: лейтенант сообразил, что хоть побрыкаться перед начальством никогда не помешает — чтобы не село совсем на шею, но и чересчур супротивничать нельзя: перестанут с тобой соблюдать дипломатию, а начнут только пальцем тыкать: это исполни, это, это!

— ................................., — умиротворенно сказал майор.

Авизо наслаждался этой сценой. Борение, интриги извивистого ума, хитросплетение помыслов, побуждений, игра глаз, театральные паузы,гнев и печаль, юмор и сарказм — все сейчас побывало в этой пыльной комнате с зелеными стенами и обшарпанным столом, — будто сам Шекспир тенью прошелся, взмахнул плащом, и повеяло ветром скрытых драм, трагедий и фарсов. А он в гордыне своей думал, что лейтенант беден и несчастен! Какое там! — он живет полной жизнью духа, он творит свою жизнь, только что он одержал победу, равную, может быть, победе Наполеона на Аркольском мосту, и пусть о лейтенантовой победе никто не узнает, пусть на скрижали истории она не попадет, но в его личной истории эта победа будет записана красными буквами, и она при этом, быть может, прекраснее наполеоновской хотя бы уже потому, что никто не погиб, не далась она ценою крови и страданий человеческих.

Авизо любовался Хвакировым, а тот, вспомнив о нем, сказал:

— Ты, псих, чего уставился? Свободен!

Авизо стало горько. Он успел чуть ли не полюбить этого человека — а тот вдруг с ним так... Почему люди не позволяют любить себя, даже наоборот, прилагают огромное количество усилий, чтобы их не любили? — тогда как для влюбления в себя усилий нужно гораздо меньше? И Авизо отвернулся от лейтенанта и сказал майору:

— Что же это получается? Я перешел улицу в неположенном месте, из-за меня могла быть авария, человек чуть не погиб, а меня отпускают? Ну и порядки у вас!

— Да псих он, товарищ майор! — объяснил лейтенант.

Майор, только что бывший супротивником лейтенанта, повернувшись к лицу гражданскому, тут же стал лейтенанту союзником — независимо от правоты или неправоты гражданского лица, а зависимо лишь от того, что гусь свинье в любом случае не товарищ.

— Идите, идите. Когда понадобитесь, вас вызовут. Запиши адрес, — велел он лейтенанту.

Авизо усмехнулся.

— Улица Третья Неперспективная, дом тринадцать дробь восемь, квартира пятьсот шестьдесят восемь, — сказал он.

Лейтенант записал.

— Да вру ведь я все! — воскликнул Авизо. — Нет такой улицы, и дома нет, и квартиры!

— Так, — сказал майор. — Тут люди работают.... — И, ужасно побагровев, схватил Авизо за плечи и стал толкать впереди себя.

В тюрьму, удовлетворенно думал Авизо.

Но майор выпроводил его на крыльцо милицейского учреждения — и толкнул с крыльца.

— Чтоб духу твоего тут не было, идиот! — крикнул он сверху.

С треском захлопнулась дверь.

Авизо, с трудом сохранивший равновесие при прыжке-падении с крыльца, шел и думал о том, что, слава богу, нравы не меняются. Но чему тут радоваться? А он и не радуется. Он просто отмечает, что есть что-то стабильное, *ожидаемое*. Ты знаешь, как — вероятней всего — с тобою могут поступить в такой-то ситуации такие-то люди, и это облегчает жизнь; гораздо хуже, если бы пришлось то и дело примеряться к изменяющимся нравам и обычаям. Что-то в этих мыслях Авизо показалось интересным, достойным додумывания — но он оставил это на потом. А сейчас надо пойти к Спензину Виктор Ильичу и разом все решить — и стать окончательно счастливым. А то смутное нечто в душе, непонятное...

После утренних передряг, однако, пробудился аппетит.

Он мог бы, как ему случалось иногда, зайти в дешевое кафе, в столовую, но сегодня праздник — и недаром же он положил в карман больше денег, чем обычно, — не понимая даже, зачем это делает.

А вот пообедает он в ресторане. В хорошем ресторане, как тот, напротив, куда заходят сейчас трое молодых деловых мужчин в элегантных костюмах. *Новые русские*, так, кажется, кличут их. А я разве не новый русский? Я, учитывая мое теперешнее положение, могу тоже в дорогих ресторанах запросто обедать! Не материальное положение, а, как бы это сказать... Положение души!

И Авизо отправился вслед за новыми русскими, невольно расправляя грудь — что было не совсем просто, поскольку живот побаливал еще. Да и скула ныла.

Он сел за свободный столик.

Мигом подлетел официант и спросил с почтительностью почти издевательской:

— Что будем заказывать?

Он видит меня насквозь, подумал Авизо. Он знает мне цену, вот и издевается... А может, и нет. Может, отпечаток счастья, лежащий на мне, настолько заметен, что невольно внушает уважение?

Меню на столе не было: значит, ресторан рассчитан на людей своих, знающих и сведущих. Другие же, не завсегдатаи, должны выдержать экзамен и наугад предположить, что можно заказать в *таком* ресторане. Есть, однако, знал Авизо, люди высочайшего полета, не стесняющие себя условностями, позволяющие командовать собой не правилам того или иного заведения, а лишь собственным прихотям.

— Раков, — сказал Авизо. — Раков и холодного пива. Ну и пожрать что-нибудь поплотней.

Официант ничуть не удивился, умчался выполнять заказ.

Для начала он поставил перед Авизо кружку пенистого пива, пообещав остальное доставить в течение трех минут.

А ведь это теперь — навсегда, подумал Авизо. Теперь я везде и всюду буду чувствовать себя свободно, не так как раньше, теперь я везде — *свой* человек. Бывают же люди, везде чувствующие себя как дома, раньше он о таких только слышал или наблюдал их издали, а теперь — сам такой.

Он бросил исподтишка гордый взгляд на новых русских. Сидят, видите ли, с озабоченным видом, не позволяя себе расслабиться — будто на сцене, при зрителях, а вот он, Авизо, имея гораздо меньший опыт свободы (зато больший опыт ума!) — раскован и наверняка гораздо естественнее выглядит в роли человека больших дел и стремлений. На этих-то и костюмчики их элегантные, если приглядеться, сидят мешковато, для них привычней халат грузчика, или продавца, или потертый лапсердак младшего научного сотрудника...

Авизо даже усмехнулся, но не зло, усмехнулся мудро, понимающе. Вместе с тем ему хотелось выкинуть какой-нибудь фортель, и он приказал официанту, явившемуся с подносом, уставленным яствами:

— Вот этим от меня бутылку шампанского. Скажи, что прошу выпить за меня, у меня сегодня праздник.

— Могут не понять, — осторожно сказал официант.

— Я объясню, — успокоил его Авизо.

Официант пожал плечами.

Через минуту он поставил перед новыми русскими бутылку шампанского и, наклонившись, что-то говорил, извиняясь и кивая слегка задницей — Авизо хорошо уловил это движение — в сторону Авизо.

Отошел.

Трое посмотрели на Авизо, потом друг на друга. Решив молча, кто должен идти, они мысленно перегруппировались, и вот уже двое смотрят на третьего.

Третий встал и направился к Авизо, прихватив шампанское.

— Надеюсь, я вас не обидел, — сказал Авизо, приподнимаясь. — Я от всей души.

Третий молчал и откупоривал шампанское.

Наверное, они сказали ему выпить со мной, подумал Авизо.

Третий выдернул пробку, шампанское запенилось. Третий поднял бутылку и стал лить шампанское на голову Авизо.

— Это вы напрасно, — пробормотал Авизо, уклоняясь от водопадной струи. — Я же от всей души...

Третий аккуратно стряхнул остатки на голову Авизо, аккуратно поставил бутылку и вернулся к своим. Те даже не улыбнулись. Более того, они даже, кажется, не наблюдали за экзекуцией, погруженные в свои специальные разговоры — к которым естественным образом присоединился и третий, словно отлучился на минутку в туалет и теперь с ходу подхватывает нить беседы.

Официант лишь давился смехом, выглядывая из-за ресторанных кулис.

Авизо взял бутылку за горлышко и вспомнил вдруг фильм детства о войне, где герои бросались на танки с такими вот большими бутылками с зажигательной смесью — и подрывали танки, подрывая при этом иногда себя Сейчас как брошу, подумал он. Что, не брошу? Брошу — прямо им на стол, чтобы забрызгало жирными всплесками их элегантные костюмчики.

Официант молниеносно метнулся к его столу, профессионально мягко выхватил бутылку из руки Авизо и шепнул:

— Советую не задерживаться.

— Пошел прочь, — сказал Авизо.

— Сам пошел, козел, — сказал официант, сохраняя на физиономии услужливую улыбку. И взялся за блюдо с красными мертвыми раками, к которым Авизо не притронулся. По тому, как он при этом превратил улыбку из услужливой в гадливую, по тому, как вильнул глазами в сторону новых русских, Авизо понял, что официант решил подслужиться хозяевам — и сейчас опрокинет деликатесное блюдо на голову Авизо, пострадавшую уже мокрую голову.

Авизо резко встал, выбил блюдо из рук официанта, оттолкнул его от себя обеими руками и закричал:

— Я тебя убью, собака! — и сунул руку во внутренний карман пиджака.

Официант смертельно перепугался, осел, новые русские не сводили глаз с руки Авизо.

Напугались! — злорадно подумал он.

И стал отходить к двери задом, держа всех под прицелом взгляда.

Ногой вышиб дверь — и вышел вон.


Костюм стал подсыхать, хоть и коробился на плечах и на груди, волосы тоже высохли и слиплись, но, расчесанные гребешком перед витриной магазина, по малому их количеству стали выглядеть вполне пристойно. Пиджак же можно снять: жарко, между прочим. Почему из-за какого-то Спензина он должен париться в пиджаке?

Он спешил к Спензину. Он спешил — чтобы забыть о неприятности в ресторане, чтобы скорее зачеркнуть все это — получением золотого ключика от золотой клетки.

Спензин обитал в большом здании. Пропусков тут почему-то не требовалось.

Авизо поднялся в лифте на двенадцатый этаж.

У Спензина была не секретарша, а секретарь. Секретарь-референт называется. Свежий сконцентрированный мужчина.

— Виктор Ильич у себя? — спросил Авизо.

— Да.

— Один?

— Да. Проходите.

— Я без звонка.

— Ну и что?

— Вы доложите хотя бы.

— Виктор Ильич этого не любит.

— Я человек с улицы, как же можно... Вдруг у меня бомба в кармане?

— Все мы — люди с улицы, — задумчиво сказал референт. — Что же касается бомбы... От судьбы не уйдешь. Это не я говорю, это Виктор Ильич говорит. Проходите.

Что делать, Авизо прошел.

Виктор Ильич Спензин, серебристо-седой человек, пожилой, но моложавый, поднял голову — живо, как-то по-ленински — набочок (опять же воспоминание из фильма, давнее, детское).

— Слушаю вас!

Авизо начал излагать.

Он не приступил еще к главному, а Спензин уже нажал на кнопку. Вошел референт.

— Надо оформить, — сказал ему Спензин, кивнув на посетителя.

— Нет проблем, — заурядно сказал референт и вышел.

Кончено, подумал Авизо. Теперь и *жар-птица* в руках, и золотая клетка для нее есть, и ключик от клетки у него в кармане. Но он сидел, он не мог просто так подняться и уйти. Ему хотелось объяснить Спензину, что для него значит случившееся — потому что по той легкости, с которой Спензин отнесся к его просьбе, моментально ее удовлетворив, можно было предположить, что Спензин просто не понимает масштаба. Ведь если б понимал — не стал бы так запросто отворять двери чужому человеку в бытие счастья — не в человеческой это натуре, каждый ведь, осознанно или неосознанно, понимает, что, разрешая или помогая другому быть счастливым, ты это счастье отнимаешь от себя, — это не мысли Авизо, нет, он-то как раз склонен думать о людях иначе, это — закон, как тот же закон притяжения, о котором как ни думай, к которому как ни относись — он есть, и шабаш! А может, счастье Авизо в глазах Спензина вовсе и не счастье? Может, жарко мечтая о своей *жар-птице*, Авизо просто не предполагает, что есть и другие жар-птицы — гораздо цветистее? Он-то считал исполнение своего заветного желания пределом для себя — но для другого это не предел, тот же Спензин, значит, имеет сведения о счастье более полном и глубоком и даже, очень вероятно, этим счастьем обладает — ведь только счастливые люди так расточительны, так легко протягивают руку помощи, для них это — как для миллионера нищему рубль бросить. Как бы выведать, в чем состоит счастье Спензина? Как расположить его к себе?

— Что-то еще? — спросил Спензин.

— Да. Один личный вопрос.

— Слушаю.

— Вы счастливы?

Спензин удивленно глянул на него и вдруг раскатисто-хрипловато рассмеялся — и стал вдруг похож на пасечника, седого пасечника, который всю жизнь живет в лесу с пчелами и старухой женой, которая, кажется, вечно была старухой, он собирает мед из ульев, отлавливает отроившиеся пчелиные семьи, он помещает ульи на зиму в омшанник — земляной такой погреб, крытый дерном, он зимой готовит новые рамки с восковой основой для сот, кропотливо собирает прополис для болящих, у него множество забот по хозяйству: корова, три козы, свинья, все это и для себя, и для городских детей и внуков, и вот в его глухомань забирается корреспондент газеты, которому надоели горячие темы и хочется взяться за тему ценности человеческого уединения и неспешного труда, и вот он задает вопрос пасечнику: счастливы ли вы, и тот, как сейчас Спензин, долго смеется, совершенно не понимая дикого вопроса, поскольку он звучит для него как: вы живы? В случае с пасечником выручит озабоченная мать-старушка, поняв все по-своему, по-хозяйственному, она скажет: какое уж тут счастье, милый, годами человеческого голосу не слышим, обратно — телевизор: только в городе у своих и посмотришь, а здеся не принимает он этого, эфира, что ли, радио, правда есть, транзистор, это есть, что есть, то есть, грех жаловаться, чего нет, об этим прямо говорю: нет этого, а чего есть, об этим зря говорить не буду, что нет, мы врать не любим, всю жизнь по правде живем, так или нет? А пасечник смеется уже над нею, потешаясь не словами, а самим фактом, что женщина имеет способность так долго говорить, находя где-то в своем курином мозгу способ для связи слов...

Интересно, а возьмут ли у меня интервью? — кстати думал Авизо, выходя из учреждения. Пусть для Спензина масштаб моей удачи невелик, но все-таки для города — событие заметное. И по более мелким поводам у людей брали интервью, сам читал недавно о коллекционере, нашедшем какую-то там редкую монету при вскапывании собственного участка возле дома. Информации на грош, а интервью длинное было. Тут же повод значительнее, это не коллекционирование, это... *Жар-птица*, лучше нескажешь.

Какие вопросы задаст журналистка (Авизо почему-то был уверен, что это будет именно молодая симпатичная женщина)? Они, эти вопросы, в общем-то однотипны, значит, следует заранее подготовить ответы.

Авизо сел на лавочку и задумался.

И постепенно в его уме стал проясняться контур будущего интервью.

— *Скажите, Павел Федорович, что вы почувствовали, став знаменитым?*

— Ничего. Отталкиваясь от формулировки вашего вопроса, могу сказать, что стать знаменитым и почувствовать себя им — разные вещи. Понимаете? Да, объективно я стал знаменитым, но, уверяю вас, не почувствовал этого. Это ведь опасно: начинаешь жить напоказ, как бы наизнанку, а я не хочу этого или, если честнее, боюсь этого. Я слишком дорожу приватностью своего существования. Поэтому по большому счету для меня не изменилось ничего. Есть другие перемены, но они совершаются во мне постоянно и от внешних факторов не зависят.

— *Из этого можно сделать вывод, что вы живете обособленно, в каком-то хрустальном замке?*

— Правильнее было бы сказать, как в известной сказке Киплинга, — я волкодиночка. Нет, характер у меня не волчий (но и не заячий!), но стремление к самостоятельности — с детства.

— *Возможно, тогда лучше подойдет другое сравнение из Киплинга: кошка, которая гуляет сама по себе?*

— Все сравнения ложны.

— *Вам завидуют? Или вы этого тоже не чувствуете?*

— Соревновательная чистая зависть — прекрасное качество. Зависть бессилия или недоброжелательства — отвратительна. Да, я чувствую зависть других людей. Я желаю им добра. И еще. Многие почему-то убеждены, что удача, счастье, везение — явления в нашей жизни аномальные, чуть ли не патологические. Я же считаю эти состояния для человека естественными.

— *То есть вы пришли в естественное состояние? А как жили до этого?*

— Да нормально, в общем-то, жил.

— *Получается, вы были счастливы еще до того, как стать счастливым, но не замечали этого? То есть вам потребовалось сейчас почувствовать себя счастливым для того, чтобы понять, что вы были счастливы и раньше? Стакан есть? Тебя спрашивают, стакан есть? Глухой, что ли? А еще в галстуке!*

Авизо очнулся. Рядом с ним на лавке сидел небритый, нечесанный, грязный человек с грязной сумкой в руках. Из этой сумки он достал бутылку дешевого портвейна и показывал ее Авизо, объясняя этим, зачем ему нужен стакан. При чем тут галстук? — подумал Авизо. Разве человек в галстуке обязательно должен всегда носить с собой стакан? Да и где мне его носить, неужели алкоголик не видит, что у него ни портфеля, ни сумки, карманы не оттопыриваются — в общем, никак у него не может быть стакана, зачем же спрашивать по-пустому?

А чтобы познакомиться, ответил он себе. Чтобы выпить на пару. Конечно же, он спокойно обойдется без стакана и выпьет непосредственно из горлышка, было бы что пить. Такие, правда, с чужаками редко делятся, но, видимо, у него нынче фарт.

Алкоголик тут же подтвердил это, раскрывая сумку и показывая еще несколько бутылок. Полагая без сомнений, что после такой демонстрации богатства каждый с ним рад будет сойтись поближе, алкоголик сунул свою бурую пятерню под нос Авизо и представился:

— Турнбулевский Станислав Викторович. Для своих Стас.

Авизо прикоснулся пальцами к ладони Станислава ВикторовичаТурнбулевского и в свою очередь назвал себя.

— Стакана, значит, нет? — повторил вопрос Станислав Викторович — и, получив отрицательный ответ, имел полное право сказать: — Ну, придется по-некультурному, из горлышка. Пей первый.

— Не хочу, — сказал Авизо.

И тут же понял, что это неправда. Он хочет, выпитое пиво потребовало — с Павлом Федоровичем редко это случалось — добавки, хотелось, к тому же, избыть недавние неприятные впечатления. Хочет — но брезгует пить с алкоголиком? Как же-с, он теперь на коне, он в обнимку с жар-птицей, ему ли пить с кем попало! Новым русским угодливо шампанского послать — это мы можем, а с простым человеком нам уже не пристало общаться! Не слишком ли быстро гордыня обуяла, Павел Федорович? — спросил он себя с беспощадным ехидством. И, чтобы наказать себя за эту самую гордыню, он сказал Станиславу Викторовичу Турнбулевскому:

— Давай ты, а я за тобой.

Это для Турнбулевского был бонтон! Он оценил поступок Авизо и даже, перед тем, как выпить, сделал нечто вроде гусарского кивка чести — резко вниз тряхнув кудлатыми волосами. Выпил он ровнехонько половину. Вежливо обтер после себя горлышко грязной рукой, отдал бутылку Авизо. Делать нечего, пришлось и ему выпить вторую половину.

Едва он успел отдышаться после отвратительного портвейна, Турнбулевский открыл вторую бутылку и с теплым сердцем сказал Авизо:

— Ты на моего брата похож. Брат молодым помер, примерно твоего возраста был. Конечно, говнюк изрядный, но брат — так или нет?

— Так, — сказал Авизо.

— Ты небось подумал, что у меня и нет никого?

— Почему же?

— А у меня есть — брат, хотя и помер. И мать померла, и отец. А теперь брат вот помер. Анекдот прямо, честное слово! Пошел в баню париться и запарился. Кто же парится после двух бутылок водки?

— Никто.

— А он парился! Он не как ты был, здоровей раз в пять. И — запарился. А ты, наверно, подумал, что у меня сроду ни братьев, ни сестер не было? Сестер не было — и слава Богу, я женский пол ненавижу. Что от него хорошего? Одни венерические болезни. Пятый год сифилис в себе таскаю, мать его...

И, отпив от бутылки на этот раз четверть, Турнбулевский сунул бутылку Авизо.

Тот смотрел на нее тупо. Сифилис, думал он. Вот так это и бывает. Ты стремишься к чему-то, ты тратишь на это всю жизнь, ты достиг, идешь, посвистывая, по улице, весь новый, и тут на тебя падает кирпич — и насмерть. Сифилис не кирпич, но тоже ведь смертельная болезнь. (Надо пояснить, что Павел Федорович Авизо в некоторых своих познаниях ужасно отстал от жизни. Невнимательно читая газеты, он не знал, что сифилис давно уж излечим, если не запущен безнадежным образом.)

— Нет, как ты на брата моего похож! — восхищался меж тем Турнбулевский. — Будто уехал мой брат надолго, далеко, и вот вернулся, подлюка такой, и мы с ним выпиваем. Брательничек ты мой дорогой! — засюсюкал он, вытянув мокрые большие красные губы и подался к Авизо с братским поцелуем. Авизо отшатнулся.

— Испугался! — захохотал Станислав Викторович Турнбулевский. — Сдрейфил! Да не бойся, шутка у меня такая! Какой сифилис, откуда? — я с женщиной последний раз был тридцать один год назад! Поскольку — презираю. А жаль. Я бы вас, сволочей, всех бы перезаразил!

Турнбулевский преобразился. Только что смотревший на Авизо с братской нежностью, он сейчас испепелял его ненавидящим взглядом.

— Примазался тут к моему вину на дармовщину! — зашумел он. — Много вас тут ходит, халявщиков! Мрази подзаборные, алкаши несчастные! Видят, что добрый человек, и давай его опивать! А если по морде? — предложил он.

— Подавись ты своим вином! — от чистого сердца пожелал Авизо — и встал, и ушел от алкоголика.

Что ж такое, думал он. Зачем я стал пить с ним? Чтобы усмирить гордыню свою? Глупости! Я бы и раньше не стал с ним пить — без всякой гордыни, а просто по нежеланию! А теперь, коль счастлив стал, то, получается, и вести себя во всяких случаях должен по-другому — как именно счастливый человек, то есть щедрый, человеколюбивый и т.п.?

Ну уж нет! Каким был — таким останусь!


Это было легко подумать, но труднее оказалось реализовать. Лишь входя в свой департамент, Авизо вспомнил, что в горячке даже никому не доложился, убежал, успев поставить в известность лишь Кропоткину, но та, как известно, забывает все через пять минут и на вопрос, где Авизо, преспокойно может ответить, тяжело и долго подумав: а черт его знает!

Раньше Авизо сочинил бы что-нибудь, хотя, собственно, у него никогда не бывало таких самовольных отлучек. Но теперь это казалось ему недостойным. Он не собирается пренебрегать работой, работа его важна и нужна, иначе он не стал бы исполнять ее, но к служебному столу не прикован, — может, успешно решив свои личные дела, он начнет трудиться с удвоенной энергией — и отдача в результате будет больше!

Думая так, Авизо уже не страшился встречи с начальством, а желал ее, поднимаясь по лестнице на второй этаж.

На ловца и зверь бежит: навстречу шел непосредственный начальник Юрий Юрьевич Снохачев.

— В чем дело, Паша? — спросил он. — Я тебя полдня ищу.

Авизо знал, что это неправда. Снохачев, быть может, действительно, полдня назад узнал, что Авизо куда-то исчез, но вовсе не искал его, и тем не менее спросить попросту: где ты был? — не мог, ибо в этом случае подчиненный не почувствует вины, при формулировке же Я ТЕБЯ ПОЛДНЯ ИЩУ эффект будет однозначный: подчиненный замешкается, он покраснеет или побледнеет, он что-то забормочет, будет, короче говоря, готов к употреблению как в административном, так и во всех прочих отношениях.

— Я гулял, Юра, — сказал Авизо.

— Очень хорошо! — одобрил Юрий Юрьевич, решив фамильярность Авизо по первому разу не заметить. А меж тем это давно задевало Авизо: с какой стати Снохачев, будучи всего года на три старше, тыкает ему и называет по имени, Авизо же всегда — по имени-отчеству и на «вы». — И где ж ты гулял, если не секрет?

— А твое какое дело? — продолжал нарываться Авизо.

Юрий Юрьевич был умен, он понял, что это неспроста. Или с человеком случилась беда, и он в горе своем не помнит, что творит. Или, наоборот, на него свалилась радость — с тем же результатом беспамятства. Или ему предложили другую работу, настолько верно предложили и такую хорошую работу, что ему теперь сам черт не брат, и он готов кого угодно послать куда угодно. В силу этих размышлений Юрий Юрьевич до выяснения причин хамства Авизо решил прекратить с ним общение.

— Ну, ладно... — сказал он неопределенным голосом.

Авизо же с горечью думал: боже ж ты мой, неужели для нас предел свободолюбивых мечтаний — начальника облаять? Откуда это холопство?

Ну, стал ты независимым, так будь достоин своей независимости, не мельтеши и не мельчи, пожалей, в конце концов, и начальника, ведь он, в отличие от тебя, лицо подневольное. Видимо, поэтому мы и прошлое склонны оплевывать — шарахнулась в сторону его мысль, что время воспринимается нами как нечто над нами начальствующее, и вот прошло оно, отначалило, как бы на пенсию удалилось — и тут мы его в спину приголубливаем, припечатываем, соревнуясь в смелости и остроумии!..

Проходя мимо Авизо, Юрий Юрьевич Снохачев вдруг остановился и повел носом.

— Пашка! — воскликнул он от изумления не по-начальственному, а совсем по-товарищески. — Ты пьян, что ль?

— Выпил с каким-то алкоголиком полбутылки портвейна, а до этого кружку пива, не считая шампанского, которое мне на голову вылили, — с усталой буквальностью сообщил Авизо.

— Нет слов! Нет слов! — растерянно говорил Юрий Юрьевич. — Ты вот что, иди-ка ты домой.

— Пойду. Ты ведь не знаешь, что произошло, Юра.

— А что? Умер кто-нибудь?

— Почему? Родился. Родилась, вернее. Жар-птица родилась и тут же выросла, и в клетке золотой сидит, а ключик от клетки у меня. Я счастливый человек, Юра.

Видя, что Снохачев не понимает, Авизо объяснил.

Тот терпеливо выслушал и сказал:

— Вот и славно, вот и хорошо, а теперь — домой, домой. Сделай мне такое доброе дело — домой.

И Снохачев даже проводил вниз Авизо, вышел с ним — и даже поймал для него такси.


До улицы такой-то, объяснил Авизо водителю, а там я покажу.

Он ведь не знал точного адреса неправильной женщины, а именно к ней собрался сейчас. Он хотел узнать ее имя. Он узнает ее имя и все. Больше ему для полного счастья ничего не нужно. Она, правда, назвала себя Тамарой, но это наверняка придуманное имя. Он узнает ее настоящее имя — и все. И кончен день. Он, правда, и без того кончен, но не хватает точки или даже восклицательного знака.

Неправильная женщина долго не открывала, а открыв, оказалась хмурой, сонной.

— Опять ты? — спросила она. — Чего еще?

— Вы извините, — сказал Авизо. — Вас в самом деле Тамарой зовут?

— Идиот, — сказала женщина и захлопнула дверь.

Вторично Авизо звонить не решился.

Однако и домой идти не мог, хотя невтерпеж было рассказать сочувствующей жене Лидии и равнодушному сыну Виктору о своей окончательной победе, но это невтерпеж было не таким уж жгучим. Хорошо, он расскажет — и что потом? Пить чай, смотреть телевизор? Иного чего-то хочется, недаром же он поперся к неправильной женщине, сам не понимая зачем. Точно так же, не отдавая себе отчета, идет сейчас к давнему другу Владимиру, которого, скорее всего, дома нет — результат семейной ссоры, — а есть только его жена Алина.

Так оно и оказалось.

Авизо хотел уйти, но Алина его удержала.

— Ты проходи, проходи. Скоротаем вечерок. Чувствуешь себя виноватым, да? Ты тут ни при чем. Это должно было случиться.

— Что?

— То, что случилось.

— А что случилось?

Алина не ответила, заговорила о другом:

— Ты понимаешь, он умный, талантливый и даже энергичный. Все есть, но чего-то такого не хватает, чего-то непонятного. Ему никогда не повезет так, как тебе.

— Положим, я не очень старался...

— Вот! — воскликнула Алина. — В том-то и дело. А он как раз будет стараться, он будет озабочен — и именно поэтому у него ничего не получится. Боже мой, как он старался, когда за мной ухаживал! И я пожалела его.

— А любовь?

— Ну и любила. Но любовь любовью, а я же понимала все. Это ужасно. Я никогда не могу перестать все понимать. Я в любой момент все понимаю. Так нельзя жить. Я страшно рациональный человек. Именно поэтому мне хочется иногда что-нибудь такое отчебучить. Я тебе нравлюсь?

Авизо подумал. Конечно, Алина ему нравилась — и очень, но он нечестной мысли к себе и близко не подпускал. Владимир ему друг — какие еще могут быть мысли! Сейчас же все как-то иначе...

— Нравишься. Даже очень.

— Ну вот. Делаем так. Едем на вокзал, берем билеты — у тебя деньги есть?

— Есть.

— Берем билеты в спальный вагон — и едем.

— Куда?

— А все равно. Первый поезд, какой попадется, на нем и поедем. Доедем до первого большого города, устроимся в гостинице, а потом... А потом видно будет.

— Ты шутишь, — сказал Авизо. — Хорошо, ты мне нравишься. Но надо, как бы это сказать... взаимно чтобы...

— С этим — все в порядке. Ты мне тоже нравишься. Ты удачливый, я буду ловить на тебя удачу, как на живца. Впрочем, это ерунда, ничего я ловить не хочу. Просто я сидела и думала: уехать бы куда-нибудь! Только одной неохота. И тут ты пришел. Значит — судьба.

Вот те раз, думал Авизо. Прилетела *жар-птица*, сама вспорхнула в золотую клетку и в клюве ключик высунула, а ты, вместо того, чтобы любоваться на нее до конца своих дней, ставишь клетку в пыльный угол, накрываешь дерюгой и говоришь себе: уезжаю. Куда? Зачем? Ответов нет, у него, как у Алины, появилось вдруг тоже желание — просто ехать. Он давно замечал, что в их вкусах есть нечто родственное, чувствовал меж нею и собой схожесть, он подозревал — где-то в глубине ума, а не явно, что Алина именно та женщина, которая ему судьбой назначена.

Но не пошутила ли она?

Нет, какие уж шутки: быстро собирает вещи, переодевается. Торопливо вышли из дома, нетерпеливо ловили такси, ехали на вокзал, словно опаздывали.

На вокзале Авизо бросился за билетами — и в одну минуту купил билеты в спальный вагон — и не на проходящий, а на фирменный скорый поезд, который отправляется всего-навсего через полчаса. Но и полчаса им показались долгими, Алина все посматривала на часы, Авизо ходил вокруг нее, заложив руки за спину. Наконец, состав подали. Вошли в купе, стали ждать теперь отправления. Чтобы скоротать время, Алина принялась раскладывать вещи, обустраиваться, словно собиралась путешествовать в этом купе не меньше месяца. Авизо не смог вытерпеть и при очередном ее деловитом гибком движении припал губами к плечу, чувствуя сквозь ткань теплоту и округлость. Алина повела плечом — но не с досадой, а как бы говоря: зачем же наскоро, подожди! Авизо присел в уголке и стал ждать.

Поезд тронулся.

422

Тут Авизо понял, что происходящее — всерьез. Отступать поздно. Но сказать что-то хотелось. Он сказал:

— Надо было предупредить Владимира.

— Дурак! — крикнула Алина. — Какой Владимир? Кто это? Не знаю никакого Владимира. И тебя знаю только несколько часов. Мы совсем новые, понимаешь? Ты не чувствуешь? Я чувствую, у меня даже глаза стали другого цвета, честное слово! А у тебя стало больше волос! Правда, правда!

Она взъерошила остатки былых волос на голове Авизо, а потом стала горячо его целовать — и в рот, и в щеки и, озоруя, в нос.

Поезд дернулся, остановился.

— Что это? — недовольно сказала Алина. — Скорый поезд называется! Не успели отъехать — уже станция. Пойду спрошу проводника.

— Да ладно, — махнул рукой Авизо, облизывая свои нацелованные губы.

Но Алине захотелось точности — вынь и положь.

Через минуту она вернется. Кому-то миг один, а для Авизо — большое временное пространство для размышлений.

Все это — мужественно, размышлял он. Бывает — трудишь ум и сердце, мечтаешь, и вот-вот, кажется, достиг — но срыв, и ты опять там же, где и был. Ты встаешь — и начинаешь сначала. Мужество хрестоматийное, для учебников школы, для воспитательного процесса. Мужество же *инфернальное* (не зная значения этого слова, Авизо его любил — и присвоил теперь мужеству) — оно в том, чтобы достичь — и отказаться! Вернее, лучше так скажем: покорив одну вершину, тут же идти к другой — поскольку нет в мире вершины, выше которой нет уже вершины (если это не буквально, а *инфернально* понимать). Вопрос только: где эта вершина? О *жар-птице* Авизо знал все наизусть, о чем теперь думать ему, о чем мечтать? А не попробовать ли вот как: они уедут. Он натворит глупостей. И начнет мечтать о том, как вернется домой и будет просить прощения у жены Лидии и у сына Виктора. Через год-два он ведь поймет — он это заранее знает, что Лидия и Виктор для него дороже всего на свете — и самой даже *жар-птицы*, и затоскует о них со страшной силой. Да, но почему же, если он знает об этом уже сейчас, ему не остановиться, не сойти с поезда? Жаль. Чего жаль? Алины жаль? Ну и ее тоже...

И поезда жаль, будущей дороги, неведомых городов, где он не бывал, номера в гостинице с видом на незнакомую чужую улицу, утреннего просыпания в новом мире...

Поезд дернулся, начал набирать скорость.

Алины не было.

Авизо пошел к проводнику.

Потоптался немного, обдумывая форму вопроса: ситуация была ведь странной.

Постучал. Проводник оказался проводницей (в спешке, садясь в вагон, Авизо ничего не различал). Авизо спросил:

— Жена к вам насчет чая не обращалась?

— Высокая такая, симпатичная?

— Да.

— Обращалась, только не насчет чая. Дверь открыть попросила. Я ей

423

говорю — техническая остановка. А она: мне срочно, я дома ребенка оставила! Какого ребенка, что за ерунда! Техническая остановка, из города не выехали еще, не положено! Она — плачет!

Проводница рассказывала это с привычным для нее недовольным лицом, но по мере проникновения ее ума в ситуацию, лицо прояснялось, оно уже глядело на Авизо с веселым любопытством. Поэтому она никак не хотела кончить рассказ — чтобы, рассказывая, продолжать любоваться вытянувшейся физиономией растяпы.

— В общем, уперлась она, говорит что-то такое, придумывает, а я ей говорю: сколько раз можно говорить — техническая остановка, пассажирам сходить не положено, это даже не остановка, а так, что-то там на путях, может, путь не дают, я тебе открою, а поезд пойдет, ты под колеса, тебе ноги отрежет, с кого спросят? С меня! Ты же еще на меня и в суд подашь! — Проводница явно фантазировала, разговор с Алиной наверняка был короче, но теперь ей было жаль, что он вышел таким коротким и не соответствовал интересности ситуации, вот она и добавляла к нему фантазии. — Я говорю — обратитесь к бригадиру, пусть он разрешит, тогда я, пожалуйста, открою. Мне ведь не жалко, я ведь все понимаю: кто ребенка оставил, кто утюг не выключил, я тоже человек, я все понимаю, потому что все же мы люди, у каждого же свое что-нибудь, я с этим считаюсь всегда, — изложила проводница свое понимание жизни людей и свое моральное к ней отношение.

— В общем, вы открыли — и она вышла? — спросил Авизо.

— Вышла. А что? — простодушно спросила проводница, наслаждаясь.

— Да ничего.

— Я еще удивилась: без вещей совсем женщина...

— Так было задумано. Вещи я возьму и привезу. Я сойду на ближайшей станции.

— Это запросто. Только ей легче, она в городе, а вам теперь только на 27-м километре можно сойти, а оттуда только по шпалам — там транспорта нет. Часа два переть до переезда, там шоссе, машину поймать, правда, боятся сейчас подсаживать, — объясняла проводница Авизо тяжесть его положения.

— Ничего... Ничего...

Он вернулся в купе.

Помнится, Алина уложила в чемодан какую-то бутылку.

В самом деле: коньяк. А поесть — ничего. Только пачка печенья.

Сойдет...

Авизо отпил из горлышка, закусил печеньем, собрал вещи Алины — а тут как раз и станция, 27-й километр.

Он шел не по шпалам, а по тропке вдоль насыпи.

Чемодан он выкинул через полчаса.

В одном кармане у него была бутылка, в другом печенье.

Время от времени он прикладывался к бутылке маленькими глотками, шел ровно, но без особой поспешности, шел и внимательно смотрел вокруг.

Он видел деревья с неповторимыми изгибами ветвей и сочетаньями листьев, он видел просветы меж деревьями, он видел цветы и травы, он видел серые облака, он видел коричневую землю под ногами, он чувствовал себя пилигримом не внутри этого вечера, этого дня или месяца или года, он чувствовал себя пилигримом внутри века, тысячелетия, вечности, он видел себя путешественником земли. Он не думал о цели своего хождения, он наслаждался самим процессом — ноги упруго одолевают пространство, руки бодро размахивают, глаза зорко и ясно смотрят, дыхание глубоко и свободно.

Он понимал, что с ним что-то случилось — и *жар-птица* тут ни при чем, никто и ничто здесь — возможно — ни при чем.

Он счастлив — чувствуя себя не только собою, но и частью всего, что ни есть.

Он счастлив.

Это с одной стороны.

С другой, он не мог не осознавать, что сегодня с утра боится остаться один. Он и домой-то не спешил из-за этого: дома ведь легче быть одному, чем на людях и чем даже там, где никого нет, а есть зато, например, вот природа.

Боится же он остаться один — потому что опасается какой-то мысли, гонит ее прочь от себя.

Курильщик гонит от себя мысли о сладости курения. Это понятно.

Но он от какой мысли бежит, он чего страшится? Знать бы хоть!

Тогда Авизо сел на травяной откос и крепко подумал.

Сильно стараться ему не пришлось.

Он нашел эту мысль. Вот она: не приведи, Господи, и впрямь почувствовать себя счастливым. Именно почувствовать, а не сказать — себе или другому: Я СЧАСТЛИВ — и даже не подумать, именно *почувствовать*!

Ибо: —

...А шут его знает, что — ибо, одно совершенно ясно: нельзя, нельзя чувствовать себя по-настоящему счастливым, потому что тут же после этого нахлынет смертельно опасная тоска. Нельзя, нельзя, уговаривал себя Авизо, но глянул на уходящее солнышко, обагрившее небо, глянул на ближнюю травинку, сорвал, поднес к глазам, вспомнил, что у него ЖАР-ПТИЦА — и на травинку он смотрит по-иному, со способностью воспринимать ярко, выпукло (потому что есть *жар-птица*!) — и почувствовал себя счастливым.

И тут же нахлынула тоска.

Бросил он травинку и брезгливо вытер руки о штаны праздничного своего костюма.

Допил коньяк, не чувствуя ни вкуса, ни хмеля, швырнул бутылку в кусты, туда же вслед помочился, пошел тупо, быстро, дошел до переезда, спросил у старика в будке, куда ведет дорога. В город, сказал старик.

Пять или шесть машин проехали, не обратив внимания на его поднятую руку.

Наконец остановилась машина.

Двое мужчин.

Тот, который за рулем, не спрашивая, куда (ясно же, что в город), назвал цену почти сумасшедшую. Авизо пересчитал свои деньги: придется отдать почти все. Плевать. Он согласился.

Посадив его, двое мужчин тут же о нем забыли, продолжали свой разговор.

Второй раз за сегодня Авизо ощутил себя разучившимся воспринимать человеческую речь в ее фактических смыслах, улавливая другую суть — сразу внутреннюю.

Тот, который был за рулем, с красной шеей в резких морщинах (потому что постоянно, хлопотливо, с опаской охотника озирается на явленья жизни, подумал Авизо), рассказывал второму, более молодому, в сыновья не годящемуся, но вполне годящемуся в племянники — и обращение было, почему-то казалось Авизо, как с племянником, — рассказывал о какой-то женщине. Рассказывал просто и прямо, называя все вещи и обстоятельства своими именами.

Главной и единственной вещью в женщине он полагал то, что, собственно, и отличает женщину от мужчины (опять-таки по его пониманию). Вещь эта, одинаковая у всех (учил он племянника мудрости), все же иногда бывает у кой-кого получше — правда, это часто оказывается заблуждением, как бы то ни было, ради этой вещи не стоит и пальцем-то шевелить, если б не законы природы. Ну так вот, у этой женщины, рассказывал мужчина с шеей, вещь была что надо, но, видишь ты, закономерность: чем красивше баба, тем она подлей (продолжал он учить мудрости), хотя и от некрасивой бабы, как вот моя жена (обернулся он с юмором к Авизо, предлагая и ему посмеяться над его некрасивой бабой-женой), от нее тоже ничего хорошего не жди, подлость на подлости, впрочем, и мужик подл, да и человек вообще (учил он племянника глубже и дальше).

Красивая эта баба, продолжал мужчина с шеей, сделала то-то и то-то, что ей, допустим, позволительно было делать с другими мужиками, но абсолютно невозможно представить, чтобы она и *с ним* так поступила, гадина! Она, дура, не поняла, что *с ним* эти штучки не проходят, ну, он и научил ее себя помнить.

Племянник засмеялся, он, конечно, завидовал дяде и хотел быть на его месте — особенно когда тот в подробностях все описывал, подчеркивая и выделяя моменты, в которые он заставлял потерявшую от страсти рассудок женщину служить своему телу так, как телу заблагорассудится (это унижение красоты племянника воспаляло), он завидовал — и негодовал в душе, что женщина не была с ним, не досталась ему, и был поэтому рад, что дядя отомстил за него, поступив с женщиной справедливо и резко.

Как именно он поступил, мужчина с шеей рассказал очень живописно, ориентируясь теперь явно на двух слушателей — поскольку постоянно делал движение поворота своей шеей к Авизо.

Не зная ничего о случайном попутчике, он тем не менее был уверен, что тот абсолютно разделяет его отношение к женщине, к повествованию, ну и вообще к жизни — ибо иного отношения к жизни, чем у самого себя, он представить не мог.

Почему, думал Авизо, я молчу, почему не скажу, что мне не нравится его рассказ, не нравится, как он говорит о женщине, не нравится, в конце концов, что он матюгается — и не походя, не привычно, что было б еще ничего, а со сладострастным пониманием того, что руганью своей еще больше эту суку-бабу уничтожает, — туда ей, падле, и дорога!

А вот он, Авизо, о своей *жар-птице* рассказать постесняется! Он почему-то сначала прикинет, интересно ли будет другому, другой же — этот вот — озабочен лишь собственным интересом.

Авизо ехал и размышлял, а говорливый мужчина с шеей уже авторитетно и напористо беседовал о чем-то другом, на этот раз теоретическом. О чем — неважно, главное, он был по-прежнему убежден, во-первых, что попутчик слушает его в оба уха, а во-вторых, что попутчик думает совершенно так же, только сказать красиво и точно не умеет, ну и помалкивает себе сзади, посапывает.

Но то, что казалось мужчине с шеей посапыванием, было выражением усиливающегося гнева. И гнев этот в Авизо усилился до того, что он перебил речь, сказав внятно и громко:

— Мне это неинтересно!

Племянник вдруг втянул голову в острые плечи и оглянулся с оживленным любопытством.

Мужчина же с шеей некоторое время молча смотрел на дорогу — очень уж неожиданны были слова Авизо.

Потом сказал:

— А я не к тебе обращаюсь. Сел и сиди, а говорить или нет, это мое дело, я в своей машине.

— Вот и говорите своему, не знаю, кем он вам. А вы все то поворачиваетесь, то в зеркало на меня смотрите, будто я вами восхищаться должен. А я не восхищаюсь, потому что... Потому что вы дрянь, а не человек... Потому что... Я вот... — и Авизо взахлеб, торопливо рассказал о *жар-птице*, — а вас послушал и подумал: да зачем мне это все, если есть такие люди, как вы? Понимаете меня?

Судя по тому, что мужчина молчал, он не понял.

Зато понял сам Авизо — понял больше сказанного! Вот в чем закавыка, не в одном этом мужчине с шеей — хотя, видно, Бог его послал для прозрения! — во всем вообще окружающем! Да, у меня есть *жар-птица* теперь, но ничего, *ничегошеньки* в этом мире не изменилось! Вопрос: зачем она тогда нужна мне, эта жар-птица? Вот если б с появлением ее даже вдали от нее, на этой вот трассе — в отсутствие Авизо — ехали бы эти дядя с племянником и племянник на поносные речи дяди воскликнул бы: перестаньте, дядя, нехорошо, стыдно! — вот тогда б!..

— Что?

Верный своему обыкновению ничего не слышать и не видеть во время раздумий, Авизо не обратил внимания, что машина остановилась и к нему обращаются.

— Вылазь, говорю, — даже без злобы (не трудя свое сердце отношением к человеку) велел мужчина с шеей.

Авизо чуть помешкал. Нет, он вовсе не собирался извиняться, лишь бы его не выгнали и довезли до города, он просто хотел что-то сказать на прощанье.

Эта пауза мужчину с шеей тут же вывела из себя. Видимо, он был человек крайних состояний.

Он выскочил из машины, рванул дверь, за которой сидел Авизо, на себя и заорал:

— Вылазь!

Авизо отшатнулся к другой двери — чтобы выйти с другой стороны. Но племянник со странной улыбкой нажал на какую-то кнопочку — дверь не открывалась. Авизо протянул руку к кнопочке, племянник шлепнул по его руке ладонью, как шлепают детей, когда они тянутся к запретному — и Авизо в самом деле почувствовал себя ребенком в мире взрослых злых людей: этот племянник, например, который младше его годами, на самом деле старше — старше многовековым, в крови живущим опытом вражды и ненависти — дай только повод.

Делать нечего, отстраняясь от жаждущих рук мужчины с шеей, Авизо стал вылезать.

Мужчина не схватил его, не потянул из машины, у него был другой план. Как только Авизо вылез — и был еще полусогнутым, он ловко развернул его и дал ему пинка.

Авизо упал, вскочил, закричал с ужасом:

— Что ж вы делаете, несчастный вы человек, зачем вы так надругиваетесь над собой?!

— Отвесь ему еще! — посоветовал племянник, выходя из машины и разминая затекшие в долгой дороге молодые упругие члены.

— А вы! — обратился к нему со страстью Авизо. — Ну, его я, может, обидел, а вас? Вы еще так молоды, неужели и в вас укоренилась уже радость унижать человека, даже не причинившего вам зла?

Мужчина с шеей и племянник переглянулись. Слова идиота были непонятны, а поэтому вдвойне оскорбительны.

И все же в племяннике жило доброе. И он знал характер мужчины с шеей. Поэтому посоветовал Авизо:

— Беги отсюда. Быстро беги отсюда!

Мужчина с шеей тяжело дышал. И все тяжелее.

— Я никуда не побегу! — отчеканил Авизо. — Я пойду спокойно, как человек. А вы мчитесь в своей скорости, как невольники ее, как невольники своей слепоты, невольники своего глупого тела и не менее глупого мозга! Наслаждайтесь своей вонью, но знайте, несчастные, настоящего счастья вам никогда не видать. А у меня оно — есть! Завидуйте мне!

— Ты побежишь, — сказал мужчина с шеей. — И еще как побежишь. Ты быстро побежишь!

Дорога пролегала по степной местности, кюветов не было, с нее легко можно съехать в чистое поле.

Мужчина с шеей и племянник сели в машину, машина поехала на Авизо.

Авизо сошел с дороги в поле, машина ехала за ним.

Если бы сегодня у Авизо уже не было подобного случая, он бы, может, не поверил, что машина есть опасность настоящая, реальная. И он испугался — как-то по-детски, испугался не людей, сидящих в машине, а самой машины. И побежал.

Машина обрадовалась, стала догонять.

По неопытности Авизо бежал некоторое время прямо, но опыт пришел тут же — он резко свернул в сторону, машина промчалась мимо.

Он постоял, переводя дыхание.

Машина, неуклюже развернувшись, подскакивая на неровностях почвы, опять поехала на него. Авизо сделал обманное движение влево, машина — туда, а он — вправо, сделал круг, опять оказался сзади машины.

Оказывается, не так-то просто справиться со мной даже в пустом пространстве, где я не защищен, подумал Авизо с радостью воина, отражающего атаки превосходящего числом противника. Пока машина разворачивалась, он успел отбежать сколько-то по направлению к видневшейся средь поля ложбине.

Машина ехала зло, раздраженно, нетерпеливо, Авизо смекнул, что тем труднее ей делать маневр. Главное, самому не спешить сворачивать, подпустить поближе — и тогда уже увернуться. Да еще не дать понять, что ты стремишься к ложбине, чтобы не отрезали путь.

Он успешно увернулся и раз, и два, и три, приближаясь к спасительной ложбине, уже стало видно, что края ее обрывисты, машина не проедет.

Машина взвывала при поворотах. Но уже становилась расчетливей, уже зорко следила за передвижениями Авизо, не торопилась, не гнала зря, поняла, что тут нахрапом не возьмешь, нужна тактика.

В очередной раз Авизо подпустил ее к себе, на бегу стал плавно заворачивать вправо, чтобы и машина завернула — и она, действительно, тоже стала описывать дугу, потом Авизо хотел изменить направление — лишь на секунду — и тут же вернуться на прежнюю траекторию.

План удался — но не вполне. Действительно, машина вильнула, когда он рванулся влево, но выровнялась, настигла, Авизо пришлось сделать резкую остановку и огромный прыжок в сторону — и все же его зацепило.

Зацепило совсем слегка, чиркнуло по краешку ботинка. Однако и этого было достаточно, чтобы он упал.

Авизо моментально вскочил — и очень удивился: машина была прямо перед ним. Она стояла. Людей он не видел, он смотрел на колеса — это было важнее.

Он быстро обернулся. Ложбина была прямо за ним, метров тридцать, не больше. Или пятьдесят. Авизо ничего не понимал в расстояниях.

Машина сообразила, что у нее последний шанс, рисковать нельзя. Пусть противник первый выберет, что делать. Побежит к ложбине, не сворачивая, — вполне можно догнать. Попытается финтить — спокойно понаблюдать, подъезжая со скоростью человеческого бега, а в оплошный со стороны соперника момент — резко рвануться и кончить дело.

Авизо широко усмехнулся. Азарт разгорячил его. Он кинул взгляд на дорогу: вон сколько до нее! — и он сумел преодолеть это расстояние, значит, сумеет сделать и последний рывок.

Надо, однако, что-то придумать — чтобы наверняка.

И он придумал.

Но совсем не то, что хотел.

Он повернулся и спокойно пошел к дороге.

Да, не к ложбине — а к дороге.

Он рассчитал психологически: нет ничего труднее, чем прервать действо, начавшееся с определенной целью, с определенными правилами игры. Значит, надо или изменить правила (но это часто невозможно сделать), или просто выйти из игры и этим обескуражить соперника. Я больше не играю, говоришь ты всем своим видом, своим равнодушием, своим спокойствием. И соперник вдруг чувствует, что и его азарт угас: какой интерес догонять не убегающего?

И Авизо, проходя мимо оторопевшей машины, помахал рукой и улыбнулся, прощаясь.

Он шел, спокойно слыша, как машина разворачивается, едет за ним, разгоняется. Сейчас промчится мимо — скорее всего, очень близко.

Может, крикнут что-то или плюнут, или кинут чем-нибудь... Бог с ними. Охоты же останавливаться, вылезать и продолжать злобные разговоры у них наверняка нет. Ситуация, как говорится, иссякла.

Что ж, иссякают и злость, и радость, и состояние счастья — но и отчаянье, которое казалось ему совсем недавно непреодолимым. Иногда надо просто ни о чем не думать. Надо просто прийти домой, просто выпить чаю, просто поговорить с людьми семьи и просто лечь спать, чтобы назавтра проснуться новым человеком в новом дне, потому что каждый ведь день...


Мужчина с шеей и племянник стояли над распростертым человеком. Руки его были вытянуты вперед, одна рука сгребла в горсть пучок травы.

Зачем? — смотрел на эту руку племянник. Наверно, думал, что останется жив и, хватаясь за траву, поползет от машины?

Зачем? — спрашивал себя мысленно и мужчина с шеей, но, в отличие от племянника, не нашел ответа и предположения, и решил, что человек этот и в смерти ведет себя так же глупо, как в жизни.

— Я ему сигналил, козлу, — сказал он.

Племянник промолчал. Сигнал был, действительно, но уже тогда, когда сбили. Это был дурацкий сигнал, значит, его старший товарищ не так уж всегда мудр, как представляется. Эта мысль ему была приятна.

Мужчина с шеей, рассердившись, что племянник не подтвердил его невиновность хотя бы кивком, сел в машину.

— Ты долго там будешь стоять? — крикнул он, презирая безделье. — А то уеду, останешься тут.

— Ага, — сказал племянник. Он вовсе не бездельничал. Подтверждая самому себе, что он, оказывается, хладнокровней и умнее, он осмотрел местность и увидел, что земля тверда, суха, трава жесткая, следов от колес почти нет.

— Иду, — снисходительно сказал он. — Разорался тоже...

Мужчина с шеей не обратил внимания на грубость. Он крепко сжимал руль, смотрел вперед и, хотя машина стояла, он мысленно уже ехал — и от этого успокаивался.

Дорога его вообще всегда успокаивала.

Он любил ездить.

*Октябрь, 94*

# СОДЕРЖАНИЕ

## Алексей Иванович Слаповский

# ИЗБРАННОЕ

Редактор С. Кузьмина

Художественный редактор И. Марев

Технический редактор И. Гаврилина

Корректор М. Лобанова

ЛР № 071669 от 26.05.98 г.
Изд. № 0500141. Подписано в печать
22.11.00 г. Формат 60х90$^1$/$_{16}$. Гарнитура
Таймс. Печать офсетная. Усл. печ. л.
27,0. Уч.-изд. л. 36,36. Зак. 3578.

Издательство «ТЕРРА». 113093, Москва,
ул. Щипок, 2, а/я 27.

Отпечатано в ОАО «Ярославский
полиграфкомбинат». 150049, Ярославль,
ул. Свободы, 97.